Robert Fabbri

Vespasianus

Adelaar van Rome

Karakter Uitgevers B.V.

Oorspronkelijke titel: *Vespasian IV – Rome's Fallen Eagle*

Vertaling: Harry Naus

Opmaak binnenwerk: ZetSpiegel, Best
Omslagontwerp: Mark Hesseling, Wageningen
Omslagbeeld: Tim Byrne

ISBN 978 90 452 0534 2
NUR 332

Voor mijn zus Tanya Potter, haar man James en hun charmante dochters Alice, Clara en Lucy.

PS Voor degenen die zich afvragen wat er is terechtgekomen van de opdracht in mijn vorige boek: Anja heeft ja gezegd!

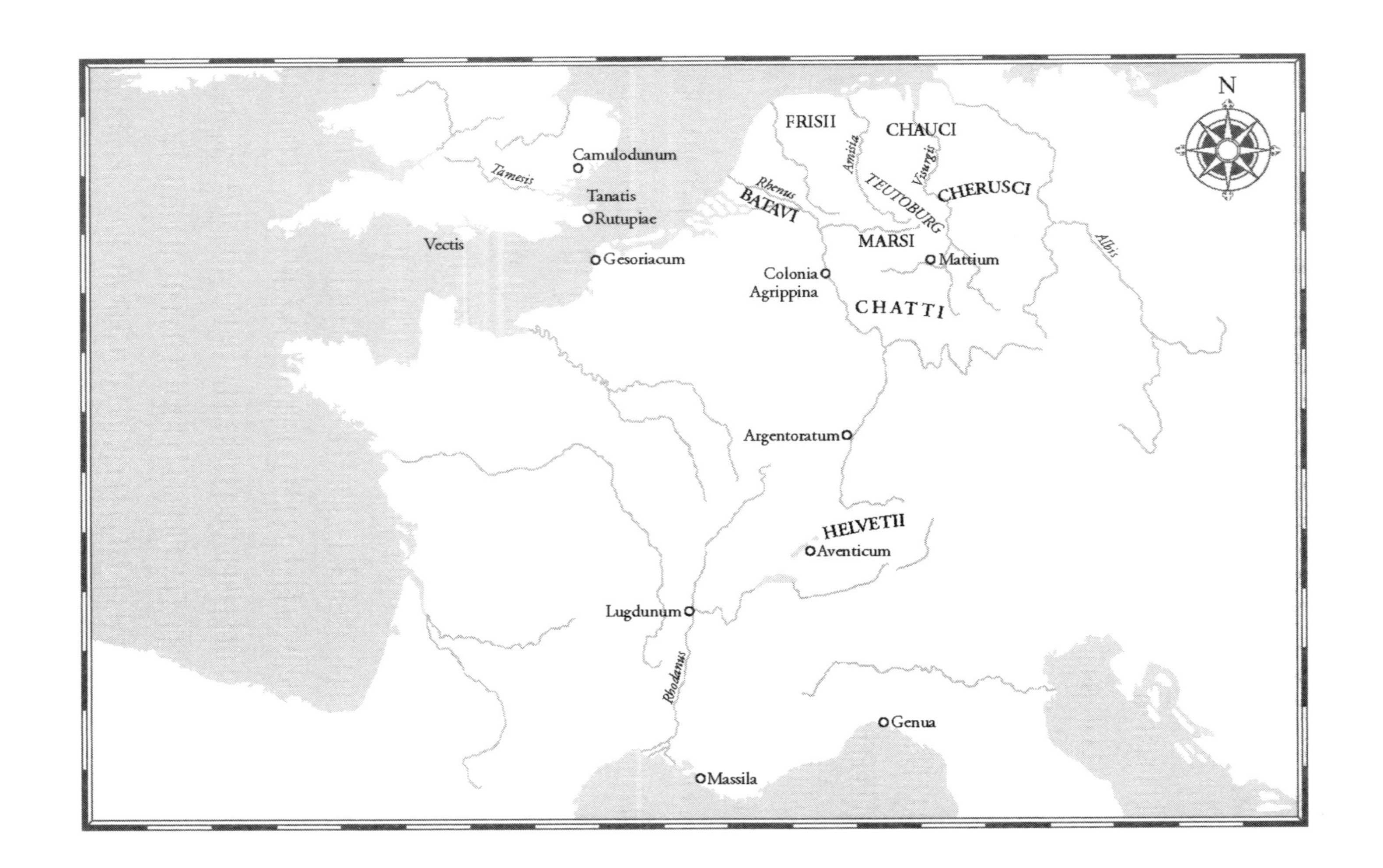
N
FRISII
CHAUCI
Amisia
Visurgis
CHERUSCI
TEUTOBURG
Rhenus
BATAVI
MARSI
Mattium
Albis
Camulodunum
Tamesis
Tanatis
Rutupiae
Vectis
Gesoriacum
Colonia
Agrippina
CHATTI
Argentoratum
HELVETII
Aventicum
Lugdunum
Rhodanus
Genua
Massila

PROLOOG

ROME, 24 JANUARI 41 N.C.

De acteur droeg een opzichtig beschilderd komediemasker. Een masker dat met een brede, starre grijns naar het publiek loerde. De toneelspeler maakte een huppelsprongetje, de rug van zijn linkerhand tegen zijn kin gedrukt, zijn rechterarm gestrekt. 'Ik beken dat de euvele daad waar jij zo onder gebukt gaat uit mijn koker komt.'

De toeschouwers joelden uitgelaten om deze uitstekend voorgedragen, opzettelijk dubbelzinnige uitspraak. Ze sloegen op hun dijen van het lachen, klapten in hun handen. De acteur, die de jonge minnaar speelde, boog erkentelijk zijn gemaskerde hoofd, waarna hij zich op het podium tot zijn collega wendde, de booswicht, die uiteraard een nog exorbitanter, grotesker masker droeg.

Caligula sprong overeind voordat de toneelspelers hun spel konden hervatten. 'Stop!'

Tienduizend toeschouwers in het tijdelijke theater op de noordhelling van de Palatijn staarden prompt naar de verhoogde keizerlijke loge, die precies in het midden van het nieuwe bouwwerk op houten zuilen was gezet.

Caligula deed de pose van de acteur na en riep: 'Plautus wilde dat het op deze manier werd gezegd.' Het huppelsprongetje verliep perfect. Ook de brede maskergrijns kon er goed mee door. Zijn verzonken ogen sperde hij zo ver open dat het oogwit in schril contrast stond met zijn donkere wallen, die op slapeloosheid duidden. 'Ik beken dat de euvele daad waar jij zo onder gebukt gaat uit mijn koker komt.' Toen hij het laatste woord uitsprak, bracht hij zijn hand van zijn kin naar zijn wenkbrauwen en wierp zijn hoofd op melodramatische wijze in zijn nek.

Het gejoel van het publiek zwol nog harder aan dan de eerste keer. Het klonk luid en rauw, maar ook gekunsteld. Met de handen op de buik lagen de twee toneelspelers bijna dubbel van de ongebreidelde pret. Caligula rechtte zijn rug en grijnsde spottend terwijl hij zijn armen uitsloeg en langzaam naar links en vervolgens naar rechts draaide, alsof hij zich koesterde en het publiek dat hem bewierookte wilde omhelzen in dit halfronde, tijdelijke theater.

Achter in de schaduw van een van de vele luifels boven de steile tribunes stond Titus Flavius Sabinus. Van onder een grote capuchon keek hij vol walging neer op de keizer.

Caligula stak een arm op, handpalm naar het publiek gekeerd. Meteen viel er een stilte. Hij ging zitten. 'Ga door!'

De acteurs gehoorzaamden direct. Een man van middelbare leeftijd, gekleed in een senatortoga, ging naast de voeten van Caligula zitten en kuste de rode pantoffels van de jonge keizer uitbundig. Hij streelde ze alsof hij nog nooit zoiets moois had gezien.

Sabinus draaide zich om naar zijn metgezel. Een bleke dertiger met een smal gezicht en kastanjebruin haar. 'Wie is die schaamteloze pluimstrijker, Clemens?'

'Dat, beste zwager, is Quintus Pomponius Secundus. De senior consul van dit jaar. In deze functie zal hij geen onafhankelijker standpunt kunnen innemen dan hoe hij zich nu gedraagt.'

Sabinus spuugde en greep naar het gevest van zijn zwaard, dat hij onder zijn mantel verborgen hield. Hij merkte dat zijn handpalm klam was. 'We zijn geen moment te vroeg dus.'

'Integendeel, veel te laat. Mijn zus leeft al ruim twee jaar met de schande dat ze verkracht is door Caligula. Dat is schrijnend lang voor iemand met eergevoel.'

Op het podium schopte de jonge minnaar zijn net gearriveerde slaaf joviaal tegen zijn achterste. De man viel. Het publiek vond dat prachtig en schaterde het uit. De pret werd nog groter toen de twee acteurs elkaar plotseling achtervolgden, waarbij ze vaak struikelden, tuimelden, en elkaar net niet te pakken kregen. In de keizerlijke loge gaf Caligula zijn eigen demonstratie van de achtervolgingsdrift in een komedie. Hij zat achter zijn kreupele oom Claudius aan, waarbij ze heen en weer door de loge liepen. Ditmaal waren de toeschouwers oprecht geamuseerd. Niet vreemd, want een invalide die te kijk werd gezet vond altijd weerklank. Zelfs de zestien bebaarde Germaanse lijfwachten, die achter in de loge in een rij stonden, genoten ervan dat de invalide vernederd werd. De twee praetoriaanse tribunen die zich ieder aan een kant van de keizerlijke loge hadden opgesteld, maakten geen aanstalten om hun ondergeschikten op hun nummer te zetten.

'Ga je er echt voor zorgen dat die sukkel keizer wordt?' vroeg Sabinus. Hij verhief zijn stem terwijl het publiek zich steeds luidruchtiger amuseerde. De zwakke benen van Claudius begaven het. Languit viel hij neer.

'Wat moeten we anders? Hij is de laatste volwassene uit de Julisch-Claudische familie. Mijn manschappen van de praetoriaanse lijfgarde zullen niet accepteren dat de republiek in ere wordt hersteld. Ze beseffen goed dat de garde dan wordt ontbonden. Ze zullen gaan muiten en alle officieren die in de weg staan van kant maken. Ik zal er dus ook aan moeten geloven. Daarna zetten ze Claudius alsnog op de troon.'

'Niet als we hem ook vermoorden.'

Clemens schudde zijn hoofd. 'In moreel opzicht kan ik geen opdracht geven tot zijn executie. Ik ben tenslotte zijn beschermeling, zijn vazal.' Hij wees naar de twee praetoriaanse tribunen in de keizerlijke loge. Caligula, die het vernederingsspelletje zat was, nam weer plaats in zijn zetel. Ook het publiek kalmeerde. De mensen gingen zitten en wachtten af, hun blik op het podium gericht. Clemens fluisterde toen: 'Cassius Chaerea, Cornelius Sabinus en ik zijn overeengekomen dat Claudius keizer moet worden. Hij is onze beste kans dat we dit overleven. We hebben in het geheim onderhandelingen gevoerd met zijn vrijgelatenen Narcissus en Pallas, en met Callistus, de vrijgelatene van Caligula. Hij ziet natuurlijk ook hoe alles spaak loopt en heeft zich, om het vege lijf te redden, bij de groep gevoegd die Claudius steunt. Ze hebben beloofd dat ze zullen proberen ons te beschermen wanneer Claudius' eer hem geen andere keus laat dan wraak te eisen voor het feit dat een lid van zijn familie is vermoord, ook al spint hij daar goed garen bij. Wat zal hij opkijken.'

'Weet Claudius dan nog niet wat er staat te gebeuren?'

Clemens trok een wenkbrauw op. 'Zou jij die loslippige idioot zo'n geheim toevertrouwen?'

'Maar je vertrouwt hem wel het keizerrijk toe.'

Clemens haalde zijn schouders op.

'Ik vind dat hij moet sterven.'

'Nee, Sabinus. Zweer bij Mithras dat je je aan ons plan houdt. Ik eis het van je. We hadden dit enkele maanden geleden kunnen doen, maar we hebben gewacht zodat jij terug kon gaan naar Rome om de klap uit te delen en je eergevoel te redden. Bij de zak van Jupiter, ik heb al een keer een samenzwering tegen de keizer verraden om er zeker van te zijn dat wij hem zelf konden vermoorden.'

Sabinus gromde instemmend. Ertegenin gaan had geen zin, dat wist hij maar al te goed. Twee jaar waren verstreken sinds de verkrachting van zijn vrouw Clementina. De pleger van die wandaad had hem *legatus* gemaakt van de Negende Hispana. Sindsdien was hij met zijn legioen aan de noordgrens van de provincie Pannonia gelegerd geweest, volledig afgesneden van Rome. Daar zag hij zich gedwongen te wachten op Clemens, de broer van Clementina en een van de twee prefecten van de praetoriaanse lijfgarde. Clemens had een aantal officieren opgemerkt die voldoende disloyaal waren geworden door het gestoorde gedrag van Caligula. Officieren die best een aanslag wilden plegen en daarbij hun leven wilden riskeren. Daar was echter heel wat aan voorafgegaan, zoals hem verteld was in de gecodeerde brieven van Clemens. Zijn manschappen aarzelden namelijk om met Clemens van gedachten te wisselen over hun snode overwegingen, wat begrijpelijk was. Het waren immers verraderlijke ideeën. Als ze zich vergist hadden in hun vertrouweling konden ze ter plekke geëxecuteerd worden.

Het keerpunt had zich in het voorgaande jaar aangekondigd. Caligula was teruggekeerd van een halfslachtige strafexpeditie in Germania en een afgebroken invasie van Britannia. De legioenen hadden geweigerd om aan boord te gaan van de troepentransportschepen. Hij had hen vervolgens vernederd vanwege hun ongehoorzaamheid door ze op het strand schelpen te laten zoeken, waarmee hij spottend triomfantelijk door de straten van Rome had geparadeerd. Nadat hij zich van het leger vervreemd had, waren de Senaat en de praetoriaanse lijfgarde aan de beurt. Hij hield geen vrienden meer over toen hij aankondigde dat hij van plan was de keizerlijke troon van Rome naar Alexandrië te verplaatsen. Het veroorzaakte veel consternatie onder de officieren en de negenduizend gardepraetorianen. Ze vreesden immers dat ze gedwongen zouden worden overgeplaatst naar de bloedhete provincie Egypte of – erger nog – dat ze in Rome konden wegrotten in de anonimiteit, aangezien de lijfgarde zonder de keizer geen recht van bestaan had.

Verenigd in hun angst voor de toekomst begonnen de officieren aarzelend van gedachten te wisselen over hun zorgen. Al snel kon Clemens de tribuun Cassius Chaerea rekruteren. Hij verdacht hem er al heel lang van dat hij plannen koesterde om de keizer te vermoorden. Voortdurend dreef de tribuun de spot met de hoge stem van Caligula. Chaerea had zowel zijn goede vriend en collega-tribuun Cornelius Sabinus als twee disloyale centuriones in het complot betrokken. Clemens hield zich aan de afspraak: Sabinus mocht de eerste klap uitdelen. Hij had hem geschreven dat alles in gereedheid was gebracht en dat hij in het geheim kon terugkeren naar Rome. Twee dagen geleden was Sabinus gearriveerd. Hij zat ondergedoken in de woning van Clemens. Zelfs zijn broer Vespasianus en zijn oom senator Gaius Pollo, die hij met de andere senatoren naast elkaar bij de keizerlijke loge zag zitten, wisten niet dat hij in de stad was. Zodra de aanslag achter de rug was, zou hij terugkeren naar zijn post. Hij had er alle vertrouwen in dat hij ongemerkt kon vertrekken en dat hij in het winterkwartier een goed alibi had achtergelaten voor de jongste officieren aan wie hij het commando van zijn legioen had toevertrouwd. Ze wisten niet beter dan dat Sabinus zijn vrouw en twee kinderen bezocht, die buiten bereik van de tentakels van Caligula bij zijn ouders in Aventicum verbleven, in het zuiden van Germania Superior. Aldus, zo redeneerde Clemens, zou Clementina alleen haar broer en niet ook haar man verliezen als het nieuwe regime opdracht zou geven vergeldingsacties op touw te zetten tegen de samenzweerders.

Op het podium was de komedie tot een vrolijk einde gekomen. De acteurs begaven zich naar een huwelijksbanket en liepen door een deur in de *scaenae frons*, het twee verdiepingen tellende decor met aan de voorzijde zuilen, ramen, deuren en bogen. Sabinus trok zijn capuchon verder over het hoofd terwijl de laatste acteur zich tot het publiek richtte.

'Aanwezige vrienden, we zouden u graag willen uitnodigen om met ons feest te vieren. Een rijk banket wacht op ons. Maar wat voldoende is voor zes personen is te weinig voor duizenden. Ga dus naar huis en neem het ervan, wij wensen u in dat opzicht het allerbeste en danken u allen.'

Het publiek applaudisseerde luid. De Germaanse lijfwachten gingen opzij staan voor een lange man, gehuld in een purperen gewaad en met een gouden diadeem op zijn hoofd. Hij liep de keizerlijke loge in en boog op oosterse wijze voor Caligula, waarbij hij zijn handen op zijn borst legde.

'Wat doet hij hier?' vroeg Sabinus verbaasd aan Clemens.

'Herodes Agrippa? Hij verblijft al drie maanden in Rome en heeft een verzoek aan de keizer. Hij wil zijn koninkrijk uitbreiden. Caligula houdt hem aan het lijntje, speelt met zijn hebzucht. Hij behandelt hem bijna zoals hij met Claudius omgaat. Heel slecht, dus.'

Sabinus observeerde de koning uit Judaea, die naast Claudius plaatsnam en een paar woorden met hem wisselde.

'Caligula kan elk moment vertrekken om een bad te nemen,' zei Clemens terwijl het applaus wegstierf. 'Onderweg wil hij een repetitie bijwonen van een groep Aetolische jongelingen. Zij moeten morgen optreden. Callistus heeft ervoor gezorgd dat ze hun opwachting maken voor het Huis van Augustus, recht boven ons, bij de ingang van de passage die uitkomt bij de trap van de keizerlijke loge. Je kunt dadelijk die uitgang daar nemen.' Hij wees naar de meest linkse poort aan de achterzijde van het theater, die gesloten was. 'Klop drie keer snel achter elkaar, waarna je even wacht en dat signaal herhaalt. Twee van mijn manschappen staan er op wacht, beiden centuriones. Ze verwachten je en laten je door. Het wachtwoord is "vrijheid". Knoop je halsdoek voor je gezicht; hoe minder mensen je herkennen, hoe beter... zeker als alles misgaat. Chaerea, Cornelius en ik zullen Caligula uitgeleide doen via de trap achter de keizerlijke loge. Zodra jij ons ziet vertrekken, loop je door de gang. Als alles goed gaat, ontmoeten we elkaar halverwege. Ik houd de Germaanse lijfwachten op door ze opdracht te geven ervoor te zorgen dat niemand ons volgt. We hebben dan wat meer tijd, maar niet veel. Sla zo snel mogelijk toe.' Clemens stak zijn rechterarm uit.

'Dat zal ik doen, vriend,' zei Sabinus, die de arm vastgreep. 'Een nekslag.'

Heel even staarden ze elkaar aan terwijl ze zich aan elkaars onderarmen vastklampten, steviger dan ooit. Vervolgens knikten ze en namen zwijgend afscheid. Beiden beseften dat deze dag hun laatste kon zijn.

Sabinus zag dat Clemens de keizerlijke loge betrad. Hij voelde zich kalm worden, ontspannen. Het kon hem niet schelen of hij vanavond nog zou leven. Wraak was het enige wat hem nog dreef. Hij moest en zou zich wreken op de man die Clementina verschillende keren beestachtig had verkracht. Een man die zichzelf als onsterfelijke god boven de mensheid had geplaatst. Vandaag zou de afgod de grenzen van zijn onsterfelijkheid ervaren. Het gezicht van Clementina, terwijl ze hem smeekte ervoor te zorgen dat het wrede lot haar deur zou passeren, was in zijn geheugen geëtst. Hij had destijds gefaald. Dat zou nu niet gebeuren. Opnieuw greep hij het gevest van zijn zwaard vast. Ditmaal was zijn handpalm niet klam. Hij haalde diep adem. Zijn hart klopte langzaam, onverstoorbaar.

Het podium was nu voor een groep acrobaten. Ze tolden, maakten salto's en radslagen. Maar het publiek reageerde ongeïnteresseerd. Hoe hoog de acrobaten ook sprongen, ze oogstten slechts afwezig geroezemoes. De aandacht was immers gericht op Caligula, die zich opmaakte om de keizerlijke loge te verlaten.

Sabinus zag dat de Germanen Clemens begroetten. Hij schreeuwde hun een bevel toe. Cassius Chaerea en Cornelius Sabinus gingen achter de keizerlijke zetel staan. Voor de laatste keer drukte de consul talloze gepassioneerde kusjes op de fraaie rode pantoffels van Caligula. Maar Caligula gaf hem een trap terwijl hij opstond.

De menigte juichte, begroette Caligula als hun goddelijke keizer, die zich echter niet erkentelijk toonde. In plaats daarvan keek de afgod neer op Claudius en greep hem bij zijn kin vast om zijn mond te inspecteren. Een vinger roerde erin als een mes. De doodsbange Claudius beefde schokkend en kwijlde over de hand van zijn neef. Met een blik vol walging veegde Caligula het speeksel af aan de grijze haardos van Claudius en schreeuwde hem iets toe. Het was niet te horen boven het kabaal op de tribunes. Claudius stond meteen op en rende de loge uit, zo snel als zijn zwakke benen hem konden dragen. De Germanen renden hem achterna. Sabinus bleef strak naar Caligula kijken, die zijn aandacht nu richtte op Herodes Agrippa. Caligula blafte hem af, waarop de koning met een slaafse buiging de loge verliet. Caligula wierp lachend zijn hoofd in zijn nek, waarna hij de kruiperige aftocht van Herodes Agrippa imiteerde. Het publiek amuseerde zich kostelijk. Caligula wist het komische aspect van de situatie helemaal uit te melken door Chaerea een klap tegen zijn achterste te geven. Sabinus zag dat de tribuun verstramde, diens hand neigde naar het zwaard. De tribuun stopte echter halverwege toen hij de blik van Clemens ving. Zijn arm zakte weg naar zijn zij terwijl hij zijn vingers kromde. Hij en Cornelius volgden Caligula naar de trap. Net voordat Clemens de loge verliet, keek hij op naar Sabinus. Zijn ogen werden iets groter. Daarna liep hij met stevige pas langs de Germaanse lijfwachten. De helft van die groep volgde hem om de trap te blokkeren voor het enthousiaste publiek terwijl het vorstelijke gezelschap naar boven liep. De acht andere Germanen bleven achter en bewaakten de keizerlijke loge en de consul, die over de blauwe plekken op zijn gezicht wreef.

Alles was in gereedheid gebracht.

Sabinus draaide zich om en begaf zich naar de achterzijde van de laatste rij zitplaatsen, zoals Clemens hem had opgedragen. Hij knoopte zijn halsdoek voor het gezicht en klopte met zijn knokkels op de houten poort. Na het signaal schoof een grendel naar achteren, de poort ging op een kier. Hij staarde in de donkere, spijkerharde ogen van een praetoriaanse centurio.

'Vrijheid,' fluisterde Sabinus.

Met een hoofdknikje stapte de centurio terug en opende de poort helemaal. Sabinus liep naar buiten.

'Deze kant op, heer,' zei een andere centurio, die al voor hem uit liep, terwijl de eerste de poort weer dichtdeed en vergrendelde.

Sabinus volgde de man over een geplaveid pad dat naar de top van de Palatijn glooide, een kort eindje. Boven hen waaierde een meerstemmige klaagzang de heuvel af. Achter zijn rug hoorde hij het ritmische geklepper van spijkersandalen; de eerste centurio volgde hen.

Dertig passen verder arriveerden ze op de heuveltop. Links zag Sabinus twee praetoriaanse centuriones, gekleed in tuniek en toga. Ze stonden ontspannen naast de Aetolische jongelingen die hun melancholische hymne repeteerden voor de imposante façade van wat over was van het Huis van Augustus. Ooit was dit bouwwerk zeer elegant en krachtig vormgegeven; inmiddels had Caligula het pand verminkt met allerlei architectonisch slecht doordachte uitbouwen, waardoor het geheel een benauwde en verwrongen aanblik had gekegen. Bouwsels die van het oorspronkelijke pand weg kronkelden, de meest recente nog smakelozer en slechter ontworpen dan de vorige. Het complex lag op de helling, richting de lagergelegen tempel van Castor en Pollux aan de voet van de Palatijn. Een tempel die nu dienstdeed als voorportaal van het paleiscomplex. Velen vonden dat heiligschennis, hoewel niemand hardop voor zijn mening durfde uit te komen. De centurio leidde Sabinus naar de meest nabije uitbouw, pal voor hen.

De centurio haalde een sleutel van zijn riem en opende een zware eiken deur, wat dankzij de met ganzenvet gesmeerde scharnieren geruisloos ging. De gang was breed. 'Naar rechts, heer,' zei hij, waarna hij opzij stapte en Sabinus liet voorgaan. 'Wij blijven hier en zorgen ervoor dat niemand u volgt.'

Sabinus knikte en liep verder. De zon scheen door de ramen. Ze bevonden zich op gelijke afstand van elkaar, aan weerszijden van de gang. Van onder zijn mantel trok hij het zwaard uit de schede, met de andere hand haalde hij een dolk van zijn riem en hij liep met stevige tred door de gang. Zijn voetstappen echoden rondom hem tussen de witgekalkte gipsmuren.

Na twintig passen hoorde hij stemmen, links om de hoek. Hij versnelde zijn pas. In het theater, onder hem, werd opnieuw gelachen, gevolgd door applaus. Sabinus naderde de bocht, de stemmen klonken nu dichtbij. Hij hief het zwaard, bereidde zich voor om toe te slaan zodra hij de hoek om ging. Toen hij scherp naar links afboog, stormde hij naar voren. Hij voelde zijn hart bonzen, hoorde iemand schril krijsen en staarde in twee doodsbange ogen van een lang, afgezakt gezicht. Snot droop uit diens grote neus. De kreet die Claudius slaakte, stierf prompt weg terwijl hij naar het zwaard staarde dat op hem gericht was, waarna hij Sabinus aankeek. Herodes Agrippa stond als aan de grond genageld en met een strak gezicht naast hem.

Sabinus deinsde terug. Hij had Clemens beloofd om Claudius niet te vermoorden. 'Maak dat jullie wegkomen!' siste hij.

Na een ogenblik van stomme verbazing sjokte Claudius bevend en mompelend weg. Hij liet een poel urine achter. Herodes Agrippa ademde zwaar. Met gebogen rug staarde hij op naar het verborgen gezicht onder de capuchon van Sabinus. Heel even vingen ze elkaars blik. De ogen van Herodes werden iets groter. Sabinus maakte toen een dreigende beweging met zijn zwaard, waarna de man uit Judaea spoorslags Claudius volgde.

Sabinus vloekte en bad tot Mithras dat het geen blik van herkenning was die hij in de ogen van de koning had zien flonkeren. Verderop in de gang klonken stemmen. Meteen verdwenen zijn zorgen over wat er gebeurd was. Hij herkende de stem van Caligula, geen twijfel mogelijk. Sabinus liep terug de hoek om en wachtte tot de groep genaderd was.

'Als die Aetolische jongens er lief uitzien, neem ik er misschien een paar mee naar het badhuis,' zei Caligula. 'Wil je er ook een paar voor jezelf, Clemens?'

'Als ze er lief uitzien wel, Goddelijke Gaius.'

'Als ze tegenvallen, kunnen we altijd nog Chaerea nemen. Ik zou zijn charmante, snoezige stem graag horen kreunen van extase.' Caligula giechelde. De rest gaf geen kik.

Sabinus stormde met getrokken zwaard de hoek om.

De lach van Caligula stierf weg en zijn verzonken ogen werden groot van angst. Hij sprong achteruit, maar Chaerea hield met zijn sterke handen stevig zijn bovenarmen vast.

Het zwaard van Sabinus kliefde de lucht en vervolgens de onderkant van Caligula's hals. De keizer krijste, het bloed spoot in het gezicht van Chaerea. De zwaardarm van Sabinus trilde even, hij verloor zijn grip omdat de kling in het sleutelbeen vastzat.

Er viel een stilte. De verbijstering hield aan.

Met gebogen hoofd en wijd open ogen staarde Caligula naar het zwaard, waarvan de kling gedeeltelijk in zijn hals stak. Plotseling lachte hij als een bezetene. 'Je kunt me niet vermoorden! Ik leef nog, ik ben... ah... g...' Hij schokte heftig, zijn gapende mond verstramde terwijl zijn lach verstilde, en zijn ogen puilden uit.

'Dit is de laatste keer dat je mijn snoezige stem hoort,' fluisterde Chaerea in zijn oor. Met zijn linkerhand hield hij Caligula nog steeds stevig vast, de andere hand was uit het zicht verdwenen. De tribuun maakte een felle beweging naar rechts en naar voren, waarbij de punt van zijn *gladius* in de ribbenkast van Caligula verdween. Het hoofd van de keizer schokte achterover, hij ademde heftig uit. Het bloed dat uit zijn borst spoot leek op een karmozijnrood gordijn. Sabinus rukte zijn wapen uit het sleutelbeen en trok zijn halsdoek naar beneden. De afgod moest weten wie een eind aan zijn leven maakte en waarom.

'Sabinus!' zei Caligula schor. Het bloed droop langs zijn kin. 'Je bent toch mijn vriend?'

'Nee, Caligula. Ik ben jouw onnozele bloedje, weet je nog?' Met een felle beweging stak hij zijn wapen in de lies van Caligula. Clemens en Cornelius trokken hun zwaard en doorstaken de stervende keizer ieder aan een kant.

De wraak was zoet. Sabinus glimlachte grimmig terwijl hij zijn pols naar links en naar rechts draaide; de kling maalde de keizerlijke darmen tot moes. Vervolgens drukte hij het zwaard omhoog, hij voelde dat hij spieren doorkliefde, waarna de punt van de gladius boven de billen van Caligula uit het lichaam priemde.

De vier aanslagplegers trokken tegelijkertijd hun zwaard terug. Heel even wankelde Caligula omdat niemand hem meer vasthield, waarna hij zonder een kik te geven ineenzakte in de poel van urine die Claudius had achtergelaten.

Sabinus staarde naar zijn vriend van weleer, schraapte zijn keel en spuugde een fluim in het gezicht van de keizer. Daarna schoof hij zijn halsdoek weer voor zijn mond en neus. Chaerea schopte hard in het bloederige kruis van de keizer.

'Nu de afwerkingsfase,' zei Clemens kalm. Hij draaide zich om en wilde gaan. 'Opschieten, de Germanen zullen het lijk zo vinden. Ik heb ze opgedragen vijfhonderd tellen te wachten zodat niemand ons over de trap zou volgen.'

De vier aanslagplegers liepen met stevige pas door de gang. De twee centuriones wachtten bij de deur.

'Lupus, stuur jouw centurie het paleis in,' beval Clemens terwijl hij hen passeerde. 'Aetius, jouw centurie houdt buiten de wacht. Laat niemand binnen. En stuur die miauwende Aetoliërs weg.'

'Hebben Claudius en Herodes Agrippa jullie gezien?' vroeg Sabinus.

'Nee, heer,' antwoordde Lupus. 'We zagen ze aankomen. We zijn toen naar buiten gelopen tot ze weg waren.'

'Goed. Aan de slag!'

De twee centuriones salueerden en haastten zich door de deur naar hun manschappen. Achter in de gang werd schor geschreeuwd.

'Goeie genade!' siste Clemens. 'Die verdomde Germanen kunnen niet tellen. Rennen!'

Sabinus schoot weg terwijl hij vluchtig over zijn schouder keek. Vaag zag hij de omtrekken van acht mannen met getrokken zwaarden om de hoek verschijnen. Een van hen draaide zich om en holde terug naar het theater, de andere zeven zetten de achtervolging in.

Clemens stormde door een deur en leidde de groep over enkele marmeren treden en door een kamer met een hoog plafond. Het stond er vol met levensecht beschilderde beelden van Caligula en zijn zussen. De groep rende het paleis in, waar ze links afsloegen en het atrium bereikten. Op dat moment verschenen ook de eerste manschappen van Lupus' centurie in de deuropening.

'In gesloten formatie, centurio!' schreeuwde Clemens. 'Misschien moeten er enkele Germanen van kant worden gemaakt.'

Lupus krijste een bevel. Er werd een verdedigingslinie gevormd terwijl de Germanen het atrium binnenstormden. 'Zwaard trekken!' gilde Lupus.

Met een precisie die verwacht mocht worden van Romeinse elitesoldaten werden de tachtig zwaarden van de centurie-eenheid gelijktijdig uit de schede getrokken. Het metalige geluid weerklonk door het atrium.

De Germanen, hopeloos in de minderheid, waren door het dolle heen omdat de keizer was vermoord, aan wie ze absolute trouw hadden gezworen. Ze slaakten oorlogskreten die ze kenden uit hun donkere, beboste thuisland en vielen meedogenloos aan. Sabinus, Clemens en de twee tribunen glipten achter de praetoriaanse linie. Het metalige zwaardgekletter echode tussen de zuilen van het atrium door terwijl de Germanen zich woest in de verdedigingslinie wierpen. De praetorianen hielden zich aanvankelijk met hun volle gewicht schuil achter hun schilden. Met hun lange zwaarden staken en hakten de Germanen in op de hoofden en rompen van de Romeinen die geen schild hadden. Vier van hen sneuvelden meteen, zo woest was de aanval, maar hun kameraden konden de verdedigingslinie handhaven. Met in hun linkerhand het schild staken ze met hun veel kortere gladius naar de liezen en dijbenen van de Germanen, die een voor een sneuvelden. Het duurde niet lang of vijf lijfwachten lagen te sterven of waren al dood. De overgebleven twee Germanen hielden het toen voor gezien en holden terug naar waar ze vandaan waren gekomen.

Een schrille vrouwenstem kliefde het wapengekletter. 'Wat is hier aan de hand?'

Sabinus draaide zich om en zag een grote vrouw met een lang gezicht, als van een paard, en een geprononceerde, aristocratische neus.

Ze hield een kleuter van een jaar of twee in haar armen. Het kleine meisje staarde gretig naar de met bloed besmeurde vloer.

'Daar zal mijn man van horen.'

'Jouw man zal nooit meer iets horen, Milonia Caesonia,' antwoordde Clemens kil.

Ze weifelde even, waarna ze haar rug rechtte en Clemens met een tartende blik aanstaarde. 'Als je mij eveneens doodt, zal mijn broer wraak nemen.'

'Nee, geloof dat maar niet. Corbulo, je halfbroer, vindt dat je zijn familie te schande hebt gemaakt. Als hij verstandig is, laat hij zijn legioen, de Tweede Augusta, trouw zweren aan de nieuwe keizer. Hij keert terug naar Rome zodra hij zijn tijd als legatus heeft uitgediend, in de hoop dat de smaad waarmee jij zijn karakter hebt besmeurd in de nevelen der tijd vergeten zal zijn.'

Milonia Caesonia deed haar ogen dicht, alsof ze heel goed besefte dat hij de waarheid sprak.

Clemens liep met getrokken zwaard naar haar toe.

Ze hield het kind voor zich uit. 'Spaar je Julia Drusilla?'

'Nee.'

Milonia Caesonia klampte zich toen vast aan haar dochtertje.

'Ik wil je wel een dienst bewijzen door jou eerst te doden. Dan hoef je haar niet te zien sterven.'

'Dank je, Clemens.' Milonia Caesonia drukte een kus op het voorhoofd van haar dochtertje en zette haar neer. Het kind begon onmiddellijk te jammeren en stak haar handen uit naar haar moeder, waarbij ze telkens opsprong, want ze wilde weer worden opgepakt. Nadat ze een tijdje genegeerd was, vloog ze op haar moeder af. Met haar scherpe nageltjes en tanden probeerde ze de stola van Milonia te verscheuren.

Milonia Caesonia staarde vermoeid naar de schreeuwende snotaap bij haar voeten. 'Doe het nu, Clemens.'

Met zijn linkerhand greep hij Milonia bij een schouder vast en stak het zwaard onder haar ribbenkast omhoog. Zachtjes ademde ze uit terwijl haar ogen uitpuilden. Het meisje keek naar het bloed dat uit de wond stroomde. Na een moment waarin de situatie haar bevattingsvermogen te boven ging, begon de kleuter abrupt te lachen. Clemens drukte de gladius voor de laatste keer de borstkas in, wat verder nu, en Milonia sloot de ogen. Met een ruk haalde Clemens het zwaard eruit, waarop het kind langzaam stil werd. Met een schrille angstkreet draaide het meisje zich vervolgens om en maakte dat ze wegkwam.

'Lupus! Haal dat monstertje!' schreeuwde Clemens terwijl hij het lichaam van Milonia Caesonia neerlegde.

De centurio holde achter de kleuter aan en haalde haar na enkele passen in. Ze krabde hem, het bloed welde op uit zijn arm. Toen hij haar probeerde op te tillen zette ze haar tanden in zijn pols. Met een schreeuw van pijn greep Lupus haar bij een enkel vast en hield haar ondersteboven op een armlengte hoog voor zich uit. Het bungelende meisje krijste.

'Bij alle goden, maak haar af!' beval Clemens.

Een misselijkmakend, krakend geluid smoorde het gekrijs. Sabinus huiverde.

Lupus bekeek zijn werk even, waarna hij het lijkje bij de met bloed besmeurde zuil smeet.

'Goed gedaan,' zei Clemens opgetogen, want het was plotseling stil. Iedereen was opgelucht. 'Doorzoek met de helft van jouw centurie het oostelijke gedeelte van het paleis. We moeten Claudius vinden.' Hij wees naar een praetoriaanse *optio*. 'Gratus, kam met de rest van de manschappen het westelijke gedeelte uit.'

Lupus en Gratus salueerden vlot en gingen hun manschappen voor.

Clemens draaide zich om naar Sabinus en zei: 'Ik kom er wel achter waar die kwijlende idioot zich heeft verstopt. Ga gauw, beste vriend. Jouw werk zit erop. Verlaat de stad voordat dit openbaar wordt.'

'Volgens mij weet iedereen het al,' antwoordde Sabinus. De opgewekte drukte, beneden in het theater, had plaatsgemaakt voor een tumultueuze herrie.

Sabinus kneep in de schouder van zijn zwager, draaide zich om en rende het paleis uit. Overal werd geschreeuwd, er was paniek uitgebroken. Hij holde de Palatijn af.

Er werden mensen vermoord.

DEEL I

ROME, DEZELFDE DAG

HOOFDSTUK I

Vespasianus had genoten van de komedie, ondanks het feit dat de keizer het spel telkens verstoord had. *Pot met goud*, van Plautus, was beslist niet zijn favoriete blijspel, hoewel de dialogen met de dubbele bodems hem altijd aan het lachen maakten. Net als de misverstanden en de komische achtervolgingen omdat de vrekkige Euclio zijn onlangs verkregen rijkdom steeds op wanhopige wijze probeerde te beschermen. Het probleem dat Vespasianus met deze komedie had, was dat hij zeer goed kon meevoelen met Euclio, die zo weinig mogelijk geld wilde uitgeven.

De acrobaten, allemaal jonge kerels, maakten capriolen op het podium. Het kon Vespasianus niet bekoren. In tegenstelling tot zijn oom Gaius Vespasius Pollo, die naast hem zat. Dus wachtte Vespasianus gelaten op het volgende blijspel. Hij deed zijn ogen dicht en dutte even vredig in, terwijl hij dacht aan zijn zoontje Titus, die nu ruim een jaar oud was.

Vespasianus schrok wakker. Een harde, schorre kreet klonk boven het weifelende, halfhartige applaus uit terwijl het optreden van de acrobaten een tuimelende finale bereikte. Hij liet zijn blik over de hoofden van het publiek glijden. Wat was er gebeurd, waarom werd er geschreeuwd? Twintig passen links van hem kwam een Germaanse keizerlijke lijfwacht van de overdekte trap gerend. Hij stak zijn met bloed besmeurde rechterhand op. Daarna stormde hij – schreeuwend in zijn onverstaanbare moedertaal – naar acht van zijn collega's, die de ingang van de keizerlijke loge bewaakten. De keizer had die loge zonet verlaten. Het publiek dat dicht bij hem zat staarde in paniek naar de bebloede hand die de man voor de bebaarde gezichten van zijn kameraden hield.

Vespasianus keek zijn oom aan. Gaius applaudisseerde nog steeds voor de schaars geklede jongemannen die het podium verlieten. Vespasianus stond op en trok aan de mouw van Gaius' tunica. 'Ik heb het gevoel dat er iets ergs staat te gebeuren. We moeten onmiddellijk gaan.'

'Waarom, beste jongen?' vroeg Gaius afwezig.

'We moeten gaan... nu!'

Door zijn dringende toon stond de zeer corpulente Gaius uiteindelijk ook op, waarbij hij een zorgvuldig gekamde lok uit zijn gezicht veegde en nog een laatste blik op de acrobaten wierp, die uit het zicht verdwenen.

Nerveus keek Vespasianus over zijn schouder. De Germaanse lijfwachten trokken gelijktijdig hun lange zwaarden. Hun woedende gebrul deed de toeschouwers die zich het dichtst bij hen bevonden prompt verstillen. Als een golf waaierde de stilte uit over de tribunes, iedereen werd erdoor gegrepen.

De Germanen staken hun zwaarden omhoog, de gezichten verwrongen van razernij. Het gebrul smoorde in hun kelen. Heel even omvatte de intense, gespannen stilte het hele theater. Alle ogen waren vragend gericht op de negen barbaren. Een zwaard zwiepte door de lucht, een hoofd tuimelde van de romp de lucht in. Het bloed spoot spiraalvormig alle kanten op en bespatte toeschouwers die met open mond verbijsterd naar het macabere projectiel dat over hen heen vloog keken. Boven het zittende, bewegingloze lichaam van de onthoofde toeschouwer – een senator – vormde zich gedurende twee, drie hartslagen een fontein van bloed. De met afschuw vervulde mensen om hem heen waren ermee besmeurd. Vervolgens viel het lijk naar voren tegen een oude man, eveneens een senator, die zich stomverbaasd en met grote ogen omdraaide, maar een zwaard was inmiddels met kracht in zijn gapende mond gedrukt. De punt van het wapen kwam er bij zijn nek uit, waarbij de man nog net zo ontsteld uit zijn ogen staarde als zonet.

Gedurende een halve hartslag kon je een speld horen vallen. Doodse stilte. Vervolgens schreeuwde een vrouw nadat het hoofd in haar schoot was gevallen en barstte er een kakofonie van angstige geluiden los. De Germanen rukten op in een waas van zwiepende en metalig blinkende zwaarden. Ogenschijnlijk zonder aanzien des persoons maaiden ze zich een weg door de menigte, in hun kielzog de ledematen en lichamen van iedereen die te traag was om zich op tijd bij de paniekerige stormloop naar de uitgangen te voegen. In de keizerlijke loge staarde de consul verbluft naar een grauwende barbaar die op hem afkwam. Nog net op tijd kon de consul over de balustrade aan de voorzijde naar beneden springen. Maaiend met zijn armen en benen viel hij op de ruggen van de radeloze menigte.

Vespasianus duwde zijn oom voor zich uit en drukte een krijsende matrone opzij. Ze begaven zich naar het dichtstbijzijnde gangpad dat tussen de rijen zitplaatsen door naar het podium leidde. 'Geen tijd voor goede manieren, oom Gaius.' Vespasianus baande zich een weg door de menigte, waarbij hij de dikke Gaius als stormram gebruikte. Hij ving een glimp op van het tumult en het bloedbad om hen heen. Links vielen twee senatoren neer, ze waren het slachtoffer van de ontelbare zwaardhouwen. Achter zijn rug hakten drie razende barbaren in op de vluchtende, golvende mensenmassa. In een poel van bloed kwamen de Germanen op Vespasianus en Gaius af. Vespasianus ving de blik van de hoofdman, die het duidelijk op hem voorzien had. 'Kennelijk willen ze vooral senatoren vermoorden, oom Gaius,' krijste Vespasianus, waarbij hij de toga van diens rechterschouder trok zodat de brede, senatoriale streep minder zichtbaar werd.

'Waarom?' schreeuwde Gaius. Hij stapte per ongeluk op een onfortuinlijke man die in het gedrang vertrapt was.

'Geen idee. Doorlopen!'

Met hun beider gewicht, en het feit dat ze bergaf liepen, waren ze vlug genoeg om uit de buurt van de maaiende Germanen te blijven. De doden en stervenden maakten het de barbaren niet makkelijker om snel op te rukken. Het tweetal arriveerde struikelend in de relatief rustige *orchestra*, tussen de tribunes en het podium. Vespasianus riskeerde het om weer even om te kijken en was geschokt door de verwarring en het bloedbad dat slechts negen gewapende mannen konden aanrichten onder zoveel weerloze mensen. De zitplaatsen waren bezaaid met doden, waarvan vele gehuld in de senatoriale toga. Hij greep zijn oom bij een arm vast en holde verder, nam de weinige treden naar het podium en rende zo snel als Gaius kon waggelen naar de smalle boog aan de achterzijde van de scaenae frons, waar talloze radeloze mensen zich hadden verzameld. Ze begaven zich in de collectieve worsteling, baanden zich zwetend en porrend een weg erdoorheen. Met veel moeite konden ze hun evenwicht bewaren en onder hun voeten voelden ze de zachte lijven van mensen die niet het geluk hadden of de kracht om overeind te blijven. Uiteindelijk stormden ze het theater uit de straat op, aan de voet van de Palatijn.

De mensenmassa stroomde naar buiten en sloeg meteen rechts af omdat links drie stampende, marcherende centuriën van de stadscohort snel oprukten. Vespasianus en Gaius hadden geen andere keus dan zich te laten meevoeren door de mensenstroom terwijl ze zich voortdurend naar de periferie ervan probeerden te begeven. Toen Vespasianus met een schouder langs een muur schuurde, zocht hij een zijstraat.

'Klaar, oom Gaius?' schreeuwde hij toen ze een steegje naderden.

Gaius pufte, snoof en hijgde. Hij knikte; het zweet stroomde over zijn halskwabben. Vespasianus trok hem naar links. Ze waren ontsnapt aan de paniekerige vloedstroom van vluchtende mensen.

Toen ze door het straatje renden, struikelde Vespasianus bijna over het lijk van een Germaanse keizerlijke lijfgardist, die dwars in de modderige steeg lag. Aan de andere kant van het steegje sprongen ze over een volgende Germaan heen. Een kale vent met een lange blonde baard. Hij zat ruggelings tegen de muur en hield de stomp van zijn rechterarm vast in een poging het bloeden te stelpen. Vol afschuw staarde de Germaan naar de afgehakte hand, die naast hem lag en het gevest van het zwaard nog steeds omklemde. Aan het eind van het steegje kon Gaius op adem komen. Vespasianus keek schichtig om zich heen. Rechts strompelde een man met gebogen hoofd weg. Bloed sijpelde van onder zijn mantel langs zijn rechterbeen naar de enkel. Zijn zwaard was besmeurd met geronnen bloed.

Vespasianus rende linksaf naar de Via Sacra. Gaius sjokte achter hem aan; na elke rochelende ademteug werd hij langzamer.

'Schiet op, oom Gaius,' riep Vespasianus over zijn schouder. 'We moeten thuis zijn voordat deze ellende de hele stad in zijn greep krijgt.'

Gaius hield zijn pas in, handen op de knieën, en hapte naar adem. 'Ga maar alvast, jongen. Ik kan je niet bijhouden. Ik ga naar het Senaatshuis. Ga maar alvast naar huis. Flavia en de jonge Titus hebben je nodig. Ik kom na zodra ik nieuws heb en weet wat er gaande is.'

Vespasianus zwaaide instemmend en rende naar huis om te kijken hoe het met zijn vrouw en zoontje was. Hij sloeg af, holde de Via Sacra in en begaf zich naar het Forum Romanum. Op hetzelfde moment kwamen twee centuriën van de praetoriaanse lijfgarde kletterend de Palatijn af gerend. Het was een vlucht. Ver achter hen klonk het geschreeuw en het angstige gekrijs dat nog steeds op de noordhelling weergalmde. Vespasianus zag zich gedwongen te wachten terwijl de gardemanschappen de Via Sacra overstaken. In hun midden bevond zich een draagstoel, waarin Claudius zat te kwijlen en te stuiptrekken. De tranen stroomden over zijn wangen terwijl hij smeekte om zijn leven.

'Vergrendel de deur,' beval Vespasianus tegen de jonge en zeer knappe portier die hem zo-even had binnengelaten in de woning van zijn oom. 'Controleer daarna of alle ramen dicht zijn.'

De knul boog en rende al weg om te doen wat hem was opgedragen.

'Tata!'

Vespasianus draaide zich om, haalde diep adem en glimlachte naar Titus, zijn zoontje van dertien maanden. Het knulletje kroop zo snel hij kon over de mozaïekvloer door het atrium.

'Wat is er aan de hand in de stad?' riep Flavia Domitilla. Ze was inmiddels twee jaar met Vespasianus getrouwd en keek op van haar spinnewiel in het midden van het atrium.

'Dat weet ik niet zeker. Jullie zijn veilig, de goden zij dank.' Vespasianus pakte zijn zoontje op, drukte opgelucht een kus op beide wangen en liep naar haar toe.

'Waarom heb je daaraan getwijfeld?'

Vespasianus nam plaats tegenover zijn vrouw en liet zijn zoontje paardjerijden op zijn knie. 'Ik weet niet wat er speelt. Het zou best kunnen dat uiteindelijk iemand het voor elkaar heeft gekregen om...'

'Wind dat kind niet zo op. De min heeft hem net te eten gegeven,' onderbrak Flavia hem. Ze keek hem afkeurend aan.

Vespasianus negeerde het verzoek van zijn vrouw en liet Titus een ruw ritje maken. 'Dat geeft niks, daar kan hij wel tegen.' Hij keek zijn giechelende zoontje stralend aan en kneep in een bolle wang. 'Nietwaar, Titus?' Titus kirde van plezier terwijl hij deed of hij op een paard zat. Hij gierde het uit toen Vespasianus zijn knie plotseling naar links bewoog, waardoor de kleine cavalerist bijna uit het zadel werd geworpen. 'Volgens mij is Caligula vermoord. Uiteindelijk is het dan toch gelukt. Ik hoop voor Sabinus dat niet Clemens dit op zijn geweten heeft.'

Flavia zette grote ogen op van genoegen. 'Als Caligula inderdaad dood is, kun je eindelijk wat van je geld besteden zonder bang te hoeven zijn dat hij je erom vermoordt.'

'Flavia, geld is het laatste waar ik me nu zorgen over maak. Als de keizer is vermoord, zal ik een plan moeten bedenken om ervoor te zorgen dat we het ontstane machtsvacuüm overleven. We moeten ondanks de gekte hardnekkig blijven aandringen dat er een keizer wordt gekozen uit de erfgenamen van Julius Caesar. De meest voor de hand liggende opvolger is dan Claudius. Dat zou best goed kunnen uitpakken voor de familie.'

Flavia maakte een geringschattend gebaar, ze negeerde wat hij te vertellen had. 'Je kunt toch niet van mij verwachten dat ik nog veel langer in het huis van je oom woon?' Ze wees naar de homo-erotische kunst waarmee het atrium overdadig was gedecoreerd. En natuurlijk naar de soepele Germaanse jongeling met het vlaskleurige haar die discreet bij de deur van het triclinium wachtte op bevelen. 'Hoe lang moet ik dit nog dulden, dit...' Ze zweeg, want ze vond niet de juiste woorden voor de smaak die senator Gaius Vespasius Pollo tentoonspreidde inzake de huisinrichting en de slaven die hem omringden.

'Ga met me mee naar het landgoed bij Cosa. Het zal je goeddoen.'

'Wat moet ik daar? Muilezels tellen, elke dag een babbeltje maken met de vrijgelatenen?'

'Liefste, als je per se in Rome wilt blijven, zul je hier je thuis van moeten maken. Mijn oom is zeer gastvrij. Ik ben echt niet van zins om hem teleur te stellen door te verhuizen terwijl hier plaats genoeg is voor ons allemaal.'

'Bedoel je dat je geen geld wilt uittrekken voor een eigen huis?' bitste Flavia. Ze gaf een ruk aan het nukkige spinnewiel.

'Inderdaad,' zei Vespasianus. Hij liet Titus flink galopperen. 'Ik kan het me financieel niet veroorloven. Het is me niet gelukt om veel te verdienen in de periode dat ik praetor was.'

'Dat is inmiddels twee jaar geleden. Wat heb je daarna uitgevoerd?'

'Ik heb geprobeerd te overleven door te doen of ik aan de grond zat!' Hij keek zijn vrouw streng aan. Ze zag er onberispelijk uit dankzij haar moderne kapsel en het feit dat ze meer juwelen om had dan hij vond dat nodig was. Hij betreurde het dat ze het nooit eens konden worden over de financiën. In haar grote, bruine ogen flonkerde trots, gecombineerd met een onafhankelijke aard. Haar volle borsten en de zwangere welving van haar buik waren gehuld in naar het leek de zoveelste nieuwe stola. Haar voorkomen deed hem denken aan de drie belangrijkste redenen waarom hij met haar getrouwd was. Hij probeerde de kwestie rationeel te benaderen en zei: 'Flavia, schat, Caligula heeft veel senatoren laten executeren. Senatoren die net zo rijk waren als ik. Hij deed dat simpelweg omdat hij dan toegang kreeg tot hun geld. Om die reden heb ik mijn kapitaal geïnvesteerd in het landgoed, dus niet in Rome. Daarom heb ik altijd in het huis van mijn oom gewoond. Doen of je een arme sloeber bent kan soms het verschil betekenen tussen leven en dood, snap je?'

'Ik heb het niet over het landgoed. Je bent met veel poen teruggekeerd uit Alexandrië.'

'Dat geld heb ik veilig opgeborgen. En dat blijft zo tot ik zeker weet dat we een keizer krijgen die wat minder afhankelijk is van het bezit van zijn onderdanen, en niet achter hun vrouwen aan zit, bovendien.'

'En hun minnaressen dan?'

Titus kreeg de hik, gevolgd door half verteerde linzen die uit zijn mond golfden. Het braaksel spetterde op de schoot van Vespasianus. Een welkome afleiding. Met zijn vrouw over geld converseren was nooit zijn favoriete bezigheid geweest, vooral niet omdat het altijd uitliep op het feit dat hij er een minnares op na hield. Natuurlijk besefte hij dat ze in seksueel opzicht heus niet jaloers was op Caenis. Wel was ze beledigd omdat ze dacht dat hij meer geld uitgaf aan haar dan aan zijn legitieme echtgenote. Ze vermoedde dat bepaalde geneugten van het leven haar om die reden niet gegund waren, zoals – tevens de belangrijkste geneugte – een eigen huis in Rome.

'Zie je wel, ik zei het toch?' riep Flavia uit. 'Elpis! Waar ben je?'

Een aantrekkelijke slavin van middelbare leeftijd haastte zich het atrium in. 'Ja, mevrouw?'

'Het kind heeft overgegeven op de schoot van je heer. Ruim de rommel op!'

Vespasianus stond op en gaf Titus over aan de voedster. De uitgebraakte linzen vielen op de grond.

'Kom hier, jij kleine deugniet!' lispelde Elpis. Ze nam Titus in haar armen. 'O jee, je bent het evenbeeld van je vader.'

Vespasianus glimlachte. 'Inderdaad, dit arme knulletje krijgt net zo'n rond gezicht als ik, en net zo'n grote neus.'

'Laten we hopen dat hij wel een grotere beurs krijgt,' mompelde Flavia ontstemd.

Er werd luid geklopt op de voordeur. Een excuus voor Vespasianus om zijn vrouw niet van repliek te hoeven dienen. De portier keek door het kijkgat en schoof de deurgrendel meteen naar achteren. Gaius stormde de hal in en begaf zich naar het atrium. Zijn kwabbige lijf deinde onstuimig onder zijn toga. Zijn krullen waren sluik geworden van het zweet en plakten op zijn voorhoofd en wangen.

'Clemens heeft het monster van kant gemaakt. Wat een roekeloze idioot!' bulderde Gaius nog voordat hij zich tijd gunde om op adem te komen.

Vespasianus schudde bedroefd zijn hoofd. 'Nee, een dappere idioot. Ik denk dat het onvermijdelijk was, gelet op wat Caligula zijn zus heeft aangedaan. Ik had alleen verwacht dat na twee lange jaren zijn gevoel voor zelfbehoud de overhand zou hebben gekregen. De goden zij dank dat Sabinus niet in Rome is. Ongetwijfeld zou hij Clemens geholpen hebben. Ik heb ze horen zeggen dat ze samen de aanslag zouden uitvoeren. Ik zou het een eer hebben gevonden als ze mij deelgenoot hadden gemaakt. Clemens is ten dode opgeschreven.'

'Ik vrees het ook. Zelfs Claudius is niet zo stom om hem in leven te laten; hij is afgevoerd naar het praetoriaanse legerkamp.'

'Ja, dat heb ik gezien. Na de gek krijgen we de dwaas. Hoe lang gaat dit nog door, oom Gaius?'

'Zolang er verwanten van Caesar zijn, vrees ik. Zijn bloed stroomt ook in het misvormde lijf van Claudius.'

'De dwaas smeekte om zijn leven. Hij realiseerde zich niet eens dat ze hem in veiligheid brachten tot de Senaat zover is dat ze hem tot keizer kunnen uitroepen.'

'Dat zal niet lang meer duren. Maak je tunica schoon, beste jongen. De consuls hebben een Senaatsvergadering verordend. Over een uur moeten we ons melden in de Jupitertempel op de Capitolijn.'

Langzaam liepen ze de Gemonische trappen op naar de top van de Capitolijn, samen met vele andere senatoren. Het vlotte niet. Ze waren immers niet de enige Senaatsleden die gehoor gaven aan de oproep van de consuls. Bovendien droegen groepjes slaven vele zware kluizen met de volledige inhoud van de schatkamer. In de Jupitertempel, het heiligste bouwwerk van Rome, zouden deze schatten veilig zijn opgeborgen. Aan de voet van de trappen, pal voor de Concordiatempel in het Forum, zorgden de drie stadscohorten ervoor dat elke poging van eenheden van de praetoriaanse lijfgarde om de schatten van Rome in te palmen verijdeld zou worden. Stadsprefect Cossus Cornelius Lentulus had daartoe opdracht gegeven. Aan de andere kant van het Forum, op de Palatijn, was het tijdelijke theater verlaten. In de lege rijen zitplaatsen lagen nog steeds talloze lijken.

Uiteindelijk hadden zich ruim vierhonderd senatoren verzameld in de schemerige kamer, die op een grot leek. Rondom hen werden de kluizen vervoerd terwijl de consuls een ram offerden aan Jupiter.

'Dit kon wel eens heel slecht uitpakken,' fluisterde Gaius tegen Vespasianus. Consul Quintus Pomponius Secundus inspecteerde de organen van het gedode dier op bepaalde voortekenen. Hij werd daarbij geassisteerd door junior consul Gnaeus Sentius Saturninus. 'Als ze de schatkamer hierheen verhuizen, zijn ze bang dat het tot een treffen komt met de lijfgarde.'

'Dan moeten we maken dat we wegkomen, oom Gaius. Claudius wordt hoe dan ook keizer, dat is onvermijdelijk.'

'Dat is nog lang niet zeker, beste jongen. Laten we eerst eens luisteren wat iedereen te vertellen heeft voordat we overhaaste en wellicht gevaarlijke conclusies trekken.'

Pomponius Secundus achtte de voortekenen gunstig en verkondigde dat de dag geschikt was voor een Senaatsvergadering. Hij nam het woord. Eerder op de dag had Caligula hem een trap in het gezicht verkocht. Het was nu een blauwe, gezwollen plek geworden. '*Patres conscripti*, medevrijheidlievenden, vandaag is de wereld veranderd. Vandaag is de dag dat een man die we zowel gehaat als gevreesd hebben uiteindelijk ten val is gebracht.'

Om zijn woorden kracht bij te zetten knikte hij naar een standbeeld van Caligula, naast het sedentaire beeld van Romes heiligste god. Een groep slaven duwde er aan de achterkant tegen, waarna het standbeeld van de voormalige keizer op de marmeren vloer in vele stukken uiteenviel. De senatoren juichten. Het klonk indrukwekkend en echode door de kamer. In een flits herinnerde Vespasianus zich de blijmoedige, vitale jongeling die hij had gekend: Caligula. Het stemde hem dan ook verdrietig dat hij een vriend had verloren, waarna hij opnieuw overspoeld werd door de herinneringen aan het monster dat Caligula was geworden. Vespasianus juichte toen net zo hard als iedereen.

'Vandaag is de dag,' Pomponius Secundus verhief zijn stem boven het feestgedruis, 'dat degenen onder ons die onbevreesd het hoofd boden aan het tirannieke bewind van Caligula zichzelf weer vrij mogen noemen.'

'Ik zou het kussen van Caligula's pantoffels in het theater vanmiddag geen onbevreesd verzet willen noemen,' mompelde Gaius toen de verklaring van de consul met nog meer gejuich werd ontvangen. Afgaande op de gelaatsuitdrukking van vele andere senatoren was zijn oom niet de enige die er zo over dacht.

De consul vervolgde zijn betoog. Kennelijk besefte hij niet dat nogal wat bijval een ironisch karakter had gekregen. 'De praetoriaanse lijfgarde acht het kennelijk nodig een poging te wagen ons een nieuwe keizer op te dringen: Claudius, de oom van Caligula. Patres conscripti, ik ben ertegen! Niet alleen omdat het gestotter, gekwijl en gestrompel de regering in verlegenheid brengt, ook omdat de legioenen hem niet kennen en hij dus per definitie niet geliefd is. We mogen niet toelaten dat de praetoriaanse lijfgarde ons deze keizer opdringt. Als de legioenen achter de Rijn en Donau besluiten hun eigen en beslist martiale kandidaten te nomineren zou er wel eens de zoveelste burgeroorlog kunnen uitbreken. Als vrije mannen kiezen we iemand uit onze gelederen als nieuwe keizer, iemand die regeert en samenwerkt met een loyale Senaat. De nieuwe keizer dient een man te zijn die acceptabel is voor ons, de legioenen en de praetoriaanse lijfgarde. Hij moet...'

'Wat moet er dan gebeuren? Moet u keizer worden? Impliceert u dat?' schreeuwde junior consul Gnaeus Sentius Saturninus terwijl hij opstond. Zijn halskwabben trilden, zijn buik deinde. Hij wees met een beschuldigende vinger naar zijn collega, waarna hij de priemende blik van zijn blauwe ogen door de tempel liet glijden. 'Deze man wil de tirannie van één familie vervangen door de tirannie van een ander geslacht. Is dat de keuze van vrije mannen? Nee!' Zijn verklaring werd met instemmend geroezemoes ontvangen. Als een staatsman ging Saturninus staan, in zoverre zijn kwabbige figuur dat toeliet, waarbij hij zijn linkerarm schuin over zijn borstkas legde en de toga vasthield en zijn rechterarm langs zijn zij liet hangen. 'Patres conscripti, vandaag krijgen we de kans om historie te schrijven door onze macht van weleer weer naar ons toe te trekken en opnieuw de legitieme heersers van Rome te worden. Laten we ons ontdoen van de keizers en terugkeren naar de vrijheid van onze voorvaderen. Een vrijheid die ons al zo lang misgund is dat weinigen in deze kamer de zoete smaak ervan hebben kunnen proeven. Een vrijheid uit een periode toen de oudste senatoren nog jongens waren. De vrijheid van de republiek!'

'Vooral onverschillig blijven kijken, beste jongen,' siste Gaius in het oor van Vespasianus. 'Dit is niet het moment om te laten merken dat je een mening hebt.'

Bijna de helft van het gezelschap juichte en applaudisseerde enthousiast. Een grote minderheid keek korzelig; ze mompelden en morden tegen elkaar. De rest stond daar maar wat en keek passief toe. Ze gaven er net als Gaius de voorkeur aan om te wachten tot duidelijk werd welke groepering zou zegevieren.

Gaius trok Vespasianus aan een arm door de menigte naar achteren. 'We doen er beter aan ons onopvallend te gedragen tot deze kwestie linksom of rechtsom is geregeld.'

'En dan verklaren we ons loyaal aan de winnende partij, hè, oom Gaius?'

'Met deze handelwijze heb je een veel grotere overlevingskans dan met rondbazuinen waarin je echt gelooft.'

'Helemaal mee eens.'

Het gejuich ebde weg. Voormalig consul Aulus Plautius nam het woord.

'Plautius weet hoe je geliefd blijft, dat moet je hem nageven,' mompelde Gaius.

Vespasianus grijnsde wrang. 'U bedoelt dat hij weet hoe je moet draaien.' Bijna tien jaar geleden was Aulus Plautius een medestander van de gedoemde Seianus. Toch kreeg hij het voor elkaar om te overleven, door de dood te eisen van zijn voormalige weldoener.

'Patres conscripti,' begon Plautius, de brede schouders naar achteren, gespierde borst vooruit, de aderen in zijn dikke nek duidelijk zichtbaar. 'Ik kan goed begrijpen waarom onze twee gewaardeerde consuls van mening verschillen. Beiden hebben op hun manier gelijk. Dit is het waard om er een debat over te voeren. Ik wil de Senaat er echter aan herinneren dat in dit tumult één kwestie uit het oog is verloren: de macht van de praetoriaanse lijfgarde. Niemand kan tegen hen op.' Hij pikte stadsprefect Cossus Cornelius Lentulus uit de menigte en vervolgde: 'Kunnen de stadscohorten van u wat uithalen, Lentulus? Het betreft drie cohorten, nietwaar? Bijna vijfhonderd manschappen tegen de negen cohorten van de lijfgarde, elk bijna duizend man sterk. Zelfs als je de stadswacht erbij telt, is het drie tegen een. U bent dus dramatisch in de minderheid.'

'De bevolking staat achter ons,' diende Lentulus hem van repliek.

Plautius kreeg een minachtende trek om zijn mond. 'De bevolking! En waarmee gaan de gewone mensen het eliteleger van Rome te lijf? Met tafel- en vleesmessen terwijl ze hun bakplaten als schilden gebruiken en oudbakken brood als katapultprojectielen? Pah! Vergeet de bevolking maar. Patres conscripti, hoezeer het ook tegen uw dignitas indruist als u dit hoort, weet dat dit bij voorbaat een verloren strijd is. Ik als pragmatist kan u dat verzekeren.'

Achter in het vertrek keek Vespasianus om zich heen. Hij zag dat de onverteerbare waarheid die Plautius verkondigde langzaam tot de senatoren doordrong.

Plautius kreeg een spijkerharde blik in zijn ogen toen ook hij merkte dat zijn argument postvatte. 'Ik heb een voorstel, patres conscripti. We sturen een delegatie naar het praetoriaanse legerkamp voor een ontmoeting met Claudius. We moeten er immers eerst helemaal zeker van zijn dat hij daadwerkelijk onze keizer wil zijn. En zo ja, hoe hij van plan is zijn keizerrijk te besturen. Als hij dit ambt niet ambieert, en we kunnen hem ervan overtuigen dat hij het aanbod van de lijfgarde moet weigeren, rest de vraag wie de lijfgarde dan in zijn plaats accepteert. Eén ding is zeker: de lijfgarde duldt beslist geen terugkeer naar de republiek.'

Niemand zei iets terwijl de laatste woorden wegstierven in de tempel. Uiteindelijk viel er een doodse stilte. De woorden van Plautius vormden nu slechts een vage herinnering aan een mooie droom die in de wakende ochtendstond wegkwijnt zodra de realiteit van het dagelijks leven onzachtzinnig op de dromer neerdaalt.

'We moeten onmiddellijk onze opwachting maken bij Claudius,' fluisterde Vespasianus in het oor van Gaius.

'Stel dat de Senaat Claudius ervan kan overtuigen dat het beter is om zijn toekomstige ambt af te staan. Dan ziet het er voor ons niet zo best uit. Nee, geen overhaaste besluiten, mijn jongen. We blijven bij de kudde.'

Vespasianus fronste zijn wenkbrauwen. De twijfel sloeg toe. 'In deze situatie is alles gevaarlijk wat we doen. We moeten gokken op de meest waarschijnlijke loop der dingen.'

'Wil jij je gezin in de waagschaal stellen?'

'Natuurlijk niet,' zei Vespasianus meteen. Hij hoefde er niet over na te denken.

'Houd je dan gedeisd. Neem pas een besluit als je alle informatie tot je beschikking hebt.'

De consul stapte naar voren. Zijn houding straalde nu gedweeheid uit. 'Bij nader inzien ben ik het eens met de voormalige consul en stel voor dat we een delegatie benoemen die de waardigheid van de Senaat representeert; alle huidige en voormalige consuls en praetoren dienen hun opwachting te maken.'

Er werd instemmend gemompeld.

'Uitstekend, consul,' zei Plautius smalend. 'Wie moet aan het hoofd staan van die delegatie?'

'Het ligt voor de hand dat ik als consul...'

'Nee, dat ligt helemaal niet voor de hand. U wordt gezien als een beslist niet onpartijdige kandidaat voor het hoogste ambt. Deze delegatie moet geleid worden door iemand die inmiddels een senatoriale rang heeft, maar niet verkiesbaar is als keizer of zelfs maar als consul. Iemand die Claudius als zijn vriend beschouwt, een medestander die hem niet op de huid zit of hem in een bepaalde richting stuurt. Kortom, niemand van de aanwezigen.'

Secundus keek peinzend rond. 'Wie zou het dan wel kunnen worden?'

'Koning Herodes Agrippa.'

De duisternis viel in tegen de tijd dat de koning van Judaea was opgespoord en gesommeerd om voor de Senaat te verschijnen. De tempel werd verlicht met toortsen en kandelaars. Ze maakten van het geboende marmeren interieur een speelveld van dansend licht. Het was binnen zelfs helderder dan overdag. Het sedentaire standbeeld van Romes beschermgod waakte over de beraadslagingen. Als het strenge gezicht van Jupiter emoties kon tonen, zou er beslist sprake zijn van een geringschattende gelaatsuitdrukking terwijl hij neerkeek op de flink uitgedunde bijeenkomst. In de afgelopen uren, toen duidelijk werd dat de lijfgarde de overhand had, hadden veel senatoren die openlijk waren uitgekomen voor hun mening dat de republiek in ere hersteld diende te worden plotseling allerlei urgente redenen om zo snel mogelijk naar hun landgoederen buiten Rome te gaan. Vespasianus en Gaius waren gebleven. Ze hoefden nergens bang voor te zijn, omdat ze hun mening tot nu toe niet hadden geventileerd.

De donkere ogen van Herodes Agrippa fonkelden geamuseerd boven zijn haviksneus terwijl hij aan weerszijden de overgebleven senatoren opnam. 'Deze uitnodiging doet me genoegen, patres conscripti. Ik voel me dan ook vereerd om deze delegatie te leiden. Het ontgaat me echter wat ik mogelijk tot stand kan brengen.'

'We willen weten wat er in het hoofd van Claudius omgaat,' zei Pomponius Secundus korzelig. 'Wellicht is hij bereid het aanbod van de praetoriaanse lijfgarde af te slaan.'

'Dat heeft hij al geprobeerd. Hij is echter overgehaald om zijn mening te herzien.'

'Door wie? Door de lijfgarde? Met getrokken zwaard?'

'Nee, Secundus. Door mij.'

'Door u?' Pomponius Secundus verslikte zich bijna. Hij moest een paar keer op zijn borst slaan terwijl hij Herodes Agrippa vol ongeloof aanstaarde. Sereen zat de koning voor hem in zijn met gouddraad verfraaide purperen gewaad en met het koninklijke gouden diadeem op zijn hoofd.

'Nou ja, iemand moest het doen.'

'Niemand hoefde dat te doen!' barstte de consul uit. 'Vooral u niet. U bent maar een glibberig oosters vazalkoninkje dat niet eens een stukje varkensvlees durft te eten – zoals het iedere zichzelf respecterende Romein betaamt.'

'Dat is denk ik het laatste beetje informatie dat ik nodig heb om

een besluit te kunnen nemen, oom Gaius,' zei Vespasianus vanuit zijn mondhoek.

Gaius knikte wijs. 'Ik ben zojuist een vurig medestander geworden van Claudius. Ik ben altijd al van mening geweest dat hij de beste man is voor dat ambt, een natuurlijk leider.'

Herodes Agrippa bleef onbewogen, ondanks het feit hij ervanlangs had gekregen. 'Dit glibberige oosterse vazalkoninkje, dat varkensvlees trouwens heel lekker vindt, heeft vandaag het initiatief genomen om idioten als jullie te redden van een wisse dood. Ik zag immers dat de uitkomst onvermijdelijk was, in tegenstelling tot vele anderen. Ik ben Claudius gevolgd naar het praetoriaanse legerkamp. Ik was erbij toen de lijfgarde Claudius tot keizer uitriep. Claudius vond het echter ongrondwettig dat de lijfgarde hem in het purper hees...'

Gnaeus Sentius Saturninus sprong overeind. Hij zat vol sluimerende republikeinse gevoelens en was dus verontwaardigd. 'Het is natuurlijk ook ongrondwettig. Alleen de Senaat is die taak voorbehouden!'

Herodes Agrippa glimlachte onbewogen. 'Ja, dat vond Claudius ook, ondanks het feit dat de lijfgarde blijkbaar een andere mening was toegedaan, aangezien ze een keizer vermoordden en hem simpelweg vervingen door een andere. Claudius was er zeer op gebrand en drong er vasthoudend op aan dat de Senaat hem tot keizer zou uitroepen meteen nadat hij naar het legerkamp was overgebracht. Hij wilde dat zijn promotie in elk geval de schijn van een verzoek van de Senaat zou krijgen. Urenlang heeft hij gewacht, maar de Senaat liet verstek gaan. In plaats daarvan zitten jullie bijna letterlijk op de kluizen van de schatkamer en smeden plannetjes over... tja, hij kon er alleen maar naar raden. Feit is dat jullie aarzelden. Claudius beschouwde dat als een motie van wantrouwen, jullie wilden hem niet als keizer.'

'Dat hebben we nooit gezegd,' zei Pomponius Secundus mat.

'Verlaag uzelf niet door me te beliegen. Alles wat hier onlangs is gezegd, is door enkele senatoren gerapporteerd aan Claudius. Onder hen bevond zich een van de praetoren. Bovenal wilden ze duidelijk maken dat ze part noch deel hadden aan deze ontwikkeling. Toch smeekten ze, heel vreemd, om vergiffenis. In zoverre ik begrepen heb,

is Aulus Plautius de enige senator die er redelijk goed van af is gekomen.' Herodes Agrippa glimlachte flauwtjes naar de aanwezige senatoren terwijl iedereen zich probeerde te herinneren welke positie hij precies had ingenomen tijdens de debatten van enkele uren geleden. 'Toen de stilte oorverdovend werd, nam Claudius na een paar uur een besluit. Hij vond dat het voor zijn eigen veiligheid beter was af te zien van het ambt voordat het op een gewapende escalatie zou uitdraaien. Ik heb hem ervan overtuigd dat hij stand moest houden, omdat hij anders het doodvonnis zou tekenen van hemzelf en alle leden van de Senaat. Zijn vrijgelatenen waren het met mij eens. Aldus accepteerde Claudius de acclamatie van de garde en toonde zich dankbaar met de belofte dat elke gardist honderdvijftig gouden aurei zou ontvangen.' Er werd zachtjes gefloten van ongeloof. 'Claudius waant zich nu veilig en wil keizer blijven. Heren, het is niet anders, doordat u verzuimde het initiatief te nemen en heel snel het onvermijdelijke te accepteren, hebt u de lijfgarde en Claudius toegestaan een heel vervelend precedent te scheppen: vanaf nu kan de lijfgarde keizers op de troon zetten, en de keizers zullen de gardisten daar goed voor betalen. Het laatste beetje macht dat u nog had, hebt u verspeeld.'

Stadsprefect Cossus Cornelius Lentulus stond op. 'Ik heb genoeg gehoord. Ik ga met de stadscohorten trouw zweren aan Claudius.'

'Dat kunt u niet maken,' riep de junior consul. 'Deze cohorten zijn tenslotte in het leven geroepen om de Senaat te beschermen.'

'Tegen wie of wat? De Senaat is volstrekt irrelevant geworden,' blafte Lentulus. 'Stel dat de lijfgarde, met aan het hoofd de keizer, de Senaat lijfelijk aanvalt. Denkt u dan echt dat mijn mannen dan naar de wapens grijpen? Om de drommel niet!' Hij draaide zich om en liep weg.

Gaius keek Vespasianus aan; ze waren het snel eens. 'We gaan met u mee, Lentulus,' riep Vespasianus terwijl hij en Gaius opstonden.

Er volgde een koor van soortgelijke uitroepen. De senatoren kwamen overeind.

Vespasianus volgde de stadsprefect en wierp een vluchtige blik naar Herodes Agrippa, die aanvankelijk zijn wenkbrauwen fronste maar meteen daarna bijna onmerkbaar begrijpend glimlachte.

Toen Vespasianus hem passeerde, richtte de koning uit Judaea zich

weer tot Secundus. 'Bent u nog steeds van mening dat ik de delegatie moet leiden, consul?' vroeg hij op argeloze toon, maar boven het gestommel uit.

Pomponius Secundus keek hem stuurs aan en stormde de tempel uit.

De straten van Rome waren vrijwel uitgestorven terwijl de stadscohorten, voorgegaan door de Senaat, zich via de Vicus Patricius naar de Viminalispoort begaven, de stadspoort waarachter zich het legerkamp van de praetoriaanse lijfgarde bevond. Het was een van de belangrijkste Romeinse bordeelstraten en normaal gesproken zou het er zowel overdag als 's nachts druk zijn, maar die avond was er weinig handel te bespeuren. Er rammelde zelfs geen kar of paard-en-wagen door de straat, wat vreemd was, omdat deze transportmiddelen overdag de stad niet binnen mochten en de handelaars dus 's avonds en 's nachts hun leveringsuren hadden. Het merendeel van de Romeinse bevolking had zich verschanst achter hun vergrendelde deuren en geblindeerde ramen. Ze zaten de machtsstrijd uit. Zodra dat conflict beslecht was, zou het normale leven weer op gang komen en zouden de burgers zich veilig wanen in het besef dat iemand – het maakte niet uit wie – zich over de graanbedeling ontfermde en de spelen financierde.

Toen ze de Viminalispoort passeerden, haalde Vespasianus diep adem. Honderd passen verderop bevonden zich drie tot de tanden gewapende praetoriaanse cohorten in gesloten formatie voor het praetoriaanse legerkamp. Het gepolijste, blinkende metaal van hun helmen, de geschubde bepantsering en de bronzen knoppen en omranding van hun ovale schilden flonkerden in het flakkerende toortslicht. In het midden, op een verhoogd podium, zat de nieuwe keizer. Enkele senatoren hadden inmiddels trouw gezworen en stonden aan weerszijden naast hem.

Op het podium, en achter Claudius, herkende hij Narcissus en Pallas, de vrijgelatenen van Claudius. Ook zag hij Callistus, de voormalige vrijgelatene van Caligula. Ze droegen alle drie witte burgertoga's.

'Laat mij maar voorgaan,' zei Herodes Agrippa tegen de twee consuls, die aarzelden om het initiatief te nemen, hoewel ze geëscorteerd

werden door twaalf lictoren met fasces, bundels roeden met in het midden een bijl waarvan het blad naar buiten stak, als symbool van de staatsmacht.

De consuls knikten. Ze lieten een vazalkoning voorgaan, ondanks het feit dat dat het verlies van hun dignitas betekende.

Eenmaal dichterbij zag Vespasianus de geamuseerde blik op het mollige gezicht van Narcissus, die met zijn dikke hand – aan elke vinger een juwelenring – over zijn geoliede, zwarte puntbaard streek. Narcissus had Claudius altijd gediend. Ook wist Vespasianus dat het Narcissus' taak was geweest zijn meester te beschermen tijdens de regimes van Tiberius en Caligula door hem voortdurend aan te moedigen zich als een dwaas voor te doen, hoewel daar niet veel voor nodig was. Vandaag bleek dat beleid gerechtvaardigd te zijn geweest. Pallas was een lange, slanke man met een volle baard. Zoals gewoonlijk stond hij er emotieloos bij. Hij had *domina* Antonia gediend, de overleden patrones van Vespasianus. Voordat ze stierf had ze haar loyaliteit betuigd aan haar zoon Claudius, de oudste man van de familie. Vespasianus probeerde tevergeefs zijn blik te vangen, in de hoop dat het gegeven dat ze elkaar van vroeger kenden, en dat je wellicht zelfs van een vriendschappelijke band kon spreken, nog iets te betekenen had. De kaalgeschoren, pezige Callistus kende hij niet zo goed, hoewel hij hem enkele keren ontmoet had. Eerst als slaaf van Caligula, later als vrijgelatene. Het ontging hem hoe het Callistus gelukt was om vóór de aanslag op Caligula zijn loyaliteit te betuigen aan Claudius om zichzelf te redden van een wisse dood. Het verbaasde hem echter niet. Wat hij in elk geval waardeerde aan de drie mannen die nu achter de keizer stonden, was dat ze allemaal door de wol geverfde politici waren geworden. Geen demagogen die het volk bespeelden, maar intriganten die het politieke spel zéér goed kenden. Konkelaars die achter de schermen subtiel, talentvol en kundig opereerden.

Toen Herodes Agrippa het podium tot op tien passen genaderd was, klonk een scherp commando, gevolgd door de zware klank van een *cornu*, de signaalhoorn die doorgaans op het slagveld werd gebruikt. Prompt werden drieduizend klingen gelijktijdig uit de schede getrokken. De consuls hielden meteen hun pas in.

'De Senaat en de stadscohorten komen trouw zweren aan de keizer,' riep Herodes Agrippa, waarna hij snel opzij stapte.

'Dat zou t-t-tijd worden,' gilde Claudius tegen de senatoren. Het speeksel spatte uit zijn mond. Zijn linkerarm schokte onbeheerst terwijl hij naar de armleuning van zijn *sella curulis* greep. 'Ik zou graag gewild hebben dat jullie me op grondwettelijke wijze hadden uitgeroepen tot k-k-keizer. In plaats daarvan hebben we een situatie gecreëerd waarbij mijn hoofd op de voorzijde van mijn eerste munt komt te staan en op de achterzijde "Keizer, met dank aan de p-p-praetoriaanse lijfgarde" in plaats van "Dank aan de Senaat en het Romeinse volk". Waarom deden jullie daar zo lang over? Wilden jullie niet dat een kreupele tot keizer werd gekroond?'

'Dat is geen moment in ons opgekomen, *princeps*,' loog Pomponius Secundus.

Claudius hief zijn rechterhand. Narcissus opende een rol. Na een kleine effectpauze las hij hardop: 'Niet alleen omdat het gestotter, gekwijl en gestrompel de regering in verlegenheid brengt, ook omdat de legioenen hem niet kennen en hij dus per definitie niet geliefd is.' Narcissus liet de rol zakken en trok vrijwel onmerkbaar een wenkbrauw op toen hij de verbijsterde blik van Pomponius Secundus ving.

Claudius richtte zich tot een senator van begin dertig. De man stond naast de verhoging. 'Dat is er gezegd, nietwaar, Geta?'

'Inderdaad, princeps, zo is het letterlijk uitgesproken,' antwoordde Gnaeus Hosidius Geta. Hij keek zelfvoldaan. 'Ik schaam me dat een Romeinse consul zulke onwaarheden vertelt over...'

'Ja, ja, zo is het g-g-genoeg. Overdrijven is niet nodig, praetor.' Met een ruk richtte Claudius zijn aandacht weer op de vernederde consul. 'Kunt u een reden bedenken waarom ik u niet zou laten executeren? Sterker nog, kan iemand een reden bedenken waarom ik niet de hele Senaat zou laten liquideren?'

'Omdat er dan niemand meer overblijft die de moeite waard is om over te heersen, princeps,' meende Herodes Agrippa.

Een moment lang was het verbijsterend stil, waarna Claudius het uitschaterde van het lachen. 'Ah, Herodes, je vrolijkt me wel op, mijn vriend.'

Herodes grijnsde zelfgenoegzaam en maakte een overdreven buiging, met zijn handen op zijn borst.

Claudius toonde zich erkentelijk, waarna hij zich opnieuw tot de consul richtte, zoals voorheen met een niet bepaald geamuseerde trek

op zijn gezicht. 'U hebt het mis als u zegt dat het leger me niet kent en dus niet ingenomen is met mij. Ik ben de broer van wijlen de machtige G-G-Germanicus. De legionairs zullen van mij houden zoals ze van hem hielden, omdat ik van hen zal houden zoals hij deed. Ik zal...' Achter hem legde Narcissus zachtjes een hand op zijn schouder. Claudius zweeg opeens. Pallas boog zich naar voren en fluisterde iets in zijn oor.

'Ik denk dat we een voorproefje krijgen van wat er komen gaat,' peinsde Vespasianus. 'In elk geval mogen we Pallas nog steeds als een vriend beschouwen.'

Gaius fronste zijn wenkbrauwen. 'Laten we het hopen, hoewel je niet altijd op oude vriendschappen moet rekenen als het politieke landschap verandert. Op welke voet sta je met Narcissus? Heeft hij je vergeven dat je de bankwissel van Claudius hebt geïnd terwijl je in Alexandrië verbleef?'

'Hij is me enkele grote gunsten verschuldigd, maar ik denk dat ik er om die reden een kan wegstrepen.'

Pallas had zijn advies gegeven en deed een stap terug. Claudius knikte tegen zijn vrijgelatene, waarna hij met veel moeite opstond en aldus te kennen gaf dat deze onvoorbereide audiëntie voorbij was. 'Ik ga nu slapen. Morgen op het tweede uur zult u hier aanwezig zijn en mij begeleiden naar het Forum, waar u het unanieme besluit van de Senaat kenbaar zult maken en aldus de wens van de lijfgarde bekrachtigt. Daarna zweert u trouw aan mij in het Senaatshuis. Ik wil dat alle senatoren daarbij aanwezig zijn. Ga nu!'

Narcissus hielp Claudius van het podium. Callistus en Pallas probeerden elkaar te overtroeven in hun voorkomendheid door elkaar de eer te geven om na de keizer van het podium te stappen. Uiteindelijk liepen ze samen naar beneden. De senatoren en stadscohorten riepen snel achter elkaar: 'Heil caesar!' De gardisten staken hun zwaard met twee snelle bewegingen terug in de schede.

Claudius verdween in de gelederen van zijn praetorianen, die nu zeer rijk waren. De senatoren maakten aanstalten om terug te gaan.

'Wel, dat verliep zoals we konden verwachten, hè?' meende Gaius.

Vespasianus grimaste. 'Ik denk niet dat we veel sympathie zullen oogsten van het nieuwe regime. We hadden de gok moeten wagen, zoals Geta en de anderen hebben gedaan. We hadden onze loyali-

teit moeten betuigen voordat we ertoe gedwongen werden. Herodes Agrippa wees er al op; het werd onvermijdelijk toen de lijfgarde Claudius steunde.'

'Ik ben heel blij dat u mijn wijsheid apprecieert,' klonk het zachtjes achter zijn rug.

Vespasianus draaide zich om en keek Herodes Agrippa aan. De man glimlachte kil.

'De vrijgelatenen van Claudius kunnen mijn wijsheid eveneens waarderen. En wel zodanig dat ze Claudius gaan adviseren mijn koningschap te bevestigen. Ongetwijfeld mag ik me ook verheugen op enkele zeer lucratieve aanwinsten. Wilt u weten waarom ik beloond word?'

Vespasianus haalde zijn schouders op. 'Is dat nodig?'

'Nodig is het niet, maar misschien bent u geïnteresseerd. Ik heb Claudius geholpen zijn huidige positie veilig te stellen. Daardoor hebben zijn vrijgelatenen zeer veel invloed gekregen. Ik heb Narcissus en Pallas echter ook geadviseerd hoe ze die macht kunnen laten beklijven door een nieuw precedent te scheppen dat de praetoriaanse garde moet ontmoedigen om in de toekomst steeds van keizer te veranderen. Ziet u uw vriend Clemens in zijn rechtmatige positie als praetoriaanse prefect aan de zijde van de keizer? En waar zijn de tribunen Cassius Chaerea en Cornelius Sabinus eigenlijk? Natuurlijk laten ze verstek gaan.'

Vespasianus was niet onder de indruk. 'Ze hebben hun eigen doodvonnis getekend door Caligula te vermoorden.'

'Natuurlijk, hoewel Claudius ze... heel onverstandig... wilde sparen, ze zelfs wilde belonen. Vooral toen ze beweerden dat ze iets hadden geregeld met Narcissus en Pallas, waarbij Callistus, die gluiperd, als tussenpersoon fungeerde. Natuurlijk hebben Narcissus, Pallas en Callistus alles ontkend. Het geeft immers geen pas als mensen ongestraft keizers kunnen vermoorden, zoals u zonet zijdelings te kennen hebt gegeven. Maar ik wilde nog een stap verdergaan.' Herodes Agrippa pauzeerde even voor een zelfvoldane bespiegeling. 'De tweede praetoriaanse prefect Lucius Arruntius Stella, die part noch deel had aan het complot, is eveneens gearresteerd. Ik heb aan Narcissus en Pallas voorgesteld dat het wellicht verstandig zou zijn als de prefecten zich in de toekomst realiseren dat een belangrijk element van hun

taak erin bestaat dat ze hun collega's in de gaten houden. Narcissus en Pallas vonden dat een uitstekend idee. Stella wordt nu met de andere samenzweerders eveneens geëxecuteerd.' Herodes Agrippa boog zich naar Vespasianus toe, zijn gezicht vlak bij het zijne, en keek hem spottend onschuldig aan. 'Trouwens, ik ben van plan ervoor te zorgen dat iedereen eraan moet geloven.'

HOOFDSTUK II

Caenis legde haar hoofd op de borst van Vespasianus. Haar slanke vinger liet ze over de contouren van zijn ontwikkelde borstspieren glijden, waarna dezelfde vinger langzaam op verkenningstocht ging naar zijn buik. 'Een loze dreiging, liefste. Herodes Agrippa kan jou op geen enkele manier in verband brengen met de aanslagplegers.'

Vespasianus drukte een kus op haar weelderige zwarte krullen, en genoot van de zoete geur. Vervolgens staarde hij naar het schemerige, witgekalkte plafond van hun slaapkamer. Ze bevonden zich in het huis van Antonia, de voormalige patrones van Caenis. Een huis dat Antonia haar had geschonken, zoals ook de status van vrijgelatene, op de dag dat ze haar polsen doorsneed. Het ochtendgloren scheen door het raam naar binnen. Een duif koerde; een zacht, geruststellend geluid. Vespasianus haalde diep adem en zuchtte. Hij had geen oog dichtgedaan sinds ze een paar uurtjes geleden in bed waren gestapt. Hij zat te veel in over wat Herodes Agrippa bedoelde. 'Sabinus is getrouwd met de zus van Clemens. Volgens mij is dat een duidelijke schakel. Het zou ook kunnen dat Herodes alleen maar speculeert.'

'Welk belang zou dat dienen?'

'Vergelding jegens Antonia, die hem zes jaar geleden liet arresteren. Sabinus heeft het bewijs voorgelezen aan de Senaat.'

'Dan zou hij zich toch moeten wreken op Sabinus?'

'Sabinus bevindt zich honderd mijl buiten Rome. Misschien vindt Herodes dat hij dan maar wraak moet nemen op zijn jongere broer.'

'Dat is geen wraak meer, dat is gewoon slecht.'

Vespasianus gromde tevreden terwijl ze haar hand nog lager liet glijden, waarna ze hem zachtjes masseerde en kneedde. 'Ik ben ook getuige

geweest van zijn vernedering in Alexandrië. Ik heb Flaccus, de toenmalige prefect van Egypte, verteld over zijn illegale graanvoorraad.'

'Hoe kan hij weten dat jij dat aan Flaccus hebt verteld? Hij heeft trouwens twee jaar geleden al wraak genomen voor zijn verloren graan. Zijn belastende brief aan Caligula heeft ervoor gezorgd dat Flaccus geëxecuteerd werd. Herodes steunde toen de Alexandrijnse Joden; hun gezantschap deed zijn beklag over Flaccus. Nee, schat, het is een loze dreiging.' Ze masseerde hem steviger terwijl ze met haar tong een van zijn tepels bespeelde.

Vespasianus kon zich voor het eerst ontspannen sinds de confrontatie met Herodes Agrippa. 'Nu Caligula dood is, kun jij je weer veilig in het openbare leven begeven,' mompelde hij, waarbij hij haar lokken streelde.

'Misschien blijf ik liever thuis.' Caenis drukte inmiddels kusjes op zijn borst en vervolgens op zijn buik.

Vespasianus sloeg de dekens terug en nam een iets andere houding aan in bed. In het vage ochtendgloren flonkerden haar stralende blauwe ogen terwijl ze naar hem opkeek en zoentjes gaf op zijn onderbuik.

Plotseling werd er heel bescheiden op de deur geklopt.

'Mevrouw?' klonk het zachtjes.

'Wat is er?' antwoordde Caenis. Ze deed geen poging om haar ergernis te verbergen vanwege het feit dat ze gestoord werd.

'Een man wil de meester spreken.'

'Kan dat niet wachten?'

'Nee, hij zegt dat het dringend is.'

Caenis keek om naar Vespasianus. 'Het spijt me, liefste, een andere keer.'

Vespasianus glimlachte zuur. 'Het zou niet lang geduurd hebben.' Hij zwaaide zijn benen uit bed en ging op de bedrand zitten. 'Zeg dat ik kom,' riep hij, waarna hij grijnsde naar Caenis om de woordspeling. Zij giechelde. 'Hoe heet die man?'

'Uw vriend Magnus, heer. Hij zei dat ik u dat moest zeggen.'

'Heb ik u gestoord, heer?' vroeg Magnus. Op het verweerde gezicht van de voormalige bokser verscheen een quasibezorgde trek terwijl Vespasianus het atrium binnenslenterde en de riem om zijn middel vastgespte.

'Als je dat maar weet. Bij iets heel plezierigs.'

'Volgens mij is alles plezierig wat er in die kamer gebeurt.'

Vespasianus glimlachte zijn vriend toe. 'Alleen als Caenis erbij betrokken is, en dat was ze.'

'Nou ja, eh, het spijt me dat ik haar in haar betrokkenheid gestoord heb, ongeacht hoe intens en diep die was, als u begrijpt wat ik bedoel.'

'Ik begrijp het, maar je hebt het mis. We waren op een andere manier bij elkaar betrokken.'

Magnus zette grote ogen op van verrukking. 'Aha, een leuke opfrisbeurt in de ochtendstond, wat aardig van haar. Wel, deze rituele wassing zult u voor later moeten bewaren. We moeten naar het huis van uw oom.'

'Waarom?'

'Sores, heer. Dat vrees ik althans. Het betreft Sabinus.'

'Sabinus is in Pannonia.'

'Ik zou willen dat hij daar was. Maar ik vrees van niet. Ik heb hem namelijk net gesproken, hij is in Rome.'

Ontzetting kroop over het gezicht van Vespasianus. Nu pas drong het goed tot hem door wat Herodes Agrippa bedoelde.

'In de taverne van de kruispuntbroeders, bij jouw maten!' bulderde Gaius verbijsterd. 'Bij alle goden, wat moet hij daar? Hij hoort in Pannonia te zijn.'

Magnus haalde zijn schouders op. 'Inderdaad, maar hij is in Rome, heer. Een paar uur geleden dook hij op, zwalkend als een dronken Vestaalse maagd door bloedverlies als gevolg van een flinke wond in zijn dijbeen.'

'Hoe heeft hij die opgelopen?'

'Geen idee. Sinds hij er arriveerde, raakte hij steeds buiten bewustzijn. Ik heb de dokter gewaarschuwd wiens hulp we altijd inroepen in dit soort situaties; hij stelt immers geen lastige vragen. Hij heeft de wond dichtgebrand en gehecht. Volgens hem is Sabinus binnen enkele dagen weer de oude als hij goed eet en rust.'

Gaius liet zich in een stoel zakken bij de open haard in het atrium, waarna hij naar een beker warme, rustgevende zoete wijn reikte. 'Die jonge dwaas heeft zijn bijdrage geleverd aan de aanslag, nietwaar?'

Vespasianus ijsbeerde door het atrium. 'Waarom zou hij anders in

Rome zijn zonder ons daarvan op de hoogte te brengen? Waarschijnlijk heeft hij geprobeerd alles geheim te houden. Als dat zo is, dan heeft hij daarin gefaald. Herodes Agrippa heeft in de gaten hoe het zit, daar ben ik van overtuigd. En zoals we weten draagt hij Sabinus geen goed hart toe.'

Gaius nam een slokje wijn. 'Dan moeten we Sabinus zo snel mogelijk uit Rome zien te loodsen.'

'Waar wilt u hem hebben, oom Gaius? Als hij veroordeeld is, kan hij niet terug naar zijn legioen in Pannonia. En ze zullen hem ook vinden als hij zich op een van onze landgoederen schuilhoudt. Hij is onder deze omstandigheden nog het veiligst bij Magnus. Wij moeten er ondertussen voor zorgen dat hij niet schuldig wordt verklaard.'

'Hoe?'

'Door gebruik te maken van het nieuwe regeringssysteem. U bent er gisteravond getuige van geweest. Niet Claudius maar zijn vrijgelatenen hebben het voor het zeggen.'

'Natuurlijk!' Voor het eerst keek Gaius opgelucht sinds hij door het slechte nieuws uit bed was getrommeld. 'Ik stuur een bericht naar Pallas dat we hem morgen na de ceremonie zo snel mogelijk willen spreken. Eens kijken of we nog steeds op zijn vriendschap mogen rekenen.'

De honderdduizenden inwoners van Rome kwamen kijken hoe de inmiddels loyale Senaat en de stadscohorten trouw zwoeren aan de nieuwe keizer. Voorheen hadden ze hem vaak uitgelachen en bespot om zijn misvormde lichaam. Het merendeel van de krioelende menigte in en rond het Forum Romanum en langs de Via Sacra was voor het gemak maar even vergeten dat zijn voorganger hem in het openbaar vaak had vernederd, tot grote hilariteit van iedereen. Dat liet onverlet dat Claudius en zij die hem omringden de bespotting uit het verleden beslist niet bagatelliseerden. Voor de zekerheid hadden alle cohorten van de praetoriaanse garde zich dus langs de optochtroute geposteerd. In volledig legertenue, gewapend en wel, waren ze komen opdagen. Normaal gesproken zouden ze in toga's gekleed zijn als ze binnen de stadsmuren ceremoniële plichten dienden te vervullen. Het militair vertoon moest alle burgers eraan herinneren dat de militaire macht van Rome Claudius op de troon had geholpen en dat dezelfde

macht hem op de troon zou houden. En dat met die macht niet te spotten viel. De gevoeligheden van zowel de Senaat als de Romeinse burgerbevolking waren minder belangrijk dan de noodzaak om de dignitas van de nieuwe keizer te beschermen. Iedereen van wie verwacht werd dat hij de spot met hem zou drijven, werd weggesleept en ontdekte algauw hoe snel een man mank kon gaan lopen en onbeheersbaar kon gaan kwijlen van ellende en pijn.

Luisterrijk in vers gekrijte, glimmend witte toga's, omzoomd met een brede, purperen streep om hun rang te benadrukken, gingen de senatoren de ceremoniële stoet voor. Meer dan vijfhonderd Senaatsleden waren komen opdagen. Degenen die Rome de vorige dag in allerijl hadden verlaten, waren immers haastig teruggekeerd in de hoop dat de nieuwe keizer de republikeinse sympathieën die ze hadden geuit snel zou vergeten of door de vingers zou zien zodra ze hun loyaliteit aan hem hadden betuigd. Waardig schreden ze met geheven hoofd door de straat en keken verder niet op of om. Met de linkerarm voor de borst hielden ze de plooien van hun toga's in het gareel. Iedere bevoegde magistraat werd vergezeld door het vereiste aantal lictoren met hun fasces, die hun status benadrukten. Legionairs voorzien van legeraureolen waren eveneens van de partij. Ze hadden die kransen verdiend omdat ze zich dapper hadden getoond op het slagveld.

Voorgegaan door twaalf lictoren werd Claudius door zestien slaven op schouderhoogte gedragen in een *sedia gestatoria*, een open draagstoel. Iedereen kon hem dus aanschouwen. Achter hem volgde zijn vrouw Messalina. Achteroverliggend in de kussens werd ze vervoerd in een met bloemen omkranste paardenkoets. Hoewel ze hoogzwanger was, nam ze toch deel aan de parade. Ze had haar dochter Claudia Octavia bij zich. Het kind was pas achttien maanden en helemaal van haar stuk gebracht door wat ze om zich heen zag.

Erachter marcheerden in zeer traag tempo de stadscohorten. Met hun spijkersandalen, en in het ritme van de schallende *bucinae*, stampten ze bij elke stap hard op de straatkeien.

Claudius en Messalina werden omringd door drie centuriën van de Germaanse keizerlijke lijfgarde. Ze slenterden meer dan dat ze marcheerden, handen op het gevest van de zwaarden achter hun platte, ovale schilden. Met hun lichtblauwe ogen hielden ze het publiek strak in de gaten. Langharige barbaren waren het, stuk voor stuk met

een volle baard, gekleed in een lange broek. De meesten waren zes voet lang, waardoor hun uiterlijk in schril contrast stond met de zeer geordende en zeer Romeinse parade waarvan ze deel uitmaakten.

De menigte juichte en schreeuwde zich schor. Ze zwaaiden met bont geverfde vodden, of toonden vol trots de kleuren van de paardenrengroepen terwijl de trage parade naderde. Ze verdrongen zich langs de straten, op de bordessen van de tempels en publieke gebouwen, balancerend op sokkels van zuilen en ruiterstandbeelden, of ze hesen zich op de raamkozijnen. Kleine kinderen zaten op de schouders van hun vaders terwijl hun leniger en oudere broers en zusjes op allerlei uitkijkpunten waren geklommen en in alle mogelijke hoekjes en gaten kropen waar volwassenen niet konden of durfden te komen.

Het was alsof alle inwoners van Rome uit hun huizen waren gekomen: vrije burgers, vrijgelatenen en slaven. Iedereen kwam opdagen om de nieuwe keizer te verwelkomen. Niet omdat ze de vorige keizer zo haatten, noch omdat ze Claudius wellicht zo mochten. Het maakte hun niet uit wie er in Rome de scepter zwaaide. Ze waren gekomen omdat ze de spelen na de inauguratie van Caligula beslist niet waren vergeten. Noch de vrijgevigheid en de feesten die ermee gepaard waren gegaan. Met hun hartstochtelijke gejuich en enthousiasme hoopten ze een nieuwe versie ervan te oogsten. En eventueel nog meer verkwistend vertoon van gulheid. Een aanzienlijke minderheid van het publiek had echter een geheugen dat verder in de tijd reikte. Zij juichten Claudius niet toe omdat ze hem respecteerden, maar omdat hij de broer was van wijlen de vooraanstaande Germanicus, van wie velen graag hadden gezien dat hij Augustus had opgevolgd.

Claudius zat daarentegen zo beheerst als hij kon in zijn draagstoel. Hij zwaaide het hulde brengende publiek toe, schokkerig en met rare hoofdknikjes. Zo nu en dan hield hij een zakdoek bij zijn kin om het kwijl dat voortdurend uit zijn mond droop te stuiten. De inmiddels zeer frequente stuiptrekkingen logen er niet om; ze verraadden zijn opwinding over het gebeuren. Voor het eerst in tweeënvijftig jaar, zo oud was hij inmiddels, werd hij publiekelijk toegejuicht.

Messalina negeerde de menigte. Met één arm drukte ze haar dochtertje tegen zich aan en met de andere hand streelde ze haar zwangere buik. Strak en met een tevreden glimlachje op haar gezicht staarde ze voor zich uit naar haar man.

Uiteindelijk naderde de parade het Senaatsgebouw. Voor het pand stonden Narcissus, Pallas en Callistus. Het was een ongehoorde traditiebreuk, en nog nooit voorgekomen, zoals ze zich daar geposteerd hadden.

De consuls deden hun best om de belediging te negeren. Ze liepen over de treden naar boven en gingen aan weerszijden van de open deuren staan om hun keizer te verwelkomen. De andere Senaatsleden verspreidden zich in volgorde van belangrijkheid op het bordes. Aldus vormden ze een erehaag naar de ingang.

De keizerlijke draagstoel stopte bij het bordes van het Senaatsgebouw.

'Nu wordt het interessant,' zei Gaius tegen Vespasianus. De slaven transpireerden heftig terwijl ze aanstalten maakten om de sedia gestatoria te laten zakken. De draagstoel wiegde enigszins.

Claudius keek plotseling paniekerig om zich heen en greep zich vast aan de armleuningen.

Vespasianus kneep zijn ogen half dicht. 'Het is bijna niet om aan te zien. Ik vraag me af hoe ze hem in die stoel hebben gekregen. Naar alle waarschijnlijkheid was er geen publiek bij aanwezig. Volgens mij zijn ze vergeten te bedenken hoe ze hem er weer uit krijgen.'

'Wacht!' schreeuwde Narcissus boven de herrie uit. Claudius, die inmiddels bijna onbeheersbare stuiptrekkingen had, keek dankbaar naar hem op.

Narcissus liep het bordes op en sprak even met de consul. Het gezicht van Secundus verstrakte. Hij rechtte zijn rug en keek de vrijgelatene woest aan. Narcissus mompelde toen weer iets, waarna hij vragend een wenkbrauw optrok en de consul met een ijskoude blik aanstaarde.

Even later liet Secundus zijn schouders hangen en knikte bijna onmerkbaar, waarna hij het bordes af liep en opkeek naar Claudius. 'Princeps, het is niet nodig dat u uitstapt. We nemen de eed af op het bordes van de Curia.'

Er weerklonk geroezemoes rondom Vespasianus en Gaius, er werd hier en daar geschuifeld. Dat een omhooggevallen vrijgelatene het waagde om het aloude bestuurslichaam van Rome zo te beledigen. Niemand durfde echter naar voren te stappen en zijn beklag te doen.

'Er blijft altijd iets over waar we moed uit kunnen putten, beste jongen,' mompelde Gaius terwijl de voorbereidingen werden getrof-

fen om het offer te brengen en de voortekenen te duiden. 'Claudius zal altijd leden van de senatoriale orde nodig hebben om het bevel te voeren over zijn legioenen en de provincies te besturen, ongeacht hoezeer de vrijgelatenen van Claudius ook hun best doen om de macht naar zich toe te trekken. Dat kunnen Narcissus, Pallas en Callistus ons in elk geval niet afnemen.'

'Misschien. Maar wie besluit wie die functies krijgt? Zij of de keizer?' Vespasianus keek naar Pallas. Zoals altijd was er niets van het gezicht van de vrijgelatene af te lezen.

De voortekenen werden geduid. Het verbaasde niemand dat deze dag uitstekend werd bevonden om in Rome regeringszaken af te handelen. Er werd afgekondigd dat Claudius zich conform de wil van de Senaat de nieuwe keizer van Rome mocht noemen. Rondom het Forum weerklonk toen gejuich. Daarna werd zowel de Senaat als de stadscohorten de eed van trouw afgenomen, gevolgd door de proclamatie dat alle legioenen van het keizerrijk absolute loyaliteit dienden te betuigen aan de nieuwe keizer.

Vervolgens waren de toespraken aan de beurt.

Tegen de tijd dat de laatste redenaar eindelijk op langdradige wijze was uitgesproken, was het achtste uur van de dag aangebroken. Iedereen wilde naar huis. Tijdens het korte dankwoord van Claudius, waarin hij aankondigde dat er gedurende zeven achtereenvolgende dagen spelen zouden worden gehouden, brak een tumultueus applaus en gejuich los. Vervolgens begaf de processie zich terug naar de Palatijn. Het enige ontsierende aan de plechtigheden was het feit dat Messalina plotseling eerder dan gepast was vertrokken. Ook was een van Claudius' stoeldragers flauwgevallen. Niemand verbaasde zich over deze twee onregelmatigheden in het protocol.

De keizerlijke stoet nam de Via Sacra en verdween uit het zicht. De enorme mensenmassa verspreidde zich. Iedereen sprak enthousiast over de aanstaande spelen.

'Er komt weer een dure tijd aan voor de schatkamer,' meende Gaius. Hij en Vespasianus stonden te dringen tussen de andere senatoren, die eveneens zo snel mogelijk van het bordes af wilden.

Vespasianus glimlachte meesmuilend. 'Nog altijd goedkoper dan het inhuren van de praetoriaanse lijfgarde.'

'Maar wel een prima investering, daar zult u het toch over eens zijn, heren.' Vespasianus en Gaius draaiden zich om en zagen Pallas. Hij legde een hand om hun schouders en voegde er fluisterend aan toe: 'Misschien is het niet voldoende om de positie van Claudius veilig te stellen. Kom mee, vrienden.'

Pallas ging Vespasianus en Gaius voor. Ze lieten het Senaatsgebouw achter zich. Velen onder de talrijke senatoren staarden hen jaloers na omdat twee collega's zo openlijk in de gunst vielen bij een van de nieuwe machthebbers van Rome, ongeacht hoe laag ze de sociale status van de persoon in kwestie ook vonden.

'Geloof me, ook zonder dat berichtje dat u me stuurde zou ik u en Vespasianus vandaag beslist hebben opgespoord, senator Pollo,' zei Pallas toen niemand van de belangrijke personen hen nog kon horen.

Gaius boog zijn hoofd uit erkentelijkheid. 'Dat is fijn om te weten, Pallas. Noem me Gaius als er niemand bij is. We zijn immers vrienden.'

'Dat is zo, we zijn vrienden, maar geenszins van gelijke sociale status.'

Vespasianus keek Pallas aan en voegde eraan toe: 'Noch van gelijke invloed.'

Pallas glimlachte flauwtjes, wat hij slechts sporadisch deed. 'Inderdaad, Vespasianus. Ik vrees dat u gelijk hebt. Mijn invloed zal straks aanzienlijk zijn. Ik word benoemd tot keizerlijke secretaris van de schatkamer.'

Gaius stond versteld.

Vespasianus keek Pallas vol ongeloof aan. 'Die functie bestaat niet eens!'

'Nu wel. Weet u, heren, Narcissus, Callistus en ik hebben dit al heel lang zien aankomen. We hadden tijd genoeg om uit te stippelen op welke wijze onze patroon het beste gediend zou zijn. U bent een van de weinigen in Rome die weten dat Claudius redelijk intelligent is, hoewel je van een enigszins chaotische pienterheid kunt spreken. Maar ook dat hij een nogal overdreven kijk heeft op zijn eigen talenten en een geringschattende opvatting over de begaafdheden van anderen. Daardoor is hij vooral ontroostbaar verbitterd geraakt over het feit dat hij voortdurend werd bespot en vergeten.'

'Caligula heeft hem destijds toch maar tot consul benoemd,' bracht Vespasianus te berde.

Pallas trok een dikke wenkbrauw op. 'Beschouw dat als een grap. Ik denk dat iedereen, vooral zijn moeder, verbaasd was hoe goed hij zich van zijn taak kweet. Waar het om gaat is dat hij nu iedereen wantrouwt die hem in het verleden niet heeft gesteund. Zeg maar gerust iedereen in Rome, enkele uitzonderingen daar gelaten.'

Gaius gaf Pallas een ferme klap op de rug. 'In het bijzonder zijn vrijgelatenen, nietwaar?'

'Zo is het, Gaius. Toen de Senaat weigerde om Claudius meteen tot keizer uit te roepen, een eventualiteit die wij onderschat hebben, wist hij zeker dat hij in de toekomst geen enkele senator meer kon vertrouwen. Het was dus makkelijk om hem over te halen in te stemmen met ons plan.'

'De Senaat omzeilen, bedoelt u dat?' vroeg Vespasianus terwijl ze het Forum van Caesar binnenwandelden. Het bouwwerk werd gedomineerd door een gigantisch ruiterstandbeeld van de man die lang geleden Rome zijn wil wilde opleggen.

'Wij noemen het liever gecentraliseerd regeringsbeleid. Vanaf nu neemt de keizer alle besluiten.'

'Natuurlijk met hulp van zijn naaste adviseurs,' voegde Gaius eraan toe.

'Een keizerrijk regeren is uiteraard een te grote last voor één persoon. Daarom zullen zijn loyale vrijgelatenen hem met raad en daad bijstaan. Ik zal de schatkamer mede onder mijn hoede nemen, Callistus de justitiële zaken en Narcissus... nou ja, Narcissus zal zich met zijn correspondentie gaan bezighouden.'

Gaius begreep het meteen. 'Hij verblijft dus in zijn onmiddellijke nabijheid. Dat betekent dat hij de macht krijgt over de buitenlandse en binnenlandse politiek, maar ook zijn afspraken regelt en...' Gaius zweeg even en keek Pallas veelbetekenend aan, '... en verzoeken doet aan de keizer over kwesties van leven en dood.'

Pallas knikte langzaam.

'Wil dat zeggen dat u ons probleem niet kunt oplossen?'

'Niet in directe zin. Hoe graag ik dat ook zou willen, gelet op de gunsten die u en Vespasianus mij in het verleden hebben bewezen. Narcissus, Callistus en ik zijn overeengekomen niet in elkaars vaarwater te komen wat betreft onze invloedssferen. Hoewel ik nog niet zie dat we dat jarenlang kunnen volhouden, is het beter die afspraak

zo lang mogelijk te koesteren. Ik sta buiten het besluit over hetgeen er met Sabinus moet gebeuren. U zult zich daarover tot Narcissus moeten wenden.'

'Niet als we Claudius meteen te spreken kunnen krijgen over deze kwestie.'

'Dat is onmogelijk. Bovendien is het niet verstandig. Claudius weet niet welke rol Sabinus in de aanslag heeft gespeeld. En dat is maar beter zo. Herodes Agrippa heeft Narcissus en mij vanochtend verteld, mijns inziens veel te opgewekt, dat hij inmiddels weet wie de gemaskerde aanslagpleger was die hij en Claudius waren tegengekomen in de paleisgang. Sabinus. Het drong pas echt tot hem door toen hij u in de ogen keek, Vespasianus, gisteren in de Senaat. Het gaf zijn geheugen het laatste zetje.'

'Als we zo op elkaar lijken, kun je je ook afvragen waarom hij mij niet als de aanslagpleger beschouwt.'

'De aanslagpleger zei iets tegen Claudius. Hij had niet uw accent uit Sabina. Herodes Agrippa realiseerde zich dat het Sabinus moest zijn geweest. Het is welbekend dat hij er alles aan doet om zijn afstamming te verbergen. Om voor de hand liggende redenen dachten we dat Herodes Agrippa zich vergist had, maar hij hield voet bij stuk. We moesten en zouden hem vinden om hem morgen met de andere samenzweerders te executeren. Anders zou hij zijn beklag doen bij Claudius.'

'Hij had Claudius daar ook meteen over kunnen spreken.'

'Dat dwarsboomt zijn werkelijke plannen. Hij is uit op macht én wraak. Hij wil wanhopig graag dat Claudius hem vertrouwt en dat hij zijn gang kan gaan in dat koninkrijk van hem. Wij raden dat af. Herodes koesterde de hoop dat wij zijn verzoek van de hand zouden wijzen en dat hij dan naar Claudius kon hollen om hem te verklappen dat zijn vrijgelatenen een van de moordenaars van zijn neef beschermen. Narcissus heeft hem moeten teleurstellen en stemde in met zijn verzoek. Ik moest me toen wel conformeren aan zijn besluit.'

Vespasianus en Gaius keken Pallas ontzet aan.

'Maar dan zult u verantwoordelijk zijn voor de opsporing en executie van Sabinus!' schreeuwde Vespasianus bijna uit.

Pallas bleef kalm. 'Luister goed naar mijn woorden. Ik zei dat ik me geconformeerd heb aan zijn besluit. Ik had immers geen andere keus

toen Narcissus eenmaal wist wie de dader was. Ik moest worden gezien als iemand die samenwerkt met zijn collega. Als Herodes Agrippa bij mij had aangeklopt met dat verzoek zou ik er met een ernstige bedreiging voor kunnen zorgen dat hij zijn mond hield. Maar hij wendde zich tot Narcissus. Niks aan te doen. Het is zoals het is. Ik heb trouwens niks gedaan om ervoor te zorgen dat Sabinus wordt gevonden, hoewel ik vermoed waar hij zich ophoudt. We weten dat hij gewond is geraakt. Twee Germaanse lijfwachten hebben een dwaze aanval op de centurie van Lupus overleefd. Ze trokken zich terug en wachtten af wat er ging gebeuren. Zij zagen toen een van de aanslagplegers het paleiscomplex verlaten. Ze volgden hem, probeerden hem te onderscheppen aan de voet van de Palatijn. De aanslagpleger vermoordde een Germaan en liet de andere gewond achter. Callistus heeft de gewonde man aan een verhoor onderworpen. De goden zij dank dat de Germaan het gezicht van de betreffende persoon niet heeft gezien. Wel beweert hij dat hij de aanslagpleger met een mes in het bovenbeen heeft gestoken. Daarom moet Sabinus nog in Rome zijn.'

Vespasianus legde een hand op zijn voorhoofd. 'Dan heb ik hem gezien toen we uit dat steegje kwamen gehold, oom Gaius. Een man liep mank weg, weet u nog? Dat moet Sabinus zijn geweest. Ik besloot de andere kant op te lopen omdat hij gewapend was.'

'Dat hebt u dan goed gedaan,' zei Pallas. 'Als u hem daar ontmoet had, en hem had meegenomen naar huis, zou hij nu in een kerker zitten. Narcissus weet dat Sabinus de aanslagpleger was. Hij heeft uw woning, Gaius, en Sabinus' huis op de Aventijn en de woning van Caenis vanochtend tijdens de ceremonie laten doorzoeken.'

'O ja? Waar haalt hij het lef vandaan?' Gaius explodeerde bijna van woede.

Vespasianus vroeg zich bezorgd af hoe Flavia en Caenis gereageerd hadden op de huisvredebreuk. Hij vreesde nu al het moment dat hij beiden het een en ander moest uitleggen.

'De tijden zijn veranderd, Gaius,' zei Pallas zachtjes. 'Narcissus durft dat simpelweg omdat hij de macht daartoe heeft. Maar ook omdat hij geen andere keus heeft. Er staat immers meer op het spel dan het leven van slechts één man. We mogen niet toelaten dat Herodes Agrippa het voor elkaar krijgt dat Claudius hem straks blindelings vertrouwt. Sinds Caligula hem drie jaar geleden dat koninkrijk

heeft geschonken, is hij bezig de fortificaties van Jeruzalem te herstellen. Om die reden is Jeruzalem een van de meest ontzagwekkende steden in het Oosten geworden. Ook heeft hij Claudius gezworen dat hij daarmee alleen de belangen van Rome voor ogen heeft, gelet op de expansiedrang van de Parthen. Claudius gelooft hem en heeft zijn koningschap nogmaals bekrachtigd. Maar we weten allemaal dat de fortificaties van Jeruzalem erop gericht zijn militaire dreigingen vanuit het westen én het oosten af te slaan. En we weten ook hoe de Joden denken over het Romeinse bewind. Als Judaea rebelleert, kan de vlam in de pan slaan en het hele Oosten in lichterlaaie zetten. De Parthen zullen dat vuur maar al te graag aanwakkeren. Zij willen immers weer toegang krijgen tot onze zee, wat hun sinds de tijd dat Alexander de Grote het voor het zeggen had misgund werd. Het is aan ons om het vertrouwen dat Claudius in Herodes Agrippa heeft te ondermijnen, zodat we hem uiteindelijk ten val kunnen brengen. Het is een slecht begin als hij Claudius vertelt dat wij een van Caligula's moordenaars onderdak bieden.'

Vespasianus kon er de logica wel van inzien, hoe onaangenaam die ook was. 'Wat kunnen we nog doen, Pallas?'

'Eerst moet u ervoor zorgen dat Sabinus een ander onderduikadres krijgt. Volgens mij houdt hij zich schuil in de taverne van de kruispuntbroeders, geleid door Magnus. Vroeg of laat zal Narcissus zich de band herinneren die uw familie met hem heeft. Ik heb hem daar niet aan helpen herinneren. Hij moet worden overgebracht naar uw woning, Gaius. Daar is hij veilig, aangezien dat pand al doorzocht is. Narcissus zal hem alleen sparen als nooit openbaar wordt dat hij deel heeft uitgemaakt van de aanslag. Dat is de enige hoop die we mogen koesteren.'

'En Herodes Agrippa dan?' vroeg Gaius.

'Hem kunnen we wel aan, geloof mij maar. Gelukkig mogen we erop vertrouwen dat Herodes Agrippa meer aan macht hecht dan aan wraak.'

Vespasianus beet op zijn onderlip. 'Het scheelt dat we alleen maar Narcissus hoeven over te halen. Bovendien staat hij nog bij mij in het krijt.'

'Dat weet ik. En ook bij Sabinus. Daar heb ik hem vanochtend nog aan herinnerd.'

'In elk geval bedankt dat u dat hebt gedaan, vriend,' zei Vespasianus oprecht.

Pallas haalde zijn schouders op. 'Het is niet de enige manier waarop ik heb kunnen helpen. Tijdens de gesprekken in de afgelopen maand hebben we het steeds gehad over de wijze waarop we de positie van onze patroon zo goed mogelijk konden veiligstellen. Zowel u, Vespasianus, als Sabinus kwam toen ter sprake. Sabinus kan nog steeds nuttig zijn voor ons. Maar eerst moet Narcissus zodanig worden beïnvloed dat hij het gevoel heeft dat hij uw broer kan sparen.'

'Bedoelt u dat Sabinus met een gunst zijn eigen leven kan redden?'

'We zullen zien. Ik heb voor het tweede uur morgenvroeg een afspraak geregeld met Narcissus. U kunt hem dan spreken en hem wellicht ook verrassen door Sabinus mee te nemen.'

HOOFDSTUK III

De zon ging onder. Vespasianus en Gaius liepen in hun eigen lange schaduw oostwaarts door de drukke Alta Semita. Aan weerszijden van deze straat stonden huurwoningen. Het tweetal begaf zich naar het kruispunt op de zuidhelling van de Quirinaal, waar de Vicus Longus de genoemde straat kruiste. Aan de overkant van dat kruispunt stond een gebouw met drie verdiepingen. Vespasianus was dat pand dikwijls gepasseerd maar er nooit naar binnen gegaan: de taverne van de Zuid-Quirinale Kruispuntbroederschap, hun thuisbasis, geleid door Magnus. Ze verdienden hun geld door de plaatselijke handelaars en bewoners te beschermen. Er bevond zich ook het heiligdom van de kruispuntgoden. De belangrijkste taak van de broeders was het aanbidden en vereren van deze goden, tevens de oorspronkelijke reden van het bestaan van deze broederschap.

Buiten aan een van de eenvoudige houten tafels met banken zaten twee onguur uitziende types. Vespasianus vermoedde dat het hun taak was om reizigers die hun territorium passeerden, en die er rijk genoeg uitzagen om door de kruispuntbroeders beschermd te worden, te onderscheppen. Precies zoals dat ook de familie van Vespasianus was overkomen bij aankomst in Rome, ruim vijftien jaar geleden. Vespasianus was toen zestien.

Gaius en Vespasianus knikten de twee mannen toe en liepen door een lage deur de bedompte en luidruchtige zitkamer binnen. Meteen viel iedereen stil. Alle ogen waren op hen gericht.

'Bij de parmantige kont van Venus! Nooit gedacht dat ik nog eens twee senatoren door die deur naar binnen zou zien lopen, beiden ook nog voormalige praetoren,' riep Magnus met een grijns. Hij stond op

van een tafel in de hoek. Zijn metgezel, een oude man met een rimpelige hals en misvormde handen, staarde met melkachtige ogen blind in de richting waar hij vermoedde dat de aangekomenen zich bevonden. Magnus legde een hand op zijn schouder. 'Heb jij hier wel eens een senator naar binnen zien stappen, Servius?'

De man schudde zijn hoofd. 'Nee, en dat zal ik ook nooit te zien krijgen.'

'Ja, gelijk heb je, broeder!' Magnus gaf Servius een klap op de rug en liep naar Vespasianus en Gaius. 'Kom maar mee.'

De vloer was plakkerig door gemorste wijn; hun rode senatorschoenen maakten een knerpend geluid. Er weerklonk vragend geroezemoes terwijl ze gedrieën door de kamer liepen.

'Hij krijgt een ander onderduikadres, Magnus,' zei Vespasianus terwijl ze de deur namen naast de met amfora's omzoomde bar aan de andere kant van het vertrek.

'Nu?'

'Zodra de duisternis is ingevallen.'

'Op het moment ziet hij er niet vief genoeg uit voor een verhuizing.'

'Dat zal best, maar Narcissus weet dat hij ergens in Rome gewond is geraakt. Vroeg of laat zal hij hier dus ook aankloppen. Wie is er nog meer van op de hoogte dat hij hier is?'

Magnus nam een houten trap met scheve treden. 'Alleen Servius, mijn plaatsvervanger, Ziri, en Sextus en Marius. Ze hielden gisteravond de wacht toen Sabinus naar binnen strompelde.'

'Goed, dan kunnen zij ons helpen. Is er een achteruitgang?'

Magnus keek zijn vriend over zijn schouder afkeurend, spottend aan.

'Het spijt me, stomme vraag.'

'Er zijn zelfs drie achteruitgangen,' zei Magnus. Hij ging hun voor door een donkere gang. Aan het eind ervan opende hij een lage deur. 'Welkom in mijn nederig stulpje, heren.'

Vespasianus en Gaius volgden hem een schemerig verlichte kamer in, niet meer dan tien voet in het vierkant. Er stond een tafel met twee stoelen. Achter in het vertrek bevond zich een laag bed. Sabinus lag erop te slapen. Hij had een bleek gezicht, zelfs in het schemerlicht. Ziri, de slaaf van Magnus, zat in een van de stoelen en hield de wacht.

'Hoe gaat het met hem, Ziri?'
'Wat beter, heer,' antwoordde de pezige, donkerhuidige Marmaride. Hij wees naar een lege kom op de tafel. 'Kijk maar, hij heeft een tijdje geleden al het varkensvlees opgegeten.'
Sabinus verroerde zich. Hij werd wakker van het gepraat. Hij opende zijn ogen en gromde toen hij zijn broer en oom achter Magnus zag staan. 'Jullie hadden weg moeten blijven.'
'Nee, idioot, jij had niet mogen komen!' riep Vespasianus woedend. De spanning van de afgelopen uren kwam nu tot een uitbarsting. 'Bij alle goden, waar denk je dat je mee bezig was? Jij zat veilig opgeborgen in Pannonia. Clementina en de kinderen zaten bij vader en moeder. Waarom heb je je niet gedeisd gehouden? Waarom moest jij ook zo nodig zelfmoord plegen?'
Sabinus deed zijn ogen dicht. 'Vespasianus, maak dat je verdomme wegkomt als je alleen bent gekomen om mij de huid vol te schelden. Ik heb mijn eer gewroken, mijn goed recht. Ik heb jou erbuiten gelaten. Ik ben met opzet in het geheim gekomen. Jij hoefde je dan niet verplicht te voelen mij te helpen omdat we nu eenmaal broers zijn.'
'Dat besef ik heel goed. En daar ben ik je dankbaar voor. Juist omdat we broers zijn voel ik me verplicht jou onder de neus te wrijven dat je een sukkel bent. Als het geluk je nu in de steek laat, ben je straks bovendien een dode sukkel.'
Gaius ging tussen de twee broers in staan. 'Beste jongens, dit leidt tot niets. Hoe voel je je, Sabinus? Ben je in staat om van onderduikadres te veranderen? De manschappen van Narcissus kammen heel Rome uit om je te vinden.'
'Heeft Herodes Agrippa me dus herkend?'
'Ik vrees van wel.'
Een flauw glimlachje omspeelde de mondhoeken van Sabinus. 'Die gluiperige klootzak. Ik weet zeker dat hij dat maar al te graag aan iedereen vertelt die het horen wil.'
'Gelukkig is hij met die informatie in allerlei politieke spelletjes verwikkeld geraakt. Hij heeft het er druk mee. We hebben dus nog een kans om je hier levend uit te halen.'
'Hoezo? Bedoel je dat de anderen geëxecuteerd zijn?'
'Dat gaat morgen gebeuren.'
'Maar Clemens had afspraken gemaakt.'

'Doe niet zo naïef. Narcissus zou zich daar nooit aan houden.'

'En Pallas dan?'

'Pallas is de enige die ons helpt. Maar hij kan niets meer doen voor Clemens en de rest. Iedereen weet inmiddels dat zij de aanslagplegers waren. Ze zijn ten dode opgeschreven.'

Sabinus zuchtte. 'Ze moeten geprezen worden, niet geëxecuteerd.'

'Ik weet zeker dat Narcissus hun voortdurend stilletjes alle lof toezwaait. Toch is hun executie onvermijdelijk. Nou, beste jongen, we moeten gaan. Magnus, haal je maten.'

Magnus knikte en verliet de kamer.

'Wat gaat er gebeuren, oom Gaius?' vroeg Sabinus. Met moeite steunde hij op zijn ellebogen.

'Eerst brengen we je naar mijn huis. Morgenochtend ga je Narcissus smeken om je leven, hoe onaangenaam het ook is om te kruipen voor een vrijgelatene.'

Gaius klopte op zijn eigen voordeur. De jonge portier deed met een ruk open. 'Zeg tegen Gernot dat hij in de gastenkamer een stoof neerzet. Laat de kok wat soep maken,' beval Gaius de jonge knul.

De jongen keek bang op naar zijn meester. 'Heer, ze hebben het huis doorzocht...'

'Ja, ik ben inmiddels op de hoogte gebracht. Maak je geen zorgen, Ortwin. Jij had dat onmogelijk kunnen voorkomen. Ga nu.'

Ortwin knipperde met zijn ogen en rende door de hal. Met veel genoegen keek Gaius de slavenjongen na, wiens korte tunica in de vaart onthulde wat verhuld had moeten blijven. Vervolgens wendde hij zich tot de kruispuntbroeders die op straat aan het wachten waren. 'Breng hem naar binnen, Magnus.' Hij keek Vespasianus aan. 'Flavia mag de waarheid niet weten, beste jongen. Mij is verteld dat vrouwen de neiging hebben om onder elkaar te roddelen, hoewel ik daar uiteraard geen persoonlijke ervaring mee heb.'

Vespasianus grinnikte. 'Ik begrijp het, oom Gaius. Maar geen enkele verklaring zal de feiten dekken.'

'Laat de feiten dan achterwege.'

Vespasianus verwonderde zich erover dat zijn oom vond dat de kwestie zo eenvoudig van de hand gedaan kon worden.

'Doe voorzichtig met hem, jongens,' waarschuwde Magnus zijn twee

maten Sextus en Marius. 'Ieder een arm om zijn middel en hem daarna overeind helpen.'

'Arm om zijn middel en hem daarna overeind helpen,' herhaalde Sextus. Het drong altijd maar heel langzaam tot hem door wat er van hem verwacht werd.

Marius knikte. 'Daar heb je helemaal gelijk in, Magnus.'

Bezorgd keek Vespasianus toe terwijl Marius en Sextus zijn broer uit de handkar hesen. Een handkar die ze gebruikt hadden om Sabinus te vervoeren. Ziri hield de kar onderwijl in evenwicht. Sabinus grimaste terwijl de twee kruispuntbroeders hem ondersteunden. Uiteindelijk stond hij wankel op zijn linkerbeen. Bloed sijpelde onder het dikke verband om zijn rechterbeen uit. De ruwe rit langs de Quirinaal had de wond geen goed gedaan. Geholpen door de broeders hompelde hij op één been en met een van pijn vertrokken gezicht naar binnen.

'Rijd de kar achter het huis, Magnus,' verzocht Vespasianus. 'We hebben dat ding morgen weer nodig.'

'Ons ook, heer? Hebt u morgenochtend een gewapende escorte nodig?'

'Rond zonsopgang. Lukt dat?'

'Geen probleem,' antwoordde Magnus terwijl Ziri de handkar draaide en het voertuig in een zijstraatje reed.

Vespasianus liep door de hal naar het atrium. Hij werd toen geconfronteerd met iets wat hij voor het eerst aanschouwde: zijn vrouw en zijn minnares bevonden zich in dezelfde ruimte. Ze zagen er beslist niet blij uit. Gaius was nergens te bekennen.

'Wat is hier aan de hand?' vroeg Flavia op een eisende toon. Het klonk schril, gekrenkt, zeer verontwaardigd. 'Mannen hebben zich met geweld toegang verschaft tot onze huizen en onze slaapkamers doorzocht. Mannen met nog slechtere manieren dan die daar.' Ze wees met een beschuldigende vinger naar Sextus en Marius, die Sabinus op een divan hielpen. 'Vervolgens wordt Sabinus met een handkar afgeleverd, meer dood dan levend, terwijl hij toch duizend mijl buiten Rome aan het werk hoort te zijn, nietwaar? Ik eiste vervolgens een verklaring van Gaius. Hij keek me nauwelijks aan en verdween meteen in zijn werkkamer.'

Het verbaasde Vespasianus niet dat Gaius de vlucht had genomen.

Flavia deed zijn oom immers op onaangename wijze denken aan de moeder van Vespasianus. Gaius had groot respect voor de vader van de twee broers. Titus had dit soort tirades vaak moeten meemaken. Een onplezierige gedachte schoot plotseling door hem heen: was hij met Flavia getrouwd omdat ze hem, zonder dat hij het besefte, aan zijn moeder deed denken? Vluchtig keek hij naar Caenis, die naast Flavia in een verkeerd decor terecht leek te zijn gekomen. Gelet op haar gelaatsuitdrukking hoefde hij geen steun van die kant te verwachten.

'Nou, Vespasianus. We wachten nog steeds op antwoord,' drong Flavia aan. Ze legde een arm om de schouders van Caenis.

Vespasianus huiverde bij de aanblik.

'Wat hebben jullie misdaan waardoor deze verschrikkelijke huisvredebreuk gerechtvaardigd was?'

Hij herinnerde zich de tot tevredenheid stemmende resultaten nadat zijn vader in dit soort situaties in het offensief was gekomen. Hij besloot daar nu eveneens toe over te gaan, hoewel hij moest toegeven dat dat aan de late kant was. 'Dit is niet het moment om te gaan schreeuwen, noch voor beschuldigingen over en weer. Ik leg je helemaal niets uit! Zorg ervoor dat de kamer van Sabinus in orde wordt gebracht en draag de kok op om wat soep voor hem te maken.'

Flavia legde een hand op haar dikke buik. 'Door deze spanningen zou ik een miskraam kunnen krijgen. Ik wil dat je me uitlegt waarom er...'

'Nogmaals, ik leg je helemaal niks uit! Zorg ervoor dat Sabinus een kamer krijgt. Nu!'

Flavia schrok hiervan. Caenis en zij vingen elkaars blik. Een blik van wederzijdse sympathie en verstandhouding, waarna ze zich omdraaide en met stevige tred het atrium verliet.

'Caenis, zorg ervoor dat Sabinus een schoon verband krijgt,' beval Vespasianus norser dan de bedoeling was.

Ze opende haar mond om hem van repliek te dienen, maar haalde onmiddellijk bakzeil toen Vespasianus haar prompt een waarschuwende blik toewierp. Hij wilde niet tegen haar uitvallen, en zij begreep het. Ze liep naar Sabinus, die inmiddels in de kussens op de divan lag. De uitdrukking op zijn bleke gezicht toonde hoezeer hij ervan genoot dat hij getuige was geweest van de ingewikkelde thuissituatie van Vespasianus. Sextus en Marius stonden naast hem. Ze

wisten niet waar ze moesten kijken of hoe ze konden ontsnappen aan deze toestand.

'Bedankt, jongens,' zei Vespasianus. Hij was enigszins gekalmeerd. Uit zijn beurs diepte hij voor iedere kruispuntbroeder twee sestertiën op. 'Tot morgen.'

'Dank u, heer,' mompelde Marius, waarna hij naar de deur liep. Sextus mompelde iets onverstaanbaars en volgde hem naar buiten. Geen van beiden keek Vespasianus aan.

'De hechtingen zijn gelukkig niet gebroken,' merkte Caenis op. Ze inspecteerde de wond, nadat ze het verband had verwijderd. 'Deppen met azijn en schoon verband, dat is alles. Ik ga de spullen wel even halen.' Met neergeslagen ogen verliet ze het atrium.

Vespasianus liet zich in een stoel zakken en veegde met een plooi van zijn toga het zweet van zijn voorhoofd, waardoor er een witte kalkveeg achterbleef op de huid.

Sabinus keek hem aan en gniffelde slechts even, zo verzwakt was hij. 'Volgens mij was dit de eerste keer dat jullie gedrieën tegelijkertijd in één kamer waren, nietwaar?'

'En de laatste keer, hoop ik.'

'Behalve in je slaapkamer... wellicht?'

Vespasianus keek zijn broer dreigend aan. 'Rot op, Sabinus.'

Nog meer opmerkingen aangaande dit onderwerp werden in de kiem gesmoord door Gaius, die zijn hoofd om de deur van zijn werkkamer stak en vroeg: 'Is de kust veilig?'

'Ja, oom Gaius. Maar ze komen gegarandeerd terug.'

Gaius liep snel weer zijn werkkamer in.

Vespasianus reikte naar een kruik die naast hem op de tafel stond en schonk zichzelf een grote beker onvermengde wijn in. Vervolgens nam hij een flinke slok en genoot er met gesloten ogen van, alsof hij hoopte dat datgene waarvan hij zonet getuige was geweest simpelweg niet waar was.

Helaas werd enige tijd later bevestigd dat hij dit niet gedroomd had. Het geluid van twee paar voetstappen weerklonk in het *tablinum*, aan de achterzijde van het atrium. Vespasianus nam vlug een extra grote slok wijn. Zijn echtgenote en Caenis liepen samen naar binnen. Flavia had een kom soep en wat brood bij zich, en Caenis een fles azijn en schoon verband.

Zwijgend verzorgden ze Sabinus. Uiteindelijk was de soepkom leeg en het verband verwisseld. Daarna riepen ze twee slaven om Sabinus naar zijn kamer te helpen.

Toen de vrouwen terug waren, gingen ze voor Vespasianus staan, die nog steeds onderuitgezakt in zijn stoel zat en aan zijn tweede beker wijn was begonnen.

'Ik denk dat ik maar naar huis ga,' zei Caenis zachtjes.

Flavia keek berouwvol uit haar ogen. 'Het spijt me,' zei ze tegen hem. 'Je had gelijk dat je me niets wilde vertellen. Caenis heeft een vermoeden wat er is gebeurd... waarom Sabinus in Rome is. Gelet op wat Clementina is overkomen, heeft hij goed gehandeld. Ik weet dat jij hetzelfde gedaan zou hebben.'

Caenis liep langs Vespasianus naar de deur, waarbij ze heel even een hand zachtjes op zijn schouder legde. Daarna nam ze haar mantel van de haak, wierp die over haar schouders en keek om. 'We zijn ons er beiden zeer goed van bewust dat we strikte geheimhouding dienen te betrachten. We zullen er nooit ook maar één woord over loslaten, Vespasianus. Tegen niemand. Nietwaar, Flavia?'

'Zo is het. Tegen niemand. Geen woord.'

'Ik hoor dat u gisteravond nogal in het nauw bent gedreven, heer,' zei Magnus spraakzaam toen hij de volgende ochtend met Vespasianus en Gaius de Quirinaal af liep. Zijn adem maakte nauwelijks zichtbare wolkjes in de vroege ochtendlucht, die grijs en betrokken was. Het motregende een beetje.

Afkeurend keek Vespasianus over zijn schouder naar Sextus en Marius, die Sabinus in een handkar vervoerden en wiens gezicht onder een kap was verborgen. 'Ik dacht dat alleen vrouwen kletsen over de huiselijke problemen van anderen.'

'Mijn maten valt niks te verwijten. Ik hoorde het geschreeuw terwijl ik buiten stond. Toen de jongens terugkwamen, vroeg ik wat er gaande was.'

'Het was een angstaanjagende aanblik, mijn vriend,' vond Gaius. Hij verbleekte bij de herinnering. 'Eén toornige vrouw is al erg genoeg. Twee woedende vrouwen is als de hel op aarde. Het was ondraaglijk!' Gaius schudde zijn hoofd en ademde met op elkaar geklemde kaken in. 'Met vuur in hun ogen stonden ze daar, verbonden

door het wederzijdse gevoel dat hun groot onrecht was aangedaan. De haat en jaloezie uit het verleden deden er even niet meer toe nu ze zich als gezworen kameraden tegen één vijand richtten. Afgrijselijk om te zien! Gelukkig moest ik urgente correspondentie afhandelen.'

'U bent gewoon gevlucht, oom Gaius.'

'Beste jongen, ik beschouw het niet als mijn taak om me te bemoeien met jouw afschuwelijk gecompliceerde thuissituatie, vooral niet als je vrouwen zich verenigd weten in een onnatuurlijk, wraakzuchtig bondgenootschap. Dit soort vastbeslotenheid vind je alleen bij onbesuisde mannen die denken dat ze met lege handen kunnen onderhandelen.'

'Laat u nou op het punt staan om daartoe over te gaan, senator,' bracht Magnus te berde.

Gaius gromde van onbehagen en Vespasianus glimlachte in zichzelf, ondanks het feit dat Magnus de waarheid sprak. Ze hadden Narcissus inderdaad niets te bieden in ruil voor het leven van Sabinus. Helemaal niets. Behalve de hoop dat hij zich de twee gunsten herinnerde die hij hun nog schuldig was. Hij stond bij hen in het krijt. Tien jaar geleden waren Vespasianus en zijn broer in het bezit van een geheime, gecodeerde en verraderlijke brief, geschreven in naam van Claudius en met medeweten van Boter, zijn inmiddels overleden vrijgelatene. Ze hadden de brief aan domina Antonia laten zien, de moeder van Claudius, waarna zij de tekst voorlas aan een verbijsterde Narcissus. Hij beloofde toen strenger de hand te houden aan de zaken van zijn plooibare, maar overdreven ambitieuze patroon. Narcissus had de broers bedankt voor hun discretie in deze kwestie. Als Tiberius of Seianus hiervan wist, zouden ze Claudius kunnen verbannen of zelfs executeren. De carrière van Narcissus hing destijds dus aan een zijden draad. Hij had beloofd om mettertijd, en indien mogelijk, iets terug te doen voor deze gunst van Vespasianus en Sabinus.

De andere kwestie was veeleer een infame herinnering. Vespasianus kon de pijn van die schande nog steeds lijfelijk voelen. Op verzoek van domina Antonia hadden hij en zijn aristocratische vriend Corbulo Poppaeus Sabinus vermoord, die Macro's poging om aan de macht te komen had gefinancierd. Macro was de gedoodverfde opvolger van Seianus. De moord vond plaats in de woning van Claudius en met hulp van Narcissus en Pallas tijdens de betaling van Claudius' schuld

van veertien miljoen denarii voor in totaal zeven van Poppaeus' waardevolle landgoederen in de provincie Egypte. Claudius bleef zéér rijk achter. Hij behield immers zowel het enorme geldbedrag als de zeven landgoederen van Poppaeus. Vespasianus hoopte dat met name die gunst Narcissus over de drempel zou helpen om er in deze situatie iets voor terug te doen. Hoewel Narcissus destijds toegaf dat hij bij Vespasianus in het krijt stond, wist Vespasianus ook dat hij Narcissus op geen enkele wijze kon dwingen omdat het een volstrekt loochenbare kwestie betrof. Ze hadden er namelijk voor gezorgd dat het leek of Poppaeus een natuurlijke dood was gestorven.

Deze gedachten schoten door hem heen terwijl ze zwijgend en met een akelig voorgevoel de Palatijn op sjokten. Na een tijdje arriveerden ze aan de voorzijde van het paleiscomplex.

Vespasianus was geschokt door de aanblik: in de open ruimte voor het gebouw stonden en liepen honderden senatoren en *equites*. Ze stampten met hun voeten op de grond en sloegen de armen om hun schouders, want de weersomstandigheden hielden niet over. 'Wat doen ze daar in de kou?' vroeg hij. 'Het atrium kan toch niet vol zijn?'

'Het lijkt wel of alle Romeinen willen weten op welke voet ze staan met het nieuwe regime,' meende Gaius. 'Magnus, jij blijft hier met Sabinus en je maten. Wij gaan kijken wat er loos is.'

Vespasianus en Gaius baanden zich een weg door de ontevreden menigte. Ze groetten rivalen en kennissen tot ze uiteindelijk de oorzaak van de impasse zagen. Pal voor de hoofddeuren postte een centurie praetorianen, nog steeds in volledig militair tenue, wat eigenlijk ongehoord was. Voor hen waren vier schrijftafels neergezet, waarachter keizerlijke klerken zaten die de namen noteerden van zowel de senatoren als de equites. Vervolgens zochten ze die namen op in een lijst met personen die vandaag toegang kregen tot het paleis. De uitdrukking op de gezichten van de afgewezenen straalde verontwaardiging en vernedering uit, vooral bij degenen uit de hoogste sociale en maatschappelijke klasse. Ze waren immers afgewezen, nog wel door slaven, en mochten de keizer niet spreken.

'Zelfs Caligula liet het niet zo ver komen,' fluisterde Gaius woedend. 'Sterker nog, hij moedigde de mensen aan om hem elke ochtend te komen begroeten.'

'Omdat hij als onsterfelijke niet bang hoefde te zijn voor een aanslag.'

Gaius en Vespasianus draaiden zich meteen om. Weer had Pallas het voor elkaar gekregen om hen nietsvermoedend van achteren te naderen.

'Goedemorgen, heren,' zei hij. Voor de tweede keer legde hij een arm om hun schouders. Hun kleren waren inmiddels vochtig geworden. 'Ik heb op u gewacht om Sabinus te helpen het nieuwe toelatingsbeleid te omzeilen. Waar is hij?'

Vespasianus wees naar de menigte. 'Achter al die wachtenden. In een handkar. Magnus is bij hem. Lopen gaat nog niet zo goed.'

'Ik zal ervoor zorgen dat mijn personeel hem door een van de zijingangen loodst.' Pallas gaf een teken aan enkele klerken die wachtten om geroepen te worden. Na een kort fluistergesprekje, waarbij het leek of Pallas een bepaalde kwestie telkens herhaalde, liepen de klerken weg om te doen wat hun was opgedragen. 'Ze brengen hem naar mijn nieuwe onderkomen. Daar kan hij wachten tot het tijd is voor het persoonlijk onderhoud met Narcissus. Nu moeten we u nog door de menigte loodsen.'

'Gaat dat elke dag zo?' vroeg Vespasianus terwijl ze naar de dichtstbijzijnde schrijftafel liepen.

'Alleen degenen die een afspraak hebben worden toegelaten, waarna de praetorianen ze controleren op wapens.'

'Senatoren controleren?' Gaius snoof beledigd.

'Had Julius Caesar dat beleid maar omarmd,' vond Vespasianus. Hij probeerde zijn oom op te vrolijken. 'Dan zouden wij nu waarschijnlijk in een heel andere wereld leven.'

Pallas gaf geen krimp. 'Dat betwijfel ik ten zeerste.'

Een halfuur later arriveerden ze eindelijk in het grootse, imposante atrium. Augustus had het vertrek laten ontwerpen om bij de gezantschappen uit verre streken ontzag in te boezemen voor de bijna melancholieke waardigheid en allure van Rome. Vespasianus verbaasde zich erover hoe weinig mensen er wachtten om toegelaten te worden. Ze spraken zachtjes tegen elkaar. Hun stemmen waren vrijwel onhoorbaar door het gekletter van de centrale fontein en de klappende voetstappen van buitensporig veel keizerlijke ambtenaren die her en der met wastabletten en rollen ieder huns weegs gingen. Hij was echter opgelucht dat twee dagen na de aanslag op Caligula, het meren-

deel van het vulgaire decor – waar de onbezonnen, jonge keizer zo van genoten had – vervangen was door de originele, verfijndere en vooral voortreffelijk vervaardigde meubels, ornamenten en standbeelden die hij zo had bewonderd toen hij voor het eerst deze ruimte in ogenschouw had genomen.

'Ik laat u hier achter, heren,' zei Pallas. Hij wees naar twee stoelen aan weerszijden van een tafel, die voor een wel zeer geïdealiseerd standbeeld van Claudius stond. 'U wordt over enkele ogenblikken geroepen. Een van mijn ambtenaren zal mij waarschuwen als het zover is, waarna ik met Sabinus binnenkom. Veel succes.'

'Dank u voor de hulp die u geboden hebt, Pallas,' zei Vespasianus. Hij stak een arm naar hem uit.

Pallas stapte terug. 'Ik kan uw arm niet accepteren, mijn vriend. Althans niet in het openbaar. Als Narcissus daar lucht van krijgt, zal hij denken dat ik er meer voor u ben dan voor hem. Het is voor uw eigen bestwil dat u hem voor zich probeert te winnen. In Rome vormt hij immers de werkelijke regeringsmacht. Callistus en ik doen er in dat opzicht niet echt toe.' Hij draaide zich om, waarna hij er zachtjes aan toevoegde: 'Daar staat tegenover dat Claudius pas tweeënvijftig en dus nog relatief jong is. Hij heeft nog wat jaartjes te gaan.'

Een slaaf kwam aangelopen met een dienblad met daarop een assortiment vruchtensapjes. Vespasianus en Gaius namen plaats en keken Pallas na, die tussen de zuilen uit het zicht verdween.

'Ik begin langzaam te denken dat we onder Caligula wellicht beter af waren,' zei Gaius, die een beker van het dienblad pakte.

Vespasianus schopte onder de tafel tegen het scheenbeen van zijn oom terwijl hij een drankje uitkoos en wachtte tot de slaaf weer vertrok. 'Wees voorzichtig met wat u hier zegt, oom Gaius. Wij zijn loyale aanhangers van Claudius, nietwaar? Dat is op dit moment de enige praktische optie. Gelukkig gedraagt hij zich tegenover ons niet alsof hij van goddelijke afkomst is.'

Gaius grijnsde zelfgenoegzaam. 'En dat terwijl zijn favoriete vrijgelatene zich inmiddels wel zo begint te gedragen, nietwaar?'

Vespasianus keek de andere kant op om te voorkomen dat hij in de lach schoot. Terwijl hij dat deed, zag hij iemand door de hoofddeur komen die hij liever niet onder ogen kreeg: Marcus Valerius Messala Corvinus. De man die Clementina had ontvoerd en afgeleverd bij

Caligula, waarbij hij willens en wetens de stroom van gebeurtenissen in gang had gezet die resulteerde in de moordaanslag op Caligula. Ook zorgde dat ervoor dat zijn zus Messalina keizerin werd en steeds meer macht kreeg. Het markante patriciërsgezicht van Corvinus straalde een en al tevredenheid uit terwijl hij door het atrium liep alsof het gebouw van hem was.

Vespasius had de man voor het eerst ontmoet toen hij als quaestor in Cyrenaica diende. Daar waren ze vijanden van elkaar geworden. Vespasianus draaide zijn hoofd snel terug om niet gezien te worden. Te laat.

'Wat doe jij hier, boerenkinkel?' spotte Corvinus grijnzend. Boven zijn lange, aristocratische neus keek hij Vespasianus vanuit de hoogte aan. 'Ik kan me niet voorstellen dat er functies te vergeven zijn aan roekeloze plattelandsknullen die het leuk vinden hun sociale meerderen aan hun lot over te laten bij slavenhandelaars en meer dan honderd manschappen laten creperen in de woestijn.'

Vespasianus stond op en klemde zijn kaken op elkaar. Het was inderdaad zo dat zijn veldtocht tegen de Marmariden, een nomadenstam in de woestijn, een onbezonnen onderneming genoemd mocht worden. Hij had dat alleen gedaan om indruk te maken op Flavia, en hij werd liever niet herinnerd aan dat feit. 'Mijn familie heeft nog steeds een appeltje met jou te schillen door wat jij Clementina hebt aangedaan, Corvinus.'

'O ja? Ik zou zeggen dat het nu gelijkstaat.'

'Niet na wat Caligula haar heeft aangedaan.'

'Helpt het als ik zeg dat het hoofdzakelijk een zakelijke kwestie betrof? Hoewel ik moet toegeven dat het ook een zeer aangename kant had, noem het een zoete mengeling. Ik was me ervan bewust dat alleen een van de praetoriaanse prefecten een goede kans maakte om Caligula te vermoorden. Clementina was het ideale slachtoffer. Dankzij haar kon ik wraak nemen op jou en Clemens aansporen het pad te effenen voor mijn zus om keizerin te worden. Jouw broer, die idioot, heeft me zelfs ongewild verteld waar ze zich bevond. Het verbaasde me dat hij Clemens niet terzijde stond bij de moordaanslag. Of vindt hij het simpelweg wel best om als bedrogen echtgenoot oneervol door het leven te gaan?'

'Maak het niet erger dan het al is, het zal je bezuren.'

'Een loze dreiging, boerenkinkel. Ik spreek jou aan wanneer en hoe ik dat wil. Messalina is nu keizerin. Neem mijn advies ter harte: het staat gelijk, zand erover.'

Vespasianus opende zijn mond om hem van repliek te dienen. Plotseling schraapte een klerk die naast hem stond zijn keel. 'De keizerlijke secretaris wil u nu ontvangen, heren.'

Corvinus trok zijn neus op, alsof hij in iets vies was getrapt. Vervolgens draaide hij zich om en slenterde ogenschijnlijk zorgeloos weg.

'Als u mij wilt volgen, heren,' zei de klerk.

'Dat is een man met zeer goede connecties,' fluisterde Gaius. 'Je kunt maar het beste heel ver uit zijn buurt blijven.'

'Dank voor het advies, oom Gaius, maar we hebben nu urgentere zaken aan ons hoofd, zoals het leven van Sabinus dat aan een zijden draad hangt,' snauwde Vespasianus.

HOOFDSTUK IV

Buiten het atrium leek het paleis bijna verlaten. Af en toe kwamen ze een keizerlijke ambtenaar tegen in de ruime gangen die door het gebouw kronkelden. Het was een bewolkte dag, waardoor de weinige, hoge ramen amper daglicht en warmte doorlieten. Het was er dan ook kil, en er hing een mistroostige sfeer. Het geklepper van de hardleren zolen van hun rode senatorschoenen echode om hen heen. Vespasianus kreeg het gevoel dat hij niet naar het middelpunt van Romes macht, maar naar een kerker werd geleid.

Uiteindelijk hield de klerk zijn pas in voor een imposante dubbele deur. Hij klopte op het zwartgelakte hout.

'Binnen,' beval een vertrouwde stem loom.

De klerk deed de zware deur langzaam en geluidloos open, waarna hij Vespasianus en Gaius een dieprode kamer binnenleidde, die was opgefleurd met flakkerend gouden licht.

'Goedemorgen, senatoren Pollo en Vespasianus,' zei Narcissus half neuriënd van achter een robuust, eiken bureau waarop talloze rollen lagen. Hij stond niet op. Vijf stoelen waren tegenover hem in een halve cirkel neergezet. De stoel links was inmiddels bezet.

'Goedemorgen, keizerlijke secretaris,' antwoordden Vespasianus en Gaius bijna in koor.

Narcissus wees naar een tengere, kaalgeschoren man die inmiddels had plaatsgenomen. 'Kent u mijn collega-vrijgelatene Callistus?'

'Onze paden hebben elkaar inmiddels gekruist,' bevestigde Vespasianus.

Callistus knikte hen kort toe. 'Senatoren.'

'Neemt u plaats,' zei Narcissus.

Ze liepen naar voren. In elke hoek van de kamer, voor een gewelfde en geboende, bronzen spiegel, stond een identieke tienarmige kandelaar van zilver. De vier poten hadden de vorm van leeuwenklauwen. Elke kandelaar was manshoog en zorgde voor een prachtige, gouden gloed.

Gaius en Vespasianus namen plaats in de twee middelste stoelen. Met rechte rug, verstramd, zaten ze op de harde, houten zittingen. Kennelijk wilde Narcissus niet dat ze zich fysiek op hun gemak voelden. De geur van zijn rijkelijk opgebrachte pommade omhulde hen terwijl ze afwachtten.

De vrijgelatene keek hen een poosje aan. Zijn vingers waren op extravagante wijze voorzien van ringen. Als torentjes rustten ze op zijn volle, vochtige lippen, die uitstaken onder zijn snor en boven zijn keurig gekamde baard. Langzaam hield hij zijn hoofd schuin, alsof hij hen zo beter in ogenschouw kon nemen. Twee zware gouden oorringen glinsterden in het versterkte licht van de kandelaars en wiegden bij elke beweging die hij maakte. Achter hem dreef de regen in stroompjes langs het raam naar beneden. Een raam dat voorzien was van bijna volmaakt doorzichtige ruitjes in een rasterwerk van latjes. Ernaast hield een zwaar gordijn de tocht tegen van een deur die naar buiten leidde.

Het was inmiddels twee jaar of nog langer geleden dat Vespasianus hem van dichtbij had gezien. Hij zag dat diens vlezige, blanke gezicht er nieuwe zorgrimpels bij had gekregen. Kennelijk was hij ook grijs geworden, gezien de kleurstof die hier en daar bij de haargrens op zijn huid kleefde.

Er was een onaangename stilte gevallen terwijl Vespasianus en Gaius zich minutieus geobserveerd voelden. Ze vroegen zich inmiddels af wie het gesprek moest openen.

Een vleugje spot, geamuseerdheid, flonkerde in de ijsblauwe ogen van Narcissus toen hij merkte dat ze er ongemakkelijk bij zaten. Hij vouwde zijn handen en legde ze zachtjes op het bureau. 'Wat is een leven waard?' vroeg hij opeens peinzend, bijna retorisch. Een vraag die hij even tussen hen in liet hangen voordat hij Vespasianus aanstaarde.

'Dat hangt ervan af wie koopt en wie verkoopt.'

Om de mondhoeken van Narcissus speelde een glimlachje. Hij knikte bijna onmerkbaar. 'Inderdaad, Vespasianus. Er is altijd sprake van markt-

waarde, vooral wat betreft het huidige handelsgoed. Daarom bevind ik me in dit geval in zo'n delicate positie. Beide partijen hebben inmiddels geïnvesteerd in deze transactie. En ik kan niet anders dan toegeven dat de ene investering zwaarder heeft gewogen dan de andere.'

Vespasianus verstramde. Herinnerde Narcissus zich dat hij bij hem in het krijt stond? Een klop op de deur verbrak de stilte. Vespasianus sprong bijna op.

'Ah!' riep Narcissus geïnteresseerd. 'Daar hebben we onze handelswaar. Kom binnen!'

Vespasianus fronste zijn wenkbrauwen. Hoe wist Narcissus dat Sabinus aanwezig was? Gaius verschoof ongemakkelijk in zijn stoel, die wat te smal was voor zijn dikke lijf.

De deur ging open en Pallas liep naar binnen. Sabinus volgde hem, ondersteund door Magnus.

'Secretaris van de schatkamer, fijn dat u de gemaskerde aanslagpleger hebt meegebracht.'

Was Pallas verbaasd dat Narcissus hen verwacht had? Van zijn gezicht was in elk geval niets af te lezen. 'Ik ben blij dat ik van dienst kan zijn om deze zaak op te helderen, keizerlijke secretaris.'

'U kunt ons een heel grote dienst bewijzen, beste Pallas. Blijf hier,' drong Narcissus aan. Zijn toon was overdreven smekend. 'Ik heb immers vijf stoelen laten klaarzetten.'

Pallas boog zijn hoofd. 'Met genoegen, beste Narcissus. Ik zou de stoelschikking uiteraard niet willen verstoren.' Hij nam plaats in de stoel tussen Gaius en Callistus.

Vespasianus was in verwarring gebracht. Wie verraste hier wie? Of speelden de vrijgelatenen gewoon een spelletje en was deze bijeenkomst van tevoren georganiseerd?

Narcissus keek Sabinus aan, die er bleek uitzag en tegen de schouder van Magnus aan leunde. 'Wat een onverwacht bezoek. De legatus van de Negende Hispana bevindt zich wel erg ver van zijn post. Of beter gezegd: voormalig legatus. Wat natuurlijk jammer is, omdat mijn agenten in het legioen me hebben verteld dat kampprefect Vibianus en *primus pilus* Laurentius zeer onder de indruk zijn van u. Maar dat doet er nu niet toe. Mijn agenten hebben gezien dat even geleden iemand met een grote kap op in het geheim naar de woning van Pallas werd vervoerd. Wellicht was u dat. Kijk aan, neem vooral

plaats, ex-legatus. U ziet er immers uit als degene die bovenal behoefte heeft aan een stoel.'

'Dank u, Narcissus,' zei Sabinus. Hij strompelde naar de stoel naast Vespasianus.

'U mag mij keizerlijke secretaris noemen,' herinnerde Narcissus hem op een kille toon.

Sabinus slikte. 'Excuses, keizerlijke secretaris.' Magnus hielp hem om plaats te nemen.

Peinzend legde Narcissus een vinger op zijn lippen, waarna hij er zachtjes mee naar Magnus zwaaide. 'Wel, wel, de geduchte Magnus, leider van de Zuid-Quirinale Kruispuntbroederschap. Bij hen hebt u zich dus verscholen, Sabinus. Dat ik daar niet aan gedacht heb.' Hij richtte zich tot Pallas. 'U is het kennelijk niet ontschoten, gewaardeerde collega. Of is de band tussen Magnus en deze familie u eveneens ontgaan?'

'Zeker niet, Narcissus.'

Narcissus knikte langzaam. 'U bent gewoon vergeten die kennis met mij te delen, hè? Nou ja, we kunnen allemaal wel eens een beetje vergeetachtig zijn. Maar dat maakt nu niet meer uit. Sabinus is immers hier. Ik neem aan dat het u gelukt is om hem ongemerkt in het paleis te krijgen.'

'Alleen Caenis en de echtgenote van Vespasianus weten dat hij in Rome is. En wij natuurlijk. Zij zullen er niets over loslaten,' bevestigde Pallas.

'En mijn twee maten, heer,' bracht Magnus te berde. 'En mijn slaaf. Maar ze zijn absoluut te vertrouwen.'

'Daar twijfel ik niet aan, Magnus, maar zij zijn net als u volstrekt onbelangrijk en niet ter zake doende.' Narcissus maakte een gebaar. 'U kunt gaan.'

Magnus haalde zijn schouders op, draaide zich om en liep de kamer uit. De klerk volgde hem en deed de deur dicht.

Narcissus speelde met de punt van zijn baard, dacht na terwijl er een stilte was gevallen. 'Ik neem aan dat u uw huiswerk grondig hebt gedaan, Pallas. Ik mag er dus van uitgaan dat Herodes Agrippa zich niet ongemerkt toegang kan verschaffen tot onze patroon. Als we deze kwestie tussen deze vier muren willen houden, wil ik immers niet dat hij ons streven kan ondermijnen.'

'Sabinus en ik hebben onze oosterse vriend zonet even gesproken. Ik heb Agrippa duidelijk gemaakt dat ik zijn streven om de twee viervorstendommen die hij graag wil toevoegen aan zijn koninkrijk eventueel zal blokkeren. Dat zou immers een aanzienlijk verlies van inkomsten zijn voor de keizerlijke schatkist. Na de excessen van Caligula kunnen we ons dat eigenlijk niet veroorloven. Ik vroeg hem om Sabinus nogmaals heel goed te observeren en me daarna te vertellen of hij er nog steeds van overtuigd is dat hij hem vlak voor de moordaanslag op Caligula heeft gezien.'

Narcissus deed of hij zeer geïnteresseerd was. 'En?'

'Helaas, bij nader inzien kreeg hij sterk de indruk dat hij zich vergist had. Volgens hem komen we misschien nooit te weten wie die man was.'

'Ik begrijp het. Dus mogen we Sabinus nu als onschuldig beschouwen. Bewonderenswaardig gedaan, mijn beste.' Narcissus wierp een blik naar Callistus, alsof hij diens gedachten aan het wegen was. Vespasianus kon echter niets van zijn gezicht aflezen. Narcissus meende daarentegen wel iets aan hem te merken. Hij knikte peinzend, waarna hij twee rollen voor zich op tafel legde. 'Welnu, tijd om zaken te doen, heren. Ik stel voor dat we er geen doekjes om winden; we kennen elkaars posities immers maar al te goed. Laat ik van start gaan. Sabinus, was u de gemaskerde man die heeft deelgenomen aan de moordaanslag op Caligula?'

'Nee.'

Narcissus wees met een onbestemd gebaar naar het rechterdijbeen van Sabinus. 'Til uw tunica op.'

Sabinus keek vluchtig naar Pallas, die vrijwel onmerkbaar zijn ogen verwijdde. Langzaam onthulde Sabinus de in het verband gewikkelde wond.

'Nu zal ik het u nog een keer vragen. Was u de gemaskerde man die heeft deelgenomen aan de moordaanslag op Caligula?'

Sabinus aarzelde even, waarna hij toegaf. 'Ja, keizerlijke secretaris.'

'Laat de formaliteiten voor wat ze zijn. We zijn immers oude vrienden, nietwaar?'

'Inderdaad, Narcissus.'

'Goed. Uw kameraden worden geëxecuteerd zodra ik daartoe het bevel geef. Ik heb uitstel verleend tot vandaag zodat ze hun laatste

uren bij hun vrouw en kinderen kunnen zijn. Ik ben immers niet ongevoelig voor het feit dat ze mijn patroon, mijzelf en zowaar heel Rome, vooral de schatkamer, een grote dienst hebben bewezen door Caligula een kopje kleiner te maken. Maar om voor de hand liggende redenen zullen ze toch moeten sterven. Zoals het er nu voor staat, ondanks de verwoede pogingen van Pallas om ervoor te zorgen dat u uw lot kunt ontlopen, zou het best eens kunnen zijn dat u net als de anderen eveneens geëxecuteerd wordt.'

Sabinus boog zijn hoofd.

Vespasianus kreeg maagkrampen.

Narcissus pakte een rol van zijn bureau en rolde die uit in zijn handen. 'Ik weet niet of iedereen die hier zit zich ervan bewust is dat de samenzweerders een overeenkomst hebben gesloten met Pallas, Callistus en mij om hen te vrijwaren van elke vorm van vergelding. In ruil daarvoor zou Claudius worden uitgeroepen tot nieuwe keizer. Zij hebben zich aan de overeenkomst gehouden. Maar alleen de meest naïeve dwaas zou verwachten dat wij dat ook doen.' Hij wierp Pallas en Callistus een blik toe.

'Het zou de weg effenen naar een instabiel keizerrijk,' bevestigde Callistus.

Pallas knikte een keer instemmend.

'Zo is het,' viel Narcissus hen bij. 'Het grote voordeel van deze overeenkomst is echter dat we ons in de afgelopen maanden hebben kunnen voorbereiden op de promotie van onze patroon. Mijn mensen zijn druk in de weer geweest om na te gaan hoe men zou reageren als een kwijlende kreupele, die altijd het middelpunt van spot is geweest, tot keizer wordt uitgeroepen.' Hij bekeek het uitgerolde papier. 'Dit is een samenvatting van de verslagen van mijn agenten in de Rijnlegioenen. Laat ik u dit zeggen: het is geen aangenaam leesvoer.' Hij nam de tekst vluchtig door, alsof hij zichzelf daar nog eens aan wilde helpen herinneren. 'Helemaal niet goed. En die evenmin.' Hij wees naar de andere rol, die voor hem lag. 'Deze is afkomstig van de Donaulegioenen. Samenvattend vinden de officieren Claudius een lachwekkend, bespottelijk figuur. Hun manschappen staan zeer ambivalent tegenover deze promotie, en dan druk ik me nog zwak uit. Ondanks het feit dat hij de broer is van Germanicus, hun grote favoriet. Ik heb geen reden om aan te nemen dat er in Rome anders over gedacht wordt.'

'Onzin, Narcissus,' protesteerde Gaius. 'Wij bewonderen Claudius ten zeerste; zijn kennis over recht en geschiedenis...'

'Bespaar me uw gehuichel, Gaius,' viel Narcissus hem in de rede. Hij zwaaide met een rol in zijn richting. 'We zouden er geen doekjes om winden, weet u nog? Wilt u Claudius oprecht als keizer?'

De mond van Gaius viel open, zijn halskwabben trilden.

'Nou?' drong Narcissus aan.

'Ideaal is het niet,' gaf Gaius toe.

'Precies, de meeste mensen vinden dat. Wij zijn daarentegen heel tevreden.' Hij keek naar zijn collega's. 'Pallas en Callistus ongetwijfeld ook.'

'Wij vinden het prima zo,' bevestigde Callistus.

'Sterker nog, we hebben het over een feit: Claudius is inmiddels tot keizer uitgeroepen,' stelde Pallas vast.

'Zo is het maar net.' Narcissus snorde bijna van tevredenheid. 'De vraag is hoe we hem op de troon houden. We hebben de praetoriaanse lijfgarde omgekocht. In Rome is Claudius zo veilig als maar zijn kan. Maar stel dat de Rijnlegioenen aan het muiten slaan, zoals ze deden toen Tiberius aan de macht kwam. En wat te denken van een burgeroorlog? Of een keizerrijk dat uit elkaar valt? Misschien beide? We mogen dat niet laten gebeuren. Hoe zorgen we er dus voor dat onze misvormde patroon in functie blijft?' Langzaam gleed de blik van Narcissus naar Vespasianus.

In een moment van volstrekte helderheid realiseerde Vespasianus zich dat de drie vrijgelatenen gezamenlijk met een andere kwestie bezig waren. Dit was niet slechts een bijeenkomst om te proberen het leven van Sabinus te sparen. Er stond véél meer op het spel. De blik van Narcissus maakte maar al te duidelijk dat hij het had over de rol van Vespasianus in het veiligstellen van het nieuwe regime. Pallas had slechts van de gelegenheid gebruikgemaakt om te pogen Sabinus zo gunstig mogelijk bij die onderhandelingen te betrekken. Door de angel uit de getuigenis van Herodes Agrippa te halen had hij Narcissus gezichtsverlies bespaard, ondanks het feit dat Sabinus inmiddels schuld had bekend. Hij besefte nu waar dit heen ging. 'We moeten ervoor zorgen dat het leger hem respecteert, wellicht zelfs van hem houdt. Hij heeft een militaire zege nodig.'

'Precies, liefst zo snel mogelijk.' Narcissus rolde het rapport op en

smeet het van zich af naar een kant van het bureau, alsof hij zich beledigd voelde. 'Maar waar?'

Er viel een stilte in de kamer. Achter het raam was het gestamp van een kleine colonne manschappen duidelijk te horen.

Na enkele ogenblikken haalde Sabinus zichzelf uit zijn zwartgallige zelfbespiegelingen. 'Van Germania kan geen sprake zijn, sinds Varus daar het Zeventiende, het Achttiende en het Negentiende Legioen heeft moeten prijsgeven. De Rijn vormt nu de rijksgrens. Het zal moeilijk worden om de legioenen te overreden die rivier over te steken. Bovendien zal het geen snelle zege worden, hoe graag iedereen dat ook wil.'

'Inderdaad,' stemde Pallas meteen in. 'Noch elke poging om de streken ten noorden van de Donau te annexeren. Dat wordt algauw meer dan twee jaar flink uitsloven.'

'En de legioenen hebben geweigerd aan boord te gaan van de troepentransportschepen toen Caligula van zins was Britannia te veroveren,' zei Callistus alsof hij een tekst voorlas die hij wel duizend keer had doorgelezen.

'Alles ten zuiden van de Afrikaanse provincies is niet de moeite waard,' voegde Narcissus er prompt aan toe. 'Er liggen plannen klaar om verder westwaarts Mauretania te annexeren. Suetonius Paulinus heeft die opdracht gekregen. Als beloning voor zijn loyaliteitsverklaring, die precies op tijd kwam, heeft de keizer Hosidius Geta legatus gemaakt van een van de legioenen onder Paulinus' bevel.' Narcissus zweeg even en leek in gedachten, alsof hem zonet iets te binnen was geschoten. 'Maar dat is van weinig waarde en amper een militaire prestatie te noemen. Claudius verdient niet bepaald een zege, hoewel ik ervan overtuigd ben dat de Senaat hem elke zege zal willen schenken, en dat Claudius dat natuurlijk heel bescheiden zal weigeren.'

'We kunnen altijd nog Thracië annexeren.'

'Inderdaad, beste Callistus, maar hoe roemvol is dat? En in het oosten heeft een Romeinse vazalkoning het voor het zeggen in Armenia. Blijft over Parthië.'

Pallas knikte. Hij nam meteen het voortouw in de discussie. 'Nou moet gezegd zijn dat Lucius Vitellius er enkele jaren geleden wel een succesvolle veldtocht heeft ondernomen. Op dit moment is er sprake van een waardevolle overeenkomst die onze belangen dient. We moe-

ten onze blik dus niet op het oosten richten. Bovendien is het gebied veel te groot. Een bezetting zal te veel van onze middelen vergen. Voorlopig kunnen we ons dat soort escapades niet veroorloven. In financieel opzicht blijft er dus nog maar één haalbare optie over.'

'U hebt volstrekt gelijk, Pallas. Dan blijft dus Britannia over,' zei Narcissus langzaam. 'Ditmaal pakken we het echter goed aan. Callistus, ga uw gang.'

Callistus schraapte zijn keel. 'Toen mijn voormalige patroon Caligula een lukrake poging ondernam om Britannia te bezetten, speelde ik een belangrijke rol in het coördineren van talrijke aspecten van die veldtocht. Ik weet dat een invasie beslist tot de mogelijkheden behoort. Er zijn drie zaken die ervoor zorgen dat het ons daar voor de wind kan gaan. Ten eerste is de volledige infrastructuur voor een invasie al aanwezig. Dat scheelt ons miljoenen.' Hij trok vrijwel onmerkbaar een mondhoek op terwijl hij naar Pallas keek. Vespasianus nam aan dat dat het equivalent was van een zelfgenoegzaam lachje. De opgetrokken wenkbrauw – evenmin goed zichtbaar – van Pallas symboliseerde goedkeuring. 'We hebben inmiddels een ontschepingshaven, Gesoriacum, met voldoende graanschuren, pakhuizen, werkplaatsen en opslagruimten. De Gallische provincies zijn immers heel vruchtbaar. Het zal ons dus geen enkele moeite kosten om onze voorraden aan te vullen. Er liggen nog steeds veel schepen voor anker, hoewel beslist niet de duizend vaartuigen die we waarschijnlijk nodig hebben. Maar dat probleem zal Publius Gabinius Secundus oplossen, onze generaal aan de noordkust en een persoonlijke vriend van de keizer. Ten tweede: er zijn momenteel twee verbannen Britse koningen in Rome, Adminios en Verica. Ze zijn gekomen met het verzoek aan Rome om hun koningschap in ere te herstellen. Mooi. Dat geeft ons de legitimiteit om de invasie te starten. En als we succesvol blijken, hebben we daar pro-Romeinse heersers op de troon zitten. Het derde grote voordeel is dat Camulodunum, de belangrijkste stad in het zuiden van het eiland, in één zomer kan worden ingenomen. We ontschepen er immers in de nabijheid. Als alles goed gaat, kan Claudius binnen een seizoen een belangrijke zege op zijn naam schrijven.'

'Dat wil zeggen als de legioenen niet weigeren om aan boord te gaan,' bracht Pallas te berde.

'Inderdaad, als de legioenen niet weigeren om aan boord te gaan,' herhaalde Narcissus. Zijn blik gleed nu naar Sabinus.

'Hoe gaat u ervoor zorgen dat ze ditmaal wel aan boord stappen, Narcissus?' vroeg Sabinus geïnteresseerd, alsof hij even was vergeten dat hij in een lastig parket zat.

'Nu komt u in beeld, mijn vriend. Ik geef u de kans uw eigen leven te redden, samen met uw broer. Als Pallas u niet op een handige manier uit deze hachelijke situatie had gehaald, nog wel achter mijn rug om, zou u inmiddels geëxecuteerd zijn.' Hij zweeg even en keek Pallas met een afkeurende, vluchtige blik aan. Een oogopslag die meer gewicht had dan de verfijnde trekjes van zijn gelaatsspieren deden vermoeden. 'Niettemin wil ik u deze kans geven. Aldus ben ik in de gelegenheid u de dienst te bewijzen die ik u nog steeds schuldig ben voor de discrete behandeling aangaande de dwaze brief van mijn patroon. Stemt u daarmee in of geeft u er de voorkeur aan te sterven met de rest?'

Vespasianus wierp zijn broer een blik toe. Opluchting stroomde door hem heen. Gaius zuchtte alsof hij al die tijd zijn adem had ingehouden.

Sabinus hoefde daar niet lang over na te denken. 'Ik stem ermee in, Narcissus. Ongeacht de taak die me te wachten staat.'

'Prima. Palagios!'

De deur ging open. De klerk liep naar binnen. 'Ja, keizerlijke secretaris?'

'Zijn de gevangenen in gereedheid gebracht?'

'Ja, keizerlijke secretaris.'

Narcissus stond op. 'Volg me, Sabinus. Help hem, Vespasianus.' Hij trok het gordijn opzij, opende de deur en stapte naar buiten.

Vespasianus en Sabinus volgden hem naar een kleine binnenplaats; het motregende nog steeds. In het midden ervan zaten zes mannen geknield voor een houten hakblok; ieder van hen werd bewaakt door een praetoriaanse gardist met getrokken zwaard. Een centurio had het bevel. De gevangene die het dichtstbij zat hief zijn hoofd – hij had kastanjebruin haar – en glimlachte berustend naar de twee broers. Zijn magere gezicht zag er bleker uit dan ooit.

'Ga je gang, centurio,' beval Narcissus. 'Er zal niemand aan deze groep worden toegevoegd. Eerst centurio Lupus.'

'Ja, keizerlijke secretaris.'

Lupus werd naar het hakblok geleid. Sabinus greep Narcissus toen bij een arm vast. 'U kunt mij toch niet getuige laten zijn van de executie van mijn zwager?'

Narcissus liet zijn blik rusten op de hand waarmee Sabinus zijn arm vastgreep, en haalde die weg. 'U bent niet in de positie om eisen te stellen, Sabinus. U mag alleen eisen om zich bij hen te voegen.'

Vespasianus legde een arm om de schouders van zijn broer en trok hem weg. 'Het heeft geen zin om te ruziën.'

Lupus knielde voor het hakblok. Hij legde zijn handen erop en de praetoriaanse gardist raakte met de kling van zijn zwaard diens nek aan. Lupus verstramde toen de gardist het zwaard hief, en hij trok zijn schouders op. Het zwaard suisde naar beneden. Lupus schreeuwde van de pijn terwijl de kling zijn nek kliefde. Het ruggenmerg was doorgesneden, maar zijn hoofd lag er niet af. Vrijwel meteen was Lupus verlamd. Hij zakte op de grond, maar was niet dood.

Narcissus maakte een afkeurend geluid. 'Je zou verwachten dat een praetoriaanse centurio zich waardiger weet te gedragen en zijn nek uitsteekt als hij geconfronteerd wordt met de dood.'

Het verlamde lichaam van Lupus werd uitgestrekt, hoofd op het hakblok. Zijn ogen staarden gekweld en panisch in het niets. Vespasianus wierp een blik naar Clemens, die kalm bleef terwijl de gardist voor de tweede keer zijn zwaard hief en Lupus met één houw onthoofdde. Het bloed spoot uit de hals.

'Zo is het beter,' gaf Narcissus als commentaar terwijl het onthoofde lichaam werd weggesleept en een dik bloedspoor achterliet op de natte keien. 'Prefect Clemens dan maar. Eens kijken of hij het er beter van afbrengt.'

Sabinus verstramde. Zijn wangspieren verkrampten terwijl hij de grootste moeite had om zich te beheersen. Vespasianus hield zijn arm echter stevig om zijn schouders.

Narcissus richtte zich tot de twee broers. 'U zou wel eens gelijk kunnen hebben, Sabinus. Volgens mij is het inderdaad verkeerd om u getuige te laten zijn van de executie van Clemens. De hachelijke situatie waarin u verzeild bent geraakt, krijgt veel meer betekenis als u deze executie zelf uitvoert.'

'Ik kan Clemens toch niet executeren?'

'Natuurlijk wel. Als u het niet doet, geef ik opdracht dat hij u executeert voordat hij aan de beurt is.'

'Doe het, Sabinus,' riep Clemens terwijl hij naar het hakblok werd geleid. 'Door het verraad van die glibberige vrijgelatene wordt mij de waardigheid van zelfmoord ontnomen. Ik sterf liever onder jouw zwaard dan vernederd te worden door het zwaard van een of andere legionair.'

Sabinus schudde zijn hoofd. De tranen sprongen in zijn ogen.

'Je moet het doen, broer van me,' fluisterde Vespasianus. 'Narcissus dwingt je ertoe om zijn macht over ons te benadrukken. Doe het of sterf.'

Sabinus slaakte een diepe zucht terwijl hij zijn hoofd tussen twee handen hield. 'Help me even, wil je?'

Vespasianus ondersteunde zijn broer, die naar Clemens strompelde. De ongelukkige knielde inmiddels voor het met bloed besmeurde hakblok. De praetoriaan bood Sabinus zijn zwaard aan, het gevest naar hem gericht. Sabinus nam het wapen aan en stond naast zijn zwager.

Clemens keek op. 'Zeg tegen Clementina en mijn vrouw dat je dit gedaan hebt omdat ik dat wilde. Ze zullen het begrijpen en je dankbaar zijn dat je mijn dood minder vernederend hebt gemaakt.'

'Dat zal ik doen, Clemens. Dank je dat je je zus aan mij hebt gegeven. Ze is een goede echtgenote en heeft me heel gelukkig gemaakt. Bij mij zal ze altijd veilig zijn.' Sabinus woog het zwaard in zijn handen.

Clemens knikte en fluisterde: 'Wreek me.' Daarna legde hij zijn twee handen op het hakblok en rekte zijn nek uit. 'Waak over mijn kinderen.'

Met een zwierige beweging hief Sabinus het wapen boven zijn hoofd; zijn armspieren bolden van inspanning. Het zwaard suisde naar het hakblok. De kling kliefde bot en weefsel en maakte een nat, krakend geluid terwijl het bloed alle kanten op spatte. Het hoofd van Clemens schoot naar voren door de kracht van het spuitende levensvocht, waarna het op de grond viel, nog een keer omrolde en bleef liggen, met het gezicht naar Vespasianus en Sabinus gekeerd. Een moment lang staarden de ogen hen aan, alsof Clemens nog leefde. De laatste hartslag, waarbij het bloed op het gezicht spoot, verblindde de starende, dode ogen.

Sabinus liet het zwaard op de keien vallen. Het metalige geluid weerklonk hard op de verstilde binnenplaats.

Vespasianus wendde zijn ogen af van de macabere aanblik en zag dat Narcissus hem een verholen, tevreden lachje toewierp, waarna de Griek zich omdraaide en weer naar binnen liep. Narcissus, die zoveel had gewonnen dankzij Clemens en hem niettemin had verraden. 'Kom mee, broer van me, het is achter de rug. Je hebt de macht van Narcissus erkend.'

Het derde lichaam viel op de keien terwijl Vespasianus weer plaatsnam. De klap was binnen te horen. De minachting voor Narcissus was echter niet van zijn gezicht te lezen; het leek hem wel zo verstandig zich in te houden. Vluchtig keek hij Sabinus aan. Zijn broer kon zijn emoties minder goed onder controle houden.

Narcissus merkte dat ook. 'Het doet niet ter zake hoe u over mij denkt nadat ik u opdracht heb gegeven uw zwager te executeren. Tenzij ik natuurlijk het vermoeden krijg dat u het niet bij louter denken laat. In dat geval zal ik het besluit waarin ik gedirigeerd ben terugdraaien en zal ik ervoor zorgen dat u niet de enige zult zijn die lijdt.' Hij loerde naar Sabinus, waarna hij zijn blik langzaam naar Vespasianus en Gaius liet glijden en de bedreiging tussen hen in liet hangen. 'Maar laten we weer ter zake komen, dat lijkt me beter. De vraag is wat we van u beiden verlangen. Pallas heeft zijn ploeg kennelijk weer bijeengebracht. Aangezien het oorspronkelijk zijn idee was, lijkt het me dus beter dat hij uitlegt hoe de vork in de steel zit.'

Vespasianus keek Pallas aan en realiseerde zich dat zijn hulp niet helemaal altruïstisch was. Pallas ving zijn blik, maar van zijn gezicht was niets af te lezen, terwijl buiten opnieuw het geluid weerklonk van een fatale zwaardhouw. 'Dank dat u me daarin erkent, Narcissus,' begon Pallas. 'Een maand geleden, nadat we het besluit hadden genomen dat Caligula's idee om Britannia te veroveren het waard was om nieuw leven in te blazen, vroegen we ons ook af hoe we onze legers zover konden krijgen dat ze Claudius gingen respecteren. En wel in die mate dat ze hem vier legioenen en hetzelfde aantal hulptroepen ter beschikking zouden stellen om voor hem een eiland te veroveren. Een eiland waar het volgens de vele bijgelovigen onder hen, zeg maar gerust iedereen, flink spookt en de geestenwereld welig tiert. Mijn

collega's hebben overwogen het leger een bonus te geven. Ik was het daar absoluut niet mee eens. Er moest immers een veel goedkopere optie binnen handbereik zijn. Toen herinnerde ik me Caligula's andere idee om zijn vader Germanicus naar de kroon te steken. Germanicus had de eer van het leger na de nederlaag van Varus in het Teutoburgerwoud hersteld. Hij won de harten van de legionairs door zes jaar later op te rukken naar Germania en de legerstandaards, de legioenadelaars, van het Achttiende en Negentiende Legioen te heroveren. Caligula wilde zelf op pad gaan om de derde legioenadelaar, die eveneens in de strijd was gevallen, te vinden. Helaas had hij niet het geduld om zijn streven concreet te maken. Ik herinner me echter het enthousiasme waarmee de aankondiging van zijn plannen werd ontvangen. Ik realiseerde me ook dat als Caligula succes had geboekt hij zo geliefd zou zijn geworden dat het leger zelfs voor hem naar Britannia had willen varen. Ik bedacht toen: waarom zou Claudius niet hetzelfde kunstje kunnen doen?' Pallas liet zijn blik langs de rij stoelen glijden en keek Vespasianus en Sabinus aan. Een doffe klap maakte duidelijk dat de vijfde gevangene was onthoofd. 'Om voor de hand liggende redenen kan Claudius niet zelf op pad gaan. Iemand zou die taak echter in zijn naam kunnen uitvoeren. Ik herinnerde me toen ook dat u op missie in Moesia bent geweest om een akelige priester met een wezelgezicht te ontvoeren, en mijn idee kreeg vorm.'

Vespasianus en Sabinus keken Pallas vol ongeloof aan. Even leek de afschuw over de executie van Clemens vergeten. 'Moeten wij de gevallen legeradelaar van het Zeventiende Legioen vinden?' De mond van Vespasianus viel open. Hij kon niet geloven dat behalve Caligula iemand zo gek was om dat na tweeëndertig jaar zelfs maar te suggereren.

'Ja,' bevestigde Narcissus. 'Wij kunnen Romes gevallen legioenadelaar in ere herstellen. In naam van Claudius, die dankzij ons het leger voor zich zal winnen. De legionairs zullen vervolgens bereidwillig aan boord gaan van de troepentransportschepen en Britannia veroveren. Claudius heeft zijn zege dan binnengehaald. Bovendien zal hij stevig in het zadel zitten. En dat is beslist ook in ons belang.'

'Stel dat we instemmen. Red ik daarmee mijn eigen leven?' vroeg Sabinus voorzichtig.

Narcissus glimlachte flauwtjes, veeleer een gemelijk lachje. 'Nee, u

blijft alleen in leven als u succes boekt. Hoewel ik denk dat als u faalt u bij voorbaat het leven laat in de strijd.'

'Dat lijkt mij ook. Maar waarom moet mijn broer meegaan?'

'Je begrijpt het niet, Sabinus,' zei Vespasianus. Vluchtig wierp hij een blik naar de drie vrijgelatenen, die onverschillig uit hun ogen keken. 'Dit is besloten voordat Caligula werd vermoord. Het is altijd al de bedoeling geweest dat we zouden gaan.'

'Of we dat nou wilden of niet?'

Narcissus boog zijn hoofd. 'Ongeacht of u dit regime prefereert of niet. Dat lijkt me een betere manier om ertegenaan te kijken. Maar u hebt gelijk. Inmiddels hebt u geen keus meer als u wilt dat het onfortuinlijke misverstand over wie de gemaskerde man was wordt opgehelderd.' Hij zweeg terwijl buiten de volgende zwaardhouw weerklonk. Het laatste lichaam viel op de met bloed besmeurde keien.

Vespasianus huiverde. Gaius schudde bedroefd zijn hoofd en wreef met een hand over zijn nek. De centurio schreeuwde een bevel naar zijn manschappen om de hoofden op te pakken en de lijken weg te slepen.

Narcissus tuitte zijn lippen. 'Zo, dat hebben we ook weer gehad. Het waren deugdelijke mannen, hoewel nogal naïef. U hebt er goed aan gedaan zich niet bij hen te voegen, Sabinus... in elk geval vandaag.' Hij richtte zich tot Vespasianus alsof er niets belangrijks was voorgevallen. 'Ik sta bij u in het krijt sinds u mijn patroon rijk hebt achtergelaten na die kwestie met Poppaeus. Ik zal die schuld terugbetalen. Ik denk dat u er wel mee zult instemmen als ik voorstel dat de bankwissel uit Alexandrië de andere dekt.'

Vespasianus zette hetgeen hij zonet had gezien uit zijn gedachten: het druipende hoofd van Clemens, dat bij zijn kastanjebruine haar werd opgepakt. Hij knikte.

'Om ervoor te zorgen dat een en ander gelijkgetrokken wordt, zal ik... of beter gezegd de keizer... u benoemen tot legatus van de Tweede Augusta, gelegerd in Argentoratum aan de Rijn.'

'Maar dat is toch het legioen van Corbulo?'

'Inderdaad, maar wie heeft ooit gehoord van een ex-consul die tot legatus werd benoemd? Niemand toch? Caligula heeft die functie aan Corbulo gegeven in plaats van een provincie. Op die wijze wilde hij hem vernederen omdat hij het gewaagd had zijn beklag te doen over

de manier waarop Caligula Corbulo's halfzus naakt op etentjes te kijk zette. Gezien zijn familieband met Caligula's vrouw vinden wij het beter dat hij terugkeert naar Rome. Ik ben ervan overtuigd dat hij dankbaar zal zijn dat ik hem van die functie bevrijd, die hij ongetwijfeld beneden zijn stand vindt. U gaat hem vervangen.' Hij pakte een rol op en reikte hem die aan. 'Dit is het keizerlijk mandaat dat uw benoeming bevestigt. Is dat acceptabel voor u?'

'Ja, Narcissus,' antwoordde hij. Normaal gesproken zou een man nu heel enthousiast en trots zijn. Vespasianus kon echter alleen maar denken aan het onthoofde lichaam van Clemens dat werd weggesleept.

'Goed. De keizerin was er erg op gebrand dat haar broer Corvinus deze functie zou krijgen. Gelukkig is er een plekje vrijgekomen bij de Negende Hispana. Ik vraag me af of en hoe hij aan de verwachtingen van de kampprefect en de primus pilus zal voldoen.'

Sabinus verstramde in zijn stoel. Hij klemde zijn kaken op elkaar.

Narcissus keek hem vluchtig aan, om zijn mondhoeken speelde een zweem van een somber lachje. 'Ongetwijfeld zullen mijn agenten me daarvan op de hoogte stellen.' Hij pakte opnieuw twee rollen op die op het bureau lagen en gaf ze aan Vespasianus. 'Dit zijn de instructies voor u en Corbulo, ondertekend door de keizer. U dient uw orders te overhandigen aan gouverneur Galba zodra u in Argentoratum arriveert. Hij zal de noodzakelijke maatregelen treffen. De instructies voor Corbulo overhandigt u persoonlijk. U en Sabinus beginnen zo snel mogelijk aan wat er moet gebeuren. Als legatus hebt u de beschikking over de middelen en voorraden van uw legioen en de gedetacheerde hulptroepen om uw broer te helpen die legerstandaard te vinden. Ik adviseer u de zoektocht in het Teutoburgerwoud te beginnen.'

'U bent ons aan het ringeloren, Pallas,' zei Vespasianus verwijtend toen de deuren van diens vertrekken op de tweede verdieping dichtgingen. Niemand die er belang in stelde kon hen horen vanaf de gang. 'Die bijeenkomst was niet geregeld om het leven van Sabinus te redden. Het ging om uw ambities en de rol die ik daarin moest vervullen.'

'De rol die u beiden daarin gaat vervullen,' verbeterde Pallas hem.

Hij gebaarde naar de hofmeester om hun wijn te brengen. 'Ik heb u beiden daarvoor nodig. We hebben het over mijn initiatief. Mijn reputatie bij de keizer is dus in het geding. Ik kan me niet veroorloven dat er iets misgaat.'

Vespasianus was woedend. 'Als u Sabinus niet nodig had gehad, zou u hem aan zijn lot hebben overgelaten, nietwaar?'

'Beste jongen, doe nou rustig,' zei Gaius indringend. Hij liet zich op de bank vallen die ogenschijnlijk lukraak achter de deur was neergezet. 'Het doet er niet toe hoe het geregeld is of wat de motieven van Pallas zijn. Het eindresultaat telt: Sabinus heeft respijt gekregen.'

Sabinus ging naast hem zitten, legde het hoofd in zijn handen en slaakte een diepe zucht van intense opluchting, een verlate reactie.

'Ja, maar het scheelde niks. Narcissus...'

'Het was in elk geval voldoende, Vespasianus!' snauwde Sabinus. Van onder zijn wenkbrauwen loerde hij naar zijn broer. 'Ik ben nu zelfs opgewassen tegen de vernedering dat Corvinus mijn legioen overneemt. Nu weet ik immers dat ik de kans krijg deze ellende te overleven en wraak te nemen.'

Vespasianus had zichzelf weer onder controle. 'Ja, dat realiseer ik me heus wel. Maar Narcissus was ons kennelijk een stap voor. Hij was niet verbaasd toen we jou binnenbrachten. In plaats daarvan verraste hij ons omdat hij wist dat jij kwam opdagen.'

'O, maar verbaasd was hij beslist wel,' zei Pallas. Hij nam twee bekers wijn waar de hofmeester mee kwam aanzetten en gaf er een aan Vespasianus.

Vespasianus nam een flinke slok. 'O ja, is dat zo? Ik zag iemand voor me die de volledige controle had over de situatie.'

'Natuurlijk,' zei Pallas minzaam. Ook hij nam een slokje wijn. 'Hij denkt alleen maar graag dat hij de controle heeft. Ik had mijn klerken bevolen ervoor zorg te dragen dat zijn agent zou zien dat Sabinus werd binnengebracht. Narcissus zou dan tijd genoeg hebben om aan de zogenaamde verrassing te wennen en te denken dat hij weer de overhand had. Ik ken Narcissus heel goed. Als Sabinus onaangekondigd zijn werkkamer was binnengelopen, zou hij hem sowieso hebben laten executeren, simpelweg omdat hij het gevoel zou hebben dat hij in de luren was gelegd. Het zou dan niet hebben uitgemaakt hoe goed ik de bijdrage van Sabinus aan de moordaanslag zou hebben toe-

gedekt en weggemoffeld. Narcissus heeft hem alleen maar gespaard omdat hij dacht dat hij me te slim af was. Hij gaf mij de troostprijs: het leven van Sabinus.'

Opnieuw nam Vespasianus een slok wijn terwijl hij erover nadacht. 'Waarom hebt u ons niet vooraf verteld wat u van plan was? Nu zaten we daar volkomen onvoorbereid.'

'Omdat, beste vriend, het zeer belangrijk was dat Narcissus de verwarring op de gezichten kon aflezen. Anders zou hij ongetwijfeld vermoed hebben dat er een spelletje met hem werd gespeeld. Hij denkt oprecht dat hij ons te slim af is geweest, anders zou Sabinus nu gegarandeerd dood zijn.'

Vespasianus zuchtte. Hij ergerde zich aan de manier waarop de vrijgelatenen van Claudius met een stalen gezicht psychologische spelletjes met elkaar speelden. Hij keek om zich heen of hij een stoel zag. Toen pas realiseerde hij zich hoe spaarzaam de kamer gemeubileerd was.

'Het spijt me,' zei Pallas. 'Ik ben vanmorgen pas verhuisd naar deze vertrekken. Het is hier nog niet volgens mijn smaak ingericht. Als u mij wilt volgen, heren.'

Pallas leidde ze door drie ruime kamers met een hoog plafond. Kamers met uitzicht op het Circus Maximus en de Aventijn erachter. De heuvel was gehuld in mistflarden. Slaven waren druk bezig met het plaatsen van meubels en geboende ornamenten. Ook werden er enkele Griekse standbeelden neergezet. Vespasianus kon zien dat Pallas het zich hier zo comfortabel mogelijk wilde maken. Achter in de derde kamer opende Pallas een deur. Hij leidde hen een werkkamer in. Tegen de muren stonden houten schappen, verdeeld in vakken met honderden ronde opbergplaatsen voor boekrollen.

'Neemt u plaats,' zei hij uitnodigend, waarna hij rechts achter in de kamer naar de hoek liep en een vak opende. Hij haalde er een rol uit, die hij uitspreidde op het bureau. Het was een landkaart.

'Dit zijn Gallia en Germania.' Pallas zette een inktpot en een wastablet op de randen aan weerszijden van de landkaart om te voorkomen dat de kaart zichzelf oprolde. 'Germania Inferior in het noorden en Germania Superior in het zuiden zijn twee door onze legioenen gecontroleerde provincies op de westoever van de Rijn. Noem het bufferprovincies, gelet op de dreiging van de verloren provincie Ger-

mania Magna, die zich vanaf de oostoever van de rivier uitstrekt naar het oosten.'

Vespasianus, Sabinus en Gaius staarden naar de kaart. De contouren van de genoemde provincies waren ook voor het ongeoefende oog goed zichtbaar.

'Zoals u ziet is de Rijn duidelijk gemarkeerd. Net als de kampen van de legioenen op de westoever.' Met een keurig gemanicuurde wijsvinger wees Pallas elk legerkamp aan, van noord naar zuid. Hij stopte ongeveer halverwege de loop van de Rijn. 'Dat is Argentoratum, waar de Tweede Augusta is gelegerd.' Zijn vinger gleed vervolgens een heel eind naar het noorden en oosten. 'In dit gebied is Varus geveld. Het thuisland van de Cherusken.'

Vespasianus keek er aandachtiger naar. De streken rondom de vinger van Pallas waren niet gemarkeerd. 'Hoe weet u dat?'

'Precies weet ik het ook niet. Volgens de rapporten van vijfentwintig jaar geleden hebben Germanicus en generaal Caecina de vergane lichamen van onze manschappen gevonden. De lijken lagen verspreid in een bosgebied van twintig mijl. Nauwkeuriger informatie hebben we simpelweg niet tot onze beschikking.'

'Hoe moeten we daar komen?' vroeg Sabinus. 'Met een legioen het gebied binnenmarcheren en de barbaren vragen om een herhaling van wat er destijds is gebeurd?'

'Dat lijkt me niet verstandig,' zei Pallas met een zweem van laatdunkendheid in zijn stem.

Sabinus ontplofte bijna van woede, maar diende hem niet van repliek.

'De legioenadelaar zullen we daar niet meer vinden,' zei Vespasianus. Hij vermoedde dat dat een open deur was, maar vond dat hij dat toch moest vermelden.

Pallas knikte. 'Naar alle waarschijnlijkheid niet. Narcissus heeft echter gelijk. Het is beter om in dit gebied de zoektocht van start te laten gaan. Vrijwel zeker betreft dat het thuisland van een van de zes stammen die onder leiding van Arminius, om hem maar bij zijn Latijnse naam te noemen, deelnamen aan de veldslag. De legeradelaar van het Achttiende Legioen werd gevonden bij de Marsi, die van de Negentiende bij de Bructeren. Blijven over de Sugambren, de Chauken, de Chatten en de Cherusken, de stam van Arminius.' Toen Pallas

de stamnamen noemde, wees hij hun respectievelijke thuislanden aan. 'De legioenadelaar is een zeer krachtige en waardevolle trofee voor die stammen. Wie ermee handelt, kan rijk worden. Er is dus geen garantie dat ze de legerstandaard ergens voorgoed hebben opgeborgen.'

Vespasianus staarde naar de uitgestrekte gebieden achter de Rijn. De landkaart was te klein om alle streken te markeren. Onwillekeurig vroeg hij zich af hoe ver het oosten reikte en wie of wat zich daar bevond. 'We gaan dus naar het voormalige slagveld, Pallas. En dan? Dit plan komt uit uw koker. U moet toch een idee hebben hoe we dit het beste kunnen aanpakken?'

'Arminius is vermoord door een bloedverwant, die zich stoorde aan het feit dat Arminius zoveel macht had vergaard. Na zijn dood viel de stammenbond die hij had opgericht uiteen. Hij liet echter een zoon achter. Thumelicus moet nu ongeveer vierentwintig zijn. Hij lijkt me dé persoon om erachter te komen waar de legioenadelaar is gebleven.'

'Woont hij in het Teutoburgerwoud?'

'Dat weten we niet. Germanicus nam destijds zijn moeder Thusnelda gevangen. Ze was toen hoogzwanger. Nadat ze twee jaar later deel hadden uitgemaakt van Germanicus' triomfparade werden ze verbannen naar Ravenna. De jongen werd opgeleid als gladiator. Hij was zo dapper dat hij het houten zwaard won én de vrijheid kreeg. Daarna verdween hij. Waarschijnlijk is hij teruggekeerd naar Germania en heeft hij zich weer bij zijn stam gevoegd, de Cherusken.' Met een onbestemde beweging wees Pallas naar het enorme gebied ten oosten van de Rijn. 'Als hij nog in leven is, zal hij zich daar wel ergens ophouden. Daarom is het Teutoburgerwoud het beste oord om de zoektocht te beginnen.'

'Als we hem vinden, kan hij ons wellicht vertellen waar zijn vader, die hij nooit gekend heeft, de legeradelaar van het Zeventiende Legioen heeft verstopt. Het zou ook kunnen dat Thumelicus allang dood is.'

Pallas haalde zijn schouders op.

De broers keken elkaar aan en schaterden het plotseling uit van ongeloof.

'Ongetwijfeld houdt u informatie achter, Pallas,' zei Gaius terwijl hij de bijna lege landkaart bestudeerde en het wantrouwen van zijn neven deelde.

'Ik heb verteld wat ik weet. Als ik meer wist, zou de legioenadelaar inmiddels gevonden zijn.'

'Ze zouden u net zo goed op pad kunnen sturen om het maagdenvlies van Venus te zoeken,' mopperde Magnus terwijl ze in de donkere schemering weer de Palatijn af liepen.

'Dan zouden we tenminste weten waar we niet moesten zoeken,' antwoordde Vespasianus mistroostig. 'Maar je hebt gelijk, de legioenadelaar kan zich overal ten oosten van de Rijn bevinden.'

'Veilig opgeborgen bij een van de zes stammen,' voegde Sabinus eraan toe.

Zijn gezicht hield hij verborgen onder zijn kap. Vespasianus hoorde echter aan zijn stem dat hij er genoeg van had. En met reden. Ze hadden de rest van de dag, tot het ging schemeren, in de bibliotheek van Pallas doorgebracht en alles gelezen wat ze konden vinden over Germania en de stammen die er leefden. Ook hadden ze er verslagen aangetroffen over de slag in het Teutoburgerwoud. Prettig leesvoer was het niet. Vreemde goden bewaakten deze streek met donkere bossen. Er woonden stammen die oorlog voeren en eergevoel verheerlijkten, ze hoog in hun masculiene vaandel hadden. Niettemin bleken ze zeer veel respect en achting voor hun vrouwen te hebben. Het enige wat deze stammen samenbond was antipathie en wantrouwen. Kennelijk duldde de Germaanse erecode niet dat de ene stam meer macht en aanzien had dan de andere. Dus lagen ze voortdurend met elkaar overhoop.

'In elk geval krijg je de kans om onderweg je ouders te bezoeken, Sabinus,' zei Gaius. Hij probeerde de sfeer wat op te vrolijken. 'En je ziet je vrouw en kinderen weer.'

'Alleen als we tijd overhebben.' Sabinus bleef somber.

'Wat bent u van plan met Flavia en Titus, heer?' vroeg Magnus.

'Ze blijven in Rome,' zei Vespasianus. 'Ik kan me niet voorstellen dat Flavia graag naar Argentoratum wil. Zelfs Cosa is haar te ver. Houd hier een oogje in het zeil, Magnus. Pas ook een beetje op Caenis.'

'Hoe stelt u zich dat voor? Ik ben straks duizend mijl hiervandaan.'

Vespasianus fronste zijn wenkbrauwen. 'Waar ga je dan heen?'

'Ik ga natuurlijk met u mee.'

Vespasianus keek zijn vriend aan of hij niet goed wijs was gewor-

den. 'In naam van alle goden die jou heilig zijn, waarom zou je dat willen?'

'Nou ja, u hebt iemand nodig die u de weg wijst en zo meer, als u begrijpt wat ik bedoel.'

Vespasianus werd er niet wijzer van. 'Het spijt me, ik begrijp er helemaal niets van.'

'Kom nou, heer, gebruik uw verstand. In Thracië heb ik u verteld dat ik voordat ik naar de stadscohorten werd overgeplaatst in de Vijfde Alaudae heb gediend.'

'Ja, en?'

'We waren indertijd gelegerd aan de Rijn en maakten deel uit van Caecina's legioen in de periode dat hij en Germanicus teruggingen naar Germania Magna om Arminius op te sporen. Ik ben op het slagveld geweest, het bloedbad in het Teutoburgerwoud. Ik heb onze maten gezien, of wat ervan over was, vastgenageld aan bomen, opgehangen aan takken. De rest lag verspreid in het woud. We hebben zo veel mogelijk lijken begraven. Wat ik wil zeggen is dat ik destijds deel uitmaakte van de eenheid die de legeradelaar van het Achttiende Legioen heeft gevonden. Ik weet waar ze de legioenadelaar hadden verstopt. Ik moet dus met u meegaan, er zit niks anders op.'

DEEL II

GERMANIA, LENTE, 41 N.C.

HOOFDSTUK V

'Nu begrijp ik waarom onze ouders ervoor hebben gekozen hierheen te gaan,' zei Vespasianus tegen Sabinus terwijl ze hun paarden inhielden. Ze staarden naar de onlangs gebouwde plattelandsvilla op de glooiing bij de oever van het Murtenmeer in het stamland van de Helvetii. 'De bank van vader doet het kennelijk goed, anders zou hij zich deze luxe niet kunnen veroorloven.'

'Hij zal in elk geval geen wijn meer hoeven te kopen,' zei Sabinus.

Talloze wijngaarden, in keurige rijen, omringden de villa tot ver achter hen op de heuvelhelling, waarbij alle wingerds op regelmatige afstand van elkaar in lange rijen waren geplant. Zelfs de groepjes slaven die zwoegden tussen de wijnstokken bevonden zich op gelijke afstand van elkaar. Deze zeer ordelijke landbouwkundige schikking van het landgoed stond in schril contrast met de verre, grillige pieken van de besneeuwde Alpen. De witte bergen glansden en waren doortrokken met blauwgrijze strepen. De lentezon scheen inmiddels feller, maar had nog weinig invloed op de duizelingwekkend hoge pieken waar de winter nog steeds heer en meester was. Aan de voet van de heuvels van het Italiaanse noordelijke schild was de lente echter vastbesloten. De bruine tinten van het grasland onder de hoeven van hun paarden maakten plaats voor weelderig lentegroen. Grasland dat maandenlang onder een sneeuwkorst verborgen was geweest. De paarden graasden er gretig op.

Magnus kwam aangereden en ging naast hen staan. Ook hij liet de teugel vieren, zodat zijn paard kon grazen. De lucht was koel en hij haalde diep adem, waarna hij grinnikte naar Ziri, die naast hem twee bepakte muilezels leidde. 'Dit is nog eens wat anders dan de vlakke woestenij die jij je thuisland noemt, hè?'

Ziri keek om zich heen en was niet onder de indruk. 'De woestijn kent geen grenzen, legt je geen beperkingen op.' Hij wees naar de bakstenen muur aan de voorzijde van het landgoed, en vervolgens naar de hoge bergen erachter. 'Hoe ver kan een man in een rechte lijn rijden voordat hij gedwongen wordt een andere richting te kiezen omdat iemands bezit of een onbegaanbaar obstakel zijn pad kruist?'

'Een heel eind verder dan Rome en het stinkt er niet.'

'Niettemin is de woestijn in dat opzicht oneindig, heer. En stinken doet het er evenmin.' Zijn witgetande brede glimlach deed in elke bruine wang drie littekens op vreemde wijze rimpelen en glooien.

Magnus boog zich naar hem toe en wreef zijn slaaf goedgehumeurd over zijn bol. 'Het is niet de bedoeling dat slaven discussies winnen, bruine kamelenknul van me. Sterker nog, slaven horen niet in discussie te gaan met hun meester.'

Lachend trapte Vespasianus zijn paard in de flanken. Nog een paar honderd passen, het einde van een lange, vermoeiende reis. In Massalia waren ze aan boord gegaan van een schip dat hen naar een rivierboot had gebracht. Vervolgens waren ze de Rhône op gevaren, naar Lugdunum. Daar hadden ze van de plaatselijke garnizoenscommandant paarden gevorderd en in vijf dagen de honderdvijftig mijl naar Aventicum afgelegd, waarbij ze de gebaande paden en wegen links hadden laten liggen. In het forum van deze snel groeiende stad hadden ze de bank van hun vader gevonden. Enkele gekwelde klerken vertelden dat hun patroon door ziekte al vier dagen verstek had laten gaan. Daarna hadden Vespasianus en Sabinus enigszins bezorgd de laatste mijlen afgelegd naar het landgoed. Titus, hun vader, was immers de tachtig al gepasseerd.

In handgalop reden ze door de poorten van het hoge, bakstenen poorthuis. Vervolgens namen ze een rechte landweg met aan weerszijden moestuinen waar gewerkt werd, en afwisselend groepjes appel- en perenbomen voor langgerekte, lage bijgebouwen. De landweg eindigde bij een keurige en volgens de regels aangelegde tuin. In het midden ervan bevond zich een visvijver met een fontein, aan drie zijden omringd door de twee verdiepingen tellende plattelandsvilla van hun ouders. Een houten balustrade liep op heuphoogte rond het huis en omvatte rondom een veranda van vier passen breed, voorzien van een schuin pannendak vlak onder de vierkante ramen van de eerste

verdieping. Houten zuilen met goed onderhouden klimplanten, waarvan de prille, frisgroene scheuten wuifden in de lichte bries, ondersteunden het afdak. De ramen en deuren van de gebouwen aan weerszijden van het hoofdgebouw waren perfect symmetrisch aangebracht. Toen Vespasianus en zijn metgezellen afstapten, ging links een van de deuren open. Iemand die ze goed kenden stapte de schaduwrijke veranda op.

'Bij de schurftige vagina van Minerva!' riep Magnus uit. 'Artebudz. Wat doe jij hier?'

Vespasianus was net zo verbaasd als Magnus toen hij de ex-jachtslaaf zag die zijn vrijheid had verkregen dankzij de Thracische koningin Tryphaena. Destijds diende hij als legertribuun in dat vazalkoninkrijk. Het was tien jaar geleden dat Vespasianus hem voor het laatst had gezien. In die periode was hun landgoed bij Aquae Cutillae overvallen door manschappen van Livilla en haar geliefde Seianus. Om het vege lijf te redden waren zijn ouders noordwaarts Italië uit gevlucht. Artebudz had hen daarbij vergezeld.

Artebudz herkende hen en glimlachte. 'Magnus, maatje van me. Vespasianus en Sabinus. Fijn om u weer eens te zien, heren.' Hij liep over de veranda naar de dubbele deur aan de voorzijde van het huis. De paarden lieten ze achter bij Ziri en de staljongen, die uit een van de bijgebouwen kwam aangerend. Vespasianus, Sabinus en Magnus liepen naar het portaal om Artebudz te begroeten.

'Ik woon hier al drie jaar.' Artebudz greep de uitgestoken arm van Magnus vast en boog zijn hoofd voor Vespasianus en Sabinus. Zijn ooit gitzwarte krulhaar was hier en daar grijs geworden. 'Nadat ik met uw ouders in Aventicum was gearriveerd, besloot ik terug te gaan naar de provincie Noricum, waar ik ben opgegroeid. Ik trof er mijn vader aan. Hij leefde nog, maar was oud en zwak geworden. Na zijn overlijden heb ik onze namen in zijn grafsteen laten graveren, waarna ik terugkeerde, omdat ik me verplicht voelde tegenover uw familie nadat ik mijn vrijheid had verkregen.' Hij keek de broers bezorgd aan en fronste zijn wenkbrauwen, en het Griekse sigma-teken dat in zijn voorhoofd was gebrand plooide. 'U bent op tijd gekomen, heren. Uw vader is sinds enige tijd ziek. Al enkele dagen blijft hij in bed. Volgens de artsen heeft hij de tering. Hij gaat langzaam achteruit.'

Natuurlijk was Vespasia Polla blij dat ze haar zoons na zo'n lange tijd weer zag. De blijdschap werd echter getemperd door de zorgen over haar man. Na slechts een vluchtige omhelzing in het ruime atrium – het hoge, gewelfde plafond was dichtgemaakt omdat het noordelijke klimaat daartoe noopte – ging ze hun voor door een gang en nam vervolgens een houten trap. Haar ooit fiere gezicht was overschaduwd door de zorgen. Haar grijze lokken droeg ze bijna lukraak opgestoken in een kruinknotje. Haar uiterlijk kon haar kennelijk weinig meer schelen. Haar donkere ogen flonkerden niet langer, de rimpelige wallen in haar magere gezicht verraadden huilbuien en slapeloze nachten.

'De artsen van hier zijn dom,' klaagde ze terwijl ze door de gang op de eerste verdieping liepen. Het uitzicht op de wijngaarden en de verre Alpen was grandioos. 'Toen Titus enkele maanden geleden steeds meer verzwakte, heb ik hem ervan proberen te overtuigen dat het beter zou zijn om terug te keren naar Rome maar hij laat zich niet vermurwen. Hij zegt dat we simpelweg moeten accepteren wat de schikgodinnen voor hem in petto hebben. Aan het lot valt niet te tornen. Bovendien brengen Griekse kwakzalvers uit Rome het dubbele in rekening van wat Griekse kwakzalvers uit Germania Superior vragen, gewoon omdat ze in de hoofdstad wonen.'

Vespasianus kon er de logica wel van inzien, maar hield zich in.

Vespasia bleef staan voor een vlakke houten deur en zei: 'Morta snijdt vroeg of laat de levensdraad van ieder mens door. Het hangt er maar helemaal van af hoe ze geluimd is. Het heeft dus niets met geografie te maken, de plaats waar men zich op dat moment bevindt. Zo denkt Titus erover.' Met een geringschattende, norse blik opende ze de deur.

De broers volgden haar naar binnen en waren verbaasd maar ook opgelucht dat hun vader rechtop in bed zat. Hij keek op van een rol die hij bestudeerde. Een broos glimlachje verscheen op zijn bleke gezicht met holle wangen. 'Kijk aan, mijn zoons zijn gearriveerd. De boden zijn in recordtijd naar Rome en Pannonia geijld, en jullie in recordtijd hierheen gekomen, of ik heb mijn geld verkwist door jullie vier dagen geleden een brief te schrijven waarin ik jullie vroeg hierheen te komen.' Hij stak beide armen naar hen uit. Vespasianus en Sabinus grepen ieder een hand vast. 'Nu ik jullie zo zie, maar ook omdat ik me vandaag wat beter voel ondanks de verwoede pogingen

van de artsen om me af te maken, kan ik maar beter uit bed stappen om aan tafel te eten.'

Titus zette zijn wijnbeker neer en keek Sabinus vol ongeloof aan. Vervolgens wreef hij over het rimpelige, rode litteken van zijn afgesneden linkeroor, keek zijn vrouw aan, die naast hem achteroverleunde op de divan, en zei: 'Kennelijk is er iets misgegaan in de opvoeding van Sabinus. Hij is namelijk een dwaas geworden met een suïcidaal eergevoel.' Vluchtig keek hij naar Clementina, die naast haar man op een elleboog steunde, waarna hij eraan toevoegde: 'Daar staat natuurlijk tegenover, beste Clementina, dat het kwaad dat jou is aangedaan op de een of andere wijze gewroken moest worden, maar niet ten koste van je broer en echtgenoot.'

Clementina knikte nauwelijks merkbaar naar Titus. Haar ogen waren roodomrand door de tranen die ze had vergoten om haar broer. Ze droeg een eenvoudige, geelwollen stola en haar lokken hingen onverzorgd op haar schouders. Een uur geleden was ze teruggekomen van een wandelingetje met de kinderen. Haar was toen verteld wat er was gebeurd, en dat haar broer en haar man een rol hadden gespeeld in de moordaanslag op Caligula. Verscheurd tussen het verdriet over Clemens en de opluchting dat Sabinus gratie was verleend, had ze alleen maar besloten aan tafel te gaan omdat ze geen moment van de zijde van haar man wilde wijken. Goed gezelschap was ze echter niet, en ze kreeg geen hap door haar keel. 'De schande die ik heb doorgemaakt weegt beslist niet op tegen het leven van mijn broer.' Ze liet een hand over de gespierde onderarm van Sabinus glijden. 'Maar ik dank de goden dat jij me in elk geval niet ontvallen bent.'

Sabinus verschoof ongemakkelijk op zijn divan en legde een hand op die van Clementina. 'Ik ben pas veilig als we de legioenadelaar vinden.'

Vespasianus reikte met zijn wijnbeker naar een slaaf om nog eens bij te schenken. 'We moeten het advies van Pallas opvolgen en Thumelicus, de zoon van Arminius, zien op te sporen. Pallas heeft het vermoeden dat hij is teruggekeerd naar zijn stam in Germania Magna. Maar hoe pakken we dat aan? We weten niet eens hoe hij eruitziet.'

'Hij lijkt op zijn vader, zou ik zo denken,' zei Titus. 'In elk geval toen hij nog jong was.'

De broers staarden hem aan, ze begrepen er niets van.

'Hebt u Thumelicus wel eens ontmoet?' vroeg Sabinus met gefronste wenkbrauwen.

'Ik heb hem gezien tijdens de triomfparade van Germanicus. Dat was in de maand mei van het jaar dat je moeder en ik naar Azië vertrokken. Twee dagen later voeren we vanuit Ostia weg. Ik herinner me nog dat hij sprekend op zijn vader leek: lang postuur, bijna gitzwart haar, dunne lippen en blauwe prikogen. Het kuiltje in zijn kin had hij daarentegen van zijn moeder.'

'Maar hoe weet u dat hij op zijn vader leek?'

'Omdat ik Arminius als kind gekend heb. Sterker nog, ik heb ooit zijn leven gered.' Titus glimlachte berouwvol. 'Achteraf had ik dat wellicht niet moeten doen. Alles was dan waarschijnlijk anders gelopen. Vergeet niet, jongens, dat niet alleen mannen uit belangrijke families de loop van de geschiedenis kunnen veranderen.'

'Hoe is dat gegaan?'

Vespasianus wist het weer. 'Natuurlijk, u hebt immers gediend in het Twintigste Legioen.'

Titus herinnerde zich zijn legertijd. Er vlinderde een uitdrukking van trots over zijn uitgemergelde gezicht. Het maakte hem twintig jaar jonger. 'Inderdaad, Vespasianus. Nadat we de Cantabri in Hispania verslagen hadden, werden we overgeplaatst naar Germania. We maakten toen deel uit van Drusus' leger. Drusus was de oudste broer van Tiberius. Hij wilde net als Augustus Germania Magna tot aan de oevers van de Albis veroveren. Onder zijn bevel voerden we overal oorlogen in die wouden. Tegen de Frisii en de Chauken in de laaglanden van de koude Noordzee en tegen de Chatten en de Marsi in de donkere bossen en heuvels in de binnenlanden. Toen ik vierendertig was, en al twee jaar centurio, vochten we tegen de Cherusken, nabij de oevers van de Albis. We versloegen ze. Segimerus, hun koning, gaf zich in een van hun heilige kreupelbossen over aan Drusus. Om de overeenkomst te bezegelen werd zijn negenjarige zoon Erminatz als gegijzelde afgevoerd naar Rome. Als een van de jongste centuriones kreeg ik met mijn centurie de taak hem naar Rome te escorteren. Ik heb hem dus goed leren kennen. Dankzij mij werd hij niet afgeslacht door stamleden van de Chatten, die in een hinderlaag lagen toen we onderweg waren naar de Rijn.'

'Was Erminatz Arminius, vader?'

'Ja, Arminius is de Latijnse naam. Hij verbleef zeven jaar in Rome en werd opgenomen in de *ordo equester* voordat hij als legertribuun in de legioenen diende. Uiteindelijk keerde hij terug naar Germania Magna als cohortprefect van Germaanse hulptroepen. De rest is bekend. Drie jaar na zijn terugkeer verraadde hij Varus, met als gevolg dat bijna vijfentwintigduizend legionairs en hulptroepen werden afgeslacht. Misschien had ik hem gewoon aan de Chatten moeten overlaten.'

Sabinus nam een slok wijn en keek niet blij. 'Wat moeten we met deze informatie, vader? U hebt Thumelicus als kleuter gezien, en zijn vader toen hij negen was. U vond ze toen sprekend op elkaar lijken. Beiden hadden zwart haar en blauwe ogen, zoals duizenden andere Germanen. Alleen Thumelicus had een kuiltje in zijn kin, in tegenstelling tot zijn vader.'

'Helemaal mee eens,' stemde Vespasianus in. 'Moeten we door Germania Magna dolen en onder de baard van alle Germanen kijken? Zo komen we niet verder.'

Titus knikte en pakte een gerimpelde winterappel. 'Zorg er dan voor dat hij jullie opzoekt. Dan hoeven jullie hem niet op te sporen.'

Sabinus wilde de spot met hem drijven, maar realiseerde zich net op tijd dat hij dat niet kon maken tegen zijn vader. Meteen kreeg hij een respectvollere uitdrukking op zijn gezicht. 'Hoe moeten we dat doen?'

Titus haalde het mes van zijn riem en begon de appel te schillen. 'Ik heb Erminatz, of Arminius, goed leren kennen, zoals ik al zei. De reis naar Rome duurde immers bijna twee maanden. Op zeker moment besefte de knul dat hij inmiddels ver van huis was. Hij kreeg toen erge heimwee, op het wanhopige af, en miste vooral zijn moeder. De Germanen hebben immers heel veel respect en achting voor hun moeders en vrouwen. Ook nemen ze hun advies over wat wij als mannenzaken zouden beschouwen zeer serieus.' Vespasia snoof. Titus deed of hij dat niet gehoord had en vervolgde: 'Toen ik hem op een ochtend overdroeg aan Antonia, de vrouw van Drusus...'

Vespasianus was verbaasd. 'Hebt u in uw jonge jaren Antonia ontmoet?'

'Daar moet je je niet te veel bij voorstellen. Toen ik naar binnen liep, stuurde ze me meteen weer weg. Ik was eigenlijk niet belangrijk

genoeg om zelfs maar opgemerkt te worden. Hoe dan ook, voordat ik weer vertrok, gaf Arminius mij iets en liet me beloven dat ik dat aan zijn moeder zou geven. Die belofte kon ik natuurlijk niet weigeren. Ik dacht immers dat ik weer naar mijn legioen werd gestuurd. Ik wist alleen niet dat Drusus twee dagen na ons vertrek van zijn paard was gevallen en een maand later overleed. Op de terugweg kwamen we de stoet en mijn legioen tegen. We waren overgeplaatst naar Illyricum, maar een paar jaar later moesten we weer terug naar Germania Magna. Deze keer had Tiberius zijn veroveringsdrift op die streek gericht. We kwamen nu vanuit het zuiden binnen. Het land van de Cherusken hebben we nooit bereikt. Vier jaar later stak iemand een speer in mijn buik; ik werd als invalide afgevoerd uit het leger. Ik ben dus nooit teruggekeerd naar het land van de Cherusken. En ik heb het voorwerp nooit aan de moeder van Arminius kunnen geven. Ik ging naar Rome nadat ik hersteld was van mijn verwondingen. Arminius diende toen ergens in verre streken. Ik heb hem het voorwerp dus ook niet kunnen teruggeven.'

De ogen van Sabinus straalden van hoop. 'Hebt u dat voorwerp nog steeds in uw bezit, wat het ook mag zijn?'

'Ja. Sterker, ik gebruik het nog steeds.' Titus deelde zijn appel in vieren.

'Hoe dan?'

Titus sneed de pitjes eruit. 'Kijk dan.'

De broers staarden naar het mes dat hun vader in zijn hand had. 'Bedoelt u uw mes?' riepen ze bijna in koor.

'Ja, het mes dat ik elke dag gebruik. Het mes waarmee ik fruit schil en offers breng.' Hij hield het smalle lemmet in de hoogte. 'Ik heb het zelfs gebruikt toen we jullie beiden een naam gaven, tijdens de offerceremonies.'

Vespasianus en Sabinus stonden op en liepen naar hem toe. Nu bekeken ze het mes dat ze in hun jeugd elke dag hadden gezien met heel andere ogen.

'Ik denk niet dat Thumelicus bij de aanblik ervan gemotiveerder zal zijn om jullie te helpen. Maar hij zal volgens mij wel bereid zijn om met jullie te praten als jullie hem laten weten dat jullie het mes van Arminius in jullie bezit hebben. Jullie zijn immers de zoons van de man die zijn vaders leven heeft gered. Hij zal jullie dus ontmoe-

ten in ruil voor een memento van de vader die hij nooit heeft gekend. Vervolgens is het aan jullie om hem over te halen, te overtuigen.'

'Hoe kan hij weten dat dit het mes van Arminius is geweest?' vroeg Vespasianus. De eenvoud van het wapen fascineerde hem.

'Bekijk de kling eens wat nauwkeuriger.'

'O, kijk, vreemde lettertekens, ingegraveerd in het lemmet, niet-waar? Zo is het toch, Titus?' zei Vespasia. Ze fronste haar wenkbrauwen terwijl ze zich het voorval herinnerde. 'Dit is het mes dat je me gaf om zelfmoord te plegen op de avond dat Aquae Cutillae werd aangevallen door de manschappen van Livilla. Ik hield het tegen mijn borst en staarde naar mijn spiegelbeeld. Ik was toen doodsbang dat ik mezelf voor de laatste keer zou zien. Toen zag ik ineens die lettertekens, of wat het ook zijn. Ze verwrongen mijn spiegelbeeld. Toen ik mezelf dwong om na te denken over die tekens werd ik meteen ook wat kalmer. Later wilde ik jou ernaar vragen, maar ik was zo geschokt door wat ons was overkomen dat ik er niet meer aan heb gedacht.'

Vespasianus tuurde naar de lettertekens. Op het lemmet, vlak bij het heft, zag hij zowel rechte als gebogen lijntjes, heel verfijnd aangebracht. Het leek wel een soort schrift. 'Wat is dat, vader?'

'Runenschrift. Het zijn Germaanse lettertekens. Arminius heeft me verteld dat er "Erminatz" op de kling staat geschreven.'

Vijf dagen later realiseerden de broers zich dat het hoog tijd werd om te vertrekken. Vespasianus zat met zijn ouders op de veranda voor het huis. Ze zagen Sabinus, Clementina en hun twee kinderen – de elfjarige Flavia Sabina en Sabinus, die inmiddels negen was – naar hen toe lopen. Links van hen, voor de stallen, hielden Magnus en Artebudz toezicht op Ziri en enkele staljongens die de paarden aan het zadelen waren en proviand inpakten voor de reis van honderd mijl naar het legerkamp van de Tweede Augusta in Argentoratum.

'Ik heb gisteren maatregelen getroffen en afspraken gemaakt om de bank te verkopen,' zei Titus. Hij rilde een beetje en had een deken om zijn schouders geslagen, hoewel het inmiddels aangenaam zitten was in de warme lentezon.

Vespasia keek haar man met gefronste wenkbrauwen aan. 'Ben je eindelijk tot de conclusie gekomen dat we beter terug kunnen gaan naar Italië?'

'Nee, Vespasia, hier zal ik sterven. Lang zal dat niet meer duren.'

Vespasianus reageerde er niet op. Hij wist dat zijn vader gelijk had. Titus zou de midzomer niet meer meemaken, zijn kwijnende gezondheid liet dat niet toe. Dit zou dus hun laatste afscheid worden.

'Waar moet ik dan heen?' vroeg Vespasia op eisende toon.

'Waar je maar wilt. Het landgoed laat ik aan jou na. Net als de bedrijfsinkomsten ervan. Het geld uit de verkoop van de bank is uiteraard ook voor jou. Je zult er heel warmpjes bij zitten, Vespasia. Je kunt hier blijven of naar een van onze landgoederen in Italië gaan: Aquae Cutillae, dat ik nalaat aan Vespasianus, of Falacrina, dat voor Sabinus zal zijn.'

'Verwacht je dat ik in huizen blijf wonen waar elke kamer mij aan jou doet denken? Hoe kun je na al die jaren samen nog steeds zo'n stomkop zijn?'

Titus grinnikte en keek haar met een lieve glimlach aan. 'Doordat ik dankzij jouw koppigheid in jouw ogen nooit anders zal zijn, Vespasia.'

Vespasia was even in verwarring gebracht. 'Is dat een belediging of een compliment?'

'Beide, schat.'

Vespasia snoof. 'Kennelijk ben je vastbesloten om vóór mij dood te gaan, hè, Titus? Het laatste wat ik wil is daarna ergens wonen waar ik voortdurend aan jouw zelfzuchtigheid word herinnerd. Flavia bevalt binnenkort van Vespasianus' tweede kind. En Clementina zal ongetwijfeld met haar koters teruggaan naar Rome. Daar zal ik me nog enigszins nuttig kunnen maken. Ik trek dus in bij mijn broer Gaius.'

Vespasianus deed zijn ogen dicht en stelde zich voor dat Flavia en zijn moeder onder één dak woonden. Hij huiverde. Ook vroeg hij zich af hoe zijn oom daarop zou reageren. Waarschijnlijk zou hij vaak in zijn werkkamer zitten om urgente correspondentie af te handelen.

'Dat ik daar nog niet aan gedacht heb,' mompelde Titus met een flauw grijnslachje.

Vespasia staarde haar man streng aan, waarna er een ontspannen trek op haar gezicht verscheen en ze een hand op zijn knie legde. 'Ik weet zeker van wel, maar je dacht natuurlijk dat ik dat als een dwaas idee van de hand zou wijzen.'

Titus legde een hand op de hare, kneep er zachtjes in en keek naar de stallen, waar Sabinus zijn zoontje op een paard zette en hem een

zwaard in zijn hand gaf. Het knulletje zwaaide ermee boven zijn hoofd en slaakte schrille oorlogskreten terwijl zijn zusje opkeek en opgewonden in haar handen klapte. Sabinus legde een arm om de schouders van zijn vrouw terwijl ze ervan genoten dat hun kinderen zich amuseerden.

Titus glimlachte tevreden naar dit familietafereel, waarna hij zich tot Vespasianus richtte. 'Herinner je je de plechtige belofte die ik jou en je broer aan elkaar heb laten afleggen voordat we lang geleden naar Rome vertrokken?'

'Ja, vader,' antwoordde Vespasianus. Hij keek zijn moeder aan en was op zijn hoede.

'Je kunt er vrij over spreken,' verzekerde Vespasia hem. 'Titus heeft me erover verteld en waarom hij jullie die belofte liet afleggen.'

Titus boog zich naar hem toe. 'De bedoeling van die eed is je toch niet ontgaan, hè?'

'Als we op zeker moment niet in staat zijn elkaar te helpen omdat we gebonden zijn aan een vorige eed, dan zal deze eed de eerdere belofte vervangen. Deze eed is afgelegd in het bijzijn van alle goden en de geesten van onze voorvaderen.'

'Wat dacht je dat ik voor ogen had met die eed?'

Vespasianus kreeg maagkrampen. Hij had er al vijftien jaar lang met zijn vader over willen praten, maar hij realiseerde zich ook dat er op dat onderwerp een taboe rustte. 'Deze eed moest de eed vervangen die moeder na de naamceremonie het hele huispersoneel had laten afleggen, onder wie ook Sabinus, negen dagen na mijn geboorte. De eed dat ze nooit de voortekenen die tijdens de offerplechtigheid aan het licht waren gekomen zouden openbaren, noch wat die omina voorspelden. Ik ben nooit op de hoogte gebracht van die voortekenen en niemand heeft er ooit iets over losgelaten.'

'Vanwege de eed die we allemaal hebben afgelegd.'

'Precies. Sindsdien ben ik echter geconfronteerd geweest met twee andere profetieën. Omina die me tot nadenken hebben gestemd. Eerst bij het orakel van Amphiaraus, in Griekenland. Een vage profetie die impliceerde dat de koning van het oosten op een dag het westen zou verkrijgen als hij met een geschenk Alexanders voetstappen zou volgen in het zand.'

'Wat was daarmee bedoeld?'

'Dat weet ik niet zeker. Maar ik ben ook in de oase van Siwa geweest, in Cyrenaica. Ik was getuige van de feniks die uit zijn eigen as herrees.'

Titus en Vespasia keken hun jongste zoon met een mengeling van ongeloof en verbazing aan.

'Ik ben bovendien naar het orakel van Amon gebracht. De godheid heeft tot mij gesproken. Hij zei dat ik te vroeg was gekomen om de vraag te kennen die ik zou moeten stellen. Ik zou later terug moeten komen met een geschenk dat past bij het zwaard dat Alexander de Grote daar had achtergelaten.'

'Hoe luidde de tweede profetie?' vroeg Titus. 'Dat je op een dag zou terugkeren?'

'Nee, het was meer een uitnodiging om terug te komen met een geschenk en de juiste vraag. Het lijkt ook of die uiting gerelateerd is aan wat Amphiaraus had gezegd. De andere profetie werd geuit door Thrasyllus, de astroloog van Tiberius. Hij zei dat een senator die getuige is van de feniks die in Egypte uit zijn eigen as herrijst, de volgende keizerdynastie zal stichten. De feniks in Egypte heb ik alleen niet gezien. Siwa maakte vroeger deel uit van Egypte, maar is nu van Cyrenaica. Ik weet dus niet wat ik ervan moet denken. U moet me vertellen over de omina die tijdens mijn geboorte onthuld werden. Alleen dan kan ik mijn levenspad duidelijker voor me zien.'

'Dat gaat echt niet, mijn zoon.'

'Natuurlijk alleen vanwege de eed die iedereen gezworen heeft!' Vespasianus schreeuwde het bijna uit.

'Het was een juist besluit om iedereen plechtig te laten beloven nooit te openbaren wat jou is voorspeld, Vespasianus,' verklaarde Vespasia. 'Het is gedaan om jou te beschermen. Bovendien had je vader ook gelijk dat hij Sabinus een uitweg bood om het jou wel te vertellen indien je broer dat nodig achtte.'

Vespasianus sprong bijna uit zijn vel van nieuwsgierigheid. Met moeite kon hij zich beheersen. 'De grote vraag is natuurlijk wanneer hij vindt dat het juiste moment is aangebroken.'

Titus haalde zijn schouders op. 'Inderdaad, wie zal het zeggen? Maar één ding weet ik zeker: als jullie die legioenadelaar niet vinden, en het leven van Sabinus aan een zijden draad hangt, zal hij jou voordat hij sterft vertellen wat hij weet. Ik heb hem gisteren gesproken en hem ervan overtuigd dat het beter is de eerste plechtige belofte

niet te breken als het zover komt. Er komt een moment aan dat je zijn hulp nodig hebt. Op deze manier kan hij je die hulp ook na zijn dood bieden.'

'Laten we hopen dat het niet zover hoeft te komen,' mompelde Vespasianus. Zijn nieuwsgierigheid dwong hem bijna het tegenovergestelde te hopen.

'Inderdaad, laten we dat vooral hopen.' Met veel moeite kwam Titus overeind. Hij keek om zich heen en glimlachte goedkeurend. 'Dit is een prachtig oord geweest om mijn oude dag door te brengen. De bevolking van Aventicum heeft me van een uitstekend inkomen voorzien.' Vespasia overhandigde hem zijn wandelstok, waarna hij naar de deur strompelde. Hij keek over zijn schouder naar Vespasianus. 'De familie zou de bewoners van deze stad moeten belonen voor alles wat ze voor Vespasia en mij hebben gedaan. Misschien kun jij er op een dag voor zorgen dat dit oord de rechten van een *colonia* krijgt.'

Vespasianus staarde naar zijn vader die traag wegliep. Hij vroeg zich af of de gedachte die langzaam vorm kreeg in zijn hoofd waar was. Een belachelijke gedachte, die hij had proberen te verdringen. Zou het inderdaad mogelijk zijn? Zou hij straks werkelijk in de positie zijn om de wens van zijn vader te vervullen?

HOOFDSTUK VI

'Zo vertrouwd als de tieten van je moeder,' zei Magnus. Hij staarde naar het permanente legerkamp van de Tweede Augusta. De legerplaats lag twee mijl verder op vlak terrein, ongeveer een halve mijl verwijderd van de Rijnoever.

Vespasianus kon niet anders dan het eens zijn met de opvatting van zijn vriend, hoewel niet met de vergelijking. 'Ik zou zeggen: zo vertrouwd als de ogen van je moeder, maar ik snap wat je bedoelt.' Hij bewonderde de hoge, rechthoekige stenen verdedigingswallen, waarin op regelmatige afstand de uitkijktorens waren gebouwd. Ze omringden de legerbarakken die in keurige rijen en op gelijke afstand van elkaar waren neergezet, geheel conform de regels. Tussen de barakken en de verdedigingswallen bevond zich een strook, een open ruimte van meer dan tweehonderd passen breed. Zo breed als de vlucht van een pijl. Op dat terrein werden de legionairs van de centuriën gedrild. Twee brede wegen doorsneden het kamp en deelden het in vieren. Bij het kruispunt ervan, bijna exact in het midden van het legerkamp, hadden de uniforme bakstenen barakken plaatsgemaakt voor de degelijker commando- en administratiegebouwen. Veel groter en geheel van natuursteen, en geen baksteen, vormden ze een magnifiek middelpunt van het kampement, dat er voor de rest zeer gelijkvormig en nogal kleurloos en saai uitzag, zoals overigens elk legerkamp waar dan ook in het keizerrijk.

Vespasianus verbaasde zich daarentegen over het landschap aan de andere kant van de rivier. Hij had donkere, sinistere wouden verwacht, waar de Romeinse wet- en regelgeving, die beschaving bracht, nog geen vat op had kunnen krijgen. Niets van dat alles. De streek

achter de oostoever was gelardeerd met nette boerderijen omringd door verzorgde akkers en weideland, waar het vee graasde. Dit was niet het woeste land van Germania, zoals te horen in de verhalen van de veteranen. Wouden waar een man dagenlang kon dolen zonder een glimp van de lucht te zien, hoewel een paar mijl achter het keurige, vlakke akker- en weidelandschap de heuvels met donkere naaldbossen opdoemden. Dat paste al beter in de stereotiepe beschrijving van Germania Magna. De handel met de landen buiten het keizerrijk was beslist net zo levendig als de stroming van de rivier. Op de Rijn, driehonderd passen breed, was het een drukte van belang. Bij de grote stad met een kleine haven op de westoever, nabij het legerkamp, staken van en naar het oosten talrijke vaartuigen over.

'De nederzetting naast het legerkamp is door de jaren heen alleen maar groter geworden. Dat kun je hier de enige verandering noemen,' merkte Sabinus op. Hij dreef zijn paard de heuvel af.

'Uiteraard zijn ook de prijzen van de hoeren die hier aan de kost komen navenant hoger geworden,' zei Magnus wijs. Toen hij er even over had nagedacht, voegde hij eraan toe: 'En niet te vergeten de toenemende gewichtigdoenerij van de klootzak die hier het bevel voert.'

Gnaeus Domitius Corbulo greep Vespasianus bij de uitgestoken arm vast. 'Jij bent dus gekomen om mij te vervangen, hè? Ik kan bepaald niet zeggen dat ik me nu beledigd voel. Caligula heeft mij de Tweede Augusta gegeven om me te vernederen. Ik had mijn halfzus verteld dat het geen pas gaf de familie te schande te maken door op etentjes naakt rond te paraderen, ook al was ze de vrouw van de keizer. Als voormalig consul had ik een provincie moeten krijgen, geen legioen. Maar jij zult hier best wel tevreden mee zijn, nietwaar?' Hij wees met een hand naar de grootse inrichting van het *praetorium*, het hoofdkwartier van het legioen. Achter in het vertrek stond de legioenadelaar in de daarvoor bestemde schrijn, omringd met vlammende kandelaars en bewaakt door acht legionairs.

'Dank je, Corbulo,' zei Vespasianus. Hij probeerde zijn gezicht in de plooi te houden. 'Ik beschouw het als een eer.'

'En dat moet ook, dat moet ook,' stemde Corbulo in. Hij keek goedkeurend op Vespasianus neer. Magnus, die naast hem stond, negeerde

hij demonstratief. Vervolgens pakte hij Sabinus bij de arm beet. 'Wat mij ontgaat is waarom ze twee personen hebben gestuurd om mij te vervangen.' Hij sprak de woorden met een vreemd, eigenaardig geluidje uit, als een ram die gekeeld werd. Vespasianus realiseerde zich meteen dat Corbulo een van die zeldzame, maar moedige pogingen deed om geestig over te komen.

'Misschien vinden ze dat één persoon niet genoeg is om voor een frisse wind te zorgen,' mompelde Magnus, alsof hij het tegen zichzelf had.

Corbulo werd er een beetje nijdig van, maar hij kon er zichzelf niet toe brengen om een verachtelijk laag persoon als Magnus te erkennen als iemand die zelfs maar aanwezig was in deze kamer, laat staan dat die persoon hem beledigd had. 'Deze kwestie zal ongetwijfeld snel worden opgehelderd, Sabinus. Ik nodig al mijn officieren uit om kennis te maken met de nieuwe legatus.'

'Het ideale moment om erover te praten, Corbulo,' antwoordde Sabinus.

'Corbulo, ik vrees dat ik je nu dit moet overhandigen.' Vespasianus reikte hem de rol aan die Narcissus hem had gegeven. 'De officiële instructies voor jou, ondertekend door de keizer.'

'Kijk aan,' mompelde Corbulo. Hij staarde naar de rol en fronste zijn wenkbrauwen. Vervolgens keek hij Vespasianus strak aan.

Vespasianus begreep waarom hij zich niet op zijn gemak voelde. 'Nee, ik heb geen flauw idee wat erin staat.'

Corbulo dacht even na voordat hij de rol aannam. 'Ik zou niet de eerste zijn die een brief ontvangt met het bevel zelfmoord te plegen.' Hij woog de rol in zijn hand, alsof hij aldus de inhoud van de brief kon beoordelen. 'Ik kan het Claudius niet kwalijk nemen. Ongetwijfeld denkt hij dat ik een bloedprijs wil voor mijn halfzus, die hoer. Daar kon hij overigens wel eens gelijk in hebben, hoewel het niet meer is dan het bloed dat ik er met een speldenprik uit kan knijpen.' Opnieuw imiteerde hij de gekwelde ram. Vespasianus was geschokt. Hij had immers nog nooit meegemaakt dat Corbulo op één dag twee keer grappig probeerde te zijn. Corbulo verbrak het zegel. 'Wist je dat ik het legioen trouw moest laten zweren aan Claudius meteen nadat het nieuws over zijn benoeming was gearriveerd? Mij mag je loyaal noemen, ongeacht het feit dat hij er beslist niet als een staats-

man uitziet, en dan druk ik me nog zwakjes uit.' Hij las de brief door en slaakte een zucht van verlichting. 'Het ziet ernaar uit dat ik niet in mijn eigen zwaard hoef te vallen. Ik moet terugkeren naar Rome, waar ik onder huisarrest zal staan tot is besloten of ik mijn loopbaan mag voortzetten. Bij de tieten van Minerva, op deze manier krijg ik nooit een provincie. De goden zij dank dat mijn halfzus, die hoer, is afgedankt! Haar onvermogen om fatsoenlijk door het leven te gaan heeft de familie alleen maar schande gebracht. En nu staat daardoor ook mijn toekomst op het spel.'

'Ik denk dat jouw verwachtingen voortdurend gefrustreerd zouden worden als Narcissus niet bij jou in het krijt stond,' bracht Vespasianus te berde. 'Zijn patroon is rijk geworden dankzij het feit dat wij Poppaeus hebben vermoord.'

Corbulo trok zijn neus op, alsof er een onaangenaam geurtje het vertrek was binnengewaaid. 'Daar wil ik liever niet aan herinnerd worden, Vespasianus. Maar als er toch iets goeds uit is voortgekomen, des te beter. Ik stel het echter op prijs als je het daar niet meer over hebt. Nu willen jullie natuurlijk graag een bad nemen en het uniform aantrekken. Ik zal ervoor zorgen dat alle officieren zich hier over een uur verzamelen voor een kennismakingsronde. Ik denk dat jullie zeer onder de indruk zullen zijn van mijn hoofdtribuun, Gaius Licinius Mucianus.'

'Dank je, Corbulo. Liever over twee uur. Ik moet eerst rapport uitbrengen aan de gouverneur.'

'Dit is hoogst ongebruikelijk,' blafte Servius Sulpicius Galba alsof hij op het exercitieterrein stond. Gedurende het hele onderhoud had hij die toon aangeslagen. 'U neemt het commando van het legioen over en vertrekt de volgende dag weer. Een of andere missie aan de andere kant van de rivier, nietwaar? Een missie waarover u mij niets mag vertellen. Zeer ongebruikelijk, zoals alles tegenwoordig. Zo is het toch? Vrijgelatenen en kreupelen geven bevelen aan mannen wier families in vervlogen dagen een politieke rol hebben gespeeld, nog vóór de begindagen van de republiek. Nieuwkomers zoals u, uit families die geen naam mogen hebben, worden legatus en vervangen ex-consuls die eigenlijk aan het hoofd van provincies dienen te staan. Hoog tijd dat we terugkeren naar de traditionele Romeinse normen en waarden.

Nu heerst er een totaal gebrek aan discipline, nietwaar, eh...' Hij keek vluchtig in de instructiebrief. 'Vespasianus?'

'Ja, gouverneur.' Vespasianus verschoof in zijn eenvoudige houten stoel, die zeer ongemakkelijk zat.

Hij keek om zich heen terwijl Galba het keizerlijk mandaat opnieuw bestudeerde. Een werkkamer van een provinciegouverneur had hij zich anders voorgesteld. De kamer was karig ingericht met eenvoudige, praktische meubels die niet ontworpen waren voor comfort. Van ornamentele versiering was al helemaal geen sprake. Zelfs de inktpot van gebrande klei op het ruwhouten bureau had geen enkele decoratieve waarde.

Galba rolde het papier op en gaf een rol terug aan Vespasianus. 'Het is zeer beschamend dat iemand als Corbulo, met een senatoriale rang, onder mij geplaatst is. Het is voor beiden amper te verteren geweest. In elk geval brengt uw benoeming daar verandering in. Goed, neem wat u wilt ter voorbereiding van uw missie. Maar ik waarschuw u, die Germaanse stammen maken er een zootje van. Allemaal bloeddorstige, ongedisciplineerde barbaren. Een paar maanden geleden moest ik een groep oorlogszuchtige Chatten terugjagen naar de andere kant van de bevroren rivier.'

'Volgens de landkaarten moet ik dwars door hun territorium.'

'Doe het zo snel mogelijk.' Hij zwaaide met het keizerlijk mandaat naar Vespasianus. 'Tegen de middag zal ik in het legerkamp zijn om u het mandaat officieel te overhandigen en in het openbaar uw benoeming aan te kondigen bij de manschappen. Het ontgaat me echter waarom dat nodig is. Ze moeten gewoon doen wat ze wordt opgedragen. Geen discipline, weet u, geen discipline.'

'De Eerste Bataafse Cavalerie-*Ala* is de meest geschikte eenheid om de klus te klaren,' zei Gaius Licinius Mucianus zonder dat zelfs maar om zijn mening werd gevraagd. 'Natuurlijk moet u cavaleristen meenemen, dat spreekt vanzelf. Deze bereden manschappen hebben echter veel meer in hun mars dan alleen paardrijden. Ze wonen bij de monding van de Rijn. Daar leren ze eerder zwemmen dan lopen. Bovendien zijn het geweldige roeiers. Dat is nodig gelet op de talloze rivieren die u moet oversteken. Bovendien zijn het Germanen. Ze kunnen dus communiceren met de plaatselijke stammen en kennen het gebied.'

'Waar bevindt zich hun legerkamp?' vroeg Vespasianus. Hij waardeerde de overdadig gedecoreerde legertribuun zeer om het feit dat hij de problemen op de juiste wijze beoordeelde. En dat hij meteen op zeer stellige wijze deze suggestie deed nadat Vespasianus zijn instructies aan de hoofdofficieren van de Tweede Augusta had afgesloten en ze dus wisten wat Rome van hem verwachtte.

'In Saletio, ongeveer dertig mijl stroomafwaarts, noordelijk van hier.'

'Dank je, Mucianus.' Vespasianus zat met Sabinus aan het bureau in het praetorium en keek om zich heen naar de gezichten van de andere officieren, die in een halve kring rondom hem zaten. De namen van de vijf jongste tribunen, bescheiden gedecoreerd, had hij nog niet kunnen onthouden. Ze stonden allemaal positief tegenover het idee. Vespasianus was echter niet zo geïnteresseerd in de mening van jonge, onervaren officieren. Hij vond de opvatting van primus pilus Tatius, de hoofdcenturio van het legioen, en kampprefect Publius Anicius Maximus veel belangrijker. De twee laatstgenoemden knikten instemmend. Alleen Corbulo leek minder enthousiast. 'Onder wiens commando vallen ze?'

'Onder jouw bevel,' zei Corbulo. 'Ik vraag me trouwens af of je de prefect aardig zult vinden. Een arrogante jonge vent met zeer weinig capaciteiten. In dat opzicht lijkt hij geenszins op zijn vader. Door de vroegtijdige dood van Paetus is zijn zoon helaas opgegroeid zonder de adequate leiding die alleen vaders kunnen bieden.'

'Bedoel je Lucius, zoon van Publius Junius Caesennius Paetus?' riep Vespasianus uit. Hij herinnerde zich zijn vriend, die lang geleden was overleden. Hij was een kameraad van Vespasianus en Corbulo terwijl ze samen in Thracië dienden. Tien jaar geleden was hij vermoord door Livilla. Paetus was toen stadsquaestor en had, na de val van haar geliefde Seianus, geprobeerd haar te arresteren in opdracht van de Senaat. Toen hij zijn laatste adem uitblies, had hij aan Vespasianus gevraagd om een beetje op Lucius te letten. Vespasianus had hem dat beloofd, maar realiseerde zich nu op venijnige wijze hoe nalatig hij was geweest in het gestand doen van die belofte.

Naast Vespasianus verschoof Sabinus ongemakkelijk in zijn stoel. 'Is er geen andere cavalerie-eenheid beschikbaar?'

Corbulo schudde zijn hoofd. 'Alleen twee Gallische cavalerie-alae,

hulptroepen van het legioen. Ze zijn echter te... eh... te Gallisch. Ze haten per definitie alle Germanen. Zodra ze er een tegenkomen, gaan ze het gevecht aan. Niet bepaald geschikt dus voor een missie als deze. Het cavaleriedetachement van het legioen is niet opgewassen tegen de Germaanse cavalerie als er gevechten uitbreken. Ik vrees dat Mucianus gelijk heeft. De Bataafse eenheid is het meest geschikt voor deze klus.'

'Dan gaan we met hen op pad. Ik ben de jonge Lucius trouwens nog wat verschuldigd.' Vespasianus keek Sabinus vluchtig van opzij aan, die echter zijn blik meed. 'En mijn broer ook,' voegde hij er snel aan toe. 'Mucianus, laat Lucius Paetus meteen weten dat hij zich morgen hier moet melden met zes van zijn Bataafse *turmae*. Honderdtachtig manschappen, dat moet voldoende zijn om bescherming te waarborgen zonder dat achter de rivier alles in rep en roer is. Maak hem ook duidelijk dat enkele manschappen de gebieden van Germania Magna op hun duimpje dienen te kennen. Maximus, laat in de haven zes troepentransportboten in gereedheid brengen. De manschappen worden morgenmiddag ingescheept. Dat is alles, heren.'

'De honderdduizend denarii die je van Paetus hebt geleend zijn nog steeds niet terugbetaald aan zijn familie, hè?' zei Vespasianus op verwijtende toon tegen Sabinus toen ze alleen waren. 'Ik zei toch dat je dat geld nooit had moeten aannemen?'

'Beleer me niet, broertje van me. Ik heb dat geld geleend omdat Paetus me dat aanbood. Bovendien was het voor mij in die tijd de enige manier om groter te gaan wonen. Niet iedereen is zo krenterig als jij, vergeet dat niet. Bij de stenen van Saturnus, je hebt niet eens een eigen huis.'

'Dat kan wel zo zijn, maar daar staat tegenover dat ik niemand geld verschuldigd ben. Ik heb geen schulden, dus slaap ik 's nachts prima. En jij, slaap jij goed?'

'Héél goed en véél comfortabeler dan jij.'

'Hoe krijg je dat voor elkaar? Door de rente groeit de schuld elke maand. Wanneer ga je terugbetalen?'

'Binnenkort, nou goed? Ik had dat jaren geleden al willen doen, maar door die brand op de Aventijn is mijn huis in vlammen op-

gegaan. Ik had al het geld nodig om een nieuw pand te bouwen. Daarna ben ik die schuld min of meer vergeten, laten we het daarop houden.'

'Lucius waarschijnlijk niet.'

'Lucius weet waarschijnlijk niet eens dat hij nog steeds geld van mij krijgt.'

Vespasianus keek zijn broer afkeurend aan. 'Dan zal ik hem daaraan herinneren.'

'Pedante klootzak die je bent!'

'Goed, regel je zaken met hem zodra hij hier is. Ik wil namelijk niet dat dit tussen jullie beiden blijft etteren terwijl we door Germania dolen in een poging jouw losbandige leven te redden.' Vespasianus draaide zich om en beende het praetorium uit.

De volgende middag liep Vespasianus met een rechte rug van trots de poort van het legerkamp uit om met Galba de Tweede Augusta te inspecteren. Het legioen bood een indrukwekkende aanblik, ondanks het feit dat enkele centuriën gedetacheerd waren om kleinere forten en uitkijktorens aan de Rijn te bemannen. Meer dan vierduizend legionairs, geformeerd in cohorten, stonden in keurige rijen achter elkaar op het vlakke terrein tussen het legerkamp en de rivier. Toen hij het podium betrad, zou hij zo graag gewild hebben dat zijn vader hem kon zien. Hij realiseerde zich echter dat het laatste afscheid ook een vaarwel was. Inderdaad, ze hadden afscheid genomen van elkaar, en waren daar als zodanig dankbaar voor. Het was immers meer dan veel mensen vergund was.

'De Tweede Augusta, in de houding!' brulde primus pilus Tatius.

De *bucinator* naast hem bracht de hoorn naar zijn lippen en blies achtereenvolgens drie tonen, die steeds hoger klonken. Toen de laatste toon wegstierf, brulden alle centuriones gelijktijdig een bevel. Het complete legioen ging volledig synchroon en met een dreunend geluid in de houding staan, waarbij ze met de onderkant van hun *pila* – speren met een lange, ijzeren schacht – op de grond sloegen en vervolgens tegen hun met brons afgewerkte schilden, die ze voor de borst hielden. Gedecoreerde schilden met een wit gevleugeld paard, de Pegasus, tegenover een steenbok, de Capricorn. Daarna viel er een stilte, slechts onderbroken door wapperende legioenvaandels en het

geschreeuw van kraaien die links van Vespasianus in een groep bomen zaten.

Vespasianus liet zijn blik over de verweerde, doorleefde gezichten glijden. Ze staarden naar hem van onder hun helmen van gepolijst ijzer dat glinsterde in de waterige zon. Een moment lang koesterde Vespasianus zich in een gevoel van intense trots.

'Legionairs van de Tweede Augusta,' brulde Galba. Een stem waarvan Vespasianus vond dat die amper luider klonk dan gisteravond tijdens hun gesprek. 'De keizer heeft het wenselijk geacht om Titus Flavius' – hij keek vluchtig op het wastablet dat hij in zijn hand hield – 'Vespasianus als jullie nieuwe legatus te benoemen. Jullie zullen hem onvoorwaardelijk gehoorzamen.' Hij knikte kort naar het verzamelde legioen, draaide zich om en overhandigde het keizerlijk mandaat opnieuw aan Vespasianus.

Vespasianus stond op de verhoging en stak de rol in de lucht als groet aan het adres van de manschappen die nu onder zijn bevel stonden. Een briesje deed zijn scharlakenrode legatusmantel opwaaien en de witte helmpluim deinen. Met luid, instemmend gebrul huldigde het legioen hem terwijl hij het mandaat van rechts naar links bewoog, zodat iedereen dit symbool van het gezag kon aanschouwen. Hij was nu hun legitieme bevelhebber.

Met een indrukwekkende, zwierige beweging liet hij zijn arm zakken. De manschappen vielen stil. Daarna haalde hij diep adem; zijn borstkas zwol op tegen zijn gespierde, bronzen kuras, waarbij hij zijn linkerhand op de purperen sjerp legde die om zijn middel was gebonden. 'Mannen van de Tweede Augusta, ik ben Titus Flavius Vespasianus en heb van de keizer opdracht gekregen het bevel te voeren over dit legioen. Jullie zullen me mettertijd goed leren kennen, en ik jullie. Ik zal geen lange verhandelingen houden over jullie moed en morele kracht. Als jullie lof verdienen, zal ik dat met een paar woorden te kennen geven. En als jullie in gebreke blijven, zal ik dat eveneens met slechts enkele woorden duidelijk maken.'

'Dan moet de zweep erover,' gromde Galba sotto voce, zodat slechts de helft van de aanwezige manschappen konden horen wat hij zei.

'Ik zal altijd tijd vrijmaken om jullie klachten aan te horen. Kom ermee naar mij, los het niet zelf op. Onze band bestaat uit wederzijdse verbondenheid in discipline. Dankzij deze verstandhouding kunnen

we in harmonie samenleven en als een onverbrekelijke eenheid op het slagveld staan. Als iemand die band verbreekt, verraadt hij iedere legionair en zullen er strafmaatregelen volgen. Ongetwijfeld zullen de woorden van lof opwegen tegen de reprimandes, daar ben ik vast van overtuigd. Ik weet dat jullie als Romeinse burgers en legionairs van de glorieuze Tweede Augusta met eer en toewijding jullie plicht zullen doen. Ik leg mijn vertrouwen in jullie handen. In ruil daarvoor vraag ik loyaliteit en gehoorzaamheid. Ik vertrouw mezelf toe aan jullie, legionairs van de Tweede Augusta!'

Primus pilus Tatius trok zijn zwaard uit de schede en hield het in de hoogte. 'De Tweede Augusta verwelkomt legatus Vespasianus. Heil Vespasianus!'

Het donderend geraas joeg de kraaien schreeuwend uit de bomen. Het hele legioen zwaaide met de pila, waarbij ze het voorbeeld van hun hoofdcenturio volgden. Het gejuich maakte snel plaats voor chaotisch gezang: 'Vespasianus! Vespasianus!' In de maat van het spontane lied sloegen de legionairs met hun wapens boven het hoofd.

Vespasianus wist maar al te goed dat het gejuich en gebrul niet te lang mocht duren. Talrijke legati waren uit hun functie ontheven door nerveuze keizers die jaloers bleken te zijn op iedereen die te veel bijval kreeg. Overal liepen spionnen. Hij strekte zijn armen voor zijn borst. Weer vroeg hij om stilte. Er werd meteen gehoorzaamd. De legionairs plaatsten hun pila met een klap terug op de grond; het geluid golfde van de voorste tot de achterste gelederen. Iedereen wachtte op hetgeen de legatus nog meer te vertellen had.

Vespasianus zweeg even. Opnieuw zou hij zo graag gewild hebben dat zijn vader hem nu kon zien. Hij dacht na over de slotzinnen waarmee hij zijn betoog zou beëindigen. De kraaien cirkelden boven hun hoofd en keerden terug naar hun nesten nu het weer rustig werd. 'Dit is slechts de eerste ontmoeting. En een korte bovendien. De komende maand, of wat langer, zal ik er niet zijn. Ik ben dan op missie in opdracht van de keizer. Hoofdtribuun Mucianus zal het bevel tijdelijk van me overnemen, geassisteerd door kampprefect Maximus. Jullie zullen hun gehoorzaam zijn zoals aan mij als ik het commando zou hebben.'

Links van Vespasianus kozen de kraaien plotseling opnieuw het luchtruim. Ze zaten amper weer op hun nesten sinds ze verstoord

waren in hun doen en laten. Het veroorzaakte een kakofonie van geschreeuw en gekras onder het gevogelte. Onder de bomen weerklonk het geraas van talloze hoeven. In colonne, vier aan vier, kwam een eenheid van bijna tweehonderd cavaleristen in galop op hen af. Toen ze naderden, zag Vespasianus de lange baarden van de hulpcavaleristen. Bovendien hadden de Germanen broeken aan, zoals in deze barbaarse contreien de gewoonte was. Aan het hoofd van de colonne reed een jonge Romeinse officier. Op vijftig passen van het podium liet hij de teugel vieren en hief zijn armen in de lucht, waarna hij ze weer liet zakken en naar links en naar rechts wees. Vervolgens pakte hij de teugel op en liet zijn paard langzamer draven. Vanaf de achterzijde van de colonne formeerden de cavaleristen zich in een waaiervorm links en rechts van hem. Toen de hele eenheid een vrijwel rechte linie vormde naast hun officier verminderden de hulpcavaleristen hun snelheid drastisch.

Zonder om te kijken hief de jonge officier zijn rechterarm in de lucht, terwijl zijn paard inmiddels stapvoets ging. Enkele passen verder hield hij zijn paard helemaal in. Zijn cavalerie-eenheid stopte onmiddellijk: twee kaarsrechte, horizontale rijen van elk negentig soldaten. 'Lucius Junius Caesennius Paetus, prefect van de Eerste Bataafse Cavalerie-Ala, meldt zich in opdracht van legatus Vespasianus en wacht op orders!' Paetus salueerde prompt, waarna hij om zich heen keek en zijn witte tanden bloot grijnsde. 'Stoor ik?'

'Hij toont nooit respect en gedraagt zich altijd onbeschaamd. Ik ken hem niet anders dan zo,' zei Corbulo tegen Vespasianus. Het was laat in de middag en ze stonden onder een bleek zonnetje toe te kijken terwijl Paetus de Batavieren superviseerde, die hun paarden over de loopplanken de troepentransportboten in leidden. 'Hij denkt dat hij zich tegen iedereen kan gedragen zoals het hem goeddunkt, alleen omdat zijn familie meer dan tien consuls heeft voortgebracht en daarmee pronkt. Hij heeft zelfs mijn leiderschapskwaliteiten bekritiseerd en mijn oordeelsvermogen in twijfel getrokken, kun je je dat voorstellen?'

'Meen je dat? Dat is ongehoord!' Vespasianus kon zich dat echter heel goed voorstellen. Hoewel de familietak Dometii van Corbulo al eeuwenlang een senatoriale rang had, was Corbulo de eerste die het

tot consul had geschopt. Vespasianus begreep dat Paetus daar anders tegenaan keek. Hij kwam immers uit een veel oudere en nobeler familie. Corbulo, die zich steevast stijf en formeel gedroeg, beschouwde hij als een soort parodist, als een omhooggevallen carrièremaker. Vespasianus ging daar echter niet verder op in.

'Wel, ik wens je veel succes met hem. Ik hoop dat hij mijn pad nooit meer kruist,' morde Corbulo toen de man die hem telkens zo tergde naderde.

'Uw vier paarden en de reservepaarden worden als laatste ingeladen, heer, vlak voor vertrek,' rapporteerde Paetus. 'De rossen van mijn manschappen zijn gewend aan deinende boten. Het geeft niks als ze een tijdje moeten wachten.'

'Heel goed, prefect.'

Paetus keek Corbulo vragend aan. 'Kennelijk is er geen paard voor u bij. Bent u van plan mee te gaan, ex-legatus?'

Corbulo snoof misnoegd, waarna hij zich met een kort afscheidsknikje aan het adres van Vespasianus omdraaide en over de kade wegbeende.

'Onder mijn commando zul je je minder flamboyant en met meer decorum moeten gedragen, Paetus,' zei Vespasianus stellig tegen de prefect terwijl ze Corbulo zagen weglopen.

'Meer decorum, ik begrijp het, heer,' antwoordde Paetus, die Vespasianus daarmee echter sterk de indruk gaf dat hij het niet snapte.

Vespasianus besloot het hier voorlopig bij te laten, ook al stemde het antwoord hem niet tevreden. Hij mocht de zoon van zijn oude vriend. Met zijn open, innemende, ronde gezicht en zijn blauwe pretogen was hij immers het evenbeeld van zijn vader. In elk geval toen Vespasianus en hij elkaar voor het eerst ontmoetten in Thracië. Bovendien voelde Vespasianus zich schuldig omdat hij geen oogje in het zeil had gehouden tijdens de opvoeding van Paetus' zoon, ook al had hij dat beloofd te doen. Alleen al om die reden vond hij dat de zoon van Paetus wat speelruimte had verdiend in zijn gedrag. Hij begreep ook waarom Corbulo – met zijn aristocratische gereserveerdheid en vooroordelen – hem niet mocht. Vespasianus vond daarentegen dat hij pas kon oordelen als hij Paetus leiding had zien geven aan zijn manschappen. Paetus was nog erg jong om prefect te zijn van een hulpcavalerie. Het verbaasde Vespasianus echter niet. Patricische fa-

milies, zoals de Junii, hadden van oudsher veel consuls geleverd. Een bliksemcarrière kwam bij hen nu eenmaal vaak voor. Paetus' vader had dezelfde rang toen hij de leeftijd van zijn zoon had.

'Hoeveel nog, Ansigar?' schreeuwde Paetus naar een *decurio* met een lange baard. De Batavieren dienden onder hun eigen officieren.

'Vier, heer.' Een zwaar accent.

'Het begint erop te lijken dat jouw turma gaat winnen.' Paetus keek naar de stenen kade, waar een rij paarden wachtte om aan boord van de andere vijf boten te worden geleid. 'Zoveel bier als jullie willen voor jou en je maten zodra we terug zijn in het legerkamp.'

Ansigar grinnikte. 'Als de Nornen die ons lot spinnen onze levensdraden lang genoeg hebben gemaakt. Je weet het maar nooit, het zijn en blijven gemene wijven.'

Paetus gaf zijn ondergeschikte een klap op de schouder. 'Het zijn toch maar vrouwen?'

'Nee, prefect. Het zijn godinnen. Die zijn van een andere orde.'

Paetus schaterlachte. 'Vrouwelijke goden! Beestachtige, listige wijven, hè? Bestaat er iets ergers?'

'Het verbaast me niks dat die arrogante klootzak hem niet mag,' zei Magnus, die met Ziri naar Vespasianus liep en hem een oude, versleten reismantel gaf. 'Hij kan zijn manschappen niet eens respecteren, laat staan dat hij lol met ze kan trappen.'

'Ik neem aan dat je het over Corbulo hebt, de voormalige consul.'

'De vent met die lange neus en het korte lontje. Ik heb hem zonet zeer verontwaardigd voorbij zien komen terwijl hij op de kade manschappen wegduwde. Ja, die bedoel ik.'

Vespasianus schudde zijn hoofd, zuchtte en deed zijn legermantel uit, die hij aan Ziri overhandigde. Vluchtig keek hij naar de zon, die als een rode bal naar de westelijke horizon zakte. 'Waar is Sabinus?'

Magnus grinnikte. 'Hij heeft een stier weten te bemachtigen en wacht tot zonsondergang om het beest te offeren aan Mithras voor een succesvolle missie.'

Vespasianus bond de reismantel over zijn *lorica hamata*, een tunica in de vorm van een maliënkolder. 'Laat hem dan opschieten. Ik wil vertrekken zodra de duisternis invalt.'

'Waar geen we heen, trouwens?'

'We varen zo ver mogelijk stroomafwaarts, waarna we het akker-

land en weidelandschap doorkruisen, hopelijk ongemerkt. We moeten in de heuvels zijn voordat het licht wordt.'

'Ja, dat weet ik, heer. Maar ik vroeg waar we heen gaan.'

'Wat bedoel je? Jij weet toch de weg? Dat heb je zelf gezegd.'

'O ja?' Magnus zweeg terwijl het langzaam tot hem doordrong. Zijn gezicht klaarde op. 'O, nou snap ik het. U verwacht van mij dat ik het detachement naar het Teutoburgerwoud leid, hè?'

'Het ligt voor de hand dat we daar eerst gaan zoeken.'

'Dat kan wel zo zijn, maar dit is niet de geëigende plaats om de reis te beginnen. Althans niet als ik iedereen de weg moet wijzen. Wij waren indertijd gelegerd in Noviomagus, in het noorden, en gingen van daaruit oostwaarts langs de kust en vervolgens zuidwaarts door het gebied van de Chauken. Als we de Amisia-rivier volgen, arriveren we vanzelf bij het voormalige slagveld.'

'Precies. We gaan in noordoostelijke richting tot we die rivier gevonden hebben. Paetus heeft manschappen die het gebied kennen. Zodra we er zijn, laat je ons het slagveld zien waar Arminius zijn grootste overwinning heeft behaald. Daarna sturen we een bericht naar Thumelicus dat we iets in ons bezit hebben waar hij beslist belang in stelt, iets wat van zijn vader is geweest. Hij komt dan heus wel opdagen, zo nieuwsgierig is hij volgens mij wel.'

Magnus keek twijfelachtig. 'Misschien denkt hij eerst dat hij in een hinderlaag wordt gelokt.'

'Misschien. Maar dat is dan ook de reden waarom ik maar zes turmae meeneem. Iemand met het niveau van Thumelicus kan heus wel een groep van honderdtachtig manschappen aan. Nee, hij weet dat hij niets te vrezen heeft.'

'Wij wel! Zeker weten! Bij alle goden, vergeet niet dat we naar een slagveld gaan waar het grootste bloedbad ooit heeft plaatsgevonden. Laat u het aankomen op een herhaling van wat daar gebeurd is, hoewel op kleinere schaal?'

'Nou ja, je had ook thuis kunnen blijven.'

'Natuurlijk ben ik meegegaan, zoals altijd. En dat zal altijd zo blijven, omdat uw oom mijn leven heeft gered. Ik ben hem dat verschuldigd.'

'Die schuld is inmiddels talloze keren vereffend.'

'Daar hebt u misschien gelijk in,' morde Magnus. 'Hoe dan ook, weet u waar Thumelicus zich ophoudt?'

'Nee.'

'Hoe moet hij dat bericht dan krijgen als we in het Teutoburgerwoud zijn gearriveerd?'

Vespasianus haalde zijn schouders op.

'U hebt geen idee, hè?'

'Nee,' gaf Vespasianus toe. 'Zo ver ben ik nog niet.'

HOOFDSTUK VII

'Voorzichtig, jongens,' siste Paetus toen een van de Bataafse paarden schichtig werd terwijl het via de loopplank uit het open ruim werd geleid.

Vespasianus speelde met de vingers achter zijn rug, zo gespannen was hij. Hij zag immers hoe twee Germaanse hulpcavaleristen het paard in toom probeerden te houden. Ze trokken aan de halster terwijl ze zijn neus aaiden en in hun vreemde, verre van melodische taal zachtjes op hem inpraatten. Het paard leek erdoor te kalmeren. Uiteindelijk liet hij zich over de loopplank uit het ruim leiden en vervolgens over een andere loopplank het laagstaande water in. Het vaartuig lag op enkele passen van de oostoever.

Vespasianus rilde en trok zijn reismantel strakker om zijn schouders. Stroomopwaarts waren de vijf andere transportboten eveneens aangemeerd. Met hun lage rompen lagen ze zo dicht mogelijk bij de oever. In de schemer van de wassende maan waren de schimmen van de paarden en manschappen die van boord gingen heel vaag zichtbaar. Elke hinnik, gedempte schreeuw of het geluid van spetterend water maakte Vespasianus zenuwachtiger. Hij tuurde in de duisternis, maar kon niets verdachts ontwaren.

Sabinus had zich weer bij hen gevoegd nadat hij geofferd had aan Mithras. Daarna hadden ze zes uur stroomafwaarts gevaren en uiteindelijk een oever gevonden waar geen lichtjes te zien waren van boerderijramen. Dat wilde echter niet zeggen dat er in de buurt geen huizen stonden. Vespasianus wilde zijn kleine legermacht zo snel mogelijk van boord hebben en vreesde voortdurend dat ze de aandacht zouden trekken van de plaatselijke bevolking. Hij wilde immers niet

dat het nieuws over hun aankomst hun vooruitsnelde. De stammen die aan de rivier leefden waren vreedzaam. Ze dreven handel met het keizerrijk. In tegenstelling tot de stammen die verder landinwaarts woonden. Zij schrokken er zelfs niet voor terug om de best bewaakte Romeinse handelskonvooien af te slachten.

'Ik heb Ansigar en acht andere manschappen op pad gestuurd om de omgeving te verkennen. Onderwijl leggen we de laatste hand aan de ontscheping, heer,' informeerde Paetus hem terwijl een volgend paard tot aan de borst in het water plonsde en verontrustend hard brieste.

'Goed. Kan het ook wat zachter?'

'We doen al heel zachtjes. Al onze paarden hebben hier ervaring mee. U zult zich dat vast realiseren zodra we uw vier rossen en de reservepaarden uit het ruim halen; ze zullen dat niet leuk vinden. Dan weet u pas hoe herrie klinkt.'

Vespasianus grimaste. 'Maak deze klus zo snel mogelijk af. Ik ga van boord.'

'Dat is misschien beter, heer. Op de oever klinkt de ontscheping niet zo hard als hier. U kunt zich dan wat ontspannen.'

Vespasianus wierp hem een chagrijnige blik toe, maar Paetus had zich al omgedraaid en zijn aandacht op de ontschepingsactiviteiten gericht.

'U begint het steeds meer eens te worden met Corbulo, nietwaar, heer?' zei Magnus luchthartig. Hij tilde zijn legerrugzak op de schouder van Ziri.

'Breng mijn uitrusting ook van boord, Ziri,' snauwde Vespasianus, hoewel het niet zo bedoeld was. Hij liep de loopplank op en ergerde zich aan zijn eigen gedrag.

Koud en nat stapte hij uit de rivier. Sabinus stond al op de oever. IJverig wreef hij met een doek zijn dijbenen warm. Rondom hem waren de cavaleristen hun paarden aan het zadelen. De meeste waren nu wel van boord.

'Heb je Paetus gesproken?' vroeg Vespasianus. Van deze 'onderdompeling' had hij geen beter humeur gekregen.

'Nu je het zegt, ik heb hem gesproken. Hij was trouwens heel inschikkelijk.' Sabinus gaf hem zijn vochtige doek.

'Wat bedoel je?'

'Ik bedoel dat hij heel dankbaar was dat ik het onderwerp ter sprake bracht. Hij had geen idee dat ik hem geld verschuldigd was. Uit erkentelijkheid hoef ik geen rente te betalen, behalve over het bedrag dat de eerste twee jaar uitstond. Ik mag hem betalen zodra ik kapitaalkrachtig genoeg ben. Op voorwaarde dat ik deze missie overleef, maar dat spreekt vanzelf.'

Vespasianus wreef geërgerd met de doek over zijn armen. 'Dat is heel grootmoedig van hem. Het gaat om duizenden. Onbegrijpelijk.'

'Ik weet dat je mijn opluchting deelt, broer van me. Ik ben tot de conclusie gekomen dat hij grootmoedig is, een fatsoenlijke jonge vent, net als wijlen zijn vader. Bovendien komt hij uit een machtige familie. Ongetwijfeld zal hij het op een dag tot consul schoppen... tenzij hij sneuvelt tijdens onze missie. Echt iemand die ik als schoonzoon zou willen hebben. Ik denk nu even aan Flavia. Ze is immers al elf. Over een jaar of twee wil ik haar aan de man hebben.'

'Wil je haar aan hem uithuwelijken zodat je je voordeel kunt doen met zijn geld?'

'Daar zet je dochters voor op de wereld, nietwaar?'

Er weerklonk hoefgetrappel op hout. Een paard brieste en hinnikte schril. Het voorval voorkwam dat Vespasianus zijn mening gaf aan Sabinus. Hij draaide zich om. Boven aan de loopplank steigerde een paard. De hoeven van de voorbenen sloegen hard op de planken. Het echode over de oevers. Daarna schopte het paard met de achterhand, en raakte de onderarm van een Germaanse cavalerist. De arm brak als een dorre tak, het bot stak door zijn huid. De man schreeuwde het uit van de pijn terwijl hij zijn arm vastgreep. Het paard werd er alleen maar onrustiger van. Het ros sprong naar voren en kwam verkeerd terecht op de loopplank, waardoor hij een voorbeen brak, vervolgens helemaal door de benen zakte en krijsend met een gigantische plons in de rivier viel.

'Laat die man ophouden met schreeuwen,' riep Paetus boven het harde gekerm en gekreun van de Bataaf uit. 'Pak een speer en steek dat paard dood, haal hem uit zijn misère.'

In de rivier bleef het paard worstelen en briesen, een doodsstrijd. Een stuk of tien hulpcavaleristen stonden op de zijkant van de boot, speren in de aanslag. Toen ze de vorm van het onfortuinlijke dier konden ontwaren in het kolkende, opspattende water, en ze goed konden

mikken, wierpen ze hun speren. Opnieuw weerklonk er langdurig gekrijs en gebries, een teken dat sommige speren doel hadden getroffen. Een gorgelend, schor keelgeluid smoorde de herrie; tevergeefs probeerde het paard zijn hoofd boven water te houden. Met veel gebruis zonk het paardenlichaam weg in de kolkende, door de maan beschenen rivier.

'De goden zij dank,' mompelde Vespasianus toen het wat rustiger werd.

'Misschien had ik ook een offer moeten brengen aan de riviergoden van de Rijn,' zei Sabinus. 'Wellicht hadden ze zich dan niet genoodzaakt gevoeld om een van onze paarden te nemen.'

Vespasianus draaide zich om en keek zijn broer zonder een spoor van ironie aan. 'Ik dacht dat je alleen Mithras aanbad.'

Sabinus haalde zijn schouders op. 'We zijn een heel eind van de geboorteplaats van mijn Heer vandaan. We kunnen dus best wat extra hulp gebruiken...' Plotseling schreeuwde iemand het uit van de pijn, nabij de oever. Vervolgens weerklonk er opnieuw een schreeuw. Dezelfde man, maar het klonk nu schriller. En weer gilde hij het uit. Een krijs die uiteindelijk in gejammer wegstierf, steeds lager in toonhoogte werd. Plotseling was het stil. Iemand, niet eens ver weg, had veel pijn geleden voordat hij stierf.

Het werk op de zes boten en op de oever werd gestaakt. De hulpcavaleristen tuurden in de duisternis. Ze huiverden van het geluid, waarvan de herinnering nog sinister weergalmde. Hoefgetrappel, ver weg, verbrak de stilte. Het geluid van haastige ruiters naderde.

Vespasianus keek vluchtig om zich heen. De meeste soldaten waren nog steeds hun paarden aan het voorbereiden. Slechts enkelen zaten volledig bewapend in het zadel. 'Hier komen en twee linies formeren!' brulde Vespasianus. Hij trok zijn zwaard.

Het bevel spoorde de manschappen aan om meteen in actie te komen. Ze haalden hun ovale schilden van de rug, grepen hun speren en trokken hun *spathae* – cavaleriezwaarden die langer waren dan de gladius van de legionair – terwijl ze naar hem toe renden en prompt deden wat hun bevolen was. Hun kameraden, nog steeds aan boord, volgden het voorbeeld van Paetus. Ze sprongen in het water en waadden naar de oever terwijl het hoefgetrappel almaar luider klonk in het nachtelijk duister.

Vespasianus voelde rechts de schouder van zijn broer, die naast hem zijn formatiepositie innam, waarbij hun schilden in elkaar grepen. Vluchtig keek hij naar rechts, voor Sabinus langs, en zag een linie van schilden. Paetus bevond zich in het midden van de geformeerde gelederen; achter hem had zich inmiddels de tweede linie gevormd. Sommige achterblijvers renden nog steeds naar hun maten, maar voor de rest was deze manoeuvre in minder dan honderd hartslagen voltooid.

'Die Batavieren weten hoe dat moet,' mompelde Sabinus. 'Het zijn geen infanteristen maar cavaleristen, bedoel ik.'

'Paetus! Paetus! Batavieren!' brulde iemand boven het hoefgetrappel uit. De paarden hielden plotseling in terwijl de ruiteromtrekken uit de schemer tevoorschijn kwamen. Vespasianus telde er acht.

De ruiters zwermden om de muur van schilden heen. Ansigar voorop. Sommige hulpcavaleristen ontspanden zich, waren niet meer op hun hoede. Hun decuriones blaften hun toe om de schilden in gevechtspositie te houden. Ansigar bracht zijn paard tot staan en steeg af. Paetus kwam uit de gelederen tevoorschijn en liep naar hem toe. Vespasianus en Sabinus voegden zich bij hem.

'En, decurio?'

'Ik weet niet wat er loos is, prefect,' antwoordde Ansigar. Hij deed zijn helm af en wreef met een arm over zijn voorhoofd. 'Rothaid, een van mijn manschappen, was opeens verdwenen. Niemand heeft hem zien gaan. Plotseling was hij er niet meer. Toen hoorden we geschreeuw, ongeveer een halve mijl van de plaats waar we ons bevonden, hoewel de locatie moeilijk te schatten is. Maar in een oogwenk was het weer stil. We kwamen er dus niet achter waar het gekrijs precies vandaan kwam. Daarna zijn we zo snel mogelijk teruggereden.'

'Was het Rothaid?'

'De man die zo gilde? Ja, ongetwijfeld. Maar we hebben niets verdachts gezien.'

'Dank je, decurio. Alle eenheden op de plaats rust. Zet een stel wachtposten uit en haal de rest van de paarden uit de boten.'

Ansigar salueerde, liep weg met zijn patrouille-eenheid en blafte zijn manschappen toe om de ontschepingsactiviteiten voort te zetten.

Paetus wendde zich tot de broers. 'Hopelijk hebben we gewoon pech gehad en zijn we een paar bandieten tegen het lijf gelopen, of iets dergelijks, maar er klopt iets niet, het baart me grote zorgen.'

'Mee eens,' zei Sabinus. 'Waarom zouden schurken de aandacht op zich vestigen door een soldaat uit een patrouille-eenheid eruit te pikken?'

'Afgezien daarvan is het vreemd dat ze hem praktisch in het openbaar van kant hebben gemaakt,' bracht Vespasianus te berde. 'Kennelijk vonden ze dat wij het moesten horen.'

'Een waarschuwing? Bedoel je dat? Wie was er dan van op de hoogte dat we hier waren?'

'Precies. Wij wisten zelf niet eens waar we van boord zouden gaan. Van verraad kan dus geen sprake zijn. Vooralsnog gaan we ervan uit dat we gevolgd zijn door mensen die Rome niet zo vriendelijk gezind zijn als we hoopten, of... '

'Of we hebben inderdaad gewoon pech gehad,' viel Paetus hem in de rede. 'Hoe dan ook, ze hebben ons niet overvallen terwijl we de boel aan het ontschepen waren. Dus mogen we aannemen dat ze met weinigen zijn. Echt zorgen hoeven we ons dus vooralsnog niet te maken.'

'Maar toch...' zei Vespasianus als geheugensteuntje tegen iedereen. Twee woordjes die dreigend tussen hen in bleven hangen.

De colonne zette de klim in. Pal voor hen waaierde de bleke gloed van de ochtendschemering door het zwerk. Ze reden de beboste heuvels in en lieten de vlakke uiterwaarden achter zich. Tijdens de ontscheping hadden er geen ongeregeldheden meer plaatsgevonden. Maar er was ook geen spoor te bekennen van de mannen die Rothaid hadden gedood, ook niet toen de Romeinse colonne de uiterwaarden doorkruiste. Het lijk hadden ze daarentegen wel aangetroffen. De schurken hadden zijn ogen uitgestoken en zijn keel doorgesneden. Vespasianus bleef zich afvragen waarom de dode Rothaid een zwaard in zijn rechterhand hield. Zoals hij erbij lag, bijna keurig, had hij zelfs geen poging gedaan zichzelf te verdedigen, terwijl hij toch op een vreselijke manier gemarteld en verminkt was. Vespasianus had complete stilte verordend. Om die reden vond hij dat hij zijn eigen bevel niet mocht breken met de vraag of iemand daar een verklaring voor had.

De zon kwam op terwijl ze naar steeds hogere gebieden klommen. Niet lang daarna hoefden ze zich geen zorgen meer te maken dat de paarden struikelden in de duisternis. Het schoot dan ook flink op. De

rivier hadden ze inmiddels mijlenver achter zich gelaten. Paetus had in het legerkamp enkele hulpcavaleristen uitgekozen die beweerden dat ze de weg kenden en dat ze de eenheid dus naar de Amisia konden leiden. Nadat de colonne zich kronkelend een weg door het open gebied had gebaand, en vervolgens het heuvelachtige woud in, hadden de gidsen Paetus geadviseerd om in noordoostelijke richting op te rukken. Ze verzekerden de officieren dat de reis niet langer dan zes, zeven dagen zou duren.

Het dichtbegroeide woud bestond voornamelijk uit pijnbomen en sparren. De begroeiing eronder, het kreupelhout, was daarentegen verrassend begaanbaar. Ze konden de paarden er makkelijk stapvoets doorheen leiden, en soms zelfs in draf. Ansigar zei dat dat onmogelijk zou zijn geweest als ze zich in het hoofdwoud hadden bevonden, een bosgebied dat zich ruim tweehonderd mijl zuidwaarts uitstrekte. De colonne was er bij de noordelijke punt in gegaan, waar het woud minder dichtbegroeid was. Hier drong meer daglicht door tot op de bosgrond, waardoor ze makkelijker hun weg konden vervolgen. In zijn eigen taal noemde Ansigar de naam van dit woud, waarna hij de Romeinen vertelde dat het woord 'zwart' betekende.

De hele dag reden ze door, tot het ging schemeren, ook al hadden ze de vorige nacht niet geslapen. In het donker reizen zou in deze omstandigheden onmogelijk zijn. Vespasianus had er om die reden op aangedrongen haast te maken en tegen de avond het kamp op te slaan. Naarmate ze verder doordrongen in dit bosgebied werden de boomkruinen dikker en de lucht vochtiger. Het veroorzaakte een halfduister dat iets benauwds, iets sombers kreeg. Vespasianus ademde moeizamer, oppervlakkiger. Ook merkte hij dat hij vaak over zijn schouder keek en naar de talloze schaduwachtige stammen staarde, of naar de takken die steeds verder leken door te buigen, wat eveneens iets dreigends kreeg. Gezien het gemor en de nerveuze blikken van de Batavieren was hij niet de enige die een toenemende dreiging ervoer. Een soort onheil dat van alle kanten op hen af leek te komen.

'Als dit min of meer de zoom van het bos is, wil ik me liever niet in het hart van dit woud begeven. De Germaanse goden zullen er ongetwijfeld oppermachtig zijn,' mompelde Magnus, die het ongemakkelijke gevoel van Vespasianus deelde.

'Ja, ik heb bovendien de indruk dat ze Romeinen niet mogen.'

De hele dag door had Paetus verkenners op pad gestuurd. Ze waaierden uit in alle richtingen en kwamen telkens een paar uur later terug om te rapporteren dat ze niets dreigends hadden gezien. Of het moest het groepje zeer grote, wilde paarden, wat herten en een troep wilde zwijnen zijn, waarvan er twee niet snel genoeg waren om aan de suizende speren van de Batavieren te ontsnappen.

Bij zonsondergang stopte de colonne. Het kampement werd opgezet. Een turma hield in groepjes van twee de wacht rond het legerkamp. Niet lang daarna was het zo donker dat het woud vrijwel onzichtbaar werd. De visuele dreiging maakte plaats voor griezelige nachtgeluiden: het gekras van uilen, vreemd klinkend gekrijs en gegil van dieren, en de wind die vrij spel had in de kreunende bomen.

De wilde zwijnen werden geslacht en geroosterd aan het spit boven enkele kampvuren. Het was voldoende voor iedereen – enkele hapjes – om het legioenrantsoen aan te vullen. Het warme, bereide vlees vrolijkte hen echter niet op, en ze spraken bijna fluisterend onder elkaar.

De vijf overgebleven turmae trokken lootjes. Degenen die geluk hadden moesten als eerste of als laatste wachtlopen. De andere manschappen rolden zich morrend in de dekens. Ze wisten dat ze midden in de nacht wakker gemaakt zouden worden. Als ze al een oog dichtdeden. Niemand had hier een goed gevoel bij; het moreel was minimaal.

Toen het begon te schemeren gaf Magnus een por tegen de schouder van Vespasianus. 'Kijk eens, heer... het ontbijt.' Hij overhandigde hem een dampende kop waterige wijn en een homp brood.

Stijf ging Vespasianus rechtop zitten. Zijn rug deed pijn nadat hij de hele nacht op de oneffen bosgrond had gelegen. Hij nam zijn ontbijt. 'Bedankt, Magnus.'

'U hoeft mij niet te bedanken. Het is Ziri's taak vroeg op te staan, een kampvuurtje te maken en de wijn op te warmen. En hij is een slaaf, dus verdient hij geen dank.'

'Bedank hem toch maar.' Vespasianus doopte het brood in de wijn.

'Hem bedanken? Zou ik niet doen. Straks wil hij nog betaald worden ook,' mopperde Magnus terwijl hij Sabinus wekte. Overal in het kamp stonden manschappen op. Ze rekten hun stramme lijven en spraken zachtjes in hun eigen taal terwijl ze het ontbijt klaarmaakten.

'Goedemorgen, heren.' Paetus kwam met grote stappen aangelopen. Hij zag er nadrukkelijk opgewekt uit. Achter hem kwam de laatste

turma binnen die wacht had gelopen. Ze gingen in een rij staan om geteld te worden. 'Ik heb zonet onze gidsen even gesproken. Volgens hen verlaten we het bos rond de middag en gaan we een minder dichtbegroeid, nogal open landschap doorkruisen.'

'Wat wil dat zeggen?' vroeg Sabinus, die van zijn wijn nipte. 'Elke tien passen een boom, in plaats van elke vijf passen, zoals we gezien hebben?'

Paetus lachte. 'Zoiets, Sabinus. Maar de begroeiing is er anders. Met nauwelijks kreupelhout. We schieten dus een stuk sneller op en zullen ons niet meer belaagd voelen door die afgrijselijke Germaanse boomgeesten. We moeten alleen wat meer op onze hoede zijn. In die gebieden wonen immers meer mensen. Bovendien wil de plaatselijke bevolking niets met Rome te maken hebben.'

'Ze worden niet voor niets barbaren genoemd.'

'Prefect!' schreeuwde de centurio van de teruggekeerde turma.

'Wat is er, Kuno?'

'We missen twee wachtposten, heer.'

Paetus fronste zijn wenkbrauwen. 'Weet je dat zeker?' vroeg hij op een toon alsof hij twijfelde aan de rekenkunst van Kuno.

'Batavieren kunnen heus wel tellen, heer.'

Vespasianus keek Sabinus verontrust aan. 'Dat klinkt niet goed.'

Sabinus trok de riemen van zijn sandalen strak. 'We gaan ze zoeken.'

Kuno ging hun voor met acht manschappen van zijn turma. Ze arriveerden op de plaats waar de twee mannen op wacht hadden gestaan. Er was echter geen spoor van ze te bekennen. Ze zagen slechts talrijke voetafdrukken in de zachte aarde, waar vorige wachtposten hadden gelopen.

'Geen sporen van een gevecht,' zei Vespasianus. Hij keek naar de grond. 'Geen bloed, er is niets achtergebleven.'

'Decurio, laat je manschappen zich verspreiden, kam de omgeving uit,' beval Paetus. 'Maar houd elkaar in het oog, hè?'

'Ja, heer.'

'Zouden ze gedeserteerd kunnen zijn, Paetus?' vroeg Sabinus, terwijl de Batavieren uitwaaierden en aan de zoektocht begonnen.

'Onwaarschijnlijk. Niet nu ze zo ver van huis zijn. En zeker niet hier.'

'Wat is er dan zo speciaal aan deze streek?'

'De gidsen hebben me verteld dat we elk moment een rivier kunnen bereiken die Moenus wordt genoemd. Ze kennen er een doorwaadbare plaats. Wanneer we de rivier zijn overgestoken, bevinden we ons meteen in het territorium van de Chatten. Deze stam en de Batavieren zijn gezworen vijanden van elkaar. Vroeger hoorden ze bij hetzelfde volk, maar een paar honderd jaar geleden volgde een afsplitsing. De oorzaak ken ik niet. Niemand schijnt zich nog een of andere overlevering te kunnen herinneren. Een serieuze kwestie is het echter gebleven. De Batavieren trokken noordwaarts en de Chatten vestigden zich hier. Maar er is nog steeds sprake van een bloedvete. De vermiste wachtposten zouden wel gek zijn om zo dicht bij het stamgebied van de Chatten rond te dolen.'

'Prefect! Kijk wat we hebben gevonden!' schreeuwde Kuno. Hij kwam aangelopen met een helm in zijn hand. De helm van een hulpcavalerist.

Paetus pakte de helm van hem over, keek er vluchtig naar en liet het hoofddeksel aan de broers zien. Aan de rand ervan kleefde wat bloed en geklit haar. 'Ik betwijfel of we ze ooit nog zullen vinden.'

Het nieuws over de vermiste wachtposten, en dat ze waarschijnlijk gedood waren, verspreidde zich als een lopend vuurtje door de colonne, die vlak nadat de helm was gevonden weer werd geformeerd. De onrust in de gelederen nam alleen maar toe terwijl ze het opgebroken kampement verlieten. De kleine legermacht trok in noordoostelijke richting verder, een glooiende heuvel af.

'Denkt u dat het wellicht Chatten zijn geweest, die nog steeds wraak nemen op de Batavieren?' vroeg Magnus aan de broers, nadat ze hem hadden bijgepraat over de geschiedenis van de twee stammen.

Sabinus schudde zijn hoofd. 'Onwaarschijnlijk. De Moenus vormt de grens van het Chattenterritorium. Bij de Rijn hebben ze niks te zoeken. Ik zou in elk geval niet weten wat.'

'Galba heeft me verteld dat hij begin dit jaar een oorlogsbende had teruggedreven. Krijgers die de westkant van de rivier afschuimden,' informeerde Vespasianus hem. 'Ze dwalen hier dus wel rond, zo ver westwaarts.'

Sabinus haalde zijn schouders op. 'Nou ja, stel dat het zo is. Hoe

moeten ze dan te weten zijn gekomen dat zes boten met Batavieren zouden aankomen op de plaats waar wij aan land zijn gegaan?'

'Dat is zo,' zei Magnus instemmend. 'Maar iemand heeft het geweten en nu worden we achtervolgd. Ik heb het akelige vermoeden dat die wachtposten niet de laatste manschappen zijn die tijdens deze missie vermist raken.'

'Ik vrees dat je daar wel eens gelijk in zou kunnen hebben, Magnus.' Sabinus keek om en tuurde naar het schaduwachtige bos. 'Zelfs Heer Mithras heeft moeite zijn licht te laten schijnen in deze sinistere duisternis. Zonder zijn onafgebroken bescherming zullen degenen die ons achtervolgen het een stuk makkelijker hebben.' Met een snelle beweging zorgde hij ervoor dat het zwaard losjes in de schede zat; een paar Bataafse verkenners kwamen in zicht. Ze zigzagden razendsnel tussen de bomen door. Sabinus liet het heft van zijn zwaard weer los. 'Maar wat willen ze daarmee bereiken? Proberen ze ons af te schrikken?'

'Afschrikken? Wat bedoel je? Hoe weten ze waar we heen gaan?' vroeg Vespasianus. 'Ik pieker me suf hoe ze ons hebben gevonden terwijl we toch midden in de nacht ergens willekeurig aan de oostkant van de rivier aan land gingen.'

'Ik denk dat ik het antwoord daarop wel weet,' antwoordde Magnus. 'Ze hebben niet op ons gewacht, simpelweg omdat ze niet wisten waar ze moesten wachten. Dus zijn ze ons gevolgd. Maar de achtervolging is niet op de oostoever van start gegaan. Ze konden ons immers niet midden in de nacht de haven uit zien varen. En als ze in de haven de wacht hielden, zouden wij ze hebben opgemerkt. Maar het kan ook zo zijn dat ze zich een eindje stroomopwaarts ophielden. Op die manier hebben ze ons op hun gemakje ongezien kunnen volgen.'

Vespasianus liet die informatie even bezinken. Hij knikte terwijl de colonne in draf ging. 'Ja, dat zou best kunnen. In dat geval was bekend dat we vanuit Argentoratum per boot zouden vertrekken. Maar ze kunnen dat pas de dag ervoor geweten hebben. Sterker nog, niemand kon weten dat we vlak na aankomst weer zouden vertrekken.'

'Tenzij hun dat verteld is voordat we in Argentoratum arriveerden.'

'Wie zou hier dan nog meer geweten kunnen hebben wat we van plan waren?'

'Hier niemand. Maar minstens drie personen in Rome wisten het wel.'

'De vrijgelatenen van Claudius?'

Magnus knikte.

'Maar zij hebben er alle belang bij dat we succes boeken. Zij zullen geen barricaden hebben opgeworpen. Per slot van rekening was het hun idee.'

'Vertel mij dan maar eens wie behalve uw familie weet dat we hier zijn.'

'Alleen Galba,' gaf Vespasianus toe. 'Maar ik heb hem niet verteld waar we precies heen zouden gaan. Trouwens, waarom zou hij de Chatten willen helpen? Hij haat dat volk. Vergeet niet dat hij iedereen haat die niet uit een familie komt met wortels uit de beginperiode van de republiek.'

'Halt!' riep Paetus, die zich vlak voor hen bevond.

'Wat is er?' vroeg Vespasianus. Hij volgde de blik van Paetus.

Verderop was het woud aanzienlijk minder dichtbegroeid. De boomkruinen lieten de zonnestralen als goudkleurige luchtkokers door. Het verblindde hen nadat ze al die tijd in een soort schemerrijk hadden gereisd.

Paetus wees naar een paar jonge boompjes, niet groter dan zes voet. Ze stonden twintig passen verder, pal voor hen. Vespasianus kneep zijn ogen half dicht. Toen ze gewend raakten aan het felle licht zag hij dat elk boompje een vrucht droeg. Een afschuwelijke, ronde vrucht.

'Kap die bomen!' beval Paetus de twee gidsen naast hem.

De twee Batavieren reden er stapvoets, nerveus heen. De afgehakte hoofden waren tussen de takken van de boompjes vastgezet. Toen de hulpcavaleristen naderbij kwamen, bleef de hoef van een paard hangen achter iets wat onder het gebladerte was begraven. Er kraakte iets heel luid, meteen gevolgd door het geknars van touwen die straktrokken. Twee donkere schaduwen kwamen van boven dwars door de goudkleurige luchtkokers heen recht op de Germaanse cavaleristen af. De paarden werden schichtig, ze hinnikten schril en stapten naar achteren. De schaduwachtige vorm die zich rechts van hen bevond, en kwam aangesuisd, klapte tegen een paard aan. De andere miste het tweede paard net en zwiepte in een grote boog verder naar het voorste gedeelte van de colonne, waarbij de vorm over de bosgrond schraapte en dode bladeren deed opwaaien alvorens de boog naar boven toe te voltooien. Heel even hing het roerloos in de lucht. Vespasianus staarde

naar het onthoofde lichaam van een van de wachtposten terwijl hij zijn geschrokken paard probeerde te kalmeren. Het lijk sproeide een walgelijke, vieze vloeistof in het rond, die uit de gapende nek kwam. De paarden eronder werden almaar schichtiger terwijl het lijk in een boog terug zwiepte naar de paarden zonder ruiter. De twee Batavieren konden het niet meer aanzien en waren te voet weggevlucht.

'Hier word ik langzamerhand zo pissig van!' klaagde Magnus. Achter hem was de colonne in wanorde geraakt door de paniekerige paarden.

Vespasianus sprong van zijn ros, waarbij hij net op tijd de bokkende achterbenen van Paetus' paard kon ontwijken. Hij rende naar het lijk dat weer in een boog aan het knarsende touw op hem afkwam, zette zich schrap met zijn linkerbeen en stak zijn rechtervoet uit, waarbij de zool van zijn sandaal tegen de borstkas van het lijk klapte. Hij ving de dreun op door zijn knie te buigen. Met een harde bonk viel hij op zijn rug, maar hij tilde zijn hoofd meteen op en zag het lijk bungelen en langzaam om zijn as draaien naast het andere opgehangen lijk. Bij beide lichamen waren de armen voor de borst vastgebonden. Uit elke rechterhand stak een dolk die met bindtouw op zijn plaats werd gehouden. Nog voordat hij de bizarre aanblik kon verwerken, gilde iemand het uit van de pijn. Het schrille gekrijs van gewonde paarden klonk boven het gebrul en gehinnik uit. Hij keek om. Alsof de bomen pijlen uitspuugden. Pijlen die suizend in de colonne verdwenen. Enkele manschappen en paarden vielen, werden vertrapt terwijl ze kronkelden van de pijn. Het salvo duurde niet langer dan tien hartslagen en stopte even abrupt als het begonnen was.

Vespasianus keek in de richting vanwaar de pijlen waren afgeschoten. Hij ving een glimp op van enkele schaduwachtige vormen die te voet tussen de bomen wegvluchtten. 'Paetus, we moeten ze in de kraag grijpen!' schreeuwde hij, waarna hij overeind sprong en zijn paard zocht, dat echter nergens meer te bekennen was.

'Kom mee!' brulde Paetus boven de herrie uit tegen de cavaleristen die zich het dichtst bij hem bevonden en die nog het minst onder de indruk leken te zijn. Hij trapte zijn paard in de flanken. Het ros reageerde meteen. Wellicht was het dier blij dat het dit bloederige slagveld kon verlaten. Een tiental Batavieren volgde de prefect het schemerige bos in. In een oogwenk waren ze uit het zicht verdwenen.

Vespasianus greep de teugel van Sabinus' paard en kalmeerde het

dier terwijl Magnus en Ziri afstapten en de flanken van hun eigen rossen streelden om ze tot kalmte te dwingen. Geleidelijk werd het rustiger in de gelederen van de turmae. Alleen het gekreun van de gewonden bleef. Net als het gesnuif van paniekerige, schichtige paarden.

Ansigar verscheen uit de wanordelijke colonne. 'Drie doden en vijf gewonden,' rapporteerde hij. 'Een is er slecht aan toe. Vier paarden hebben het niet gehaald, heer. Waar is de prefect?'

'Hij achtervolgt degenen die ons hebben aangevallen,' antwoordde Vespasianus. 'Wacht, ik laat je wat zien.' Hij leidde de decurio naar de bungelende lijken. De twee gidsen kwamen verstramd overeind en staarden naar de macabere aanblik. 'Wat moeten we hiervan denken?' Hij wees naar de dolken; bij elk lijk was in de rechterhand een mes bevestigd. 'Rothaid, een van jouw manschappen, werd gevonden terwijl hij een zwaard vasthield. Hij was niet eens besmeurd met bloed. Het leek alsof hij daar netjes was neergelegd.'

Ansigar glimlachte wrang en streek door zijn lange, gekamde baard. 'Het is precies zoals u zegt.'

'Wat bedoel je?'

'Dat we tegen eerbare mannen vechten.'

'Ze besluipen ons en moorden erop los. Noem je dat eerbaar?'

'Deze mannen veroordelen hun slachtoffers niet; ze voorkomen dat de stakkers na hun dood als vormeloze lichamen door deze contreien dolen. Door bij hun dood een wapen in hun handen te leggen, garanderen ze dat de schildmaagden van de almachtige god Wodan ze zullen vinden. De maagden zullen ze meenemen naar het Walhalla om te vechten en feest te vieren tot de eindstrijd een aanvang neemt.'

'Het is dus iets religieus, hè? Niet iets waar wij ons zorgen over moeten maken?'

'Integendeel, wat we hier zien is van grote betekenis. Zij die ons besluipen zijn beslist Germanen. Maar het gaat ze niet om ons, de Batavieren. Anders zouden ze zich echt niet druk maken over ons wel en wee in het hiernamaals. Wat we hier zien heeft ongetwijfeld alles te maken met wat wij representeren: Rome.'

Er klonken waarschuwingskreten in het woud. Even later leidde Paetus zijn manschappen het bos uit.

'Heb je ze te pakken gekregen?' vroeg Vespasianus terwijl de prefect van zijn paard afsteeg.

'Eentje wel.'

Achter hem stegen de cavaleristen eveneens af. Ze haalden een lijk van een van de paarden; het lag dwars over de rug van het dier. Vervolgens gooiden ze het lichaam op de grond; de dode barbaar lag op de rug. De man was midden twintig. Zijn blonde lokken waren opgebonden in een kruinknot en de standaardbaard was besmeurd met bloed. Hij had alleen een bruine wollen broek aan en leren laarzen. Zijn borst, zwierig getatoeëerd, dreef van het bloed door een speer die dwars door zijn hart was gegaan. Net boven de elleboog van zijn rechterarm droeg hij een armring.

'Met hoeveel waren ze?'

'Pakweg twintig.' Paetus keek neer op het lijk en schudde zijn hoofd. 'Deze vent kwam terug om ons te lijf te gaan, zodat de anderen wat meer tijd kregen om te ontsnappen. Het stond gelijk aan zelfmoord. Toen we hem hadden afgemaakt, waren de anderen inmiddels verdwenen in het bos. Alsof het woud ze had opgeslokt.'

Ansigar knielde neer en tilde diens baard op om eronder te kijken. De man had een ijzeren halsband om, zo breed als een gespierde hand. Prompt spuugde Ansigar vol walging. 'Er is maar één stam die ijzeren halsbanden draagt... de Chatten.'

HOOFDSTUK VIII

Gedurende drie dagen reisde de bereden colonne zo snel mogelijk verder. Ze doorkruisten het land van de Chatten. Drie nachten lang joegen de etherische jagers op hen. In de duisternis pikten ze ogenschijnlijk willekeurig manschappen uit de gelederen zonder dat iemand ook maar een glimp van de rovers te zien kreeg; sinds de hinderlaag vernamen de Romeinen taal noch teken van deze barbaren. Maar hun broeiende aanwezigheid werd telkens opnieuw bevestigd doordat er tijdens de telling iedere keer manschappen vermist bleken. Later op de dag, terwijl de colonne verder trok, werden de cavaleristen zoals altijd geconfronteerd met de griezelige aanblik van hun onthoofde kameraden. Voordat de tweede nacht inviel, had Paetus het bevel gegeven de wacht te verdubbelen in een poging de 'stille dood' een halt toe te roepen. Aldus patrouilleerden de wachtposten met zijn vieren. Maar het mocht niet baten. Die nacht stierven vier manschappen. De volgende nacht gaf Paetus opdracht om tussen hun slapende kameraden te patrouilleren. Toch was ook die nacht een van hen plotseling spoorloos verdwenen, al kon niemand begrijpen hoe dat gebeurd was.

'Elke dag lukt het ze om de lijken drie of vier mijl verder langs onze route achter te laten,' merkte Vespasianus op terwijl ze naar de meest recent onthoofde hulpcavalerist staarden, die aan de dikke stam van een eik was gespijkerd. 'Ze moeten dus hebben vernomen waar we heen gaan.'

'Dat horen alleen Pallas, Narcissus en Callistus te weten,' bracht Magnus te berde. Hij sloeg een van de vele vliegen weg die waren aangetrokken door de stank van de dood.

Sabinus fronste zijn wenkbrauwen. Hij wist niet wat hij ervan moest denken. 'Dit slaat nergens op. Waarom zou Narcissus me sparen voor een opdracht die hij van meet af aan wil saboteren?'

'Misschien weet Narcissus nergens van en komt dit uit de koker van Pallas of Callistus,' meende Magnus.

'Maak hem los en begraaf hem,' riep Paetus tegen Ansigar, terwijl hij weer in het zadel ging.

In zijn eigen ruwe taal brulde Ansigar enkele bevelen. Een groepje angstig kijkende hulpcavaleristen kwam naar voren. Zonder te dralen begonnen ze aan de onaangename taak, terwijl ze nors tegen elkaar mompelden.

'Dit houden de manschappen niet lang meer vol, Paetus.' Vespasianus ging te paard, naast de prefect. 'Het wordt hoog tijd dat we het Chattenterritorium achter ons laten. Hoe lang nog?'

'Nog een dag, volgens de gidsen. We moeten eerst de Eder oversteken. Daarna arriveren we in een relatief vlak landschap met veel landbouw terwijl we verder reizen naar de Amisia, ofwel het land van de Cherusken. Hopelijk kunnen we dan wat sneller oprukken.'

'Zodat straks iedereen ziet waar we zijn, nietwaar?'

Paetus haalde zijn schouders op. 'Degenen die ons achtervolgen zullen het inderdaad een stuk makkelijker krijgen.'

Vespasianus dacht na over het feit dat hun kwelgeesten onzichtbaar waren gebleven in de afgelopen dagen. 'Dat betwijfel ik, Paetus.'

Toen de zon het hoogste punt bereikte, arriveerden ze ten langen leste bij de zoom van het woud. Pal voor hen strekte zich een golvend weidelandschap uit. In de verte zagen ze hier en daar een boerderij, omringd door grasland waar koeien graasden. Na het benauwde woud, waar maar geen eind aan kwam, kregen ze eindelijk de horizon weer eens te zien. Een heerlijk, zonovergoten, uitgestrekt landschap waar je op adem kon komen en niet voortdurend om je heen hoefde te loeren naar vijanden die zich ergens schuilhielden.

'De Eder meandert in noordelijke richting op minder dan een kwartier rijden hiervandaan, prefect,' zei een van de gidsen tegen Paetus. Hij wees naar een langgerekte heuvel, ongeveer een mijl verder. 'Op die top zouden we de rivier moeten kunnen zien. Erdoorheen waden is onmogelijk. We zullen zwemmend naar de overkant moeten.'

'Hoog tijd dat ik een bad neem,' zei Paetus opgewekt. 'Ansigar, stuur een patrouille van vier manschappen vooruit. Ik wil weten of onze mysterieuze vrienden bij de rivier een verrassing voor ons in petto houden.'

De patrouille galoppeerde weg. Paetus leidde de rest van de colonne in handgalop. Vespasianus trapte zijn paard in de flanken; de wijde verten stemden hem positief. Hij kreeg er meer energie van. Zijn vrees dat ze hier wel erg blootgesteld zouden zijn aan vijandige blikken had voorlopig plaatsgemaakt voor de opluchting dat ze eindelijk wat sneller konden oprukken. 'Ik verheug me erop om de stank van het bos van me af te wassen.'

Magnus was minder positief gestemd. 'Een rivier overzwemmen heeft nog nooit iets goeds gebracht. Zeker niet in deze plunje.' Hij wreef over zijn maliënkolder. 'Je zinkt als een baksteen als je hiermee het water in gaat.'

'Doe dat ding dan uit en bind het vast aan je paard, dat zal er geen moeite mee hebben.'

Magnus gromde en wendde zich tot Ziri, die naast hem reed. 'Kun jij zwemmen, Ziri?'

'Geen idee, heer. Ik heb het nog nooit geprobeerd.'

'Bij alle goden! Dit is niet het juiste moment om te leren zwemmen!'

De colonne draafde over het grasland de glooiing op. Toen ze de top bereikten, hield Paetus zijn paard in. Vespasianus ging naast hem staan en hield een hand boven zijn ogen tegen het glinsterende daglicht. In de diepte, enkele mijlen verder, meanderde de rivier door een grasgroen landschap met hier en daar akkers en velden. Op de dichtbegroeide oevers stonden hoofdzakelijk bomen. Hier en daar zag hij echter een open plek met uitzicht op de traag stromende, zeer sedimentrijke rivier. De patrouille van vier manschappen was er bijna gearriveerd. Aan de overkant strekten zich velden, akkers en kreupelhoutbossen uit, zo ver het oog reikte. Bijzonder vruchtbare grond. Uitstekend geschikt voor landbouw.

'Dat lijkt me een rivier van hoogstens veertig passen breed,' zei Paetus zelfverzekerd. 'De oversteek zal ons niet lang vertragen.' Hij stak een arm in de lucht, draaide zich half om in het zadel en wilde zijn manschappen het bevel geven de heuvel af te rijden. Prompt vertrok zijn gezicht. 'Bij alle goden!'

Met een ruk draaide Vespasianus zich om. Een donkere schaduw verscheen bij de zoom van het woud. Talloze ruiters, minstens honderd, schatte hij.

'Deze oversteek wordt geen pretje,' mompelde Paetus bijna tegen zichzelf, waarna hij zijn arm vooruitstak en zijn paard aanspoorde om in galop te gaan. De colonne volgde meteen.

Net als de Chatten op ongeveer een mijl achter hen.

Vespasianus boog zich naar voren in het zadel en spoorde zijn paard aan om dravend de heuvel af te gaan. Achter zijn rug flapperde zijn mantel luidruchtig. Om hem heen reden de Batavieren. Ze trapten hun paarden in de flanken, gilden en schreeuwden boven het hoefgetrappel uit. De helft van de afstand was in minder dan geen tijd afgelegd. Langzaam haalden ze de patrouille in. Vespasianus keek over zijn schouder. Enkele Chatten hadden de heuveltop inmiddels bereikt. Hij hoefde niet lang na te denken om zich het onvermijdelijke te realiseren. Hij brulde tegen Paetus: 'Ze zullen op de oever arriveren terwijl wij door de rivier naar de overkant zwemmen. We moeten keren en het gevecht aangaan. We hebben minstens vijftig cavaleristen meer dan de barbaren.'

'Mijn manschappen zijn geoefende zwemmers, heer!' krijste Paetus boven de zware roffel van de galop uit. 'In de rivier zullen we minder verliezen lijden. Het is echt de beste optie om uiteindelijk weer thuis te komen.'

Vespasianus kon er de logica wel van inzien. Hoe meer manschappen ze nu zouden verliezen, hoe kwetsbaarder ze zouden zijn als ze in het Teutoburgerwoud arriveerden. Als het hun trouwens al lukte die contreien te bereiken. Hij keek naar de rivier. Nog ongeveer een halve mijl. De patrouille was er net gearriveerd. Vervolgens keek Vespasianus vluchtig om. De Chatten haalden hen in elk geval niet in. Misschien hadden de turmae toch nog een kans. Hij bereidde zich voor, opgezweept door een vage hoop. Plotseling struikelde een van de cavaleriepaarden. Het ros viel, de ruiter belandde eronder. Binnen enkele tellen werden nog eens twee ruiters uit het zadel geworpen. De vierde ruiter keerde zijn paard en galoppeerde terug de heuvel op. Achter hem, op de rivieroever, was veel beweging waar te nemen. Binnen de kortste keren stond bij het water een linie van ruim honderd strijders.

Ze zaten in de val.

'Halt!' gilde Paetus. Hij stak een arm in de lucht. 'Rechtsomkeert!' De meeste Batavieren hadden de nieuwe dreiging op de noordoever gezien. Ze reageerden dan ook meteen op het bevel. Dankzij hun ervaring keerden ze prompt, in een schitterende manoeuvre die van discipline getuigde, hun schuimende paarden, die wild uit de ogen keken. De turmae vormden twee linies. Terwijl ze daarmee bezig waren, hielden de Chatten in en naderden in draf, waarbij ze een formatie vormden die op een pijlpunt leek. Gestaag kwamen de bereden strijders dichterbij. Een strijder reed voorop, de anderen in V-formatie achter hem.

Paetus had aan één blik voldoende en richtte zich tot Ansigar, die naast hem reed. 'Laat de turmae op de flanken een colonne vormen in de achterhoede. We proberen hun formatie te splijten voordat we in de aanval gaan.'

De decurio knikte en brulde enkele bevelen, die meteen herhaald werden door zijn vijf collega's. De turmae helemaal links en rechts trokken zich terug achter de centraal gepositioneerde vier turmae. Met een nauwkeurige, snelle manoeuvre vormden ze twee rijen achter elkaar.

'Batavieren! Gereedmaken om op te rukken!' riep Paetus. Bij het laatste woord klonk zijn stem een octaaf hoger.

In alle gelederen trokken de cavaleristen de speren uit de leren foedralen, die aan het zadel waren bevestigd, waarna ze hun wijsvinger door de lus haalden bij het midden van de schacht. De paarden stampten, snoven en knikten woest; talloze gespierde paardenborstkassen deinden heftig terwijl de rossen diep in- en uitademden.

'We gaan een nogal lastige tactiek uitproberen,' zei Paetus tegen de broers. 'U kunt maar beter achter Ansigar en mij blijven en ons volgen.'

Sabinus was geïrriteerd. Hij kreeg niet graag het advies om in de achterhoede mee te lopen. Vespasianus reikte naar hem en legde een hand op zijn schouder. 'Ik heb gezien hoe hij zijn cavalerie-eenheden leidt. Ik denk dat we beter zijn raad kunnen opvolgen.'

'Ik heb nog nooit te paard gevochten,' morde Magnus. Ze namen posities in achter Ansigars turma in het midden van de linie. 'Het is onnatuurlijk.'

'Dan ben je Cyrenaica zeker vergeten? Weet je nog, dat gevecht tegen Ziri's volk?' Vespasianus verstelde de draagriem van zijn schild.

'Tijdens die aanval ben ik achter u aan gehobbeld, waarna ik zo snel mogelijk afsteeg.'

'Respecteer die gulden regel nu dan ook. Jij en Ziri dekken mij en Sabinus.'

'Dat zal ik doen. Ik houd u wel in de gaten, zodat u zich niet laat meeslepen, als u begrijpt wat ik bedoel.'

Vespasianus bromde wat. Hij wist immers dat zijn vriend gelijk had. In het verleden had hij zichzelf vaak in gevaar gebracht door toe te laten dat zijn zelfbeheersing hem in de steek liet. Hij vocht dan als een dolleman, zonder na te denken over het grotere gevecht om hem heen. Dat mocht vandaag in geen geval gebeuren, daar zou hij op letten.

Ongeveer een kwart mijl voor hem stak de Chattenhoofdman zijn rechterarm in de lucht; er zat geen hand aan. De strijders stopten, maar zijn leider reed stapvoets door tot hij ongeveer vijftig passen verwijderd was van de Romeinse legermacht. Hij hield toen in en streek over zijn blonde baard, die warrig tussen zijn wangbeschermers uitstak. Onderwijl nam hij de Batavieren in ogenschouw.

De Batavieren zwegen.

Vespasianus keek over zijn schouder. De strijders bleven op de andere oever. Hij riep naar Paetus: 'Luister wat hij te vertellen heeft, prefect.'

'Romeinen en Batavieren die worden betaald door Rome,' schreeuwde de Chattenleider in verrassend goed Latijn. 'Jullie zijn met velen, maar wij hebben het voordeel dat we heuvelafwaarts kunnen aanvallen. Misschien maken jullie ons allemaal van kant, wie weet, maar niet voordat jullie zoveel verliezen hebben geleden dat de overlevenden geen schijn van kans hebben om levend terug te keren naar het keizerrijk.' Hij deed zijn helm af en wreef met de stomp van zijn rechterarm het zweet van zijn kale hoofd.

Vespasianus dacht even dat hij hem herkende. Hij wendde zich tot Sabinus, maar de hoofdman sprak verder voordat Vespasianus iets kon zeggen.

'Ik doe jullie een voorstel, Batavieren. Lever de Romeinse officieren uit, doe afstand van jullie wapens. We escorteren jullie dan terug naar de Rijn als vrije mannen.'

Ansigar spuugde. 'Onze zwaarden geven aan een handjevol Chatten! Nooit!'

In de Bataafse gelederen werd alom instemmend gegromd en gespuugd.

Ansigar richtte zich tot Vespasianus. 'De Chatten vechten het liefst als infanteristen. Dit is geen cavalerie, maar bereden infanterie. Een makkie voor ons.'

Vespasianus knikte. 'Dank je, centurio. We hebben genoeg gehoord, prefect. Vooruit, we kunnen het maar beter achter de rug hebben.'

'Helemaal mee eens, heer.' Paetus maakte een geringschattend gebaar naar de Chattenhoofdman. 'Ga terug naar je manschappen, de onderhandelingen zijn voorbij.'

'Het zij zo.' Hij deed zijn helm weer op en reed snel terug naar de voorhoede van zijn cavalerie-eenheid. Een ruiter kwam hem tegemoet en overhandigde hem een schild, waarna de hoofdman de draagriem over zijn verminkte rechterarm schoof. Met zijn linkerhand trok hij het zwaard.

'Decuriones, wacht op mijn aanvalsteken, daarna splijten!' schreeuwde Paetus. 'Batavieren, in draf, oprukken!'

Overal klonk het geklingel van maliënkolders en hoefgetrappel terwijl de zes turmae oprukten. Op de heuvel werd gebruld. De Chattenstrijders kwamen de heuvel af gereden.

'In handgalop!' krijste Paetus toen de twee strijdmachten ongeveer vierhonderd passen van elkaar verwijderd waren.

De cavaleristen reageerden prompt, het effect was meteen groot. Vespasianus merkte op hetzelfde moment dat hij achteropraakte omdat hij te traag gehoor had gegeven aan het bevel. De slagvaardigheid van Paetus' manschappen was dan ook van een andere orde dan wat hij gewend was.

De Chatten kwamen heuvelafwaarts – tactisch een groot voordeel – op de Romeinse strijdmacht af geraasd. Daarbij konden ze de V-formatie enigszins in stand houden. Alom weerklonken rauwe oorlogskreten achter de met spuug besmeurde baarden. De speren of zwaarden hielden ze boven het hoofd in de aanslag.

'Batavieren, aanvallen!' gilde Paetus. Nog tweehonderd passen. De cavaleristen schoten naar voren; een muur van paarden, schilden en maliënkolders.

Vespasianus voelde de opwinding van de aanval terwijl zijn paard in volle galop mee draafde. Hij had een droge mond gekregen, zijn

hart pompte het bloed razendsnel door zijn lichaam. Al zijn zintuigen waren uiterst fijngevoelig geworden nu honderden paardenhoeven en het gekrijs, gegil en gebrul van mens en dieren oorverdovend hard in zijn oren klonken. Twee linies voor hem hief Paetus het zwaard boven zijn hoofd. Zijn rode helmpluim van paardenhaar golfde over zijn helm van gepolijst ijzer. Met deze hoge snelheid werd de kloof tussen de strijdmachten snel en onverbiddelijk kleiner. De decuriones van de voorste vier linies volgden hun prefect, de wapens in de aanslag. Hun manschappen brachten hun rechterarm naar achteren terwijl ze de speren stevig vasthielden. Op vijftig passen liet Paetus zijn zwaard met een houwbeweging zakken. De centuriones volgden zijn voorbeeld. Toen de Chatten hun speren gooiden, suisden honderdtwintig pila door de lucht naar de voorhoede van de Chatten, nog steeds in V-formatie. De twee sperenregens vlogen elk in tegenovergestelde richting langs elkaar heen zonder dat ook maar één hoorbaar bevel gegeven was. De turma van Ansigar week in een hoek van vijfenveertig graden naar rechts uit, gevolgd door de turma in de achterhoede. De cavaleristen trokken de zwaarden uit de schede terwijl ze razendsnel oprukten. Vespasianus gaf een ruk aan de teugel om hen te volgen. De twee turmae links van hem draaiden weg in de tegenovergestelde richting en spleten de formatie in het midden.

De eerste sperenregen kwam tussen de Batavieren terecht en velde pal voor hem twee cavaleristen in deze krijsende verwarring; een wirwar van ledematen en paardenbenen. Zonder aansporing van Vespasianus sprong zijn paard over de vallende obstakels terwijl het gegil van de gewonden boven het geraas van de aanval uit klonk. Het paard landde met een klap, die pijn deed in zijn rug. Vespasianus keek op. De eenhandige man bij de punt van de V-formatie bevond zich nu evenwijdig aan hem, maar hij had geen enkele vijand voor zich terwijl hij zich door een leegte van dertig voet heen ploegde. Ondanks de wanorde door de gevallen paarden dreef het momentum van de strijders achter hem de punt van Chattenstrijdmacht naar voren, terwijl de turma van Ansigar in dezelfde hoek direct op het achterste derde gedeelte van de Chattenformatie af snelde. In een oogwenk, nog voordat Vespasianus het stof uit zijn ogen kon knipperen, werden de paarden van beide kampen schichtig en weken uit, omdat ze liever niet tegen de paarden van hun eigen strijdmacht botsten. De vaart

zat er echter in, er volgde een enorme metalige klap van uitrusting en wapens; en krijsende paarden in een maalstroom die in het teken stond van verschrikking en oorlogszuchtige bloeddorstigheid. De enorme botsing vond ook plaats aan de andere kant van de V-formatie en spleet de formatie in tweeën. Het achterste derde gedeelte kwam abrupt tot stilstand; botten van mens en dier kraakten door de klap. De rest van de formatie schoot verder de leegte in. Vespasianus kreeg de kans om snel even om zich heen te kijken. Hij vreesde immers dat ze terugkeerden en de achterhoede van de Batavieren zouden aanvallen. Hij hoefde zich geen zorgen te maken. De cavaleristen in de achterhoede – twee turmae – waren negentig graden gedraaid: een colonne veranderde in twee linies, die de aanval inzetten. Vespasianus draaide zich terug en staarde naar de chaos, pal voor hem, waarbij de flanken aan weerszijden van de onthoofde V-formatie grondig werden gesloopt.

Er was geen sprake meer van samenhang terwijl de twee formaties samensmolten en er een chaotisch man-tegen-mangevecht ontstond. IJzer klapte tegen ijzer, schilden weergalmden als klokken door de enorme klappen die erop werden gegeven. Paarden hinnikten en krijsten, en het bloed spatte alle kanten op. Een snelle beweging, links, zorgde ervoor dat Vespasianus intuïtief het schild boven zijn hoofd hield. Hij blokkeerde een zwiepend zwaard, zo scherp als een scheermes. Het wapen zat meteen vast in de schildknop. Zijn linkerarm schokte door de klap, maar hij gaf toch een duw en draaide zich half om en stak zijn zwaard in de ontblote borst van zijn vijand. De man had zijn ogen wijd open door de opwinding over deze slachtpartij. Inmiddels puilden ze uit van de pijn. Hij gilde terwijl hij gorgelde van het bloed dat door zijn keel golfde. Met een krachtige polsbeweging draaide Vespasianus zijn zwaard twee keer, waarbij hij de ribben vermaalde en de punt van het wapen zich een weg baande door de longen en uiteindelijk in de ruggengraat drong en daar met een schok tot stilstand kwam. Met een enorme krachtsinspanning, terwijl hij met zijn dijbenen de flanken van zijn paard stevig omklemde, trok Vespasianus het zwaard uit het lichaam om te voorkomen dat hij werd meegesleurd, want het paard van de dode barbaar beet met opgetrokken lippen in de romp van zijn eigen paard. Zijn ros steigerde van de pijn. Vespasianus kwam met een ruk naar voren, zijn hoofd in

de manen van zijn paard, en hij sloeg zijn schildarm om de nek van het paard, anders zou hij zijn evenwicht hebben verloren. Achter hem stak Magnus zijn zwaard in de ogen van het vijandelijk ros tot de punt ervan in de hersenen verdween.

'Bij alle goden, dit is zo onnatuurlijk!' brulde Magnus terwijl het paardenbloed op zijn arm spoot. Het ros liet de kop hangen, waardoor Magnus alles in het werk moest stellen om zijn evenwicht te bewaren. Daarna zakte het paard gelijktijdig door de vier benen en sleepte Magnus met zich mee in zijn val.

Het paard van Vespasianus was aan het bekomen van de pijn door de beet – de huid hing er in een lap bij – en kwam bokkend overeind terwijl het met een hoef tegen de slijmerige mond van een Chattenpaard schopte. Vespasianus klampte zich vast aan de nek terwijl zijn paard het evenwicht hervond. Vanuit zijn ooghoek, rechts van hem, zag hij een bereden strijder die Sabinus naar achteren dwong en met het zwaard op diens schild hamerde. Met een ruk ging Vespasianus rechtop zitten en draaide zich half om, waarbij hij met de geslepen kling van zijn zwaard tussen de schouderbladen van de strijder sloeg. De barbaar kromde zijn rug terwijl het vlijmscherpe blad bot versplinterde en pezen doorsneed. Vespasianus draaide zich snel om naar links, en liet het aan Sabinus over om zijn vijand af te maken. Net op tijd zag hij dat Magnus ongewapend opstond en zich in het pad bevond van een strijder die hem met zijn speer onderhands probeerde te spietsen. Vespasianus gaf hem een klap met zijn schild, waarbij de speer van richting veranderde. Tegelijkertijd greep Magnus de schacht vast en gaf er een ruk aan, waardoor de man van zijn paard viel.

'Ja, kom maar hier, harige klootzak!' brulde Magnus terwijl de strijder voor hem op de grond viel. Hij trok de speer onder diens lichaam uit en sloeg de punt ervan door het achterhoofd van de barbaar, die prompt bleef liggen. Ziri sprong van zijn paard, naast zijn meester, en weerde met zijn schild een zwaardhouw af die van linksboven kwam. Magnus draaide zich om, speer in zijn handen, en stak het wapen in de borst van een paard dat hem trappelend naderde terwijl Vespasianus zijn aandacht weer richtte op wat er voor hem gebeurde.

De rode helmpluim van Paetus was tot ver in de chaos zichtbaar, met aan weerszijden Batavieren die, besmeurd met bloed, ijverig om

zich heen sloegen terwijl ze zich een weg baanden door de wirwar van Chattenstrijders, die inmiddels een compacte massa vormden en vochten terwijl hun paarden geen kant op konden. Een moment later klonk een enorme klap boven het geschreeuw en het wapengekletter uit. De twee buitenste turmae waren om de flanken van de V-formatie heen gereden en vielen de onbeschermde achterhoede aan. De Batavieren voelden dat de overwinning nabij was. Ze schreeuwden in triomf en sloegen met hun zwaarden nog harder in op de vijanden, die zich niet konden terugtrekken en als ratten in de val sneuvelden. Ze vielen ten prooi aan de suizende, sissende zwaarden van de hulpcavaleristen. Van alle kanten werd er druk op hen uitgeoefend terwijl de restanten van de V-formatie gedwongen waren zich terug te trekken dankzij de tactiek van de twee achterste turmae. De Chatten waren nu volledig omsingeld en zaten in de knel.

Vespasianus voelde zijn hart bonken van blijdschap en besefte dat hij zich moest beheersen. Vooral nu. Hij wilde immers alleen maar doden. En dat deed hij ook, maar op een afgemeten, gedisciplineerde wijze. Niet als een dolleman. Hij wist niet hoe lang de slachtpartij had geduurd, alsof de tijd vertraagd was door zijn zintuigen, die uitermate fijngevoelig bleken afgesteld op momenten als deze. In werkelijkheid had het bloedbad niet langer geduurd dan een wagenren: zeven rondes.

Plotseling was het voorbij.

De beestachtige kakofonie had plaatsgemaakt voor een dissonant mengsel van meelijwekkend geroep, gekerm en gejammer van gewonde mannen en dieren. Op zeker moment hadden de Batavieren geen vijanden meer over om te verslaan. De Chatten waren echter niet allemaal gesneuveld. Velen uit de voorhoede van de V-formatie waren ontsnapt en vluchtten naar de rivier. Hier en daar holden op de helling anderen voor hun leven: alleen of in groepjes van twee, drie strijders. Sommige geluksvogels volgden hen te paard. Maar de meesten lagen onder de hoeven van de Bataafse rossen. Ongeveer dertig Batavieren hadden er eveneens aan moeten geloven. Magnus, Ziri en een aantal cavaleristen zonder paard zochten willekeurig de omgeving af. Ze doodden gewonde Chatten, maar ook Batavieren die zo verminkt waren dat ze niet meer konden rijden.

Vespasianus nam het bloedbad in ogenschouw. Hij hapte naar adem

terwijl hij zijn ogen neersloeg en naar zijn met bloed besmeurde armen en benen keek, en zich er hogelijk over verbaasde dat hij zijn ledematen nog had. Toen hij zich gekoesterd had in de tevredenheid dat hij het er heelhuids had afgebracht, werd hij plotseling overmand door een urgent besef. 'Magnus, laat een paar Chatten in leven. Vooral die eenhandige smeerlap, als je hem kunt vinden.' Hij steeg af en staarde naar de talloze gesneuvelde vijanden.

Sabinus reed naar hem toe. Bloed sijpelde uit een snee in zijn voorhoofd. 'Bedankt voor je hulp, broer van me. Op de valreep kreeg ik hem eronder, het had niet veel gescheeld. Maar ja, op de valreep is goed genoeg.'

'Je kunt me bedanken door mee te helpen die eenhandige man te zoeken.'

'O ja, nou je het zegt, wat wilde je me over hem vertellen?' Hij steeg af.

Met een voet draaide Vespasianus een lijk op de rug. 'Ik heb hem ooit in Rome gezien.'

'Waar? Wanneer?'

'Op de dag dat Caligula werd vermoord. Oom Gaius en ik waren toen toch in het theater? We konden ontsnappen en glipten een steegje in om aan de meute te ontkomen. Daar zagen we een dode Germaanse lijfwacht liggen. Aan het eind van de steeg leunde een andere lijfwacht tegen de muur. Hij was gewond. Een kale vent met een blonde baard. Jij had even daarvoor zijn rechterhand afgehakt.'

'Ik?'

'Ja, jij. Ik liep de steeg uit en zag een man in een mantel weglopen. Hij liep mank door een wond aan zijn rechterdijbeen. Dat was jij toch?'

Sabinus dacht even na en knikte toen.'Ja, waarschijnlijk wel. Twee Germaanse lijfwachten achtervolgden me vanaf het paleis. Ik wist dat ik er een vermoord had. Hoe het met de andere lijfwacht afliep, is me ontgaan omdat hij mij eveneens verwondde. Ik weet alleen dat hij gillend neerviel en ik de kans kreeg om te ontsnappen. Jij denkt dus dat dit een wraakactie is omdat ik hem van de hand heb beroofd waarmee hij de beker heft, nietwaar?'

'Nee, er is meer aan de hand. Stel dat Magnus gelijk heeft en alleen de vrijgelatenen van Claudius onze bestemming kennen, en dat een

van hen probeert te voorkomen dat we daar arriveren. Dit plan komt uit de koker van Pallas. De vraag dringt zich dan op waarom hij zijn eigen project zou willen saboteren. Zoals je zei is het eveneens onzinnig te denken dat Narcissus je hier probeert te vermoorden, nadat hij eerst je leven heeft gespaard. Blijft over Callistus. Ik weet zeker dat hij erachter zit.'

'Hoezo?'

'Het betreft iets wat Pallas zei toen hij me vertelde dat hij wist dat jij gewond was geraakt en dus nog in de stad moest zijn. Volgens hem had Callistus de gewonde lijfwacht ondervraagd.'

Sabinus wreef een druppel bloed uit een oog en keek er nadenkend naar. 'Klinkt logisch. Daarmee zijn de eenhandige klootzak en Callistus met elkaar in verband gebracht. Dat verklaart echter niet waarom Callistus er alles aan doet om te voorkomen dat wij de legioenadelaar vinden. Hij wil dat het leger Claudius gunstig gezind is. Dat geldt uiteraard ook voor Pallas en Narcissus.'

'Ja, maar hij is ook met ze in een machtsstrijd verwikkeld. Pallas vertelde me dat Narcissus de meeste macht en invloed heeft. Hij en Callistus doen er veel minder toe. Ik heb gezien hoe ze bij de poorten van het praetoriaanse legerkamp het podium verlieten in de nacht dat de Senaat een bezoek had gebracht aan Claudius. Narcissus had de ereplaats ingenomen. Hij hielp Claudius immers het podium af. Daarentegen probeerden Pallas en Callistus elkaar te bevoogden terwijl ze eraf stapten. Geen van beiden accepteerde de hovaardij van de ander, waardoor ze uiteindelijk gelijktijdig van het podium gingen. Als het plan van Pallas werkt, en wij met de legioenadelaar terugkeren naar Rome, zal hij zeer bij Claudius in de gunst vallen. Callistus voelt de bui dus al hangen. Hij heeft geen zin in de derde plek, snap je?'

'Maar als we falen, zal dat plan zich tegen hem keren.'

'Precies, Sabinus. Callistus krijgt dan beslist het gevoel dat hij deze ronde gewonnen heeft.'

'Ondanks het feit dat hij daarmee de alomvattende strategie in gevaar brengt: Claudius aan een overwinning helpen in Britannia?'

'Niet als hij zelf een plan heeft bedacht om ervoor te zorgen dat het leger Claudius gunstig gezind is.'

'Hoe?'

Vespasianus zoog op zijn lip en schudde zijn hoofd. 'Geen idee.

Maar Callistus is niet stom. Hij heeft gegarandeerd een strategie voor ogen.'

'We hebben twee Chatten gevonden die levend genoeg zijn om wat vragen te beantwoorden.' Magnus liep naar de twee broers. 'Geen spoor van ons eenhandige maatje. Waarschijnlijk heeft hij de plaat gepoetst en is hij inmiddels de rivier overgestoken. Maar ik denk dat we hem wel weer eens tegenkomen.'

Vespasianus draaide zich om en staarde naar het noorden. Op de andere oever stonden pakweg tweehonderd krijgers te wachten om te voorkomen dat de Romeinse legermacht de rivier zou oversteken. 'Het is onverstandig hier de oversteek te wagen. Maar dat is van later zorg. Eerst moeten we erachter zien te komen wat de gevangenen weten.'

'De volgende vinger, Ansigar,' beval Vespasianus. 'Vraag het hem daarna nog een keer.'

Ansigar zette zijn volle gewicht op zijn dolk; de kling werkte zich moeiteloos door het bot heen. Het bloed spoot uit de hand toen de ringvinger was afgesneden en op de grond viel, naast de pink. Opnieuw gromde Ansigar iets in het Germaans tegen zijn slachtoffer. Twee hulpcavaleristen zorgden ervoor dat de al oudere Chattenstrijder op zijn rug bleef liggen. De man vertrok zijn gezicht van de pijn, maar gaf geen kik. Zijn borstkas deinde ongelijkmatig op en neer en glinsterde van het zweet. Vlak onder zijn ijzeren halsband, in zijn linkerschouder, had hij een diepe steekwond.

Vespasianus keek neer op de verminkte linkerhand, die op de met bloed besmeurde haksteen was neergelegd. De hand lag er slapjes bij, en in een bizarre hoek ten opzichte van de onderarm, die op beestachtige wijze was gebroken toen de man de eerste keer weigerde te verklappen waarom de Chatten de Romeinse legermacht hadden aangevallen. 'De derde vinger dan maar,' siste Vespasianus, 'hoewel ik me begin af te vragen of het zin heeft. Mogelijk is onze andere vriend nu wat gemotiveerder om te praten.' Vluchtig keek hij naar de tweede gevangene, die geknield achter hem zat en met grote schrikogen naar zijn gemartelde kameraad staarde. De jonge strijder probeerde zich los te rukken, maar de twee Batavieren hielden hem stevig vast terwijl de derde vinger op de grond viel.

De oudere man liet nog steeds geen woord los.

'Moet ik zijn hand eraf hakken?' vroeg Ansigar.
'Ja.'
Ansigar trok zijn zwaard en legde de kling op de pols. De strijder verstramde. Zijn jongere maat liet een snik.
'Wacht!' schreeuwde Vespasianus terwijl Ansigar het zwaard hief. 'Neem de rechterhand van zijn vriend.'
De verminkte strijder werd weggesleept en de jongeman losgesneden, die het prompt op een krijsen zette en kronkelde als een paling op het droge. De twee bewakers sleepten hem naar de haksteen, waar ze hem op zijn rug dwongen en zijn rechterarm strekten. Ansigar liet hem het zwaard zien. De doodsbange man begon toen in het Germaans te praten, een woordenstroom waar geen eind aan kwam.
'Hij zegt dat de eenhandige man een halvemaan geleden opdook en met Adgandestrius sprak, hun koning,' zei Ansigar, die als tolk fungeerde. 'Hij weet niet wat er gezegd is, maar toen de man vertrok zei de koning dat honderd strijders hem moesten vergezellen en hem onvoorwaardelijk dienden te gehoorzamen. De eenhandige leidde ze naar de Rijn, pal tegenover Argentoratum. Daar moesten ze wachten, op de oostoever, terwijl hij met twee vissersboten met elk drie bemanningsleden naar het westen voer.' Ansigar wachtte tot de jonge strijder weer gesproken had, waarna hij vervolgde: 'Zeven dagen lang hebben ze gewacht, waarna een van de boten in het holst van de nacht terugkwam. De bemanning gaf ze opdracht noordwaarts te rijden langs de rivier om de eenhandige ergens verderop te ontmoeten.'
'Hoe heet die vent?' vroeg Vespasianus.
Ansigar vroeg het aan de jonge strijder.
'Gisbert,' zei hij, gevolgd door een stroom van bars klinkende woorden.
'Toen ze Gisbert later op de oever weer tegenkwamen, zei hij dat hij een Romeinse aanvalseenheid had gevolgd. Sterker nog, het waren Batavieren, gezworen vijanden. Hij bewees dat door ze het lijk te tonen van een Batavier die hij gedood had. Hij gaf ze bevel de eenheid te volgen en elke nacht een of twee manschappen te vermoorden, en ervoor te zorgen dat de slachtoffers een wapen in de hand hielden op het moment dat ze stierven.' Ansigar zweeg even terwijl de jongeman verder sprak, waarna hij vervolgde: 'De eenhandige zei dat de groep altijd in noordoostelijke richting zou reizen, en dat ze de lijken

langs de route moesten neerleggen. Ze zagen daar de zin niet van in, maar gehoorzaamden hem zoals ze de bevelen van hun koning zouden opvolgen. Gisteren heeft Gisbert een bericht verstuurd naar Adgandestrius, in Mattium...'

'Mattium?' vroeg Vespasianus.

Ansigar vroeg het vervolgens aan de jongeman, die Vespasianus vragend aankeek voordat hij antwoord gaf.

'Mattium is de hoofdplaats van de Chatten, oostelijk van hier,' tolkte Ansigar. 'Het bericht behelsde dat tweehonderd strijders op de noordoever van de rivier dienden te wachten. Ze moesten iedereen afmaken die naar de overkant zou zwemmen. Ze waren alleen zo stom zichzelf te verraden door op de Romeinse patrouille te schieten. Gisbert zei toen tegen ze dat we zijn gekomen om hun koning te doden uit wraak voor de aanval achter de Rijn.'

'Hun koning doden? Weet je dat zeker?'

Ansigar vroeg het hem opnieuw. De strijder gaf antwoord. Hij knikte, met dezelfde vragende uitdrukking op zijn gezicht.

'Dat heeft hij inderdaad gezegd. Hij gaf het bevel ons aan te vallen. Ze wisten heel goed dat ze niet konden winnen. Het zijn immers geoefende infanteristen. Ze hebben er een hekel aan om te paard een gevecht aan te gaan. Maar hun koning had ze opgedragen om Gisbert onvoorwaardelijk te gehoorzamen. Ze hadden dus geen andere keus.'

'Vraag hem wat Gisbert voor ogen had toen hij besloot praktisch iedereen op te offeren.'

'Gisbert wilde dat in onze gelederen zo veel mogelijk cavaleristen werden omgelegd, dat neemt hij althans aan,' zei Ansigar nadat hij even geluisterd had naar het antwoord. 'We zouden dan de rivier niet kunnen oversteken door de overmacht van tweehonderd strijders die op de andere oever op ons zouden wachten.'

'Dan heeft hij zich redelijk goed van zijn taak gekweten,' vond Paetus. 'We hebben nog maar zo'n honderddertig cavaleristen over na dit avontuur. Met dat aantal kunnen we geen oversteek forceren.'

'Dan volgen we de rivier tot we wel ergens kunnen oversteken,' stelde Sabinus voor.

Vespasianus keek naar de strijdmacht op de noordoever. 'Ze zullen ons aan de andere kant strak in de gaten houden. Ansigar, vraag hem of er ergens een brug is.'

'Volgens hem in Mattium,' zei Ansigar, nadat hij even met de Germaan had gesproken. 'Maar die wordt zeer goed bewaakt.'

'Daar twijfel ik niet aan. Wel, heren, het lijkt erop dat we in de problemen zitten. Ideeën?'

'Ik denk dat we de rivier het beste oostwaarts kunnen volgen. Een mogelijkheid is om de brug 's nachts te besluipen en simpelweg over te steken. Of we bestormen de brug. We kunnen ook omkeren.'

Vespasianus en Sabinus keken elkaar aan. Ze wisten beiden wat dat laatste inhield voor Sabinus.

'Laten we eerst maar eens een brandstapel maken voor de gesneuvelden,' zei Vespasianus. 'Daarna rukken we oostwaarts op en kijken wel wat Fortuna voor ons in petto heeft.' Hij staarde naar de twee gevangenen. 'Maak ze af, Ansigar.'

De cavaleriehoofdman pakte zijn zwaard en legde de kling op de keel van de jonge Germaan, die met grote, verschrikte ogen van alles begon te zeggen in zijn eigen taal. Ansigar liet het wapen zakken. De gevangene keek op naar Vespasianus en knikte heftig.

'Hij zegt dat hij ons kan helpen bij het oversteken van de rivier,' zei Ansigar.

'O ja?' Vespasianus was niet onder de indruk. 'Hoe stelt hij zich dat voor? Eroverheen vliegen?'

'Nee, volgens hem zullen de strijders op de andere oever ons voortdurend in de gaten houden. De rivier oversteken zullen ze echter niet doen. Dat kost te veel tijd. Volgens hem maakt de rivier ongeveer tien mijl oostelijk een grote lus naar het noorden. Als we de stroom volgen tot de plaats waar die van richting verandert, en daarna gewoon oostwaarts door het open veld verdergaan, komen we dankzij die meander drie mijl verder weer bij de oever uit. De strijders aan de andere kant kunnen niet anders dan de rivier volgen. Een afstand van acht mijl. Wij hebben dan tijd genoeg om over te steken voordat ze ons inhalen.'

Vespasianus staarde naar de verschrikte ogen van de Germaan. 'Wat vind je ervan, Ansigar? Is hij te vertrouwen?'

'Er is maar één manier om daarachter te komen, heer.'

HOOFDSTUK IX

De dikke rook van de brandstapel hing hoog in de lucht en was vier mijl achter de Bataafse colonne nog steeds zichtbaar. De Romeinse cavalerie-eenheid reed in draf oostwaarts naar de meander in de rivier. Het schoot niet echt op. Ze wilden de paarden sparen voor als ze in galop het open veld doorkruisten om de Chatten ver achter zich te laten, zodat een rivieroversteek tot de mogelijkheden behoorde. Zoals voorspeld bleven de Chatten op de noordoever. Ze volgden de Romeinen, hielden hen strak in het oog. Af en toe waren hun omtrekken te zien tussen de bomen, die aan weerszijden van de rivier stonden, zo ver als de vlucht van een pijl.

Het landschap veranderde. Veel akkerland en weiden. Omheinde familieboerderijtjes, bestaande uit enkele plaggenhutten rondom een hoofdgebouw, verschenen hier en daar in deze zacht glooiende streek. De rook van kookvuren kringelde omhoog. Soms hing er een zoete geur in de lucht. Oude mannen, jongens en enkele vrouwen werkten op het veld. Ze sloegen geen acht op de colonne, behalve als de legereenheid dichterbij kwam, ongeveer een mijl van hen vandaan. Dan maakten ze zich uit de voeten naar de schijnveiligheid die hun onderkomen bood.

Nadat ze een paar uur gestaag hadden doorgereden, arriveerden ze op de top van een met gras begroeid heuveltje. Ongeveer een halve mijl verder slingerde de rivier noordwaarts, het begin van de grote lus. De aan weerszijden met bomen begroeide oevers boden in de verte een sloom patroon dat verdween achter een reeks heuveltjes, die de rivier hadden gedwongen een andere loop te nemen.

De Germaanse strijder brabbelde opgewonden tegen Ansigar. De

cavaleriehoofdman richtte zich vervolgens tot Vespasianus, Sabinus en Paetus, die achter hem reden. 'Hij zegt dat dit de plaats is die hij noemde. Als we rechtdoor blijven rijden komen we gegarandeerd aan de andere kant van de lus weer uit.'

Vespasianus keek vluchtig naar de noordoever. Er stonden te veel bomen om goed zicht te krijgen op wat daar gebeurde. Hij wist echter dat de Chatten hen in de gaten hielden. 'Opschieten dan maar,' zei hij. 'Als ze hun paarden afbeulen zouden ze een kwartiertje later dan wij bij de oversteekplaats kunnen zijn.'

'Hun paarden zullen doodmoe zijn,' opperde Paetus.

'Hun speren niet,' morde Magnus achter hem.

Vespasianus negeerde het commentaar en trapte zijn paard in de flanken. 'We kunnen het maar beter achter de rug hebben, nietwaar?'

De colonne stormde achter hem de glooiing af. Het hoefgetrappel maakte een donderend geraas, de hoofdstellen van de paarden klingelden fel. Razendsnel legden ze de laatste halve mijl af langs de rivier, die van oost naar west stroomde. In het noorden zagen ze tussen de bomen zo nu en dan de omtrekken van de Germaanse strijdmacht, die hen bijhield. Toen de rivier afboog, leidde Vespasianus de colonne rechtdoor. In de verte hoorde hij vaag het geschreeuw en geroep van de achtervolgers. De Chatten waren immers gedwongen noordwaarts te rijden, waardoor de afstand tussen de twee eenheden steeds groter werd. Hij keek niet om, maar concentreerde zich op zijn paard. Nog drie mijl moesten de rossen het volhouden, in volle galop, waarna ze ook nog eens de kracht moesten vinden om de rivier over te zwemmen.

Glooiend landschap, steeds hoger en hoger, zo ver het oog reikte. De paarden deden hun uiterste best. Er werd veel gevraagd van hun spierkracht. Elke glooiing heuvelafwaarts werd gevolgd door een langere, intensere klim. Uiteindelijk bereikten ze de top van een rij kleine heuvels. De enorme meander was daar in zijn geheel te zien. Vespasianus slaakte een zucht van verlichting toen hij pal voor zich de rivier zag, die op die plaats de oorspronkelijke loop volgde. De gevangene had niet gelogen. Plotseling zag hij rook die aan de andere kant van de rivier als een lijkwade boven een heuvel hing, ongeveer een mijl achter de bocht. Met een schok realiseerde hij zich dat de jonge strijder niet helemaal de waarheid had gesproken. De rook omhulde gedeeltelijk een grote palissade rondom deze stad op de heuvel.

'Vraag hem wat dat daar te betekenen heeft!' riep hij naar Ansigar. Eigenlijk kende hij het antwoord al, en het beviel hem niks.

Voordat Ansigar die vraag geformuleerd had, gaf de gevangene een ruk aan de teugel. Zijn paard galoppeerde zuidwaarts weg. De jonge strijder trapte zijn ros als een bezetene in de flanken. Ansigar maakte aanstalten om de jongen terug te halen.

'Laat hem maar gaan!' schreeuwde Vespasianus. 'We mogen geen tijd aan hem verspillen.'

'Ik ben hier al eens eerder geweest,' zei Magnus tegen Vespasianus terwijl Ansigar terugreed naar de colonne. 'Dit oord hebben we vijfentwintig jaar geleden totaal verwoest. Het mag duidelijk zijn dat ze de stad weer herbouwd hebben. Dat is Mattium, de hoofdstad van de Chatten.'

'Ik had het kunnen weten. Die knul had het over een oostelijke ligging aan de rivier. Hij heeft ons er recht naartoe geleid.'

'We kunnen nog altijd omkeren.'

'Nee, als ik hun leider was, zou ik voldoende manschappen overhouden om ervoor te zorgen dat we niet kunnen oversteken. Hier kunnen we in elk geval naar de andere oever zwemmen zonder strijd te hoeven leveren.'

'Behalve dan dat we wellicht de rest van de Chattenstrijdmacht tegenover ons zullen zien.'

Vespasianus vreesde dat zijn vriend gelijk had. Hij hoopte intens dat ze konden oversteken voordat hun aanwezigheid werd opgemerkt door de haviksogen in de wachttorens van Mattium.

Toen ze de rivier naderden, begonnen de cavaleristen hun leren waterzakken los te maken en te legen. Vespasianus keek naar Paetus, die hetzelfde deed. 'Waarom doen jullie dat?'

'Meer drijfvermogen, heer. U kunt ons voorbeeld maar beter volgen, want we hebben geen moment te verliezen. We vullen ze wel weer zodra we aan de overkant zijn.' Paetus hield zijn waterzak met twee handen op terwijl hij zich in het zadel in evenwicht probeerde te houden.

'Doe wat hij zegt, heer, dat is echt verstandiger,' zei Magnus. Hij reikte naar zijn eigen waterzak. 'En jij ook, Ziri.'

De kleine Marmaride keek verschrikt toe terwijl zijn meester de waterzak leegde. 'Nee, heer! Water mag je nooit verspillen, het brengt ongeluk!'

'In de woestijn geldt die regel wellicht, maar hier beslist niet. Onzin, Ziri. Vooruit, gedraag je.'

Ze reden inmiddels langzamer. Vespasianus had zijn waterzak net geleegd. Paetus sprong van zijn paard en legde zijn schild op de grond. 'Bind de lege waterzak vast aan het middelste handvat,' zei hij tegen de broers en Magnus, die eveneens afstegen. 'Knoop het mondstuk goed dicht, er mag geen lucht ontsnappen.'

'Prefect!' schreeuwde Ansigar. Hij wees naar achteren.

'Bij alle goden, ze zijn toch overgestoken!' riep Paetus. 'De rivier in... nu!'

Vespasianus keek om. Op de heuvel, ongeveer een mijl verder, kwam de cavalerie van de Chatten in formatie op hen af geraasd. Pakweg honderd ruiters. Ze hadden hun strijdmacht in twee groepen verdeeld.

Vespasianus frunnikte aan het leren koord van zijn lege waterzak, bond het om het mondstuk en vervolgens aan het handvat van zijn schild. De cavaleristen om hem heen waren goed gedrild, Vespasianus niet. De Batavieren leidden hun paarden al de rivier in, spoorden ze aan om de rivier over te zwemmen, een afstand van ongeveer vijftig passen. De manschappen legden hun schilden op het water, de geïmproviseerde luchtzakken eronder, waarna ze erop gingen liggen. De houten schilden hielden hun gewicht, al hadden de soldaten hun zware maliënkolders aangehouden. Naar achteren schoppend hielden ze zich vast aan de zadelknop van hun paarden. De Batavieren waren aan de overtocht begonnen.

De Chatten hadden bijna de helft van de afstand afgelegd. Hun oorlogskreten waren al te horen.

Eindelijk was het Vespasianus gelukt om zijn waterzak aan het schild te bevestigen. Haastig volgde hij Sabinus naar de oever.

'Bij alle goden, schiet op, Ziri,' bromde Magnus. Hij pakte zijn eigen schild, maakte al aanstalten. De meeste cavaleristen zwommen inmiddels naar de overkant. Hij keek weer om, Ziri frunnikte nog steeds aan het leren koord, dat hij aan het mondstuk van de waterzak moest knopen. 'Stomme bruine woestijndoler die je bent! Je hebt het water er niet uit laten lopen! Zo zul je echt niet drijven, hoor!'

'Ik gooi geen water weg, heer. Ik kan het gewoon niet over mijn hart verkrijgen.'

'Te paard vechten is onnatuurlijk, water weggooien beslist niet! Maak je waterzak leeg... nu!'

'Nee, heer.'

Vluchtig keek Magnus naar de heuvel. De Chatten bevonden zich op minder dan een halve mijl van hen vandaan. 'Bij alle goden, het is zover. Je mag hopen dat jouw schild dat uitgemergelde bruine lijf van jou drijvende houdt. Vooruit, het water in, voordat je een Chattenspeer in je kont krijgt.' Haastig spoorde hij zijn paard aan om naar de rivier te lopen. Ziri volgde hem. Op de andere oever liepen de voorste cavaleristen inmiddels de rivier uit terwijl Magnus op zijn schild ging liggen en zijn paard hem naar de overkant trok.

Toen Vespasianus halverwege was, keek hij weer even over zijn schouder om zich ervan te vergewissen dat zijn vriend hem volgde. De Chatten waren op ruim vierhonderd passen van de oever. 'Schiet op, Magnus!'

'Schreeuw maar tegen het paard,' gaf Magnus hem van repliek. Uit alle macht probeerde hij zich in evenwicht te houden op het geïmproviseerde vlot. Achter hem volgde Ziri, de laatste van de groep. Tevergeefs probeerde de slaaf zichzelf drijvende te houden op zijn slecht voorbereide schild. Het gedoe maakte zelfs zijn paard schichtig en bang.

Vespasianus naderde de andere oever. De meeste cavaleristen waren inmiddels aan land en vulden haastig de waterzakken voordat ze weer in het zadel gingen. Zijn paard draaide de oren naar achteren, ploeterend maar zeer krachtig naar voren zwemmend. Uiteindelijk raakten de hoeven de rivierbedding. Het paard zwoegde om aan land te komen. Het bruingroene water kolkte en spatte in de ogen van Vespasianus, die het zadel losliet en zijn schild vastgreep. Ook hij kreeg vaste voet aan de grond, hoewel amper, omdat de bedding glad en slijmerig was. Sabinus stak een hand naar hem uit. Vespasianus greep die vast en stond even later op de oever. 'Bedankt, broer.' Hij hijgde van inspanning. Onmiddellijk draaide hij zich om en keek hoe Magnus en Ziri het maakten. De laatste cavaleristen waren inmiddels het water uit. Ansigar en de andere decuriones spoorden hun manschappen aan om te paard te gaan. Magnus bevond zich bijna op de oever, maar Ziri was nog maar halverwege. Hij was zijn schild kwijtgeraakt en spartelde terwijl hij zich wanhopig vastklampte aan het zadel. Zijn

paard snoof en schudde het hoofd uit protest. Uit alle macht probeerde het dier de overkant te halen.

De Chatten naderden de bomen op de zuidoever. Ze schreeuwden en zwaaiden met hun speren.

'Volhouden, Ziri. Zwemmen! Benen intrekken en ze naar achteren schoppen!' gilde Vespasianus. Hij ging te paard terwijl de eerste speren suizend rondom de spartelende Marmaride in het water verdwenen.

'We maken dat we wegkomen,' schreeuwde Paetus. 'We hebben geen tijd om op hem te wachten.'

Magnus strompelde het water uit. 'Ga maar, ik wacht tot Ziri in veiligheid is.'

'Dan zijn jullie verloren. Terwijl zij de rivier overzwemmen, kunnen wij een mijl afleggen.'

Magnus trok een vastberaden gezicht. 'Ik zei toch dat ik op hem wil wachten?'

Paetus keerde zijn paard, trapte het dier in de flanken en verdween tussen de bomen. Hij volgde zijn manschappen.

Vespasianus keek Sabinus aan. 'Ga jij maar alvast. Ik rijd dadelijk met Magnus en Ziri achter jullie aan.'

In de rivier stiet het paard van Ziri een beestachtige krijs uit, die door merg en been ging. Een speer had zich half in de romp van het dier geboord. Het paard schopte met de achterbenen. Even later priemde een speer in zijn nek, waardoor het nog schriller ging krijsen. Het paard bokte wild en het bloederige water rondom kolkte; het ging zo hevig tekeer dat de spartelende Ziri zich niet meer kon vastklampen.

'Meester!' schreeuwde Ziri. Hij sloeg met zijn armen om zich heen om te voorkomen dat hij kopje-onder ging.

'Je kunt niets voor hem doen,' zei Vespasianus tegen Magnus. Hij trachtte hem te overtuigen nu de kruispuntbroeder met open mond toekeek en telkens zijn vuisten balde uit machteloosheid. 'Tenzij je hem gezelschap wilt houden in de dood.'

Het hoofd van Ziri verdween zo nu en dan onder water. Zijn paard naast hem kermde inmiddels zwakjes. Ziri sloeg opnieuw om zich heen, het water spatte op. Telkens kreeg hij het voor elkaar om de verdrinkingsdood nog even uit te stellen. Met het hoofd in de nek staarde hij wild naar Magnus. 'Meester! Mees...' Hij schokte toen een

speer in zijn kruin drong en er dwars door zijn gehemelte met kracht weer uit kwam, zijn voortanden eruit sloeg en zich in de onderkaak boorde. De speerpunt stak uit de huid en deed vaag denken aan een omgekeerd kuiltje in zijn kin.

Magnus schreeuwde van machteloze woede. Ziri zakte weg onder water, handen boven het hoofd. Uiteindelijk verdwenen ook zijn vingers. Alleen de speerschacht die uit het water stak markeerde zijn positie in een element dat hem in zijn gortdroge thuisland volslagen vreemd was.

'Stomme bruine idioot,' siste Magnus tussen zijn opeenklemde kaken door. Hij sprong in het zadel. 'Ik heb hem ervan proberen te overtuigen dat hij de waterzak eerst moest legen, maar hij vond dat waterverspilling en dacht dat het ongeluk zou brengen.' Hij trapte zijn paard in de flanken en reed de hoge oever op.

Vespasianus volgde hem terwijl de eerste Chatten zich in de rivier begaven. 'Nu zal hij eeuwig water drinken omdat hij zelfs geen druppel wilde verspillen.'

'Bij alle goden, ironischer kan haast niet.'

Vespasianus en Magnus reden zo hard ze konden in een poging de Batavieren in te halen, die inmiddels een kwart mijl hadden afgelegd. Op de heuvel strekte zich loom het gefortificeerde Mattium uit, gehuld in de rook van kookvuren. De nederzetting blokkeerde hun route naar het oosten. Bovendien waren ze zich er heel goed van bewust dat de helft van de Chattencavalerie, die de rivier noordwaarts volgde, zich ergens voor hen bevond. Logischerwijs reden de Romeinen nu in noordoostelijke richting.

Zo dicht bij de hoofdnederzetting van de Chatten floreerden de landbouw en veeteelt, waardoor de Romeinse cavalerie zich gedwongen zag om over lage muurtjes en heggen heen te springen.

'Mijn paard houdt het niet veel langer meer vol,' riep Magnus naar Vespasianus. Na de zoveelste sprong kwam zijn ros niet bepaald elegant weer op de benen terecht.

Vespasianus gaf geen antwoord. Hij realiseerde zich dat de krachten van zijn eigen paard ook tanende waren. Maar kennelijk niet zo snel als dat bij de paarden van enkele Batavieren voor hen het geval was. In een verwoede poging de eenheid in de colonne te bewaren,

hadden de cavaleristen hun snelheid afgestemd op de langzaamste ruiter. De colonne bevond zich nu op minder dan honderd passen van hen vandaan. Vespasianus keek om en zag dat ongeveer een mijl achter hen de bereden Chatten op de noordoever tussen de bomen door zwermden.

'Bij alle goden, dat bevalt me niks!' riep Magnus uit. Hij wees naar Mattium.

De poorten stonden open. Ruiters galoppeerden over het kronkelende pad dat naar de vlakte leidde.

Paetus had dat kennelijk ook gezien, want de colonne boog iets af naar het noorden. Nadat ze even de nieuwe koers hadden aangehouden, reden ze weer in de oorspronkelijk richting. Vespasianus wist meteen zonder om zich heen te kijken wat die dubbele koerscorrectie betekende. De Chatten die de rivierloop volgden, verlieten nu de oever en reden dwars door de velden om hun de pas af te snijden. Ze waren omsingeld.

Paetus bracht de colonne tot stilstand. Vespasianus en Magnus haalden hen in. 'We moeten vechten of ons overgeven. Dat is waar we voor staan,' zei hij tegen de broers, die even later te paard naast hem stonden.

'Dan hebben we geen keus,' antwoordde Vespasianus. 'Als we het gevecht aangaan, zullen we allemaal sterven. Gisbert heeft ons een voorstel gedaan. Als we ons overgeven, worden we als vrije mannen terug naar de Rijn geëscorteerd. In elk geval overleven we dit avontuur dan.'

'Batavieren geven zich niet over,' snauwde Ansigar. 'En we zullen zeker niet voor de Chatten buigen. We zouden dan nooit meer terug kunnen keren naar huis. De schande zou simpelweg te groot zijn.'

Paetus glimlachte wrang. 'Wel, heren, het begint erop te lijken dat we hoe dan ook midden in Germania Magna bloedig zullen sterven. Eerlijk gezegd ga ik liever vechtend ten onder dan dat ik geëxecuteerd word door een of andere barbaar die zichzelf koning noemt omdat zijn overgrootvader uit de heuvels kwam en iedereen onthoofdde. Ansigar, formeer je manschappen aan de noordkant, we kunnen proberen om in die richting een doorbraak te forceren.'

De decurio salueerde en reed weg. Grommend deelde hij bevelen

uit. De turmae vormden een linie terwijl de Chatten van drie kanten op nog geen vijfhonderd passen van hen vandaan kwamen aangereden.

'Het spijt me, Vespasianus,' zei Sabinus met een ongewoon ernstige toon in zijn stem. 'Het is mijn schuld dat je in deze ellende verzeild bent geraakt.'

Vespasianus glimlachte zijn broer toe. 'Nee, de schuld moeten we zoeken bij de vrijgelatenen van Claudius. Zij hebben politieke spelletjes met elkaar gespeeld.'

'Klootzakken.'

'Kennelijk hoeven we de profetie bij mijn geboorte niet serieus te nemen, tenzij de voorspelling behelsde dat ik op mijn eenendertigste afgeslacht zou worden door Germanen.'

'Wat? O, ik snap wat je bedoelt. Nee, dat is niet voorspeld. Allemaal onzin. Ik heb er geen moment geloof aan gehecht. Maar moeder was ervan overtuigd dat dat de betekenis was van de vlekken op elk van de drie levers.'

'Wat dan?'

Sabinus haalde zijn schouders op en keek om zich heen. De drie cavalerie-eenheden van de Chatten reden inmiddels langzamer en vormden een linie.

'Kom op nou, Sabinus. Je vond het van meet af aan onzin. Dan kun je het me net zo goed vertellen.'

Sabinus keek zijn broer met een taxerende blik aan. 'Goed dan. Tijdens jouw naamceremonie offerde vader zoals gebruikelijk een os, een varken en een ram. Nadat hij hun lever had verwijderd om ze te onderzoeken, zag hij dat de organen bevlekt waren. Ik kan me nog herinneren dat ik daar zeer opgewonden over was. Ik was er namelijk van overtuigd dat die vlekken betekenden dat Mars jou niet accepteerde. Ik haatte je destijds, snap je?'

'Waarom? Wat had ik je misdaan?'

'Destijds hoorde ik vader aan Mars beloven dat hij jou als zoon zou koesteren, beschermen en verzorgen. Ik was in dat opzicht veel minder belangrijk dan jij. Je snapt nu wel dat ik als kind ontplofte van jaloezie. De levervlekken betekenden immers niet dat Mars jou afwees. Integendeel. Elke levervlek had een andere vorm. En heel herkenbaar, op het griezelige af. Maar hetgeen overduidelijk alles had van een beeldbericht blijkt niets anders te zijn dan...'

'Romeinen!'

De broers keken om. De Chatten uit Mattium waren op vijftig passen van hen vandaan gestopt. Een man kwam naar voren.

'Bij alle goden, dat is de klootzak die ons hierheen heeft geleid,' riep Vespasianus uit. Hij herkende de voormalige gids meteen. 'Hij moet de brug zijn overgestoken.'

De man schreeuwde enkele zinnen in het Germaans.

'Misschien is dit toch niet het einde, broer van me,' mijmerde Sabinus. 'Dank aan Heer Mithras dat ik mijn eed niet heb gebroken.'

Vespasianus keek Sabinus woedend aan terwijl Ansigar naar hen toe reed en alles vertaalde. 'Ze vragen niet om ons over te geven, wel dat we met hen meegaan om verder bloedvergieten te vermijden. We mogen onze wapens houden, onze eer blijft intact. Het is een billijke overeenkomst.'

'Wat willen ze van ons?' vroeg Sabinus. Hij negeerde de frustratie van zijn broer.

'Hun koning wil met de officieren praten. Wij zijn kortom uitgenodigd aan het hof van Adgandestrius.'

De poorten van Mattium zwaaiden open. Een allegaartje van talloze rechthoekige, kleine en grote plaggenhutten kwam in zicht. Er was geen sprake van ook maar enige mate van infrastructuur. De hutten, gebouwd met dikke palen die in de grond waren geslagen, hadden geen ramen. De deuren bestonden slechts uit leren lappen voor een gat in de muur. Uit de gaten in de strodaken kringelde rook.

De gids leidde de colonne door de met klei aangestampte hoofdstraat, die met veel bochten steeds hoger voerde. De smalle zijstraatjes waren mistig van de rook. De bijtende geur van houtvuur en de stank van menselijke uitwerpselen werd Vespasianus bijna te veel. Vrouwen en oude mannen tuurden nieuwsgierig door de deuren terwijl de vreemdelingen passeerden. Kinderen met vlasblond haar hielden op met spelen en renden weg om te voorkomen dat ze op straat vertrapt werden onder de hoeven.

'Oom Gaius zou het hier geweldig vinden,' mijmerde Vespasianus. Hij keek naar twee bijzonder knappe jongens, hoewel ze er nogal smerig uitzagen.

Sabinus lachte. 'Misschien kunnen we er een paar voor hem kopen.'

'Goed idee. Hij zegt altijd dat het zo moeilijk is verse voorraad te vinden op de slavenmarkt. Hij zal ze met open armen verwelkomen.'

'Wel, verser dan hier zijn ze niet te krijgen. Eerst in bad met ze, waarna ze er helemaal klaar voor zijn.'

De broers lachten. Vluchtig keek Vespasianus naar Magnus, die mistroostig in het zadel zat. Hij was niet in de stemming voor grapjes.

Uiteindelijk bereikten ze een soort plein met eromheen wat marktkraampjes. Aan de overkant stond een lang, rechthoekig huis van minstens twintig voet hoog. Het zadeldak van stro was hier en daar begroeid met mos.

De gids steeg af en sprak met Ansigar.

'We moeten hier wachten,' tolkte de decurio. 'We krijgen te eten. Jullie drieën ontmoeten de koning in zijn audiëntiezaal.'

'Ga je mee?' vroeg Vespasianus aan Magnus terwijl ze afstegen.

'Dat kan ik maar beter niet doen. Misschien verpest ik die bijeenkomst door op zeker moment de dood van Ziri te wreken.'

'Zoals je wilt.' Vespasianus klopte zijn vriend op de schouder. Met Sabinus en Paetus volgde hij de gids naar het hoofdgebouw.

Vespasianus stapte naar binnen. Zijn ogen moesten even wennen aan het schemerlicht. Hij zag vier rijen lange tafels met vetkaarsen die op regelmatige afstand van elkaar waren neergezet. De tafels namen de voorste helft van de zaal in beslag. Erachter bevond zich een rond houtvuur waarvan de rook het hoge, gewelfde plafond gedeeltelijk aan het zicht onttrok. De rook spiraalde naar boven en wurmde zich met moeite door het gat in het midden van het plafond naar buiten. Geweien, slagtanden van everzwijnen en hoorns decoreerden de muren. Ertussen hingen schilden, zwaarden en ander oorlogstuig. Achter het houtvuur was de zaal leeg. Er stonden vier lange, potige strijders op elke hoek van een verhoging, waarop een stoel met een hoge rugleuning. Er zat een oude man in met een lange, grijze baard en zilverkleurig haar dat in een kruinknot was samengebonden, en een gouden band om zijn hoofd. 'Ik ben Adgandestrius, koning van de Chatten,' zei hij in het Latijn, zonder het geringste accent. 'Kom naar voren.'

De gids leidde hen door het middenpad tussen de tafels. De biezen waarmee de vloer was belegd kraakten onder hun voeten. Halverwege het houtvuur en de koning hield hij zijn pas in en boog voor hem. De

koning maakte een gebaar met zijn knobbelige hand. De gids kon gaan en ging vervolgens aan de zijkant staan, voor een rood gordijn dat vervaardigd was van lappen, elk twee voet in het vierkant, die aan elkaar waren genaaid.

Adgandestrius aanschouwde de Romeinen een poosje, waarna hij Vespasianus bleef aankijken. 'Gisbert heeft me verteld dat jullie de Romeinen zijn die door Galba zijn gestuurd om me te vermoorden.'

'Hij heeft gelogen,' antwoordde Vespasianus.

'Dat weet ik... inmiddels.' Adgandestrius wees naar de gids. 'Jullie hebben geluk gehad dat jullie deze jongeman in leven lieten, anders zouden jullie nu dood op de vlakte liggen. Hij realiseerde zich dat Gisbert had gelogen op het moment dat jullie vroegen wat Mattium was. Jullie kenden zelfs de naam van het oord niet waar ik woon. Hoe kunnen jullie dan op pad zijn gestuurd om mij te vermoorden? Wij, de Chatten, zijn een eerzaam volk. We spreken de waarheid en verachten hen die ons met leugens en halve waarheden proberen te misleiden. Ik eis geen bloedgeld van jullie voor de vele mannen die jullie gedood hebben, omdat jullie je verdedigden tegen een leugen waaraan ik geloof hechtte. Sterker nog, het is aan mij om bloedgeld te betalen: jullie blijven leven.'

'U bent rechtvaardig, Adgandestrius.'

'Ik ben een koning. Het is mijn taak om rechtvaardig te zijn. In het andere geval zou ik geen recht hebben om koning te zijn. Maar ik word oud. Mijn oordeelsvermogen is tanende. Om die reden geloofde ik Gisbert, hoewel ik het van meet af aan vreemd vond dat Rome besloten had mannen te sturen om me te doden vanwege een insubstantiële aanval. Ooit heb ik Tiberius aangeboden om Arminius voor hem te vergiftigen. Hij sloeg dat aanbod af en zei dat Rome het niet nodig had om vijanden te vergiftigen. Rome was best in staat om tegenstanders in een veldslag een kopje kleiner te maken. Waarom zou Rome dan ineens haar toevlucht nemen tot moord? Vervolgens hoorde ik dat jullie een nieuwe keizer hebben benoemd. Een kwijlende dwaas. Aanvankelijk dacht ik dat die idioot minder eergevoel had dan zijn voorgangers, dus slikte ik de leugen. Maar nu wil ik de waarheid weten. Waarom zijn jullie gekomen?'

Vespasianus besefte dat hij Adgandestrius niet mocht misleiden. Dat zou zeer oneervol zijn nadat de koning hun gratie had verleend.

Hij koos dus voor de waarheid. 'We zijn gekomen om de legeradelaar van het Zeventiende Legioen te vinden. De adelaar is verloren gegaan tijdens de slag in het Teutoburgerwoud.'

'Een zoektocht na al die jaren? Waarom?'

Vespasianus had ervoor gekozen de waarheid te spreken. En dat bleef hij dan ook doen, er zat niets anders op. Hij vertelde de koning over het plan van Claudius' vrijgelatenen om het principaat veilig te stellen.

'Britannia, hè?' mijmerde Adgandestrius, nadat Vespasianus zijn verhaal had gedaan. 'Blijft Rome tot in eeuwigheid last houden van veroveringsdrang?' Het was een retorische vraag. Iedereen in de zaal kende het antwoord. 'Waarom heeft Gisbert jullie proberen tegen te houden?'

'Zeker weten doen we het niet, maar we vermoeden dat er een politiek motief achter zit.'

'Dan zullen we het hem vragen.' De koning zei iets in het Germaans. Twee lijfwachten verlieten de zaal. Even later kwamen ze terug met Gisbert. Om diens borstkas was een dik touw gebonden. Pal voor het podium duwden de lijfwachten hem languit op de biezen. Adgandestrius keek vol walging op hem neer en bitste: 'Leugenaar!'

Gisbert krabbelde net zo lang tot hij op zijn knieën zat en boog zijn hoofd. 'Ik had geen andere keus. Als ik de waarheid had gesproken, zou u mij niet geholpen hebben.'

'Daar heb je helemaal gelijk in. Ik laat het wel uit mijn hoofd om me met de zaken van Rome te bemoeien. De legioenen zijn vlak achter de Rijn gelegerd. Ik heb geen behoefte om Rome te tarten met als gevolg dat die enorme legermacht straks wellicht opnieuw de rivier oversteekt. Wie heeft je hiertoe bewogen? Wie in Rome wil niet dat de legioenadelaar gevonden wordt en wil mij daarvoor verantwoordelijk maken?'

Gisbert schudde zijn hoofd. 'Dat kan ik niet zeggen.'

Een bewaker sloeg hem, maar Adgandestrius stak een hand op. 'Als je blijft zwijgen, zul je een langzame en pijnlijke dood sterven. Ik zal je dan niet de genade van het zwaard gunnen en je zult dan nooit in het Walhalla komen. Spreek de waarheid en je zult snel sterven. Met een wapen in je hand.'

Gisbert keek naar hem op. 'Heb ik uw woord?'

'Alleen een leugenaar trekt het woord van een eerzaam man in twijfel.'

'Goed. Het was Callistus, de vrijgelatene van Claudius.'

'Waarom?' vroeg Vespasianus. Het stemde hem tevreden dat zijn complottheorie klopte.

'Hij wil met de eer gaan strijken door de legioenadelaar aan de keizer te presenteren. Hij weet waar de adelaar zich bevindt en vreest dat u die het eerst vindt.'

'Waar is die legeradelaar?'

'Ik heb geen flauw idee. Wel weet ik dat hij manschappen op pad heeft gestuurd om de adelaar op te halen. Ik moest u en Sabinus doden. Ik zou dat met alle plezier hebben gedaan, omdat Sabinus mijn hand heeft afgehakt. Mijn taak werd bemoeilijkt door de vele manschappen die u vergezelden. Ik had een kleine legereenheid verwacht, zodat u ongemerkt door deze contreien zou kunnen trekken. Ik probeerde uw manschappen af te schrikken door er telkens een paar te vermoorden. Uiteindelijk naderde u Mattium en had ik genoeg versterkingen bijeengetrommeld om een bedreiging voor u te vormen.'

'Waarom heb je ze niet naar de rivier geleid? Je had ons kunnen verpletteren tussen twee strijdmachten.'

'Ik wilde alleen u en Sabinus doden. Niet de Batavieren.'

'Op weg hierheen ben je anders wel elke nacht tekeergegaan.'

'Ja, maar ik heb er altijd voor gezorgd dat ze een wapen in hun hand hadden, en ik heb er niet meer gedood dan strikt noodzakelijk was. De Germaanse keizerlijke lijfwacht bestaat uit strijders van twee stammen aan de westkant van de Rijn: de Ubiërs en de Batavieren. Ik ben een Batavier en beslist niet van zins mijn eigen volk uit te moorden.'

Plotseling zag Vespasianus er de logica van in. Hij was niet vergeten dat zijn tribuun Mucianus hem het voorstel had gedaan Bataafse cavaleriehulptroepen mee te nemen. Het had zijn leven gered, hij stond nu bij hem in het krijt.

Adgandestrius streek nadenkend over zijn baard. 'Ditmaal spreekt hij de waarheid. Is er nog iets wat jullie hem willen vragen?'

'Ja, nog één ding. Hoe is Callistus erachter gekomen waar de legioenadelaar zich bevindt?'

'Dat weet ik niet precies. Het heeft iets te maken met schepen.'

'Schepen?'

'Ja, toen hij me ontboden had, en me instructies gaf, zei hij dat hij onlangs bericht had gekregen van iemand uit het noorden, die schepen moest zien te regelen. Het doel daarvan is me ontgaan, maar hij had vernomen waar de legioenadelaar is verborgen.'

Vespasianus keek Sabinus aan. 'Callistus zei dat de generaal aan de noordkust ervoor zou zorgen dat er binnenkort wél voldoende schepen zouden zijn om de invasie van Britannia tot een succes te maken. Hij noemde zijn naam. Herinner je je dat nog?'

Sabinus dacht even na en schudde vervolgens zijn hoofd. 'Het spijt me, ik had op dat moment andere zorgen.'

'Makkelijk zat,' zei Paetus. 'Iedereen die aan de Rijn gelegerd is weet dat hij schepen vordert die de rivier op en af varen. Al sinds februari is hij daarmee bezig. We hebben het over Publius Gabinius.'

'Inderdaad. Zegt die naam jou iets, Gisbert?'

'Nee. Callistus heeft nooit de bijzonderheden met mij doorgenomen.'

Vespasianus maakte een buiging voor Adgandestrius. Een teken dat hij geen vragen meer had. De koning gebaarde een van zijn strijders naar zich toe en zei iets in het Germaans tegen hem. Vervolgens stapte de man naar Gisbert en sneed met een dolk het touw door. De eenhandige bleef geknield zitten en keek zijn beul aan. De strijder trok zijn zwaard en overhandigde het hem, waarbij hij het heft naar hem uitstak. Met zijn ene hand klampte Gisbert zich eraan vast. De strijder stak zijn dolk in de hals, tot in het hart. Toen hij het wapen terugtrok, gutste het bloed uit de diepe wond. Gisbert bleef zijn beul aanstaren; zijn borst deinde in een poging adem te halen. Langzaam vertroebelden de ogen. Vlak voordat hij ze dichtdeed, verscheen er een nauwelijks merkbaar glimlachje om zijn mondhoeken. Hij viel voorover op de inmiddels karmozijnrode, biezen matten en bleef roerloos liggen. Met zijn ene hand hield hij nog steeds het zwaard vast.

Het lichaam werd weggesleept. De koning richtte zijn aandacht weer op Vespasianus en zijn metgezellen. 'Ik weet niet wie die legeradelaar in zijn bezit heeft,' zei hij. 'Ik heb het nooit geweten.' Hij gebaarde naar de gids, die voor het rode gordijn stond. De man opende het door in het midden ervan aan een koord te trekken, waardoor het gordijn aan weerszijden omhoog werd gehesen aan stangen die aan de muur waren bevestigd.

De drie Romeinen kregen even geen adem van verbazing. Ze zagen

het steenbokembleem van het legioen en vijf cohortvaandels waarop een geheven hand was afgebeeld, handpalm naar voren. De gordijnen waren gemaakt van de vlaggen die aan de dwarsstang van een centuriestandaard hingen. Elk vaandel representeerde tachtig manschappen die lang geleden waren gesneuveld.

'Arminius heeft deze trofeeën in het geheim verdeeld, waarbij lootjes werden getrokken, zodat geen enkele stam jaloers zou worden op de andere. Iedere koning beloofde plechtig dat hij nooit zou onthullen aan de andere stammen wat hij had ontvangen van Arminius. Ik kreeg het zilveren steenboklegioenembleem, behorende tot het Negentiende Legioen, en al deze centurievaandels. Alleen Arminius weet waar de rest zich bevindt, en hij is inmiddels overleden.'

'Maar zijn zoon leeft nog.'

Adgandestrius fronste zijn wenkbrauwen. 'Ja, hij leeft nog. En het zou best kunnen dat hij het weet. Is dat je plan? Het aan Thumelicus vragen?'

'Eenmaal in het Teutoburgerwoud zou ik hem op de een of andere manier een bericht kunnen sturen. Ik heb iets bij me wat van zijn vader is geweest en waarin hij wellicht geïnteresseerd is.' Vespasianus haalde het mes van Arminius van zijn riem en gaf het aan de koning.

Adgandestrius haalde het mes uit het foedraal en bestudeerde de kling, waarna hij de in het metaal gegraveerde runentekens aandachtig bekeek. Vervolgens gaf hij hem het mes terug. 'Dat zal hij beslist zeer interessant vinden. Het kan voldoende zijn om hem te doen besluiten jou te ontmoeten. Ik weet waar hij is. Ik stuur een koerier naar hem toe met het bericht dat je over vijf dagen, bij de volgende volle maan, op hem wacht bij de Kalkriese, een heuvel. Hij zal je daar ontmoeten, als hij daar belang in stelt.' Met enige moeite kwam hij uit zijn stoel en liep naar de legerstandaards, waar hij de steenbokstandaard van het Negentiende Legioen uit de houder haalde. 'Een eenheid van mijn manschappen zal jullie escorteren en jullie veiligheid waarborgen. Als geschenk geef ik je bij vertrek het embleem van het Negentiende Legioen mee.'

De oude koning grinnikte toen hij de verbaasde uitdrukking op het gezicht van de Romeinen zag terwijl hij het embleem aan Sabinus gaf. 'Jullie vragen je natuurlijk af waarom ik jullie help. Ik doe dat om dezelfde reden als dat ik Thumelicus intens graag zover wil krij-

gen dat hij jullie helpt. Het gaat niet zozeer om het mes van Thumelicus. Er staan grote belangen op het spel. Als die dwaas in Rome zijn legioenadelaar terugkrijgt, en ook het embleem van het Negentiende Legioen, zal dat ongetwijfeld zijn positie bij het leger versterken. Hij kan dan die invasie van Britannia in gang zetten en victorie kraaien. Daar staat tegenover dat de legioenen worden teruggetrokken uit de garnizoenen die aan de Rijn en de Donau gelegerd zijn. We hebben het nu over minstens vier legioenen met hun hulptroepen. Wij zullen de Romeinse dreiging dan als minder urgent ervaren. Het verlies van de Keltische stammen in Britannia zal onze winst zijn. Stel dat jullie keizer besluit noordwaarts te trekken naar dat eiland, dan zal Rome de kracht missen om ons opnieuw te bedreigen. Ik help jullie en ik hoop intens dat Thumelicus dat ook doet. Dat biedt ons de garantie dat Germania vrij blijft, wellicht generaties lang. Misschien wel voor altijd.'

HOOFDSTUK X

'We zijn er!' riep Magnus toen de colonne, geleid door twintig strijders van Adgandestrius, langzamer oprukte omdat het pad smaller werd. Aan de noordzijde bevond zich een moeras, aan de zuidzijde een heuvel. 'Ik herinner me dit oord. Hier had Arminius de Romeinse eenheden, of wat ervan over was, in de val gelokt. Vier dagen lang was er slag geleverd terwijl de posities telkens veranderden. Van de bijna vijfentwintigduizend legionairs waren er nog maar zeven- of achtduizend over. Varus had zijn soldaten gestaag in noordwestelijke richting gedreven terwijl het regende dat het goot. Hij hoopte dat hij zo de Germanen van zich kon afschudden. In werkelijkheid bevonden ze zich inmiddels op zijn route, omdat ze een kortere weg door de heuvels hadden genomen. Ze wachtten in de bomen rond een open plek in het bos. Onze jongens zagen ze pas toen vijfduizend harige klootzakken speren naar ze gooiden. Vijftigduizend speren in minder dan honderd hartslagen, kunt u zich dat voorstellen?'

En of Vespasianus dat kon. Hij huiverde bij de gedachte. 'Dat brengt een colonne tot stilstand.'

'En dat gebeurde ook. Ze konden het moeras niet in omdat het dagenlang had geregend. Degenen die het toch probeerden, zonken erin weg. Verder oprukken of terugtrekken lukte evenmin, omdat nog eens vijfduizend strijders de terugweg hadden geblokkeerd. De route voor hen was afgesloten doordat ze er obstakels hadden neergelegd of de boel opgegraven.'

'Ze moesten dus vechten. Ze hadden geen andere keus.'

'Inderdaad. Dadelijk zien we een aarden wal die ze hadden opgeworpen als laatste defensielinie. Een wal van ongeveer een kwart mijl

lang. Het lukte de overlevenden om de barbaren een poosje van het lijf te houden. De resterende strijders van de stammen die toekeken besloten zich in het gevecht te mengen. Varus besefte hoe hopeloos de situatie was en deed wat hij moest doen in dit soort omstandigheden. Vervolgens waren de meeste legionairs binnen een uur gesneuveld. Een enkeling kon ontsnappen en voegde zich bij ons als gids in de periode dat we teruggingen. Sommigen van hen ken ik heel goed.'

'Hoe is het allemaal begonnen?' vroeg Sabinus.

'Varus leidde zijn manschappen van het zomerkamp aan de Visurgis naar de winterkwartieren aan de Rijn. We hebben het nu over drie legioenen, zes hulpcohorten en drie alae van de cavalerie. Ruim twintigduizend manschappen, minus enkele cohorten die op verzoek van de Germaanse stammen waren achtergebleven om de Romeinse vrede te handhaven. Die gluiperige smeerlappen probeerden dat alleen maar om Varus in een goed humeur te krijgen over de voortgang die werd geboekt in dat gebied. En dat lukte. Hij was zodanig in slaap gewiegd dat hij zelfs de legati en enkele tribunen naar Rome had gestuurd om er te overwinteren. Hij dacht dat alles prima in orde was terwijl hij westwaarts de legerroute langs de Lupia volgde. Een Romeinse weg die de Lange Bruggen werd genoemd, omdat er zoveel bruggen waren gebouwd. Akelig gebied. Bijna was ons hetzelfde lot als Varus beschoren toen we enkele jaren later via dezelfde route naar huis probeerden te gaan.'

'Vijftig mijl zuidelijk van hier zijn we die weg overgestoken,' merkte Paetus op. 'Hoe hebben ze het voor elkaar gekregen om zo ver af te dwalen?'

'Arminius had een misleidend bericht gestuurd. Verder noordelijk zou er sprake zijn van rebellie. Varus vertrouwde hem, mocht hem zelfs, dus geloofde hij hem. Ook al werd hij eerder gewaarschuwd dat Arminius een complot aan het smeden was tegen hem. Hij besloot de colonne intact te houden en nam alles en iedereen mee naar het noorden. Zelfs de kampvoorbereiders en het trage konvooi met de uitrusting. Ze trokken dwars door de beboste heuvels en langs diepe ravijnen. Wat een idioot! Bovendien liet Varus toe dat Germaanse gidsen zijn allegaartje, een colonne van zes tot zeven mijl lang, naar een vallei leidden, een paar mijl achter ons, zuidoostelijk van hier. Daar wemelde het van de stamgenoten die zich in de bomen hadden verscholen.'

'Hadden ze geen verkenners op de flanken?' vroeg Vespasianus. Hij keek naar de heuvels links van hem. Een woud van eiken-, berken- en beukenbomen. Hij besefte meteen hoe makkelijk zich daar een strijdmacht kon verbergen.

'Natuurlijk hadden ze die. Volgens enkele maten die het overleefd hadden, waren er veel verkenners actief. Het probleem was alleen dat het strijders waren van Arminius. Zo nu en dan zagen ze per ongeluk niet de pakweg vijfduizend stamleden in de heuvels, aan weerszijden van de route, die in de bomen zaten te wachten. Bovendien waren er nog eens ongeveer tienduizend strijders die toekeken wat er gebeurde en mee zouden vechten als het plan van Arminius werkte. Hoe dan ook, Varus vond het normaal om Cherusken- en Chattenhulptroepen als verkenners te gebruiken. Ze behoorden immers tot de loyale stammen en hij kon zijn legionairs dan in keurige formaties en in rijen van acht manschappen breed laten oprukken. Het zag er dan ook fraai uit, helemaal volgens het boekje, precies zoals generaals dat graag zien tijdens parades.'

'Dat zal een trage bedoening zijn geweest.'

'Precies. Ze kapten voortdurend bomen om ervoor te zorgen dat de geformeerde colonne intact bleef. Bovendien regende het pijpenstelen. Een ongelofelijk stormachtige westenwind huilde in de deinende bossen, zoals dat alleen in Germania kan. De legionairs hoorden of zagen de barbaren niet. Tot het noodlot toesloeg in de vorm van speren en katapulten. Het middelste gedeelte van de colonne was meteen aan gruzelementen. De jongens hadden hun pila nog aan hun rugzakken bevestigd, het was in alle opzichten een schandaal hoe het eraan toeging. Vervolgens kwamen de barbaren en onze hulptroepen schreeuwend de heuvels af gerend. En het werd allemaal heel persoonlijk, als u begrijpt wat ik bedoel. In een ogenblik was de colonne in tweeën gespleten.'

'Hoe hebben ze het voor elkaar gekregen om op dit pad te sneuvelen?' vroeg Sabinus. Hij keek naar het embleem van het Negentiende Legioen en vroeg zich af waar het op de grond was gevallen.

'Uiteindelijk lukte het om enige orde in de gelederen te krijgen. Varus liet de helft van het beschikbare aantal legionairs een kamp opzetten terwijl de rest tegenstand bood aan de barbaren, die zich bij het invallen van de schemering terugtrokken. Varus liet vervolgens

iedereen een paar uurtjes slapen in de nattigheid. Enkele uren voordat het licht werd vernietigde hij alle landkaarten en sloop met zijn manschappen het legerkamp uit. De volgende ochtend troffen de Germanen een verlaten kamp aan. De legionairs hadden de complete uitrusting achtergelaten. Zoals u zich kunt voorstellen werd er eerst flink geplunderd. Dat had meer prioriteit dan het opjagen van onze jongens. Ondertussen trok Varus zo goed en zo kwaad als het ging in noordwestelijke richting verder en hoopte aldus dat Arminius hem te hulp zou schieten. Hij dacht dat de aanval een poging was om te voorkomen dat wij de zogenaamde rebellie zouden smoren. Hij had niet eens in de gaten dat Arminius het op hem voorzien had. Wat een praalzuchtige idioot! Rome heeft altijd te veel van dat soort domme bevelhebbers in dienst gehad.'

'Eerlijk gezegd vind ik dat een rechtschapen besluit,' meende Vespasianus. 'Hij wist immers niet dat het bericht misleidend was. Dus deed hij zijn plicht voor Rome en zijn vriend. Niet vreemd dat hij zijn hulp zocht.'

Magnus gromde en keek Vespasianus met een weifelende blik aan. 'Hoe dan ook, ze waren de hele dag op pad. Na wat kleine schermutselingen zetten ze 's avonds weer het kamp op. De volgende dag had de Germaanse hoofdmacht ze ingehaald. In de nacht die volgde, vochten onze jongens praktisch zonder ophouden om te voorkomen dat de barbaren het kamp onder de voet liepen. In de ochtend van de vierde dag trokken de Germanen zich terug, waarna de restanten van de colonne verder oprukten. Niettemin braken er onderweg voortdurend schermutselingen uit. Zo zorgden de Germanen ervoor dat de colonne in de gewenste richting reisde. Uiteindelijk raakten de Romeinse eenheden hier verzeild. Maar nu waren ze omsingeld. Nergens konden ze hun toevlucht zoeken. Het restant van de cavalerie probeerde een doorbraak te forceren, maar de eenheid werd genadeloos verslagen. Varus liet zich toen in zijn zwaard vallen. Zijn manschappen konden kiezen tussen vechten, zelfmoord plegen of zich overgeven om vervolgens geofferd te worden of om de rest van hun leven als slaaf te slijten. Sommigen konden ontsnappen. Minder dan vijftig manschappen.' Plotseling hield Magnus zijn paard in. 'Bij alle goden, we hadden ze begraven!'

Pal voor hen, aan weerszijden van het pad, waren schedels aan de bomen genageld. Uit de ogen staken lange spijkers.

'Het lijkt erop dat de Germanen ze weer aan de bomen hebben gespijkerd,' zei Sabinus.

Magnus spuugde vol walging en maakte een vuist – en klemde zijn rechterduim erin – om zich te beschermen tegen het boze oog. Achter het 'schedelrijk' kwam het pad uit bij een zanderig, open terrein, ongeveer tweehonderd passen breed en een halve mijl lang. Duizenden menselijke botten in alle soorten en maten waren er uitgestrooid. Verweerde botten, vele bespikkeld met korstmos. 'En dat niet alleen. Ze hebben veel van onze jongens opgegraven.'

Tandenknarsend begaven de manschappen van de legereenheid zich op de open plek in het bos. De laatste opgeworpen versterkingswal, links van hen, was op veel plaatsen doorbroken, alsof honderden voeten uit vervlogen dagen ze hadden platgetrapt. Uit de grond stak de rottende hoef van een dood muildier. De stank van stilstaand water walmde in hun richting en was afkomstig van een groot moeras, rechts van hen. Pal voor zich zagen ze het bos. Dit was inderdaad een ideale plaats voor een bloedbad. De vogels zongen in de bomen. Aan de takken pronkten lentegroene blaadjes. Vespasianus vond de sfeer beklemmend, alsof duizenden ogen hen in de gaten hielden. Hij wilde niet naar de botten kijken van legionairs die in vervlogen tijden gesneuveld waren. Maar zijn morbide nieuwsgierigheid won het van zijn wilskracht. Hij zag botten van dijbenen, armen, wervels, ribben, schedels en bekkens. Ze waren er rondgestrooid, zonder enige orde. Sommige botten hadden hak- en snijsporen. Ook zag hij tekenen dat wilde dieren eraan geknaagd hadden. Hier en daar passeerden ze primitieve, stenen altaren. Er lagen botten op, zwartgeblakerd door vuur. 'Hoe lang is het geleden dat jij hier voor het laatst was, Magnus?'

'Dat moet ongeveer vijfentwintig jaar geleden zijn geweest.'

'Ik vind het zo vreemd dat ze door de jaren heen niet door de natuur zelf zijn begraven. Alsof iemand een oogje in het zeil heeft gehouden.'

'Dat groepje wellicht?' Magnus wees naar vijf ruiters die tussen de bomen tevoorschijn kwamen en op honderd passen voor hen het pad blokkeerden.

De Chattenkrijgers die de colonne leidden, staken een hand op. De legereenheid kwam tot stilstand. Twee van hen reden naar voren,

spraken even met de ruiters en keerden vervolgens terug om met Ansigar te overleggen.

De decurio knikte en wendde zich tot de Romeinse officieren. 'Het zijn Cherusken. Thumelicus wacht op ons op de heuveltop.'

De heuvel was niet hoog. Niet meer dan driehonderdvijftig voet. Ze waren snel boven, hoewel de helling bebost en dichtbegroeid was. Vespasianus kon zich heel goed voorstellen hoe zoveel krijgers zichzelf hadden kunnen verschuilen op deze glooiingen. Bij de top reden ze om een open plek heen met in het midden een groepje beuken, waar een schimmel was vastgebonden die vredig graasde bij een altaar. Drie hoofden waren met hun lange haren aan takken vastgebonden. Eén hoofd was onlangs van de romp gescheiden, de andere waren half of helemaal vergaan. Schedels met losse lappen huid lagen eronder als bewijs dat dit griezelige fruit kon rijpen. Bloed droop van het altaar.

Naarmate ze klommen, dunde het bos uit. Uiteindelijk bereikten ze de top. De begroeiing had plaatsgemaakt voor een grasveld, opgevrolijkt met lentebloemen. Het geheel zag er misplaatst uit. Een roodleren tent van vijftig bij vijftig voet en tien voet hoog stond naast een oude, solitaire eik.

Vespasianus keek ernaar en wist meteen waar hij naar staarde.

'Bij de mooie kont van Mercurius,' riep Magnus uit. 'Dat moet de commandotent van Varus zijn geweest, achtergelaten bij de rest van de uitrusting, zo lang geleden.'

Sabinus was eveneens onder de indruk. 'Volgens mij hebben de Germanen alles gepakt wat de colonne bij zich had. Ze konden het immers niet verbranden in die nattigheid.'

Bij de ingang van de tent stegen de vijf Cheruskenruiters af. Ze maakten een gebaar naar de colonne om hun voorbeeld te volgen. Hun leider, een man die de zestig inmiddels gepasseerd was, liep naar binnen. Even later kwam hij terug en sprak met Ansigar.

'U mag naar binnen,' zei de decurio tegen Vespasianus, Sabinus en Paetus. 'We laten onderwijl de paarden grazen.'

'Ga je ditmaal wel mee?' vroeg Vespasianus aan Magnus, terwijl ze zich naar de ingang begaven.

'Is de keizer een stotteraar?'

Vespasianus deed de leren flap opzij en liep een korte gang in, waarvan de wanden met leer waren afgewerkt. Het interieur leek op de praetoriumtent van Poppaeus, destijds in Thracië. Alleen was deze tent niet voorzien van een marmeren vloer die gedemonteerd kon worden, maar belegd met kale planken die lang geleden in de was waren gezet. Vespasianus liep de gang uit en door een deur het hoofdgedeelte van de tent in. Overal stonden talgkaarsen, die het interieur in een flakkerend licht zetten. De ruimte was elegant gemeubileerd met gestoffeerde divans, en met stoelen en tafels, verfraaid met houtsnijwerk. Bronzen beeldjes stonden decoratief tussen keramische of glazen kommen en vaatwerk. Achterin bevond zich een groot eiken bureau met keurig gerangschikte rollen. Erachter zat op een opvouwbare stoel een Romeinse gouverneur in vol militair ornaat, hoewel dat eigenlijk onmogelijk was omdat hij er nog te jong uitzag om gouverneur te zijn, maar ook omdat hij een volle, zwarte baard droeg.

'Welkom, Romeinen,' zei de gouverneur. 'Ik ben Thumelicus, zoon van Erminatz.'

Vespasianus stond op het punt hem te groeten, maar de man stak een hand op.

'Vertel me niet hoe jullie heten,' drong Thumelicus aan. Van onder zijn dikke wenkbrauwen staarde hij hen aan. Hij had blauwe prikogen. Ogen waarin geen greintje empathie was te bespeuren. 'Ik wil het niet weten. Toen ik eindelijk uit jullie keizerrijk kon ontsnappen heb ik plechtig beloofd aan Donar, de dondergod, dat hij mij mag vellen met een bliksemflits als ik ooit nog zaken doe met Rome. Maar op verzoek van mijn oude vijand Adgandestrius heb ik de god gevraagd of hij mijn besluit deze ene keer door de vingers wil zien, in het belang van zowel mijn stam als Germania.' Hij wees naar de divans in de kamer. 'Ga zitten.'

Vespasianus en zijn metgezellen gingen op de uitnodiging in. Ze maakten het zich zo makkelijk mogelijk, terwijl Thumelicus hen bleef aanstaren. Zijn neus was geprononceerd, maar toch slank; zo te zien was die vaak gebroken geweest. Zijn weelderige maar keurig gekamde zwarte baard reikte bijna tot aan zijn hoge jukbeenderen. De lange, dikke snor verhulde gedeeltelijk zijn dunne, bleke lippen. Vespasianus keek naar zijn kin. Onder de baard was duidelijk een kuiltje waarneembaar. Dit was de man die ze moesten hebben.

'Volgens Adgandestrius hebben jullie mijn hulp nodig bij de zoektocht naar de overgebleven legeradelaar van jullie legioenen, nadat mijn vader het Romeinse leger glansrijk had overwonnen in het Teutoburgerwoud.'

'Inderdaad.'

'Waarom denk je dat ik jullie zou willen helpen?'

'Omdat het in uw belang is.'

Thumelicus schamperde en boog zich naar voren, waarbij hij met een vinger naar het gezicht van Vespasianus wees. 'Nou moet je eens goed naar me luisteren, Romein. Toen ik twee jaar was, pronkte Germanicus met mij en mijn moeder Thusnelda tijdens zijn victorieparade in Rome. Een vernedering voor mijn vader. De volgende vernedering bestond erin dat we naar Ravenna werden gestuurd om te wonen bij de vrouw van zijn broer Flavus, die altijd voor Rome had gevochten, zelfs als dat niet in het belang was van zijn eigen volk. Op mijn achtste werd ik opgeleid tot gladiator. De zoon van de bevrijder van Germania vocht in het arenazand om het gepeupel van een of andere provinciestad te amuseren. Al weer een vernedering. Ik won mijn eerste gevecht toen ik zestien was. Tweeënvijftig gevechten later ontving ik het houten vrijheidszwaard. Dat is vier jaar geleden, op mijn twintigste. Toen ik eenmaal vrij was, ging ik meteen naar mijn oom Flavus en zijn vrouw, want ik had nog een rekening te vereffenen. Daarna ging ik met mijn moeder terug naar mijn stam. Rome heeft me vernederd. Nu vraag ik je, hoe zouden mijn belangen en die van jullie elkaar ooit kunnen kruisen?'

Vespasianus vertelde hem over de ophanden zijnde invasie van Britannia. En over de strategische gevolgen daarvan, althans in de ogen van Adgandestrius.

'Kun jij me garanderen dat Rome niet simpelweg drie of vier extra legioenen formeert en aldus de legermacht vervangt die naar Britannia wordt gestuurd?' vroeg Thumelicus. 'Natuurlijk kun je dat niet. Rome heeft de man- en spankracht voor veel extra legioenen. Die oude man had zich dat moeten realiseren. Zoals het er nu naar uitziet, zal de bevolking in het keizerrijk blijven groeien, tenzij er een verschrikkelijke plaag gaat huishouden. Steeds meer gemeenschappen in elke provincie worden beloond met burgerrechten. Verder krijgen slaven de vrijheid en mogen zich Romeins burger noemen. Ze komen

niet in aanmerking voor de legioenen, maar hun zonen wel. Maar vooruit, op de korte termijn bezien kan ik Adgandestrius alleen maar gelijk geven. Een invasie in Britannia zal ons even respijt verlenen, al is het wellicht maar voor enkele generaties.' Thumelicus deed de gepluimde helm af en legde het ding op tafel. Zijn lange zwarte haar viel op zijn schouders. Vervolgens keek hij de Romeinen aan en lachte wrang, met een diepe, sonore stem. 'Als mijn vader er niet was geweest, zou ook nu nog een Romein dit uniform dragen in Germania. Dankzij hem kan ik het dragen nu ik te maken heb met de opvolgers van de man van wie dit uniform was. Ook kan ik ze onthalen in zijn tent en hun verfrissingen aanbieden op zijn dienbladen.'

Hij klapte twee keer fel in zijn handen. De leren lap voor de ingang ging opzij. Twee bebaarde slaven – vijftigers – schuifelden naar binnen met ieder een dienblad, met daarop zilveren bekers, bierkroezen en gerechten. Ze waren druk in de weer, want de drankjes en het eten moesten op de tafels naast de gasten van de meester worden gezet. Met een schok realiseerde Vespasianus zich dat hun haar kortgeknipt was: Romeinse kapsels.

Thumelicus had de vragende uitdrukking op het gezicht van Vespasianus gezien. 'Inderdaad, Aius en Tiburtius zijn beiden hier gevangengenomen, tweeëndertig jaar geleden. Sindsdien leiden ze een slavenleven. Ze hebben nooit een ontsnappingspoging ondernomen, of wel, Aius?'

De slaaf die Vespasianus bediende, draaide zich om en maakte een buiging voor Thumelicus. 'Nee, meester.'

'Vertel de heren waarom niet, Aius.'

'Ik kan niet terugkeren naar Rome.'

'Waarom niet?'

'Schaamte, meester.'

'Waarom schaam je je, Aius?'

Aius keek Vespasianus nerveus aan, waarna hij zich weer tot zijn meester wendde.

'Je mag het ze gerust vertellen, Aius. Ze zijn niet gekomen om jou te halen.'

'Schaamte omdat we de legioenadelaar verloren hebben.'

'De legioenadelaar? Verloren?' Thumelicus proefde diens woorden. Met zijn blauwe ogen keek hij de oude legionair aan.

De voorbije, vernederende jaren die hij als slaaf gesleten had, en de schande die hij ervoer, waren van zijn gezicht te lezen. Hij liet zijn hoofd hangen, zijn borstkas schokte een paar keer omdat hij enkele snikken onderdrukte.

'En jij, Tiburtius?' vroeg Thumelicus. Hij staarde de andere man, die wat ouder was dan Aius en een grijze haardos had, bijzonder strak aan. 'Schaam jij je ook nog steeds?'

Tiburtius knikte zwijgend en zette de laatste bierkroes op de tafel naast Thumelicus.

Aanvankelijk was Vespasianus geschokt. Nu werd hij boos terwijl hij naar de twee Romeinse burgers keek, die decennialang in schande en slavernij hadden geleefd. 'Waarom hebben jullie de eer niet aan jezelf gehouden en zelfmoord gepleegd?' vroeg hij. Vespasianus kon zijn walging nauwelijks verbergen.

Om de mondhoeken van Thumelicus speelde een glimlachje. 'Geef hem gerust antwoord, Aius.'

'Arminius gaf ons de keus. We konden geofferd worden in een van hun tenen kooien boven een vuur. Of we moesten beloven aan al onze goden dat we geen zelfmoord zouden plegen en dat we gehoorzaam de taken zouden uitvoeren die ons werden opgedragen. Niemand die de kooioffering heeft gehoord of gezien kiest voor het vuur. We hebben gedaan wat iedere man zou doen.'

'Dat kan ik me best voorstellen, maatje,' viel Magnus hem in de rede. Aius gaf een vage blik van herkenning toen hij dat vertrouwde woord uit vervlogen dagen hoorde. 'Ik zweer alles om te voorkomen dat mijn ballen boven een houtvuurtje geroosterd worden.'

'Die worden niet geroosterd,' zei Thumelicus tegen hem. Hij haalde het deksel van de kom. 'We verwijderen de testikels eerst. We besteden daar veel zorg aan.'

'Heel geschikt van u, met dank.'

Thumelicus stak zijn vingers in de kom. 'Ik kan u verzekeren dat we dat niet doen omdat we medelijden hebben met de slachtoffers.' Hij haalde een klein, bijna wit en eivormig ding eruit en beet de helft eraf. 'Wij geloven dat het eten van de testikels van onze vijanden ons kracht en vitaliteit schenkt.'

Vol afschuw keken Vespasianus en zijn metgezellen toe terwijl Thumelicus smakkend van het 'ei' genoot. Daarna stak hij de andere

helft van de teelbal in zijn mond en koesterde de smaak net zo innig. Verrassend genoeg namen de twee slaven plaats op een stoel aan weerszijden van het bureau, naast Thumelicus.

Thumelicus spoelde het tussendoortje weg met een flinke slok bier. 'Na de veldslag in deze contreien, en na de gevechten en schermutselingen die mijn vader organiseerde in onze strijd voor de vrijheid, hadden we bijna zestigduizend testikels in het zuur gezet. Mijn vader verdeelde ze onder de stammen. Dit is de laatste kom die wij, de Cherusken, nog overhebben. Ik bewaar ze voor speciale gelegenheden. Misschien wordt het tijd dat we een nieuwe voorraad aanleggen.'

'U zou wel gek zijn,' zei Sabinus. 'U krijgt het nooit voor elkaar om de Rijn over te steken.'

Thumelicus boog instemmend zijn hoofd. 'Niet als de stammen elk hun eigen weg gaan, zoals tegenwoordig het geval is. Maar zelfs in het andere geval hebben jullie de middelen van het keizerrijk achter de hand om ons na verloop van tijd een kopje kleiner te maken. Rome heeft de kracht om de rivier over te steken en hier tekeer te gaan. Nu en straks wellicht ook. Daarom ben ik gekomen om met jullie te praten. Ook al gaat dat tegen mijn principes in. Een van jullie wil me wat laten zien, heb ik begrepen.'

Vespasianus haalde het mes van zijn vader tevoorschijn en gaf het aan Thumelicus.

'Hoe ben je eraan gekomen?' Thumelicus bekeek het lemmet aandachtig.

Vespasianus legde de geschiedenis van dat wapen uit. Thumelicus liet onderwijl een vinger over de runentekens glijden.

Toen hij zijn verhaal gedaan had, dacht de Germaan even na en knikte. 'Je spreekt de waarheid. Het is precies zoals mijn vader het in zijn herinneringen heeft opgetekend.'

'Heeft hij zijn herinneringen opgetekend?' riep Vespasianus uit. Er klonk ongeloof door in zijn stem, hij kon het niet voorkomen.

'Vergeet niet dat hij vanaf zijn negende in Rome is opgegroeid. Hij heeft er leren lezen en schrijven. Ze hebben het erin geslagen, als je begrijpt wat ik bedoel. Dus het hield niet over. Lezen en schrijven beschouwen we immers niet echt als iets wat een man dient te leren. Maar hij had een beter idee. Hij dicteerde zijn herinneringen aan zijn verslagen vijanden. Hij hield ze in leven, zodat ze eruit konden voor-

lezen als dat noodzakelijk was. Wellicht is die dag vandaag aangebroken. Moeder, wil je even bij ons komen?'

Het gordijn ging open. Een lange, fiere vrouw met grijs haar kwam binnen. Nog nooit had Vespasianus zulke blauwe ogen gezien. Haar huid was getekend, rimpelig, en ze had hangborsten. Toch was het zonneklaar dat ze vroeger een mooie vrouw was geweest.

'Moeder, vind je het nodig dat we het verhaal van vader aan deze Romeinen vertellen? Wat maken de beenderen ons duidelijk?'

Thusnelda pakte de zak die aan haar middel hing en haalde er vijf rechte, dunne botten uit waarin gekerfd was. De runentekens waren aan alle kanten zichtbaar. Vespasianus herkende de oude symbolen inmiddels meteen. Ze blies erop en mompelde zachtjes enkele incantaties, waarna ze de botten op de grond gooide.

Ze boog zich ernaartoe, staarde aandachtig naar de schikking van de botten, klauwde ernaar. 'Mijn man zou gewild hebben dat het verhaal aan hen wordt verteld. Maar om het relaas te begrijpen, zullen ze inzicht moeten krijgen in wie je bent en waar je vandaan komt, mijn zoon.'

Thumelicus knikte. 'Het zij zo, moeder. Laten we beginnen.'

Vespasianus knikte naar de twee slaven, die de rollen op het bureau schikten. 'Heeft hij deze twee legionairs gespaard om zijn memoires te schrijven en voor te lezen?'

'Inderdaad, wie kan beter het leven van Arminius vertellen dan de *aquiliferi*, de adelaardragers van het Zeventiende en het Negentiende Legioen?'

De zon was al onder tegen de tijd dat de twee oude slaven – ooit de trotse dragers van de meest sacrale voorwerpen van hun legioenen – het verhaal van Arminius hadden verteld. Ook het relaas hoe hij werd vermoord door een bloedverwant. Het was niet zomaar een soort voorleesuurtje. Thusnelda had het verslag aangevuld met haar eigen herinneringen. Bovendien had Thumelicus Vespasianus en zijn metgezellen aangemoedigd vragen te stellen aan Aius en Tiburtius over hun herinneringen omtrent de slag in het Teutoburgerwoud. Vervolgens gaf hij de oude mannen opdracht hun eigen antwoorden op te schrijven. Magnus had als legionair gediend in de Vijfde Alaudae, was het daaropvolgende jaar getuige geweest van de veldslagen bij de Lange

Bruggen, de Heuvels van de Angrivarii en Idistavisus, waar Arminius voor het eerst een zware nederlaag had geleden. Hij deelde zijn herinneringen over de twee veldtochten van Germanicus, respectievelijk zes en zeven jaar na het bloedbad. Daarna had Tiberius deze Romeinse generaal teruggeroepen. Diens succes had de keizer immers jaloers, maar ook bang gemaakt. Thumelicus was oprecht verheugd toen hij de nieuwe gezichtspunten vernam. Voortdurend gaf hij zijn slaven opdracht alles op te schrijven. En dat deden ze deugdelijk, met een troebele, verlangende blik in hun ogen terwijl ze Magnus in gewoon, plat legionairsjargon hoorden praten over de strijdmacht waar ze eens deel van hadden uitgemaakt. Hun gezichten, waarin de voortschrijdende ouderdom getekend was, straalden niet alleen diepe schande uit over het feit dat ze de adelaars van hun legioenen hadden verloren, maar ook de vernedering, de smet op hun karakter omdat ze erna niet in staat waren geweest zichzelf te confronteren met het Germaanse offervuur en dus veroordeeld waren tot slavernij zonder hoop op gratie. Vespasianus, Sabinus en Paetus hadden er niets aan toe te voegen en stelden alleen zo nu en dan een vraag. Ze luisterden slechts terwijl ze daar zaten en het verhaal zich ontvouwde. Ze nipten van hun bier, aten van de gerechten die in schalen rondom hen waren uitgestald. Talloze keren weigerden ze beleefd het 'tussendoortje' dat Thumelicus in zijn kom had zitten.

Niemand sprak toen de twee oude mannen waren uitverteld, de rollen weer oprolden, ze in de houders plaatsten en daarna voortdurend naar hun werk bleven staren, dat op het bureau lag.

Nadenkend keek Thumelicus naar zijn bierbeker. 'Mijn vader was een groot man. Ik vind het erg dat ik hem nooit gekend heb.' Hij keek op, zijn blik boorde zich in de ogen van Vespasianus. 'Maar ik heb jullie niet onthaald met de bedoeling dat jullie naar het relaas van mijn vader luisteren en ik me daarna min of meer kan wentelen in zelfmedelijden. Met opzet heb ik jullie deelgenoot gemaakt. Alleen dan begrijpen jullie mijn motieven omtrent de besluiten die ik ga nemen. Besluiten die bovendien indruisen tegen alles waar mijn vader voor stond.'

Sabinus boog zich naar voren. 'Wil dat zeggen dat u ons gaat vertellen waar de legioenadelaar is verborgen?'

'Ik kan jullie vertellen bij welke stam de adelaar is opgeborgen.

Geen probleem. Het zijn de Chauken, die noordelijk bij de kust leven. Maar ik zal meer doen dan jullie slechts een aanwijzing geven. Ik zal jullie met raad en daad helpen de legeradelaar te vinden.'

'Waarom zou u dat doen?' vroeg Vespasianus.

'Mijn vader heeft geprobeerd koning te worden van Groot-Germanië, ofwel Germania Magna. Zijn droom was om alle stammen te verenigen onder één leider. Stel je de macht eens voor die hij zou verkrijgen als hij daarin zou slagen. Hij zou dan Gallia kunnen innemen. Maar zou hij dat gebied ook in de toekomst kunnen blijven bezetten? Ik denk het niet. Niet zolang de militaire macht van Rome nog zo gigantisch groot is. Maar afgezien daarvan, het was zijn utopie, iets waarnaar hij verlangde. Het is beslist niet mijn droom. Ik zie het grotere plaatje voor me. Ongetwijfeld breekt er een periode aan dat Rome in verval raakt, zoals dat met alle keizerrijken vroeg of laat gebeurt. In het huidige tijdsgewricht beschouw ik een Groot-Germanië als een bedreiging voor alle tegenwoordige stammen. Deze visie heeft immers het potentieel van een honderdjarige oorlog tegen Rome. Een oorlog die generaties lang zal duren, waarbij we uiteindelijk niet de mankracht zullen hebben om die strijd te winnen. Ik wil dus geen leider worden van een verenigd Germaans volk. Toch zijn er veel landgenoten die denken dat ik daarnaar streef. Sommigen moedigen me actief aan, sturen me steunbetuigingen. Weer anderen zijn jaloers en zien me liever dood dan levend, zodat ze verder kunnen met hun eigen ambities. Maar ik wil gewoon in vrede leven, zoals me dat misgund werd in mijn jeugd: leven als een vrije Cherusk in een vrij Germania. Ik wil niets van Rome. Ik zin niet op wraak, noch eis ik alsnog rechtvaardigheid. Lang geleden hebben we ons van jullie bevrijd. Het zou dom zijn om onszelf in een positie te brengen waardoor we opnieuw voor onze vrijheid moeten strijden. Maar Rome zal altijd haar legioenadelaar terug willen. Aangezien die zich op ons grondgebied bevindt, zullen jullie er hier naar komen zoeken. De Chauken zullen er geen afscheid van willen nemen, waarom zouden ze ook? Die houding brengt ons echter allemaal in gevaar. Wat mij betreft mogen jullie hem hebben, Romeinen. Neem die legeradelaar ten behoeve van de invasie van Britannia en laat ons met rust. Ik zal jullie helpen de adelaar te stelen van de Chauken. De stammen beseffen dan dat ik Rome heb geholpen. Ze zullen dan niet langer willen, of vrezen, dat ik mijn vader opvolg.'

'Zullen de Chauken dat niet als een oorlogsverklaring beschouwen?' vroeg Vespasianus.

'Onder andere omstandigheden wel. Ik weet dat Rome cijnzen int van veel Germaanse stammen. Ook ben ik erachter gekomen dat Rome tegenwoordig schepen vraagt van de kuststammen in plaats van goud. De Frisii zijn de buren van de Chauken en hechten zeer aan hun schepen. Volgens mijn informatie zullen ze het geheim van de legioenadelaar best willen verkopen om te voorkomen dat ze veel van hun vaartuigen aan Rome moeten prijsgeven...'

'Publius Gabinius.'

'Precies. De adelaar heeft dus zijn langste tijd gehad bij de Chauken. Stel dat ik de legeradelaar vind voordat Publius Gabinius er met een Romeinse strijdmacht arriveert, veel Chauken zullen dan gespaard blijven, het scheelt veel levens.'

'Hoe ver is het?'

'Dertig mijl oostelijk stroomt de Visurgis. Die rivier brengt ons naar het Chaukengebied aan de noordkust. Per boot kunnen we er overmorgen zijn.'

HOOFDSTUK XI

De volgende dag – halverwege de ochtend – reed de colonne door een vervallen Romeins rivierhaventje. Kennelijk had niemand zich erom bekommerd sinds de legioenen zich vijfentwintig jaar geleden definitief hadden teruggetrokken achter de Rijn. De daken van de meeste barakken en opslagplaatsen waren nog redelijk intact. De bakstenen muren waren echter aangevreten door dichte, donkere klimop en andere klimplanten. Gierzwaluwen vlogen door de open ramen naar binnen en naar buiten. Ramen waarvan de luiken lang geleden al waren weggerot. De vogels hadden hun aarden nesten in de nokken van de verlaten gebouwen. Een troep wilde honden, kennelijk de enige bewoners, volgde de colonne, die zich een weg baande over de geplaveide, door onkruid overwoekerde straat die naar de rivier leidde.

'Mijn vader dacht nog enig strategisch nut uit dit haventje te kunnen halen. Daarom heeft mijn volk deze nederzetting niet platgebrand,' legde Thumelicus uit. Het uniform van Varus had plaatsgemaakt voor een eenvoudige kiel en een broek, zoals alle Germanen die droegen. 'Het was een opslagplek waarmee hij zijn strijdmacht via de rivier snel kon bevoorraden. Na zijn dood werd er niets meer mee gedaan.'

'Waarom niet? Deze rivierhaven zou nog steeds van groot nut voor u kunnen zijn.'

'Ja, dat zou je denken. Het probleem is echter wie de voorraden aanlevert en wie het magazijn bewaakt,' bracht Magnus te berde. 'Veel concurrentie aangaande het laatstgenoemde, en weinigen die willen doneren, lijkt me zo.'

Thumelicus lachte. 'Ik geloof dat jij mijn landgenoten inmiddels

goed kent. Geen enkele stamleider wil zijn graan en gezouten vlees doneren en het laten bewaken door mannen van een andere stam, waarbij het niet uitmaakt dat we allemaal Cherusken zijn. Mijn vader had genoeg overwicht om ze daartoe te bewegen. Sinds hij is overleden doen ze weer niets dan ruziën, zoals vroeger. Alleen een dreiging van buitenaf, zoals andere stammen, waarborgt rotsvaste eenheid in ons optreden.'

'Dit doet je beseffen hoe weinig het gescheeld heeft of we hadden de hele provincie onderworpen,' zei Paetus terwijl ze een vervallen bakstenen tempel passeerden.'Het feit dat we diep in Germania dit soort nederzettingen hebben gebouwd, toont maar weer eens aan met hoeveel vertrouwen we Germania binnentrokken... met de bedoeling er te blijven.'

'Wellicht overdreven veel vertrouwen. Dat was nou juist het probleem van Varus.'

Magnus trok een gezicht. 'Noem het arrogantie. Hij was de zoveelste opgeblazen idioot.'

Vespasianus stond op het punt om de generaal, die lang geleden was overleden, te verdedigen, maar hij realiseerde zich dat zijn verweer zinloos was. Op hetzelfde moment passeerden ze een rij loodsen en arriveerden ze bij de rivierkade. Pal voor hen lagen vier slanke boten, elk apart vastgebonden aan een houten steiger. De romp in het midden was breed, en ze hadden een hoge boeg en achtersteven. Midscheeps stak een mast de lucht in. De bankjes aan weerszijden boden plaats aan elk vijftien roeiers.

'We wonen in langhuizen. Onze boten zijn navenant,' grapte Thumelicus. 'Wij Germanen vinden dat een leuke grap.' Toen niemand lachte, fronste hij zijn wenkbrauwen en keek naar Vespasianus en zijn metgezellen. Zij staarden net zo vragend voor zich uit, alsof ze in verwarring waren gebracht. 'Wat is er?'

Paetus draaide zich half om in het zadel en zei: 'Paarden, Thumelicus. De paarden kunnen niet in die boten.'

'De paarden blijven hier. Daar betalen jullie de boten mee.'

'Hoe komen we dan weer bij de Rijn?'

'Jullie varen de zee op en langs de westkust terug naar huis. De Batavieren kunnen met dit soort boten omgaan. Het zijn uitstekende zeelui.'

'Dat beschermt ons niet tegen zeestormen,' mopperde Magnus. 'De laatste keer dat Germanicus naar Gallia voer, verloor hij de halve vloot op de Noordzee. Sommige stakkers spoelden zelfs aan op de kust van Britannia.'

'Dat bespaart jullie dan een zeereis als de invasievloot oversteekt naar Britannia. Jullie zijn er dan al helemaal klaar voor.'

Sabinus keek Thumelicus met een zuur gezicht aan. 'Is dat weer zo'n Germaans grapje? Om dat andere kon ik ook al niet lachen.' Zijn gevoel voor humor werd er niet beter op terwijl hij nadacht over een zeereis. Hij had een hekel aan water.

'Noem het een constatering. Maar het is een goede ruil: boten voor paarden. Dan zijn jullie morgen in het land van de Chauken.'

Vespasianus trok Sabinus en Magnus terzijde. 'We hebben geen andere keus. Als Gabinius ons voor is, kunnen we fluiten naar de adelaar en gaat Callistus met de eer strijken. Narcissus zal dan wellicht zeggen dat Sabinus zich niet aan de afspraak heeft gehouden. Dan hangt zijn leven weer aan een zijden draadje. Het is trouwens veel makkelijker om over zee terug te gaan, althans een poging daartoe te doen. Dan hebben we tenminste niet voortdurend de Chaukencavalerie op onze hielen.'

'Aan land blijft mijn maaginhoud in elk geval waar die thuishoort.'

'Niet als een speer van de Chauken je buik openrijt.'

Sabinus dacht daar even over na. 'Wel, broer van me, daar zit wat in. We gaan dus de rivier op.'

Vespasianus keek Thumelicus aan. 'Afgesproken.'

'En mijn paarden dan?' vroeg Paetus. Hij klemde zijn kaken op elkaar. 'Het heeft maanden gekost om ze goed te dresseren en...'

'Doe wat je wordt opgedragen, prefect,' snauwde Vespasianus, waarna hij zich weer tot Thumelicus richtte. 'De zadels en breidels nemen we mee.'

'Akkoord.'

Dat stelde Paetus enigszins gerust, maar het hield niet over. Blij keek hij niet. 'Ik laat de manschappen afstijgen en inschepen.'

'Dat lijkt me een heel goed idee, prefect,' zei Vespasianus terwijl hij afsteeg.

'Ik vind het een klote-idee,' morde Sabinus. Hij steeg niet af.

'O, ben je nu opeens een fanatieke cavalerist?'

'Alles beter dan naar huis zwemmen.'

De Batavieren zongen met zware stem. Een melancholisch deuntje op het langzame ritme van de tromslagen. Ze roeiden de langschepen stroomafwaarts. De schilden hadden ze naast zich over de romp gehangen. Dat bood enige bescherming bij een verrassingsaanval, zoals een pijlenregen. De vogels vlogen en fladderden rond in de verstilde lucht. Het zoveelste paringsritueel boven het gladde wateroppervlak en in en tussen de bomen die inmiddels lentegroen boven de oevers hingen. De zoete geuren van het nieuwe seizoen lardeerden de muskusstank van de Batavieren terwijl ze in hun blote bast zaten te zweten achter de riemen. De spieren van hun armen, borstkas en buik spanden zich. En ze knepen hun ogen half dicht tegen de middagzon terwijl ze noordwaarts voeren door een vlak landschap, richting zee.

Vespasianus en Magnus bevonden zich op de achtersteven van de tweede boot, op een klein vechtplatform naast Ansigar, die aan het roer stond en het midden van de rivier aanhield, die honderd passen breed was. Thumelicus voerde het bevel over de eerste boot. Een van zijn manschappen stond aan het roer.

De stroming was traag. Het schoot niet op, ondanks het feit dat de bemanning zich uitsloofde. Vespasianus werd er ongeduldig van. Vluchtig keek hij naar Magnus, die naast hem stond. De kruispuntbroeder had nog geen woord gezegd sinds hij met grote tegenzin was afgestegen en aan boord gegaan. Hij had geen andere keus. Het had er immers alle schijn van dat als hij rebels bleef hij simpelweg zou worden achtergelaten. 'Jij zei laatst dat je weet hoe de Germanen de legioenadelaars verbergen.'

Magnus keek mistroostig voor zich uit, alsof hij het niet gehoord had.

'Kom op, Magnus. Zo erg is het op deze boot toch ook weer niet?'

Magnus worstelde zich uit zijn sombere stemming. 'Daar gaat het niet om, heer. Kennelijk brengt Germania alleen maar ongeluk. Ik heb de ontelbare botten gezien van de Romeinen. Als je dat knekelveld aanschouwt, heeft het er alle schijn van dat we vervloekt zijn in dit land. Ergens in deze streek hebben we gevochten tegen de strijdmacht van Arminius. Idistavisus heette dat oord. De Germanen trokken zich terug, hadden zware verliezen geleden. Germanicus eiste de overwinning op. Maar zo makkelijk was dat niet gegaan. Die dag heb ik heel wat goede vrienden verloren.' Hij staarde naar de oostoever.

'Daar liggen ze ergens te rotten. Net als Ziri, op de bodem van de rivier. Allemaal morsdood in een land waar andere goden het voor het zeggen hebben.'

'Ongetwijfeld zijn jouw goden je goedgezind en volgen je als je in ze gelooft en ze aanbidt.'

'Misschien. Maar hun kracht verzwakt naarmate ze zich verder van hun thuisland bevinden. Dit is Germania. Hier heerst de macht van Wodan en Donar. Hun kracht en de energie van de andere goden... hoe ze ook heten... is ontzettend sterk, dat voel je gewoon. Hebt u dat kreupelbos gezien toen we op weg waren naar de tent van Thumelicus? De hoofden groeiden niet aan de bomen. Ze hoorden bij mensen die geofferd zijn. Sinds we de Rijn zijn overgestoken, gaat alles mis. Nu varen we het ongewisse tegemoet, ongetwijfeld levert het alleen maar ellende op. Ons lot blijft onzeker, zelfs als we een kudde witte stieren aan Neptunus offeren om veilig over de Noordzee naar huis te varen. Kan hij ons wel horen als de plaatselijke goden mensenoffers krijgen opgedist?'

'Het offeren van mensen is barbaars.'

'Breng dat de Germaanse goden maar eens aan het verstand. Ik denk niet dat ze het met u eens zijn, gelet op hoe goed ze op hun volk passen. We gaan de legeradelaar stelen en varen daarna over zee naar huis. Met de gramschap van de Germaanse goden in ons kielzog. Het hele idee staat me niet aan.'

'Waarom zouden deze goden boos op ons zijn? We ontvreemden toch niets van ze? We stelen het alleen van een stam.'

Een stomverbaasde Magnus keek zijn vriend vol ongeloof aan. 'Natuurlijk stelen we het van de goden. Ik heb u toch verteld dat ik er getuige van ben geweest hoe de Germanen een legioenadelaar verbergen? In een van hun heilige kreupelbossen, gewijd aan een of andere bloeddorstige god van wie ze denken dat die ze het beste kan beschermen. Die god zal niet blij zijn als hij ziet dat we de adelaar jatten. Als we daartoe al de kans krijgen. Want je loopt echt niet zomaar zo'n bos in naar de open plek om vervolgens de staak van de legioenadelaar uit de grond te trekken en weer te gaan. Nee, de Germanen maken vallen.'

'Wat voor vallen?'

'Akelige vallen.'

'Hoe akelig?'

'Laat ik het anders zeggen. Toen we in het gebied van de Marsi de adelaar van het Negentiende Legioen vonden, probeerde een tribuun de legerstandaard van het altaar te halen waarop die was neergelegd. Hij viel in een put van tien voet diep. De paal stak zo diep in zijn kont dat het laatste wat hij ervaren heeft de smaak was van zijn eigen stront.'

'Dat is inderdaad akelig.'

'Ja, vertel mij wat. Een paar manschappen schoten hem te hulp, maar ze veranderden in moes door twee stammen die aan touwen uit de bomen naar beneden suisden en ze verpletterden. U hebt toch gezien hoe de Chatten dat bij ons deden met lijken? Ze zijn daar goed in.'

'Dan is het zaak dat we heel behoedzaam te werk gaan. Uiteindelijk hebben ze de adelaar wel meegenomen, hè?'

'Dat bedoel ik nou net. Ze kregen de adelaar inderdaad te pakken, maar voeren ermee over de Rijn. Wij gaan straks over zee terug, als we de legeradelaar al vinden. Toen Germanicus die route nam na zijn overwinningen stuurden de Germaanse goden uit wraak helse stormen achter ons aan. De rest weet u. Wij staan op het punt dezelfde fout te begaan.'

'Dan zullen we ervoor zorgen dat we aan de juiste goden offeren. En dat zijn uiteraard de goden van de Batavieren.' Hij draaide zich om naar Ansigar, die bezorgd keek. Kennelijk had hij alles gehoord. 'Wie is jullie zeegod, Ansigar?'

'We hebben een paar goden die ons zouden kunnen helpen. In dit specifieke geval is het beter dat we aan Nehalennia offeren, de godin van de Noordzee. Wij roepen haar altijd aan voordat we een zeereis maken. Dat is de beste optie.'

'Wat vraagt ze van ons?'

De decurio krabde in zijn baard. 'Hoe meer we haar geven, hoe bereidwilliger ze zich toont.'

Een bleke mist was de volgende ochtend neergedaald. Er lag een laagje sneeuw. Het maakte de vlakke omgeving nog eentoniger. De bomen en andere landschappelijke kenmerken hadden in de verte opeens iets tweedimensionaals gekregen, gehuld in donkerder grijstinten. Toen

Vespasianus rechtop ging zitten, en met zijn ogen knipperde, waren de legionairs al uit hun vochtige dekens gekropen. Hun adem maakte wolkjes in de lucht, en ze klaagden over stramme, zere ledematen. De vorige dag was een briesje in de late namiddag voldoende geweest om gedurende enkele uren de zeilen te hijsen. Zeilen waarop een berenkop was afgebeeld, het blazoen van de Cherusken. Vervolgens hadden ze doorgeroeid tot middernacht onder een net niet meer volle maan, die de rivier liet flonkeren en als hun gids dienstdeed. Nu waren de armen en benen van de legionairs verstijfd nadat ze een paar uurtjes op de koude, witte grond hadden geslapen.

'De ijsgoden,' zei Ansigar tegen Vespasianus terwijl hij de sneeuw van zijn deken veegde.

'Wat zeg je?'

'Elk jaar in mei dolen de ijsgoden drie dagen lang door Germania. Ze overzien het land voordat ze terugkeren naar hun rijk tot het opnieuw tijd is om het winter te laten worden. De lentegeesten vinden het pas veilig genoeg om tevoorschijn te komen wanneer de ijsgoden hun reis hebben voltooid.'

'Ziet u wel?' Magnus klemde zijn duim weer in zijn vuist. 'Ze hebben rare goden.'

Binnen een halfuur en na een goed ontbijt met brood en ingelegde kool, die was opgeslagen aan boord, duwden ze de boten van de oever en voeren verder stroomafwaarts. De mistbanken die de oevers aan het zicht onttrokken, en het ontzielde vogelgeroep, gaven de rivier iets griezeligs, een gevoel dat er iets stond te gebeuren wat niet pluis was. De ritmische slagen van de roeispanen veroorzaakten een zacht gespetter en geklots. Het gekraak van de houten vaartuigen klonk hard in vergelijking met de gedempte geluiden om hen heen. Al roeiend begonnen de Batavieren nerveus over hun schouder te kijken. Thumelicus had hun bij vertrek immers verteld dat ze in het land van de Chauken waren aanbeland.

De hele vroege ochtend roeiden ze verder. Naarmate de zon hoger klom, werd het ook wat lichter. Er was duidelijk een strijd gaande met de ijsgoden. Het bleef echter nevelig.

'Wat zijn de Chauken voor lui?' vroeg Vespasianus aan Ansigar. Hij probeerde zichzelf af te leiden van het ongemakkelijke gevoel dat steeds venijniger aan hem knaagde.

'Niet veel anders dan de Frisii, hun buren. Ook een volk dat zich heeft afgescheiden. In de kustgebieden is het land vlak, nat en onvruchtbaar. Het zijn vissers, ze varen op en af langs de kust met dit soort boten. Maar hier, verder landinwaarts, leven ze van het vee, en ze houden paarden. Ook is de grond vruchtbaar genoeg om zich met landbouw bezig te houden. Met Rome hebben ze verdragen gesloten om manschappen te leveren voor de hulptroepen. Ze houden zich aan de afspraken. Daarbovenop betalen ze weinig belasting. Zoals de meeste stammen streven ze naar een goede verstandhouding met Rome. Simpelweg omdat ze dan door kunnen gaan met oorlog voeren tegen hun buren en stammen die verder oostwaarts leven en die dolgraag ons land zouden willen inpikken. Samen met de Longobarden houden ze de primitievere stammen aan de oostkant van de Albis in toom.'

'Aan welke stammen moet ik dan denken?'

'We vernemen allerlei geruchten en horen veel namen. We kennen echter slechts een paar stammen: de Saxonen en de Angelen leven aan de kust, de Sueben aan de Albis, en verder oostwaarts hebben we te maken met de Goten, de Bourgonden en de Vandalen. Allemaal Germaanse stammen. Met de meeste onderhouden we geen contacten, hoewel af en toe een handelskonvooi uit die contreien deze kant op komt. Maar soms ook een oorlogszuchtige groep. We smoren elke rebellie natuurlijk in de kiem, soms met geweld.' Plotseling gaf Ansigar een ruk aan het roer. De boot draaide fel. Vespasianus keek over zijn schouder naar de voorste boot, die hetzelfde deed. Erachter zag hij wat de oorzaak was van deze plotse manoeuvre. Naarmate de mist optrok zagen ze vage vormen die zich steeds duidelijker aftekenden. Een Romeinse vloot ging aan land. Duizenden legionairs stapten van boord.

Publius Gabinius was hun voor geweest.

'Dat is de belangrijkste nederzetting van de Chauken,' fluisterde Thumelicus. Hij wees naar een grote agglomeratie, ongeveer een mijl verder. De nederzetting was gebouwd aan de voet van een lage heuvelrug, de enige in het anderszins vlakke en met een sneeuwlaagje bedekte, somber aandoende landschap, gehuld in nevelflarden. 'Hun heilige kreupelbossen bevinden zich oostwaarts, waar het dichter begroeid is. Daar moeten we de legioenadelaar zoeken.'

Vespasianus tuurde door het kreupelhout, waarachter ze zich verdekt hadden opgesteld. Hij was niet geïnteresseerd in de 'hoofdstad' van de Chauken, noch in hun bossen. Hij staarde naar de zes cohorten van de hulpinfanterie. In noordwestelijke richting hadden ze zich geformeerd. Dwars op het bevroren akkerland. Ze vormden een schild voor een legioen dat niet langer in colonne voortbewoog maar zich in slagorde opstelde. Pal voor de Romeinse strijdmacht hadden de Chaukenstrijders zich verzameld. Een mensenmassa die almaar groeide omdat er uit alle omringende streken krijgers kwamen aangehold. Ze gaven gehoor aan het waarschuwende hoorngeschal dat overal te horen was en wegstierf in de verte.

'Dit zou voor ons wel eens zeer welkom kunnen zijn.' De adem van Vespasianus vormde wolkjes in de lucht.

'Het eerste gelukje dat ons gegund is,' zei Magnus met een grijns. 'Het lijkt erop dat ze wel een tijdje met elkaar bezig zijn.'

Sabinus keek al net zo ingenomen. 'We moeten gaan voordat onze ballen eraf vriezen. We maken zuidwaarts een omtrekkende beweging. De mist zal onze dekking zijn. Aldus bereiken we ongezien het bos.'

Thumelicus zag die tactiek niet zitten. 'Ik geloof daar niet in. De Chauken weten waarom het legioen is komen opdagen. Ze zullen de legeradelaar verplaatsen of een grote strijdmacht formeren bij dat kreupelbos.'

'Dan moeten we zo snel mogelijk te werk gaan,' zei Vespasianus. Hij blies in zijn koude handen. 'De boten liggen een mijl achter ons. Het bos bevindt zich op anderhalve mijl. Met een beetje geluk kunnen we binnen een uur met de legioenadelaar weer aan boord zijn.' Terwijl hij sprak maakte een bereden groep krijgers zich los uit de Chaukengelederen en reed stapvoets naar de Romeinse linie. Een van hen hield een tak met lenteblaadjes in de lucht.

Thumelicus glimlachte. 'Ze gaan onderhandelen. Dat geeft ons wat respijt. Kom, we gaan!'

Ze gingen door het kreupelhout terug naar Ansigar en de vijf Bataafse turmae. Ze hadden daar gehurkt op hen gewacht. De zesde turma hield de wacht bij de boten, die op de oever waren getrokken, uit het zicht van de Romeinse vloot.

'Laat een turma achter om onze terugtocht te dekken,' beval Paetus. 'De rest gaat met ons mee. Loop snel en gebogen.'

Thumelicus en zijn manschappen leidden hen snel over het vlakke terrein. In het noorden was het grootste deel van de twee strijdmachten aan het zicht onttrokken dankzij de mistflarden in deze ijzige kou. Toch verdampten de nevels langzaam naarmate de ochtend vorderde. Zo nu en dan zagen ze schimmen. De legers stonden echter nog steeds tegenover elkaar.

Toen ze bijna een mijl hadden afgelegd, klonk er een oorverdovende schreeuw, gevolgd door massaal gebrul en ritmisch wapengekletter op talloze schilden. De Chauken waren zichzelf aan het opfokken om in een oorlogsstemming te komen.

'Kennelijk hebben ze besloten geen vrienden van elkaar te worden,' zei Magnus hijgend. Zijn bast deinde van de inspanning. 'Laten we hopen dat ze tegen elkaar opgewassen zijn en de strijd dus een tijdje zal duren.'

Vespasianus en zijn metgezellen voerden het tempo op. Met veel gespetter waadden ze door een ijzige, bruine beek; het riool van de Chaukennederzetting. Haastig gingen ze verder; ze bleven aan de zuidkant van de heuvelrug.

Het geschal van de Romeinse cornua klonk zwaar en doordringend. De cohorten kregen aldus hun bevelen door. De Chaukenhoorns klonken net zo hard, veeleer om te intimideren dan om hun kameraden te informeren.

Na nog meer oorlogskreten en gebrul hoorden ze uiteindelijk het onmiskenbare geroep en gejoel van barbaren die de aanval hadden ingezet. Onderwijl leidde Thumelicus de groep het bos in. Op hetzelfde moment weerklonk het geluid van ijzer tegen ijzer, en doffe klappen van schilden waarmee slagen en houwen werden gepareerd. Het echode door de omgeving. Even later hoorden ze het gekrijs en gejammer van gewonden en stervenden.

'Het eerste kreupelbos bevindt zich oostelijk, ongeveer vierhonderd passen verder.' Thumelicus holde nog harder.

Ze renden over het besneeuwde kronkelpad, steeds dieper het bos in. Zo nu en dan sprongen ze over gevallen takken van een eik of beuk. Achter hen deden de decuriones hun best om hun turmae in een colonne van twee manschappen breed te houden. Dat lukte slecht. Bovendien verloren ze veel terrein op de rest. De cavaleristen waren het niet gewend om als infanteristen op te rukken.

Vespasianus voelde zijn hart bonzen terwijl hij zo hard mogelijk rende. Dat viel niet mee met de zware cavaleriemaliënkolder die hij aanhad. Hij slaakte dan ook een zucht van verlichting toen Thumelicus eindelijk wat vertraagde. Paetus draaide zich om en gebaarde naar Ansigar, die met een paar handbewegingen boven zijn hoofd de colonne meteen het bevel gaf een linie te vormen, precies zoals hij gedaan zou hebben als ze te paard waren. Vervolgens rukten ze verder op tussen de bomen. Maar nu een stuk langzamer en in gebogen houding. Ze letten op waar ze liepen, speren in de aanslag.

'Pal voor ons,' fluisterde Thumelicus. Hij maakte een gebaar om te stoppen.

Vespasianus tuurde tussen de bomen door naar voren. De omgeving was gehuld in een lichte mist. Door de brede boomkruinen kon het daglicht niet doordringen tot op de grond. Verderop was het lichter. De zon scheen daar in de mist, die steeds dunner werd. Ver weg weerklonken de geluiden van het slagveld. In dit bos was het vrediger; er waren alleen fluitende vogels te horen. 'De manschappen blijven hier,' zei hij tegen Paetus. 'Sabinus, Magnus en ik rukken met Thumelicus en zijn strijders naar voren op. We kijken even of er wat gaande is.'

Paetus knikte en fluisterde iets tegen Ansigar terwijl Thumelicus zijn groep bijna kruipend naar voren leidde. Toen ze de open plek naderden, was de mist doorzichtiger geworden. Vespasianus zag dat het bos dunner werd en plaats bood aan een open plek met in het midden ervan vier oude eiken. Tussen deze bomen rustte op twee grote, platte stenen een rotsblok van grijs graniet waarop brandhout was opgestapeld. Erboven bungelde een kooi, gemaakt van dikke takken. Een kooi die de vorm had van en iets groter was dan een gekruisigde man.

Magnus spuugde en klemde de rechterduim in zijn vuist. 'Kennelijk waren ze een kooioffer aan het voorbereiden. Daar schijnen ze dol op te zijn.'

'Er ligt niemand in.' Langzaam begaf Vespasianus zich naar voren. 'Ik zie het daglicht door de gaten schijnen. Thumelicus, wat moeten we hiervan denken?'

'Volgens mij is er niemand in de buurt. Als de legeradelaar hier is opgeborgen, moeten we dicht bij het altaar op zoek gaan. Maar er zijn geen bewakers. Ik vrees dus dat we hier voor niks zoeken.' Hij liep de

open plek in. Aan weerszijden van hem liepen zijn strijders mee. Vespasianus, Sabinus en Magnus volgden hen en waren nerveus. Ze prikten met hun speren in de grond, bang als ze waren voor de vlijmscherpe staken die in afgedekte, diepe kuilen naar boven wezen.

Tevergeefs bekeken ze nauwgezet het altaar en kamden de directe omgeving af. Ook doorzochten ze de houtstapel, ze controleerden zelfs de knoestspleten in de bomen. Voortdurend waren ze zich ervan bewust dat als ze in de kraag zouden worden gegrepen hun een akelig, vlammend lot in die takkenkooi wachtte.

'Hier vinden we niets,' concludeerde Thumelicus uiteindelijk. 'Het volgende altaar dan maar, ongeveer een mijl noordelijk.'

Vespasianus maakte een gebaar naar Paetus, die bij de zoom van het bos wachtte. De prefect gaf meteen het bevel aan zijn manschappen om de groep noordwaarts te volgen.

Ditmaal rukten ze nog voorzichtiger op. Een turma werd opgedeeld en fungeerde als twee verkennerseenheden onder het bevel van Thumelicus en zijn strijders. Ze waren nog net zichtbaar in de optrekkende mist. De kletterende kakofonie van de veldslag was duidelijk hoorbaar. De frisse geur van vochtige vegetatie, de muf ruikende laag rottende bladeren en de schone lucht deden Vespasianus verlangen naar een ochtendwandeling in het bos op zijn landgoed in Cosa. Hij bevond zich echter ver weg in een vreemd, gevaarlijk land waar de bewoners er buitenissige praktijken op na hielden. In een schietgebedje aan Mars, zijn beschermgod, smeekte hij dat als het hem lukte te ontsnappen hij nooit meer terug hoefde te keren naar Germania Magna. In zijn hart lag het antwoord al klaar. Alles zou goed komen, waarbij één woord boven alles uit klonk: Britannia. Hij huiverde toen hij zich de verschrikkingen voorstelde die de Romeinse legioenen wachtten op dat mistige eiland, waar de Romeinse beschaving praktisch niet was doorgedrongen. Voor het eerst realiseerde hij zich dat hij en de Tweede Augusta wellicht deel zouden uitmaken van de invasiemacht.

Vespasianus verbande deze gedachten die hem zo onrustig maakten, en liep gebogen verder. Hij was blij dat Magnus en Sabinus zich ieder aan een kant van hem bevonden; het stelde hem enigszins gerust. Voor hem stak Thumelicus een hand op en ging op een knie zitten. Vespasianus en zijn metgezellen liepen naar hem toe.

'Heilige paarden,' fluisterde Thumelicus.

De tweede open plek in het bos was groter dan de eerste. In het midden ervan stonden enkele iepen. De bomen waren omringd door een omheining van ruwhouten zuilen van tien voet hoog en elk een voetstap van elkaar vandaan. Op de bovenkant van elke paal was een schedel geplaatst. Vier vastgebonden schimmels aten van hooi dat in hoopjes rondom de offerplaats in de sneeuw was verspreid. Iets soortgelijks hadden ze gezien toen ze op weg waren naar Thumelicus, hun eerste ontmoeting. Ook ditmaal zagen ze drie hoofden aan takken boven het altaar hangen. Een van ervan was onlangs van de romp gescheiden, de andere twee verkeerden in staat van ontbinding.

Nadat ze enkele ogenblikken gewacht hadden, werd duidelijk dat er niemand aanwezig was. De paarden keken nieuwsgierig op terwijl de mannen naar de offerplaats liepen, waarna ze weer verder graasden. Ze beschouwden de indringers niet als voermannen en kennelijk ook niet als gevaarlijk.

Vespasianus liep tussen twee houten zuilen naar het altaar. Op de grond lagen nog meer hoofden, stuk voor stuk in staat van ontbinding, hoewel sommige hoofden er erger aan toe waren dan andere. Haarplukken die aan takken waren gebonden toonden aan waar de hoofden hadden gehangen tot de huid dermate in ontbinding was geraakt dat de schedels naar beneden vielen. 'Wie waren die mannen, Thumelicus?'

'Waarschijnlijk slaven. Soms offeren ze een strijder van een andere stam, gevangengenomen tijdens een of andere schermutseling. Iedereen die wordt opgepakt weet wat hij kan verwachten.' Thumelicus veegde de sneeuw van het altaar. Gedroogd bloed was in het hout getrokken.

'Geweldig,' morde Magnus. Met zijn speer prikte hij in de grond. Hij keek naar sporen die erop duidden dat er onlangs iets was begraven. 'Ik neem aan dat uw goden het bloed drinken.'

'Onze goden hebben steevast onze vrijheid gewaarborgd. Ik denk dus dat ze mensenoffers wel weten te waarderen.'

'De vrijheid om oorlog te voeren tegen elkaar,' bracht Sabinus te berde. Hij keek onder het altaar of daar iets was bevestigd.

'Zo gaat dat in de wereld. De grootste vijand woont altijd het dichtstbij. Tot een invasiemacht uit verre oorden ervoor zorgt dat de

eerstgenoemde vijand de meest waardevolle bondgenoot wordt. Kom, we gaan. De adelaar is hier niet. Er is nog een offerplaats in het oosten, als ik me goed herinner.'

Ze begaven zich dieper het bos in. Het bleef hier en daar nevelig, rondom varens en lage takken. Hoewel ze verder van de veldslag verwijderd waren, leek het kabaal toe te nemen.

'Het begint erop te lijken dat onze jongens ze dwingen zich terug te trekken,' zei Magnus na een tijdje. 'Dat kunnen we voor de verandering eens niet positief noemen.'

Sabinus haalde zijn schouders op. 'We moeten opschieten. Dat is het enige wat we in deze situatie kunnen doen. Ik wil niet dat Gabinius me te pakken krijgt met het kleinood waar hij ook op jaagt. Het zou overigens wel een interessante wisseling van gezichtspunten kunnen worden.'

'Laten we hopen dat het niet zover komt,' zei Vespasianus. Thumelicus maande tot stilte en ging op zijn hurken zitten.

'Wat is er?' fluisterde Vespasianus, die naast hem neerhurkte.

Thumelicus spitste zijn oren en wees voor zich uit. In de mist klonken stemmen. Er werd zachtjes gepraat. 'Ze bevinden zich op honderd passen van ons vandaan. Dat wil zeggen dat zij de offerplaats bewaken. Volgens mij is het nu raak.'

Vespasianus gebaarde Paetus naar zich toe. 'Stuur een verkenner naar voren. We moeten weten met hoeveel ze zijn.'

De prefect knikte en sloop terug naar zijn manschappen. Even later kroop een Batavier door de mist naar de offerplaats. Paetus voegde zich weer bij hen.

'Ze verwachten een aanval vanuit het noorden of westen,' zei Vespasianus zachtjes. 'We splitsen ons op. Jij gaat met twee turmae in een omtrekkende beweging noordwaarts. Ik ga zuidwaarts met de andere twee eenheden. Hopelijk verwachten ze geen dreiging uit die richting. Wacht tot je ons hoort, waarna je hun achterhoede aanvalt.'

'Ik geef u de turmae van Ansigar en Kuno.'

Vespasianus knikte erkentelijk. Vervolgens tuurde hij naar de offerplaats. Niet lang daarna kwam de verkenner terug. 'Een stuk of vijftig, zestig krijgers,' zei hij met een zwaar accent.

Vespasianus keek opgelucht. 'Bedankt, legionair.' Hij richtte zich

tot Paetus. 'Die groep kunnen we wel aan. Ga maar alvast. We geven jullie vijfhonderd tellen voor die omtrekkende beweging.'

'Deze krijgers zullen tot het uiterste gaan,' waarschuwde Thumelicus de prefect, die wegsloop. 'Ze hebben gezworen de legioenadelaar met hun leven te beschermen.'

'Als die er al is,' opperde Magnus.

'O, vast wel. Ze beschermen immers deze offerplaats en niet de andere twee.'

Magnus controleerde of zijn zwaard los in de schede zat. 'Dat is zo.'

Sabinus ging staan. 'Kom, we nemen ze te grazen.'

De open plek in het bos werd soms beter zichtbaar nadat er een briesje was opgestoken, die de mist verjoeg. Zo nu en dan waren er Chaukenstrijders te zien. Ze stonden noordoostelijk van de offerplaats, een groepje bomen van pakweg twintig verschillende soorten.

'Donar, scherp onze zwaarden en breng ons de overwinning,' prevelde Thumelicus. Hij omklemde een hameramulet die aan een leren koord om zijn nek hing. 'Met deze legioenadelaar zullen we Rome voor altijd uit ons vaderland verdrijven.'

'Heel graag,' mompelde Magnus.

In alle gelederen waren de manschappen bezig met persoonlijke rituelen voordat de strijd een aanvang nam. Ze controleerden hun wapens, trokken koorden strakker en mompelden schietgebedjes aan hun beschermgoden.

'Goed, we gaan de klus klaren,' zei Vespasianus, nadat hij opnieuw een schietgebedje naar Mars had gezonden om hem te helpen kalm te blijven in het heetst van de strijd. Dat was hem gelukt tijdens de veldslag tegen de Chatten. Dat zou hij ook ditmaal voor elkaar krijgen. Hij maakte een gebaar naar Ansigar en Kuno, respectievelijk links en rechts van hem, om op te rukken.

Bijna zestig manschappen – in twee linies achter elkaar – slopen naar de rand van de open plek. Pal voor hen waren de Chauken aan het praten. Ze scherpten hun zwaarden en speerpunten aan stenen of rekten zich uit. De veldslag woedde nog in alle hevigheid, ze verwachtten geen gevaar.

Vespasianus stak een arm omhoog, haalde diep adem en keek even naar links en rechts om zich ervan te vergewissen dat de decuriones

er klaar voor waren. Vervolgens stak hij zijn arm naar voren. In koor slaakten de Batavieren een oorlogskreet en ze holden laverend tussen de bomen naar de vijand; de schilden omhoog, de speren in de aanslag.

De Chauken werden overrompeld. Haastig probeerden ze twee linies te vormen. Onderwijl brulden de hoofdmannen tegen ze en duwden ze in positie, terwijl het Romeinse sperensalvo in een lage boog voor voltreffers zorgde. De projectielen suisden door de talloze gaten in de schildmuur. Krijsend gingen tien of nog meer krijgers ten onder. De kracht sloeg hen naar achteren terwijl langwerpige, bloederige speerpunten uit hun rug staken. Vespasianus zag dat een speer dwars door de keel van een grote blonde man ging. Ook hij werd naar achteren geslagen door de kracht van de inslag. Zijn baard omhulde de speerschacht terwijl het bloed uit hem spoot en de baard deed druipen. Vespasianus rende over het open terrein en trok zijn zwaard.

De twee turmae bleven in formatie en sloegen als een goed geoefende eenheid op de ongeorganiseerde Germanen in. Met hun schilden deelden ze harde klappen uit in de gezichten van de barbaren terwijl ze hun lange cavalerie-spathae laag hielden en ermee in kruizen en buiken staken, waarbij ze met een polsbeweging de slijmerige, grijze ingewanden tot moes draaiden. Op enkele plaatsen in de linies was een defensieve schildmuur geformeerd. De krijgers die zich erachter bevonden vochten met de wilde moed der wanhoop terug. Ze staken hun lange speren over de schildenranden naar de aanstormende vijand, die zo hard kwam aangehold dat de speerpunten braken tegen de maliënkolders. Sommige punten drongen in de bast van enkele Batavieren, die schreeuwden van de pijn. Hoewel het geen diepe wonden waren, was het daaropvolgende moment van onbedachtzaamheid voldoende voor de Germanen om dodelijk toe te slaan.

Vespasianus plaatste zijn linkerbeen naar voren, tegen de achterkant van zijn schild, wat meer steun bood. Vervolgens ramde hij het platte houten schild van een jonge krijger, die met opgetrokken bovenlip naar hem grauwde terwijl hij met zijn lange zwaard een houw uitdeelde. Magnus bevond zich rechts van Vespasianus. Hij drukte zijn schild omhoog en ving de zwaardhouw op met de ijzeren rand ervan; het metaal vonkte. Vespasianus bukte zich intuïtief en zag met-

een dat de linkervoet van zijn tegenstander onbeschermd was. Met een vloeiende, felle beweging dreef hij de punt van zijn spatha dwars door de voetbeentjes, en het zwaard bleef in de grond steken. Met een schrille kreet die door merg en been ging struikelde de jonge krijger achterwaarts, waarbij hij zijn gespietste voet meetrok. Vespasianus zette zijn schouder achter zijn schild en duwde de man tegen de grond. Met een snelle voorwaartse stap schopte hij het schild van de krijger weg, en hij stak het zwaard tussen diens benen. Hij hield de spatha stevig vast terwijl de Germaan heftig schokte van de pijn, waarna Vespasianus zijn pols eerst naar links en daarna naar rechts draaide; de man krijste als een varken. Het bloed spoot uit zijn lies nadat Vespasianus zijn spatha uit het lijf had getrokken en verder liep naar de volgende krijger. De Batavier die zich achter hem bevond stak het zwaard in de keel van de kronkelende man, dwars door het ruggenmerg heen. Het gekrijs verstomde meteen.

Vespasianus sloeg zijn zwaard opnieuw tegen een schild terwijl Magnus en Sabinus, aan weerszijden van hem, naar voren liepen om schouder aan schouder met hem aan te vallen. Ze zweetten, waren met bloed besmeurd, brulden het uit van agressie en van de adrenaline. Plotseling golfde er een schok door de chaos van vechtende mannen. De turmae van Paetus vielen de achterhoede van de Germanen aan. Nu was het nog slechts een kwestie van tijd. De Batavieren rukten steeds verder op terwijl de aanvalskracht van de Chauken drastisch verminderde. Uiteindelijk viel de laatste strijder op de omgewoelde aarde; de hersenen uit zijn opengespleten schedel lagen verspreid op de grond.

'Stop en hergroeperen!' riep Paetus terwijl de twee Bataafse strijdmachten tegenover elkaar stonden, met tussen hen in talrijke voornamelijk Germaanse gesneuvelden en dodelijk gewonden. De decuriones brulden tegen hun hijgende manschappen, wier ogen nog steeds uitpuilden. Ze moesten zich terugtrekken, zich in linies formeren voordat ze hun eigen kameraden wat aandeden; ze verkeerden immers nog in de zeer agressieve roes van het gevecht.

Vespasianus ademde diep de koele lucht in terwijl hij zijn hartslag probeerde te verlangzamen na dit korte maar hevige gevecht. Kalmeren was nu het devies, en hij was opgelucht dat hij niet in een tomeloos uitzinnige gevechtsroes terecht was gekomen. 'We moeten gaan

zoeken,' zei hij hijgend tegen Thumelicus, wiens zwaardarm droop van het bloed.

De Germaan knikte, draaide zich om naar de offerplaats en blafte tegen vijf strijders dat ze hem moesten volgen.

'Zorg ervoor dat de manschappen klaar zijn voor vertrek zodra we terugkomen,' droeg Vespasianus Paetus op, terwijl hij, Sabinus en Magnus achter hem aan liepen.

De offerplaats bestond uit ongeveer twintig bomen. Het waren zoveel verschillende soorten dat Vespasianus zich realiseerde dat ze daar lang geleden waren geplant. Hij trof Thumelicus aan bij het stenen altaar tussen een stokoude hulst en een prominente taxusboom. Het was er schemerig.

'Geen spoor van de legioenadelaar,' zei de Germaan. Hij snapte het niet en trapte op de mossige, bevroren grond, die beslist niet onlangs was omgewoeld.

'Misschien in de bomen die het altaar omringen,' stelde Sabinus voor.

Na een futiele zoektocht schudde Thumelicus zijn hoofd. 'Dit heeft geen zin.'

'Maar u hebt gezegd dat de adelaar zich hier bevindt.' Vespasianus was zo gefrustreerd dat hij het bijna uitschreeuwde.

'Het is zoals het is. Misschien hebben ze hem verder landinwaarts ergens verstopt.'

'Waarom zouden ze deze offerplaats dan bewaken?'

'Geen idee.'

'Misschien willen ze dat we denken dat de adelaar hier is,' meende Magnus. 'Per slot van rekening kunnen een stuk of vijftig strijders niet voorkomen dat een groep vastberaden mannen dat ding te pakken krijgt. Wel komt het overtuigend genoeg over bij anderen om op de verkeerde plaats te zoeken.'

Vespasianus fronste zijn wenkbrauwen. 'Waar zou hij dan verborgen kunnen zijn?'

'Ik weet het niet. Misschien moeten we het een van de gewonden vragen.'

'Die laten niets los, ongeacht waarmee je ze bedreigt,' zei Thumelicus pertinent.

'Ook niet als we ze de takkenman bij het eerste altaar in het vooruitzicht stellen? Het zou kunnen dat...'

'Natuurlijk!' riep Vespasianus uit. Hij wendde zich tot Magnus. 'Je hebt helemaal gelijk. 'Ze hebben geprobeerd de aandacht af te leiden van de juiste plaats door het verkeerde altaar te bewaken. De adelaar is verstopt op de eerste offerplaats. We hebben overal gekeken, maar niet in de takkenman. Bij alle goden, wie zou daar ook willen zoeken... afschuwelijk! Bovendien leek de kooi leeg omdat het daglicht erdoorheen scheen. Wel bungelde dat ding, hoewel er geen wind stond. Natuurlijk omdat ze de kooi hadden opgehangen net voordat we er arriveerden! We zouden ze bijna tegen het lijf zijn gelopen. Daar is de adelaar verstopt!'

Sabinus sloeg tegen zijn achterhoofd. 'Natuurlijk, wat stom! Ik zei nog dat het een goeie plek zou zijn om de legeradelaar te verbergen. Het was bedoeld als een grap.'

'Was dat dan grappig?' vroeg Thumelicus.

'Niet echt.'

'Dat dacht ik ook niet. Kom, we gaan.'

'We zoeken op de verkeerde plaats,' riep Vespasianus naar Paetus. Hij volgde Thumelicus terwijl ze de met bomen omringde offerplaats verlieten. 'We moeten opschieten.'

'En de gewonden dan?'

Vespasianus gaf geen antwoord. Natuurlijk wist Paetus wat hij moest doen met manschappen die zo ernstig gewond waren dat ze niet snel vervoerd konden worden.

Thumelicus leidde hen zuidwestelijk langs de kant van de driehoekige route die ze nog niet hadden afgelegd. Ondanks de inspanningen van het afgelopen uur voelde Vespasianus zich niet uitgeput. Sterker nog, hij had meer energie gekregen dankzij het vooruitzicht dat ze de legioenadelaar nu wel zouden vinden. De rauwe geluiden van de veldslag klonken almaar dichterbij, nu veeleer rechts van hem. Dat noopte iedereen tot nog meer haast om het laatste stukje van de route zo snel mogelijk af te leggen. Zodra de Romeinen door de Germaanse linies heen zouden breken, zou dit bos overspoeld worden door zowel verslagen vluchtelingen als manschappen van Gabinius, die eveneens op zoek waren naar de legeradelaar.

Na een lang, zeer vermoeiend stuk rennen van ongeveer een mijl bereikten ze de open plaats in het bos die ze het eerst bezocht hadden. Ditmaal arriveerden ze van de andere kant. De takkenkooi was ook

vanuit dit perspectief goed zichtbaar boven het altaar tussen de vier eiken. Thumelicus rende erheen, hield zijn pas in en staarde omhoog naar het akelige martelwerktuig.

'Ziet u iets?' Vespasianus ging naast hem staan.

'Nee, niets bijzonders. We moeten dat ding naar beneden halen.'

'Maar wel heel voorzichtig.'

Thumelicus keek Vespasianus met een gekwelde blik aan. 'Dacht je nou echt dat ik niet weet met wat voor vallen een offerplaats als deze uitgerust kan zijn?' Hij draaide zich om naar zijn vijf strijders en sprak ze in het Germaans toe. Onmiddellijk tilden ze de lichtste van hen omhoog naar een van de laagste eikentakken die boven het altaar hingen, waarbij ze elkaars handen als opstapjes gebruikten. 'Achteruit, weg van het altaar,' adviseerde Thumelicus. Vespasianus, Sabinus en Magnus gehoorzaamden meteen.

Nerveus keken ze omhoog terwijl de bladeren ruisten en de takkenman heftig begon te bungelen naarmate de Germaan hoger in de boom klom. Thumelicus wierp een blik naar de kooi en schreeuwde iets wat als een waarschuwing klonk. De klim naar boven verlangzaamde; de kooi wiegde minder fel.

De man in de boom slaakte een alarmkreet, gevolgd door het kraken en knerpen van touw dat onder spanning stond. Thumelicus sprong achteruit. 'Liggen!'

Vespasianus wierp zich op de grond terwijl het touw nog luider kraakte. Twee enorme boomstammen met aan weerszijden scherpe, geslepen punten suisden vanuit de boomtoppen in de lengterichting en in een boog naar de open plek in het bos. Het laagste punt was borsthoogte. De stammen passeerden elk een kant van het altaar. Het gekraak klonk plotseling schriller, hoger en luider terwijl de twee stammen aan de andere kant het hoogste punt bereikten, waardoor het henneptouw tot het uiterste was gespannen. Heel even bleven de kolossen hangen in de lucht, daarna zwiepten ze als een pendule terug.

Toen de stammen weer boven de open plek suisden zag Vespasianus dat ze in het midden verbonden waren met een dunne, ijzeren kling die tussen de voeten van de takkenman en het altaar door suisde. 'Dat ding is ontworpen om iedereen doormidden te klieven die de takkenman naar beneden wil halen.'

'Lekker volkje, die Germanen,' morde Magnus terwijl de boomstammen met minder kracht terugkwamen.

'De Romeinen kunnen er ook wat van. Jullie kruisigen mensen en gooien ze voor de wilde beesten,' zei Thumelicus, die weer overeind kwam. 'Jullie zijn in dat opzicht geen haar beter, of wel?'

'Daar hebt u helemaal gelijk in.'

Toen de boomstammen op het laagste punt heen en weer bungelden, beval Thumelicus zijn strijders om ze helemaal tot stilstand te brengen en de touwen door te snijden. De mannen deden dat heel voorzichtig en keken nerveus op naar de boomkruinen nadat ze telkens een touw hadden doorgesneden. Vanuit de hoogte was echter geen dreiging meer te bespeuren.

Thumelicus riep de strijder die nog steeds hoog in de boom zat iets toe. Er werd kort geantwoord. 'Hij ziet geen andere touwen meer, behalve het touw waarmee de takkenman is opgehangen. Volgens mij kunnen we de kooi nu veilig naderen.' Hij klom op het altaar en rechtte zijn rug, waardoor zijn hoofd op kniehoogte van de takkenman was. 'Dit soort kooien is zodanig gemaakt dat ze ook open kunnen... om voor de hand liggende redenen.' Aandachtig bekeek hij de gevlochten takken. 'Deze kooi gaat aan elke kant open. We moeten het ding naar beneden halen.' Hij trok zijn zwaard en ging op zijn tenen staan. Met de punt van de kling kon hij net bij het touw, waarna Thumelicus zagende bewegingen maakte. Twee van zijn strijders stonden aan weerszijden van het altaar om de takkenman op te vangen. Het touw begon te rafelen terwijl de vlijmscherpe snede zich erdoorheen werkte. Vespasianus tuurde naar boven om te zien waaraan de kooi, die precies in het midden tussen vier eiken hing, was opgehangen. Het touw verdween echter uit het zicht, hoog in de nevels onder de donkere boomkruinen.

Thumelicus bleef zagen, nu wat heftiger. Het touw rafelde al. Nog een paar koordjes en de klus zou geklaard zijn. Hij keek omlaag naar zijn strijders om zich ervan te vergewissen dat iedereen klaarstond om de takkenman op te vangen. Het touw was doorgesneden. Het losse eind vloog hoog de bomen in en de takkenman viel naar beneden. Het voeteneinde kwam met een krakend geluid op het altaar terecht. De twee Cherusken grepen ernaar om te voorkomen dat de kooi omviel. Op hetzelfde moment hoorde iedereen een vaag, metalig geluid. Het

kwam van boven. Vespasianus zag dat Thumelicus een moment lang als versteend bleef staan, waarna de Germaan omhoogkeek waar het geluid vandaan kwam. Prompt puilden zijn ogen uit, zijn mond viel open terwijl de zon heel even door de mist scheen en hij twee flitsen zag van gepolijst ijzer, die als bliksems uit de boomkruinen naar beneden schoten. 'Donar!' schreeuwde hij naar de lucht.

Met een klap kwam een zwaard op het altaar terecht. Het wapen boog lichtjes door alvorens het omhoog veerde – en met veel kabaal vibreerde – om vervolgens naast het altaar op de grond terecht te komen. Een dun koord was aan het heft geknoopt en leidde omhoog. Vespasianus keek weer omlaag en zag dat de benen van Thumelicus knikten. Langzaam liet hij zijn blik langs het lichaam van de Germaan glijden. Diens hoofd hing naar achteren. Uit zijn mond stak het heft van het tweede zwaard, als een of ander bizar kruis op een executieheuvel. Het bloed stroomde erlangs en in de baard. De kling was volkomen rechtstandig door zijn keel gegaan, had de organen doorsneden en was met een schok in het bekken tot stilstand gekomen. Thumelicus staarde met uitpuilende ogen vol ongeloof naar het heft, alsof hij maar niet kon begrijpen hoe het daar terecht was gekomen. Een raspend, gorgelende geluid ontsnapte uit zijn keel, het bloed gutste over het heft en het koordje dat eraan bevestigd was. Vervolgens viel hij tegen de takkenman aan, die op de grond terechtkwam. Het bloed spatte in een boog mee. Thumelicus viel erachteraan en kwam op het borstgedeelte terecht van de kooi, waarbij hij opveerde als gevolg van het vlechtwerk dat meegaf. Toen Thumelicus er voor de tweede keer op viel, en vervolgens op de grond, sprong het deksel van de takkenman open. Er tuimelde een leren bundel uit.

Vespasianus bukte zich en raapte de zware bundel op. Daarna keek hij vluchtig naar Thumelicus. Het levenslicht smoorde langzaam in diens ogen, maar Vespasianus wist zeker dat hij er een zweem van triomf in bespeurd had. Vol ongeloof staarde Sabinus zijn broer aan. Vespasianus keek naar hem op en gaf de bundel aan hem.

Sabinus legde de bundel op de grond en maakte de leren wikkel los. 'Dit is wat we zoeken,' fluisterde hij. De laatste flap sloeg hij terug. Iedereen zag toen de gouden legioenadelaar met gespreide vleugels en uitgestoken nek. Een roofvogel die op het punt stond een prooi te doden en die Jupiters bliksemschichten in zijn klauwen vasthield.

Het was de adelaar die Augustus vijftig jaar geleden aan zijn Zeventiende Legioen had gegeven.

Sabinus keek Vespasianus aan. Voor het eerst straalden er oprechte broederlijke gevoelens uit zijn ogen. 'Bedankt, broer, je hebt mijn leven gered.'

HOOFDSTUK XII

De vlammen laaiden uit de strodaken. Boven de Germaanse nederzetting hingen rookwolken, als een lijkwade. Ze verjoegen de laatste nevels, die plaatsmaakten voor een bijtende, stinkende walm. Groepjes Chaukenstrijders die het bloedbad overleefd hadden, holden ongeorganiseerd van het slagveld naar de relatieve veiligheid die de bossen hun boden. Ze werden achternagezeten door zes cohorten – in keurige formatie – terwijl de rest de stad platbrandde en het gekrijs van de vrouwen boven alles uit klonk; de Romeinse legionairs gedroegen zich schandelijk.

Vespasianus haastte zich verder en holde naast Paetus, die de voorste turma leidde. Magnus en Sabinus renden er puffend achteraan. Ze volgende dezelfde route terug naar de achterkant van het kreupelbos. De strijders van Thumelicus droegen het lijk van hun leider op de schouders. Het zwaard zat nog steeds in het verstijfde lichaam. Zonder de aanwezigheid van een priester waren ze niet bereid het wapen eruit te halen. Ze vreesden immers dat het zwaard vervloekt was. Vespasianus herinnerde zich de woorden van Thumelicus tijdens hun eerste ontmoeting. '... heb ik plechtig beloofd aan Donar, de dondergod, dat hij mij mag vellen met een bliksemflits als ik ooit nog zaken doe met Rome.' Vespasianus geloofde het nu eveneens.

Ze waadden door de smerige rioolbeek. De viezigheid spatte op. Vespasianus wierp een blik naar rechts en keek Paetus daarna verontrust aan. 'Kijk! Ze komen deze kant op en kunnen ons dus elk moment zien.'

Paetus keek terwijl hij verder holde. Het grootste gedeelte van een ala, een cavalerie-eenheid, maakte een bocht aan de westkant van de

nederzetting en achtervolgde ongeveer vijftig bereden Chauken. 'Met een beetje geluk hebben ze het te druk om zich met ons te bemoeien. Per slot van rekening zijn we Romeinen.'

'Dat kan wel zo zijn,' morde Magnus, 'maar we zijn wel Romeinen die de verkeerde kant op rennen.'

'Laten we dan gewoon lopen,' stelde Vespasianus voor.

'Geen slecht idee, broer,' zei Sabinus hijgend. Hij hield meteen op met hollen.

De uitgeputte Batavieren waren het er helemaal mee eens; op Paetus' signaal gaven de decuriones met een brul het bevel om te verlangzamen tot snel looptempo. De hoofdmannen probeerden de militaire formatie in de gelederen enigszins in stand te houden.

'Laat Ansigar de wapens van Thumelicus' strijders innemen,' beval Vespasianus aan Paetus. 'Laat een turma ze omsingelen en leg ze uit dat we dat doen voor de schijn tot we weer bij de rivier zijn gearriveerd.'

Paetus grinnikte en liet zich afzakken naar zijn hoofddecurio.

Sabinus hield de zware trofee afwisselend onder zijn linker- en rechterarm vast. 'Waarom heb je hem dat opgedragen?'

'Dat zul je zo wel zien,' antwoordde Vespasianus. Hij zag dat drie turmae zich losmaakten uit de ala en zich in hun richting begaven.

Paetus haalde hem in. 'Ze hebben het begrepen en vonden het geen probleem. Ik regel het wel met die jongens, als u het niet erg vindt, heer. Ik weet hoe ik dat moet aanpakken.'

Ze hoefden niet lang te wachten. Toen ze een paar honderd passen hadden afgelegd, sneed de cavalerie hun de pas af en stelde zich in slagorde op. Paetus gaf bevel aan de Batavieren om te stoppen, waarna hij naar voren liep met een verontwaardigde uitdrukking op zijn patricische gezicht. 'Bij alle goden, wat ben je nu van plan, wat heeft dit te betekenen, decurio?' schreeuwde hij naar de hoofdofficier die voor de middelste turma stond opgesteld. 'Hoe durf je de route van mijn legereenheid te blokkeren, alsof we deel uitmaken van het gepeupel dat we net hebben verslagen. Wij hebben ons uitgesloofd terwijl jullie maar wat rondlummelden op die paarden en net deden of het gevaarlijk was op de uiterste rechterflank.'

De decurio was een gladgeschoren man van eind twintig. Nerveus keek hij van onder de rand van zijn cavaleriehelm neer op Paetus.

'Het spijt me, prefect. Mijn commandant wil weten wat u hier doet. Hij heeft me gestuurd.'

'Het gaat hem geen donder aan wat we hier doen. Ik stel voor dat hij doorgaat met het opjagen van groepjes verslagen Germanen in de omgeving terwijl de echte soldaten het lichaam van een Germaanse hoofdman meenemen. We hebben hem net naar de Germaanse Hades geholpen. We brengen het lijk naar de vloot zodat we het een heel eind hiervandaan kunnen opruimen. En nu aan de kant, soldaat!'

De decurio liet zijn blik tot ver achter Paetus glijden. De krijgers van Thumelicus stonden in het midden van Ansigars turma te wachten.'Maar u bent toch ingedeeld bij de cavalerie, heer.'

Paetus kleurde van woede. 'Natuurlijk zijn we cavalerie, idioot! Maar onze cavalerie heeft alle paarden verloren omdat de zeelui, allemaal mietjes, van ons troepentransportschip de vloot niet konden bijhouden. Je ziet het resultaat voor je. Dan worden we doornatte infanterie, decurio. Dat is wat er dan gebeurt. Nou, maak dat je wegkomt voordat ik écht kwaad word!'

De decurio salueerde kwiek. 'Mijn excuses, heer.' Na een fel handgebaar maakten de turmae plaats zodat de groep erdoor kon. Paetus gromde slechtgehumeurd. Ansigar schreeuwde een bevel, waarna de Batavieren weer oprukten. Ze scholden de bereden hulptroepen links en rechts uit tot een oorverdovende brul van Ansigar hen deed besluiten hun mening voor zich te houden.

Vespasianus slaakte een zucht van verlichting nadat ze de achterste gelederen van de cavalerie gepasseerd waren. Hij bleef strak naar het kreupelbos staren. Nog maar een halve mijl. 'Paetus, je deed me aan je vader denken toen hij rapport uitbracht aan Poppaeus, destijds onze opperbevelhebber in Thracië.'

Paetus glimlachte berouwvol. 'Hij zette dat decurio-toontje altijd op toen ik klein was. Ik moest er altijd om lachen.'

Vespasianus klopte Paetus op de schouder terwijl hij zich zijn goede vriend herinnerde. Nadat ze nog een paar honderd passen hadden afgelegd, wierp hij een blik over zijn rechterschouder. De turmae galoppeerden oostwaarts om de rest van hun ala in te halen. 'Hoog tijd om het tempo op te voeren, Paetus.' Hij begon te rennen en versnelde langzaam zijn pas zodat de manschappen achter hem in formatie konden blijven. Aan de voorzijde van de Germaanse nederzet-

ting lagen talloze lijken verspreid over de vlakte, gewonden liepen er rond, hospikken met draagbaren laveerden ertussendoor en holden van en naar de hospitaaltenten van de Romeinse legermacht.

Niet lang daarna arriveerden ze bij het kreupelbos. Ze hadden de in brand gestoken nederzetting en de wanhoop achter zich gelaten. Nu was het zaak zo snel mogelijk de rivier te bereiken. De achterhoede volgde op de voet.

Vespasianus verlangzaamde het tempo. Hij besefte dat de manschappen doodop waren. En dan te bedenken dat ze nog een heel eind snel moesten roeien om aan de Romeinse vloot te ontglippen. 'Volgens mij is het beter om een paar boten achter te laten, Paetus. Met de twee andere vaartuigen kunnen we dan continu in ploegendienst roeien. We hebben dan ook manschappen over om een aanval af te slaan als we de pech hebben dat we gevolgd worden.'

Je hoorde Paetus bijna rekenen. Daarna riep hij over zijn schouder naar Ansigar: 'Kunnen er bijna zeventig manschappen in één boot?'

'Ja, maar de boot ligt dan dieper in het water, en is dus langzamer en slechter bestuurbaar.'

'Dan gaan we terug in drie boten,' zei Vespasianus toen de rivier in zicht kwam.

De manschappen van de turma waren al bezig de boten het water in te duwen. Onderwijl rende de groep stampend en bonkend de met gras begroeide glooiing af naar de waterkant.

Ansigar schreeuwde bevelen naar zijn decuriones. Op de een of andere manier kregen de turmae het voor elkaar om zich in de boten te wurmen, twee turmae per boot.

'Hoe moet dat met de strijders van Thumelicus?' vroeg Vespasianus aan de decurio, toen hij klaar was met het terroriseren van zijn manschappen.

Ansigar sprak even met de Cherusken, waarna hij terugliep. 'Ze nemen de laatste boot en roeien zuidwaarts terug om het lijk van Thumelicus naar zijn moeder te brengen, heer.'

'Ze zijn maar met z'n vijven. Is dat niet met wat weinig om die grote boot te roeien?'

Ansigar haalde zijn schouders op. 'Ze zeggen dat het wel lukt als ze dicht bij de oever blijven en ervoor zorgen dat ze niet in de hoofdstroom terechtkomen.' Hij stak een vinger in zijn mond en daarna in

de lucht. 'Ze denken dat het briesje dat uit het noorden waait gaat aantrekken. Dan kunnen ze het zeil hijsen.'

Vespasianus keek naar de vinger van Ansigar. Daarna bevochtigde hij zijn eigen wijsvinger en stak die in de lucht. De kant van de vinger die naar het noorden wees, voelde meteen wat kouder aan. 'Dat wil ook zeggen dat wij tegen de wind in moeten roeien. Nou ja, wens ze veel succes, spreek je dank uit namens mij.' Hij draaide zich om naar de boten waarin de Batavieren zaten. Boten die nu bijna volgeladen waren. Hij waadde door het water en klom over de touwladder die aan de achtersteven hing.

Magnus trok hem aan boord. 'Hoog tijd om te vertrekken, vindt u ook niet, heer?'

'We hadden al weg moeten zijn, Magnus,' antwoordde Vespasianus terwijl Ansigar hem volgde over de touwladder. De hoofd-decurio ging achter het roer staan en schreeuwde iets waarvan Vespasianus dacht dat het een reeks cijfers betrof. Onmiddellijk doopten de manschappen hun roeispanen in het water, waarna ze hun rug kromden en tegelijk naar achteren op de bankjes hingen. Langzaam gleden de boten de kalm stromende rivier op.

Vespasianus gaf Ansigar het bevel om meteen naar de andere oever te varen. Zo bleven ze het verst uit de buurt van de Romeinse vloot. De stroming deed de vaartuigen afdrijven terwijl ze overstaken. Tegen de tijd dat ze bijna evenwijdig aan de vloot waren, hadden ze de andere oever bereikt. De Romeinse boten – vijfhonderd passen oostelijk – waren duidelijk zichtbaar nu de mist was opgetrokken. Een paar mijl verderop meanderde de rivier naar het westen.

'Sneller, Ansigar,' commandeerde Vespasianus terwijl de decurio het roer van zich af duwde en het langschip noordwaarts voer. 'Als we bij de bocht zijn voordat ze ons opmerken, kunnen ze ons niet meer inhalen.' Hij hield zijn blik strak gericht op de Romeinse schepen, voornamelijk biremen. Ze lagen achter elkaar bij de oever, een afstand van wel een halve mijl. Het geschreeuw van de bemanning droeg ver over het vlakke wateroppervlak, dat als een spiegel de middagzon reflecteerde.

'We mogen van geluk spreken als ze ons niet zien,' zei Sabinus. Hij drukte de legioenadelaar, gewikkeld in leer, met beide armen innig

tegen zijn borst. 'Zeker als Gabinius inmiddels ontdekt heeft, of er op dit moment achter komt, dat we hem voor zijn geweest, dankzij de strijders van Thumelicus.'

'Verdomd ironisch, hè? Dit land staat bol van de ironie,' zei Magnus. 'De zoon van Arminius stal een Romeinse legeradelaar die door zijn vader in beslag was genomen en die hij op deze manier teruggaf aan Rome. Daardoor had hij zijn belofte aan Donar verbroken, die van boven wraak nam met een Germaanse val. En dat allemaal omdat drie voormalige slaven hun meester op de troon willen houden om zelf aan invloed en macht te winnen. Maar tegelijkertijd ruziën ze om één voorrecht. Ieder wil uiteindelijk als het meest nuttig worden beschouwd door die kwijlende dwaas.'

Vespasianus fronste zijn wenkbrauwen. 'Je vraagt je af wat voor een regering we krijgen onder Claudius.'

'Een regering zoals we altijd al gehad hebben, lijkt mij.'

'Nee, elke keizer doet het anders. Augustus kreeg het voor elkaar om met de Senaat te regeren zonder de schijn te wekken dat hij het alleen voor het zeggen had, terwijl iedereen dat eigenlijk wel wist. Tiberius was niet subtiel genoeg voor dat spelletje. Onder zijn bewind verslechterde de relatie met de Senaat, omdat beide kampen van elkaar niet begrepen wat ze wilden. Daarentegen trok Caligula alle macht naar zich toe. Hij regeerde met goedkeuring van het gepeupel terwijl de Senaat zich stilhield, doodsbang dat ze om niets zouden worden geëxecuteerd zodra de keizer krap bij kas zat. Nu hebben we een boegbeeld van een keizer. Een princeps die de Senaat wantrouwt omdat die hem op het cruciale moment niet steunde en gemanipuleerd wordt door drie Griekse vrijgelatenen die alom als onbetrouwbaar worden beschouwd. Dat laatste zeg ik ondanks het feit dat een van hen een vriend van me is. Drie vrijgelatenen die het keizerrijk regeren om er kennelijk zelf beter van te worden.'

'Daarom houd ik me niet met politiek bezig,' gaf Magnus als commentaar. 'Het kan me geen donder schelen hoe en door wie we geregeerd worden, zolang ik in Rome mijn plekje maar mag behouden en met rust word gelaten. En dat gebeurt ook, simpelweg omdat ik me niet met hun gekonkel bemoei. Als u er ook zo over zou denken, zou ik een veel rustiger leven kunnen leiden, als u begrijpt wat ik bedoel.'

Schimpend antwoordde Sabinus: 'Jouw klasse kan zich die instel-

ling permitteren. Maar hoe moet een senator dat voor elkaar krijgen? Hij wordt verwikkeld in de politiek, of hij nou wil of niet.'

'Niet als hij ontslag neemt als senator. Als zijn dignitas hem ervan weerhoudt zijn plaats af te staan, zou hij de Senaat ook links kunnen laten liggen en niet langer prestigieuze benoemingen ambiëren.'

'Hoe moet een man dan vooruitkomen en invloed krijgen?'

'In mijn wereld heb ik veel invloed.'

'Allicht, omdat jij de *patronus* bent van een kruispuntbroederschap.'

'Precies, ik sta aan de top van mijn, eh... mijn handeltje, mijn specialisatiegebied, zogezegd. Meer ambieer ik niet. Maar u speelt politieke spelletjes in een wereld die u inmiddels uit en te na kent, maar aan de top ervan kunt u niet komen omdat u uit de verkeerde familie afkomstig bent. Wat heeft dat gedoe dan voor zin?'

'Consul worden, lijkt mij,' zei Vespasianus. 'Dat zou een grote eer zijn voor mijn familie.'

'Ja, tweehonderd jaar geleden. Maar wat houdt die publieke functie nog in? Twaalf lictoren gaan u voor bij elke stap die u zet, dat is alles. En u mag daarna de wereld in trekken en een provincie besturen, ergens in een vieze uithoek van het keizerrijk. De geneugten van Rome zult u dan moeten missen. Heren, het is nu eenmaal zo. Sinds de oude republiek zich deed gelden is er helaas ontzettend veel veranderd. U draagt alleen uw steentje bij aan een verslechtering van de ontstane situatie.'

'Dat is nog altijd beter dan ergens op een landgoed zitten zonnebaden.'

Vespasianus keek twijfelachtig. 'Ik vraag het me af, Sabinus. Dat is tenslotte precies wat ik met mijn leven wilde toen ik jong was. Soms denk ik dat het beter is om terug te keren naar het boerenbestaan.'

'Onzin, je zou je dood vervelen.'

'O ja? Ik betwijfel het inmiddels,' zei Vespasianus. Hij keek weer naar de Romeinse vloot. Een beweging op de oever ving zijn blik. Een grote groep ruiters arriveerde. Aan het hoofd ervan bevond zich een man in een generaalsuniform. Zijn bronzen borstharnas en helm flonkerden in de zon, zijn rode mantel golfde achter zijn rug. 'Bij alle goden, dat moet Gabinius zijn! Volgens mij heeft hij de hulpcavalerie-eenheid bij zich die ons ondervraagd heeft. Het zou me niks verbazen als hij er net achter is gekomen dat hij helemaal geen

cavalerie-eenheid zonder paarden in zijn gelederen heeft.' Terwijl hij dat zei zag hij dat de generaal een hand boven zijn ogen hield tegen de zon en over de rivier naar de boten tuurde. Vervolgens hoorde Vespasianus hem schreeuwen. De matrozen van de biremen die zich het dichtst bij hem bevonden, kwamen meteen in actie. De schepen werden gereedgemaakt voor de jacht. 'Kan het niet wat sneller, Ansigar?'

'We riskeren dan dat de roeispanen verstrikt raken.'

'Dat risico nemen we. Ze halen ons anders gegarandeerd in.'

Na een brul van Ansigar begonnen de Batavieren sneller te roeien, Vespasianus voelde dat de boot enigszins versnelde. Op hetzelfde moment realiseerde hij zich dat het wateroppervlak niet spiegelglad meer was. De Cherusken hadden gelijk. De noordenwind werd frisser en trok aan. Hij beschouwde het niet echt als een groot probleem, want hij wist dat ook de jagende biremen er hinder van zouden ondervinden.

'Daar is er inmiddels eentje te water,' zei Magnus tussen zijn op elkaar geklemde kaken door terwijl een bireem dankzij de vereende krachten van veel manschappen het water in gleed. 'Hoe komt het toch dat we altijd ten prooi vallen aan onze eigen marine? Ik herinner me nog goed dat we in Moesia door hen beschoten werden.'

'Dat is toch geen leger?' morde Sabinus. Zoals iedere man die onder de legioenadelaars had gediend, had ook hij een zeer lage dunk van de marine.

Bezorgd keek Vespasianus toe terwijl nog eens vijf vaartuigen te water gingen. De voorsteven van elk schip zat vast in het oeverzand. Nu werden de biremen naar achteren geduwd en gingen de roeispanen omhoog, als ganzen die hun rivalen afschrikten.

Tegen de tijd dat de langboten de meander hadden bereikt, volgden de zes biremen hen op minder dan een mijl afstand.

Ansigar schreeuwde naar zijn manschappen. De vijftien Batavieren die nog niet hadden geroeid, losten hun maten af. Vespasianus merkte niet dat ze sneller voeren. Hij wist echter dat in ploegendienst roeien hun enige hoop was om hun snelheid te handhaven en om vervolgens heel misschien aan de biremen te kunnen ontsnappen. De bemanning van de biremen moest het immers zonder tijdige aflossing stellen. Voor de derde keer die dag prevelde Vespasianus een schietgebedje tot Mars, in de hoop dat zijn beschermgod zich over hen ontfermde en

zou voorkomen dat hun datgene werd ontstolen waar ze zich zo verschrikkelijk hard voor hadden uitgesloofd.

De meander naderde. De Batavieren zwoegden aan de riemen en zweetten als paarden. Ze hadden tenslotte niet de gelegenheid gekregen hun maliënkolders uit te trekken, zo'n haast hadden ze om weg te komen. Ansigar brulde tegen hen om ze aan te moedigen. Het spuug zat in zijn baard en zijn blauwe ogen priemden als messcherpe speren terwijl hij zijn blik telkens over zijn manschappen liet glijden. Op een bootlengte afstand volgden de twee andere langschepen. Ze hielden de eerste boot bij, die razendsnel door het water schoot.

De rivier boog af naar het noordwesten. Vespasianus begon langzaam enige hoop te koesteren terwijl hij omkeek naar de biremen. Het leek of de schepen wat achteropraakten. Het zou best kunnen dat de Batavieren deze wedstrijd aan het winnen waren. Ansigar slaakte een kreet toen de meander zich bijna achter hen bevond en hun achtervolgers uit het zicht waren verdwenen. Hetgeen hij zag deed hem meteen het roer omgooien.

'Bij de dikke kont van Juno!' riep Magnus. 'Wie zijn dat?'

De mond van Vespasianus viel open. Op minder dan een halve mijl stroomafwaarts zag hij tien vierkante zeilen met de beeltenis van een wolf. Onder die zeilen lagen de hoge, gebogen voorstevens en slanke rompen van Germaanse langboten. Ze waren stuk voor stuk afgeladen met strijders. Vespasianus keek Ansigar aan, meer was niet nodig.

De decurio beet op zijn lip. 'De Chaukenwolf. De kustclans zijn gekomen om hun inlandse neven te hulp te schieten.'

'Zullen ze ons laten passeren?' vroeg Sabinus. Er klonk wanhoop door in zijn stem.

'Dat betwijfel ik. En we kunnen ze ook niet omzeilen, omdat ze de wind in hun voordeel hebben. Ze zullen ons tegenhouden. Zodra ze aan ons accent horen dat we Batavieren zijn, zullen ze prompt aannemen dat we deel uitmaken van Gabinius' legermacht, die met oorlogsbuit terugvaart achter de grenzen van het keizerrijk, en daarna zullen ze...' Ansigar hoefde zijn zin niet af te maken. Iedereen wist immers wat er dan zou gebeuren.

'Ongetwijfeld zullen ze omkeren en vluchten zodra de biremen in zicht komen, nietwaar?' Vespasianus keek hoopvol om. 'Ze hebben geen schijn van kans tegen de Romeinse marine.'

Ansigar schudde zijn hoofd. 'Op elke boot voert een stamhoofdman het bevel. Als een van hen omkeert zonder het gevecht aan te gaan, en zo zijn eer verliest, zal hij onderweg naar huis al geen stamhoofdman meer zijn, als hij al levend thuiskomt.'

'Dus we hebben geen andere keus dan wachten tot de biremen verschijnen. Gabinius zal de Chauken aanvallen. De chaos biedt ons de kans om vechtend te ontsnappen.' Vespasianus draaide zich om naar zijn strijdmakkers, maar niemand kwam met een beter idee. 'Achteruit, Ansigar.'

Tegelijkertijd lieten de Batavieren op bevel van Ansigar de roeispanen in het water zakken. De langboot voer meteen langzamer. Onderwijl maakten vijf Chaukenboten zich los uit de vloot en begaven zich naar voren. De boot van Paetus kwam langszij. Vespasianus vertelde hem in het kort wat hij van plan was te doen. Tegen de tijd dat ook Kuno op de derde boot was bijgepraat, roeiden de manschappen langzaam achteruit. De eerste bireem verscheen in de meander.

'Daar zullen ze van opkijken,' zei Magnus grinnikend terwijl vanaf de Chaukenboten waarschuwingskreten weerklonken. De vijf langboten, die zich nog steeds op het midden van de rivier bevonden, veranderden meteen van koers om zich te voegen bij de boten die naar de Batavieren voeren.

De kleine Romeinse vloot bevond zich evenwijdig en op honderd passen van hen vandaan. In slagorde waaierden ze uit. Het schrille gefluit van de tempomakers klonk sneller terwijl de artilleriebemanning van alle schepen de kleine werptoestellen op de voorsteven gereedmaakte.

Vespasianus keek toe terwijl de Chauken werden aangevallen.'Volgens mij hebben we voorlopig geen prioriteit. Ansigar, tijd om te gaan. We vechten mee met de Romeinen.'

De drie langboten schoten in een hoek naar voren en naderden aldus langzaam de vloot die hen aanvankelijk achtervolgde. Vespasianus, Sabinus en Magnus pakten hun schilden en baanden zich een weg naar het gevechtsplatform op de voorsteven. Vervolgens haalden ze speren uit de wapenkist naast de mast. Dezelfde kist waarin Sabinus de legioenadelaar naast de legioensteenbok had gelegd. De Batavieren die onlangs waren afgelost, voegden zich grimmig bij hen. Zwetend rekten ze hun spieren en controleerden het gewicht van hun wapens.

Plotseling weerklonk rechts van hen een reeks luide knallen. De Romeinse artillerie had het gevecht geopend. De projectielen vlogen in een boog naar de Chaukenboten, op vierhonderd passen; de grootste afstand voor dit soort artillerie. Achter de vaartuigen verschenen zes waterpluimen.

'Beter richten, klootzakken!' schreeuwde Sabinus naar de artilleriebemanning, die de werptoestellen weer aan het laden waren. Het had geen zin. Zijn stem ging verloren in de herrie. De tempomakers bliezen op hun fluitjes en honderdtwintig bireemroeiers gromden en grauwden van inspanning.

De twee linies bevonden zich op minder dan driehonderd passen hemelsbreed van elkaar vandaan. Als vleugels spreidden de Chaukenboten de roeispanen. Er werd nu flink geroeid, om met een hogere snelheid de aanvalskracht te vergroten. Vespasianus kon hen inmiddels duidelijk zien. Alle riemen waren bezet. Toch waren er op elke boot minstens twintig krijgers over die gereedstonden om het gevecht aan te gaan. Ze moedigden hun maten, die zwoegend aan de riemen hingen, met aanvalskreten aan om nog sneller te roeien dan ze al deden.

Nog eens zes knallen klonken boven alles uit. Vespasianus was er getuige van dat in het zeil van een naderende Chaukenboot een gat werd geslagen. De hoofden van drie strijders die op het gevechtsplatform stonden waren plotseling verdwenen. De mannen rondom hen werden prompt besmeurd met bloed dat uit de hals van de drie onfortuinlijke Germanen spoot. In feite waren het onthoofde lichamen die rechtop stonden, zo intens was hun aanvalsdrift bij leven geweest om de gehate indringers te verslaan. In het midden van de Chaukenlinie maakte een van de langboten slagzij. Met emmers en schilden schepten de krijgers het water uit hun boot. Water dat door een gat in de romp naar binnen stroomde. De mannen aan de riemen roeiden gewoon door, alsof er niets aan de hand was.

Toen de twee linies op honderd passen van elkaar vandaan waren, vuurde de Romeinse artillerie voor de laatste keer. Op de hoge voorstevens bevonden de werptoestellen zich tien voet hoger dan hun doelwitten, waardoor de artilleriebemanning erg laag moest richten om de zware stenen in de ruimen van de vijandelijke langboten te krijgen. Een zestal riemen aan elke kant maakte plaats, waardoor ze

in een vreemde hoek ten opzichte van de andere roeispanen hingen, waarna een schot dwars door de hoofden van een rij Germaanse roeiers heen ging. Het bloed spoot alle kanten op. Lichamen werden naar voren geramd, tegen andere roeiers aan, waardoor er niet meer geroeid werd. De riemen van de doden vielen in het water en de langboot draaide om zijn as en raakte de boot ernaast midscheeps. Vanwege de kracht waarmee de massief houten voorsteven tegen het vaartuig botste, werden roeiers van hun bankjes geslagen door hun eigen roeispanen. Er werd geroepen, gekrijst en gejammerd terwijl borstkassen ingedrukt en ledematen uit de kom gerukt werden. Het klonk boven het gejuich van de Romeinse mariniers uit. Maar de andere acht langboten naderden nog steeds.

Boogschutters hadden posities ingenomen op het dek van de biremen. De naderende langboten werden nu constant bestookt met pijlenregens. De Germaanse krijgers verscholen zich echter achter hun schilden, waarbij ze zichzelf en de roeiers beschermden tegen een plotselinge dood.

Vespasianus zorgde ervoor dat zijn spatha losjes in de schede zat. Hij merkte dat zijn buikspieren zich spanden. Liever had hij een kortere gladius gehad, het zwaard waarmee de infanterie de strijd aanging. Dit liep immers ook uit op een gevecht van man tegen man. Hij zag dat twee langboten op de drie Bataafse vaartuigen afkoersten. Ze waren inmiddels zo dichtbij dat hij de grimmige furie op de gezichten van de strijders zag die zich op de voorsteven bevonden. Rechts lag de dichtstbijzijnde bireem op niet meer dan vijf riemlengten van de Bataafse boot vandaan. De bronzen ramsteven deed het boegwater schuimen.

'Werpen!' riep Vespasianus toen hij het oogwit van de vijand kon zien. Hij wierp zijn speer naar de Chauken. De Batavieren achter hun schilden volgden zijn voorbeeld terwijl Ansigar een bevel brulde; de roeiers trokken de roeispanen in, pakten hun schilden en speren en vormden een linie aan de zijkanten, waarbij de boot nog even doorgleed in het water. Ansigar koerste zijn langboot tussen twee naderende Chaukenvaartuigen in. Ook daar werden de roeispanen ingehaald. Het eerste sperensalvo sloeg met een zwaar, staccatoachtig geluid tegen zowel de schilden van de Batavieren als de scheepsromp en voorsteven. Op hetzelfde moment bereidde Vespasianus zich voor

om de tweede speer te werpen. Het tweede salvo. De Batavieren bleven gedisciplineerd, de schildmuur hield stand. Er klonken geen kreten van gewonden. Links zag Vespasianus dat Paetus en Kuno met een brul hun speren wierpen. Enkele Chaukenstrijders vielen in het water en zonken onmiddellijk, waarbij het bloed zich over het wateroppervlak verspreidde en het water scharlakenrood kleurde.

'Werpen!' riep Vespasianus opnieuw, op tien passen van het vijandelijk vaartuig. Het tweede salvo kwam recht in de Chaukengelederen terecht. Er vielen nog meer strijders in het water. De krijgers maakten hun lange speren gereed nu het een man-tegen-mangevecht werd. Rechts weerklonk plotseling het enorme kabaal van hout dat versplinterde. Vespasianus zag dat een langboot naar achteren werd gedrukt door een bireem; de ramsteven stak in de romp. De strijders sprongen in het water, grepen zich vast aan de roeispanen van het Romeinse vaartuig en wierpen hun speren door de riemgaten waarachter de roeiers zaten. Aldus probeerden ze via de zijkanten het schip te overmeesteren. Boogschutters bogen zich over de reling heen en schoten hen met gemak een voor een dood.

Ansigar hield koers en hoopte dat hij tussen de twee langboten kon passeren, maar de stuurlui van de Chauken kenden hun vak. Op de valreep zwenkten de boten naar stuurboord, recht op de vaartuigen van Vespasianus en Paetus af. De boot van Kuno kon daarentegen wel passeren.

'Zet je schrap!' schreeuwde Vespasianus toen een botsing onvermijdelijk was.

'Het blijft maar doorgaan!' mopperde Magnus, die zich naast hem bevond en zich vastgreep aan de reling. 'Eerst paarden en nu langboten. Kan hier dan niks normaal gaan?'

Er volgde een klap, nog net aan de stuurboordkant van de voorsteven. De boot schokte en trilde. Enkele Batavieren, die zich niet goed hadden vastgehouden, werden meedogenloos over het dek gesmeten. Met vastberaden kracht wierp de vijand speren in de Bataafse schilden. Op hetzelfde moment begon de boot te draaien. Vespasianus maakte wat zwaardhouwen naar een speer die zich in het schild van Magnus had geboord. Achter hem brulde Ansigar naar enkele manschappen om aan de riemen te gaan zitten en de boot te stabiliseren. Een hulplegionair krijste opeens, viel achterover en trok onderwijl

een bloederige, bladvormige speerpunt uit zijn kaak. Voordat de linie gesloten kon worden, hadden twee Chauken de boot geënterd. Ze staken bovenarms met hun speren toe terwijl zijn kameraden met hun wapens op de schilden van de Batavieren inhakten. De hulplegionairs moesten zich toen geleidelijk terugtrekken. Steeds meer Chaukenstrijders zwermden uit over het dek. Ze gilden en juichten van oorlogslust en dreven de Batavieren van het gevechtsplatform af en uiteindelijk tussen de bankjes van de roeiers. De Chauken volgden, ze beukten in op de schildmuur.

Sabinus stond aan Vespasianus' rechterkant, Magnus bevond zich links van hem. Hij drukte zijn schild naar voren en omhoog om de lange speren af te weren. Op deze manier probeerden hij en de rest van onderop steeds dichter bij de aanvallers te komen. Het mocht niet baten. Sabinus hief zijn schild om een meedogenloze bovenarmse houw te pareren. De speerpunt drong met een doffe klap net boven de schildknop in het schild. Daarna wendde hij zich af van zijn broer en probeerde de strijder aan de speer uit de linie te sleuren. Vespasianus bukte zich naar rechts en stak zijn zwaard laag onder het schild van de strijder. Zijn arm schokte van de klap, maar hij hield stand terwijl de kling zich in het scheenbeen had gewrongen. Het geluid was als van een slager die met zijn bijl in varkensvlees hakte. Met een oorverdovende gil stapte de krijger naar voren om zichzelf in evenwicht te houden, maar hij realiseerde zich te laat dat zijn onderbeen er half af lag. Hij tuimelde over het dek. Het bloed spoot uit de stomp en over de voeten van zijn maten.

Vespasianus drukte zichzelf naar voren en sleurde aldus zijn medestrijders mee in de bres. Zijn bloederige zwaard flonkerde boven zijn schild en raakte het gezicht van een krijger. De kling ging dwars door de bovenkant van diens neus; vol ongeloof staarde de man loens naar de zwaardsnede. Heel even was de Chaukenlinie gebroken. Magnus sprong naar voren. Zijn gevloek en gescheld klonk boven het geschreeuw en gekrijs uit. De Batavieren links van hem rukten met hem op. Een van hen hakte een speer doormidden die op Sabinus was gericht. De Chaukenstrijder gleed vervolgens uit over het inmiddels met bloed besmeurde dek, waarbij hij zijn schild even liet zakken. Magnus maakte daar meteen gebruik van en sloeg toe.

Inmiddels waren ze de speren gepasseerd en stonden ze recht te-

genover de Chaukenkrijgers. De tweede Bataafse linie volgde er vlak achter. De Batavieren hielden hun schilden boven de frontlinie om hun maten te beschermen tegen de speren waarmee de vijand bovenmaar ook onderarms toestak; de Chauken bevonden zich immers nog steeds op het veel hogere gevechtsplatform. Vespasianus voelde dat er in zijn rug gedrukt werd omdat de Batavier die zich achter hem bevond de frontlinie mee naar voren opschoof. Herhaaldelijk stak Vespasianus toe met zijn spatha, tot hij voelde dat de kling in zacht vlees drong, waarna hij zijn pols een keer fel draaide en beloond werd met een schreeuw. Aan weerszijden rukten de Batavieren op. Nog slechts enkele Chaukenstrijders bevonden zich aan de voorzijde van het gevechtsplatform. In een oogwenk waren ze omsingeld, ze konden geen kant meer op. Ze stierven al even snel. De strijders op het platform trokken zich terug om buiten het bereik van een verminkend zwaard te blijven dat naar hun enkels zwiepte. Ze bevonden zich in een patstelling.

Vespasianus stapte naar achteren en liet de man die zich achter hem bevond zijn plaats innemen in de frontlinie. Met Ansigar aan het roer, en vijf zwoegende roeiers aan weerszijden, werd voorkomen dat de aanvalsboot van de Chauken over de gehele lengte langszij kon komen en er nog meer strijders zouden enteren. Links van Vespasianus waren de cavaleristen van Paetus in een hevig gevecht verwikkeld. Inmiddels waren ze tot bijna bij de mast teruggedrongen. Van Kuno's boot was geen spoor te bekennen. Rechts was de rivier bezaaid met brok- en wrakstukken. Op een bireem laaiden de vlammen uit de roeispaanpoorten. Chaukenstrijders zwermden vanuit een langboot uit over de voorsteven van het Romeinse schip, dat met enterhaken was vastgelegd aan de langboot. De andere biremen lagen rondom de drie overgebleven Chaukenboten. Het regende er Romeinse pijlen. De Chaukenstrijders verscholen zich achter hun met pijlen doorzeefde schilden, ze hadden geen andere keus.

Plotseling schoot de langboot met enkele schokken naar voren. Boven de kakofonie op de rivier uit klonk gekrijs uit talloze kelen. Een strijder tuimelde van het gevechtsplatform in het water, terwijl zijn maten zich moesten vastgrijpen aan de zijkanten om te voorkomen dat hun hetzelfde lot beschoren was. Prompt gingen Magnus en Sabinus de Batavieren voor en sprongen op het platform om hun voor-

deel te doen met het feit dat de vijand uit het lood was geslagen. Onderwijl keek Vespasianus om en zag wat de oorzaak was van de klap: de boot van Kuno was gekeerd en had het Chaukenvaartuig bij de achtersteven geramd. De manschappen van Kuno sprongen op de boot, een verrassingsaanval. Ze hakten in op de bemanning, die de aandacht aanvankelijk volledig had gericht op de langboot van Vespasianus.

Nadat de laatste strijder van het platform was gevallen, duwden Sabinus en Magnus het Chaukenvaartuig weg, zodat de manschappen van Kuno de klus konden afmaken.

'Ansigar!' schreeuwde Vespasianus. Hij wees naar de boot van Paetus. Ruim dertig strijders hadden diens manschappen tot achter de mast teruggedrongen.

De decurio begreep wat er moest gebeuren. Hij trok het roer naar een kant en manoeuvreerde de langboot naar het vaartuig van Paetus, dat zich naast hen bevond en waar de bemanning het zwaar te verduren had. Nog enkele stevige roeislagen en ze waren bijna langszij. Twee krachtige salvo's van de overgebleven speren zorgden ervoor dat de Batavieren een bres konden slaan in de Chaukenflank. Meer dan tien manschappen vielen over de reling van de boot. Dat veroorzaakte een schokgolf in de Chaukengelederen. Sommigen hielden op met vechten en staarden naar de nieuwe dreiging. Voor Paetus en zijn manschappen was dat voldoende om met hernieuwde kracht in actie te komen, de moed zat er weer in. Ze konden zich tussen de lange speren van de vijand door wurmen, waarna hun zwaarden steeds meer bressen sloegen in de schildmuur. Naargelang de boot van Vespasianus naderde, draaiden de Chaukenstrijders die zich het dichtst bij de reling bevonden zich om en maakten dat ze wegkwamen. Ze beseften immers dat ze in een ommezien in de minderheid zouden zijn. Ze lieten hun drie kameraden in de frontlinie sterven onder de zwaardhouwen van de Batavieren. Ansigar schreeuwde iets in het Germaans, waarna zijn manschappen uitzwermden over het dek en de vijand met de knoppen van hun schilden en met vuistslagen een kopje kleiner maakten. Toen de laatste strijder ontwapend en bewusteloos zijn laatste adem uitblies, maakte de langboot van de Chauken zich los en roeide achteruit om de overlevenden van de andere boot uit het water te helpen.

'Laat ze maar gaan!' schreeuwde Vespasianus. 'Aan de riemen. We maken dat we wegkomen.'

'Ik denk niet dat dat een verstandig besluit is, legatus,' klonk een stem achter zijn rug. 'U hebt gezien hoe accuraat onze artillerie is.'

Vespasianus draaide zich met een ruk om en zag een bireem, ongeveer dertig passen van hem vandaan. Publius Gabinius leunde over de reling, keurig uitgedost in zijn bronzen, 'gespierde' kuras en een golvende rode mantel, en met een roodgepluimde helm op. Hij glimlachte wrang. 'Als ik u was zou ik de genereuze uitnodiging om aan boord van mijn schip te komen accepteren. En neem de snuisterij die u hebt gevonden ook maar mee.'

Vespasianus keek langs de reling van de bireem neer op de drie bloedstromen die in de rivier gutsten. Ansigar reciteerde een gebed in het Germaans terwijl het levensvocht van de drie gevangenen geofferd werd aan Nehalennia, godin van de Noordzee.

'Was dat nou echt nodig?' vroeg Gabinius.

Vespasianus haalde zijn schouders op terwijl de geofferde mannen uit de langboot van Ansigar werden gegooid. 'Dat vraag ik me ook af.'

'Ik vind van wel,' opperde Magnus. 'Eerlijk gezegd voel ik me een stuk beter nu ik weet dat we een Germaanse godin aan onze zijde hebben die ons beschermt tijdens onze reis naar huis.'

'Kwaad kan het in elk geval niet, dunkt me.' Gabinius richtte zijn aandacht op de leren bundel. Hij sloeg de flappen terug en hield de adelaar in zijn handen. Vol bewondering staarde hij ernaar. 'Uiteraard zal ik als vinder met de eer gaan strijken.'

Sabinus keek zeer rancuneus. 'En Callistus zal gaan opscheppen tegen de keizer en zeggen dat het zijn plan was.'

Gabinius keek op. Zijn lange, magere gezicht kreeg een verbaasde trek. 'Hoe weet u dat?'

'De man die door Callistus achter ons aan is gestuurd, heeft dat verklapt. In ruil daarvoor mocht hij een wapen in zijn hand houden terwijl hij stierf.'

Gabinius snoof. 'Daar zijn ze hier inderdaad zeer op gebrand. Vergeet niet dat wij Romeinen graag willen dat er een muntstuk in de mond wordt gestopt voor de veerman. In principe is er geen verschil. Hoe dan ook, u hebt gelijk. Callistus zal zichzelf koesteren in zijn ge-

waande victorie. Daarentegen zal ik de kroniekboeken in gaan als de man die de legeradelaar van het Zeventiende Legioen heeft gevonden.'

Vespasianus keek naar de oostoever van de rivier terwijl ze langzaam noordwaarts voeren naar de zee, terug achter de grenzen van het keizerrijk. Erachter volgde de rest van de vloot. 'U weet toch dat u met deze diefstal het leven van mijn broer in de waagschaal stelt, Gabinius?'

'Diefstal? Dat is wel erg sterk uitgedrukt. Je zou ook kunnen stellen dat u gefaald zou hebben als ik niet geïntervenieerd had met een aanval op de Chauken. Maar dat maakt niet uit. De legioenadelaar is nu in mijn bezit. En dat is wat telt. Ik betwijfel overigens ten zeerste of Sabinus door mijn toedoen zal sterven.'

'Hoezo?'

'Dat heeft Narcissus me verteld.'

Vespasianus was woedend. 'Wist Narcissus dat u de adelaar zocht terwijl hij ons op pad stuurde?'

'Natuurlijk. Het maakt hem geen donder uit wie de legeradelaar vindt, zolang die maar gevonden wordt. Het eindresultaat is waar het hem om gaat. Bovendien past het precies in zijn politieke straatje als zijn ondergeschikten onderling ruziemaken.'

Magnus spuugde op het dek. 'Verdomde Griekse vrijgelatenen.'

Gabinius glimlachte zelfgenoegzaam en staarde trots naar zijn trofee. 'Daar heb je gelijk in, ik vrees inderdaad dat ze niet te vertrouwen zijn.'

'En Pallas? Wist hij het ook?' vroeg Vespasianus. 'Wist hij dat Callistus iemand achter ons aan had gestuurd om ons te doden?'

'Ik weet niet of hij op de hoogte is van het plan dat Callistus heeft uitgebroed. Wel ben ik ervan overtuigd dat hij niet wist dat Callistus een moordenaar had ingehuurd. Hij zou dat dan beslist tegen Narcissus hebben gezegd. Narcissus heeft er geen gewag van gemaakt. Integendeel, in zijn brief aan mij was hij heel specifiek: bij een treffen mocht u beslist niet gedood worden. Hij zou het bedrog van Callistus dus zeker niet door de vingers hebben gezien.'

Sabinus keek opgelucht. 'Wel, dat is tenminste positief te noemen, lijkt mij. Als hij niet wil dat we sterven, zijn we vrij om terug te keren naar Rome, waar ik Callistus in het bijzijn van Narcissus kan ontmaskeren als een moordzuchtige, schlemielige Griek.'

Vespasianus zuchtte. Deze hectische dag en de machinaties van Claudius' vrijgelatenen hadden hem uitgeput. 'Ik zou de moeite niet eens nemen. Er zijn geen bewijzen. Het is zijn woord tegen het onze. Callistus zal alles ontkennen, waardoor hij zich nog meer tegen je zal keren. En Narcissus kan het allemaal niet schelen. Hij ziet alleen het grote geheel voor zich. Hij heeft de legioenadelaar, die hij aan zijn meester zal geven, waarna de volgende stap wordt gezet.'

'Daar zou u wel eens gelijk in kunnen hebben, Vespasianus,' zei Gabinius instemmend. 'Sabinus, u bent trouwens niet vrij om terug te keren naar Rome. Narcissus heeft mij wat u beiden betreft instructies gegeven in zijn brief mocht de legeradelaar worden gevonden, ervan uitgaande dat u het zou overleven, maar dat spreekt vanzelf. Vespasianus, u gaat terug naar de Tweede Augusta. Narcissus, of beter gezegd de keizer, heeft Sabinus benoemd tot legatus van de Veertiende Gemina, gelegerd in Mogontiacum aan de Rijn.'

Sabinus was geschokt. 'De Veertiende? Waarom?'

Gabinius haalde zijn schouders op. 'Dat weet ik niet. De keizerlijke politiek lijkt steeds ondoorgrondelijker te worden. Een politiek waarin willekeur de scepter lijkt te zwaaien. Ongetwijfeld is er een goede reden waarom u de Veertiende krijgt.'

'Ja, dat zal best. En dat zal meer te maken hebben met de ambities van Narcissus dan met het feit dat ik die post verdien.'

'Daar hebt u wellicht gelijk in. We leven in een vreemde wereld nu onze klasse gedwongen wordt bevelen op te volgen van vrijgelatenen. U krijgt in elk geval niet uw oude legioen terug, de Negende Hispana. Daar voert Corvinus, de broer van de keizerin, inmiddels het commando over.'

'Ja, dat weet ik. Het enige positieve daaraan is dat hij ons op deze manier in Pannonia een tijdlang niet voor de voeten loopt.'

'Het is maar voor een jaar.'

'Wat?'

'Aan het eind van het volgende veldtochtseizoen zal Aulus Plautius, de huidige gouverneur van Pannonia, een post die hij gekregen heeft als dank voor zijn steun aan Claudius, naar Gesoriacum worden overgeplaatst, aan de noordkust van Gallia Belgica. Hij neemt de Negende mee. De Twintigste zal er dan eveneens gelegerd zijn. Net als uw twee legioenen en de erbij behorende hulpcohorten. Heren, u hebt

straks de eer deel uit te maken van de invasiemacht van Aulus Plautius, met als doel de verovering van Britannia.'

Vespasianus huiverde. Hij vreesde nog meer mistige wouden en vreemde goden. Hij keek zijn broer aan. 'Ik voelde al aankomen dat wij die eer zouden krijgen. Nu zijn de rapen dus gaar.'

Sabinus was verbaasd. 'Het heeft er alle schijn van dat Narcissus vastbesloten is ons hoe dan ook van kant te maken.'

Alleen Paetus keek vergenoegd.

Magnus spuugde op het dek. 'Geweldig om zo de dag te besluiten.'

DEEL III

DE INVASIE VAN BRITANNIA
LENTE, 43 N.C.

HOOFDSTUK XIII

'Zet je schrap, schatjes!' brulde primus pilus Tatius naar zijn dubbele centurie van honderdzestig manschappen. Hij zat op een knie op het natte dek van een trireem die met hoge snelheid naar het strand voer. De mannen bogen zich onmiddellijk naar voren, waarbij ze hun rechterhand op de planken plaatsten, zoals ze dat ook met de onderkant van het schild deden. Hun pila hielden ze in hun linkerhand vast, die ook in de lus van het schild was gestoken. 'Goed zo, jongens, nou doet het niet zo'n pijn.'

Vespasianus knikte tevreden over de getoonde discipline van de eerste centurie van de eerste cohort van de Tweede Augusta. Hij zag het strand razendsnel op hem afkomen, op minder dan honderd passen hemelsbreed. Hij knipperde met zijn ogen tegen de regen die in vlagen zijn gezicht pijnigde. Naast hem, op de voorsteven, hield de aquilifer van de Tweede Augusta de legerstandaard met de legioenadelaar in de hoogte. Achter de trireem bevond zich een linie van schepen zonder zeilen. De roeispanen gingen ritmisch in en uit het water. Het tempo werd bepaald door de gangmakers met hun schrille fluiten. De linie verdween even uit het zicht door de regen. Vespasianus vervloekte de weersomstandigheden in deze noordelijke contreien. Hij hield zich stevig vast aan de reling terwijl twee matrozen naar voren renden om de touwen te bemannen. Touwen waaraan de twintig voet lange en acht voet brede *corvi* waren bevestigd, twee houten boegkleppen waarover ze dadelijk aan land zouden gaan.

'Roeispanen intrekken!' riep de *trierarchus*, die het bevel over het schip voerde. Hij stond op de achtersteven en sprak door een spreektrompet.

De schrille, lange toon van de gangmeester klonk boven het schrapen van hout op hout; honderdtwintig roeispanen werden door de riempoorten ingetrokken. Het strand bevond zich op minder dan vijftig passen. Opnieuw knikte Vespasianus tevreden. Dit was precies de voorgeschreven afstand om te stoppen met roeien. Het schip zou dan een eindje van het strand de grond raken, maar niet stranden. Hij controleerde zijn zwaard, dat losjes in de schede zat. Vervolgens wierp hij een blik op de linie van triremen. Bij slechts één van de vaartuigen waren de roeispanen nog niet ingetrokken. 'Bij alle goden, wie voert het commando over dat schip, Tatius?'

De primus pilus telde snel het aantal schepen. 'Derde en vierde centurie, tweede cohort, heer!'

Vespasianus gromde en zette zich schrap tegen de reling. Tatius deed hetzelfde, waarbij hij de aquilifer stevig bij de schouder vasthield, zodat de legerstandaard met de legioenadelaar niet zou vallen. Met een lichte opwaartse schok en het geschraap van planken raakte de romp de kiezelige zeebodem. Meteen kwam het schip praktisch tot stilstand, waardoor Vespasianus zijn arm- en beenspieren moest spannen om niet naar voren over het dek te glijden. Het geschraap veranderde in een akelig schril gepiep en geknars nu de vaart van het schip er helemaal uit ging. Na een grommend geluid van weerbarstig hout, en een abrupte schok, was de trireem tot stilstand gekomen op het strand, maar had zich niet ingegraven.

'Overeind komen!' schreeuwde Tatius.

De manschappen van de centurie gingen tegelijk rechtop staan, waarna ze hun pila overpakten in hun rechterhand. De corvi kwamen los en vielen met een krakende klap op het strand.

'Eerste centurie! Meteen van boord!' brulde Tatius terwijl hij en de aquilifer op de boegklep stapten. Vespasianus sprong op de tweede boegklep en rende naar beneden. Hij voelde het hout zachtjes meegeven onder zijn voeten. Daarna holde hij het grind op. Achter hen haastten de legionairs zich in groepjes van vier naar het strand.

Tatius en zijn optio blaften hun manschappen af. Tegen de tijd dat de laatste legionairs van boord gingen, waren er inmiddels vier linies van veertig manschappen geformeerd.

'Honderd passen oprukken!' schreeuwde Tatius terwijl hij tevreden vaststelde dat de linies kaarsrecht waren.

Marcherend rukte de eerste centurie over het glooiende kiezelstrand naar boven. Rechts achter hen volgde de vijfde centurie vanaf de andere boegklep, en links de resterende manschappen van de eerste cohort, die zich naadloos bij hen voegde.

'Halt!' beval Tatius vanaf zijn positie vlak voor de aquilifer.

Vespasianus liet zijn blik over het strand glijden. De andere negen cohorten van de Tweede Augusta hadden zich keurig in twee linies opgesteld op het strand. De manoeuvre had iets langer dan tweehonderd hartslagen geduurd. De triremen waren nu een stuk lichter. Ze deinden en wiegden in het laagstaande water. Op één schip na. De derde en de vierde centurie van de tweede cohort hadden het bevel gekregen aan boord te blijven.

Vespasianus liep snel naar zijn primus pilus. Op hetzelfde moment kwam een eenzame ruiter uit de karig begroeide duinen rijden. Hij had een reservepaard bij zich. Vespasianus kneep zijn ogen half dicht om de man in de regen beter te zien.

'Heer!' riep Magnus. Hij reed met zijn paard het strand op.

Vespasianus fronste verbaasd zijn wenkbrauwen toen hij zijn vriend uit de regen zag opdoemen. 'Wat is er, Magnus?'

'Aulus Plautius roept alle legati en hulpprefecten bijeen voor een vergadering. Ik dacht, laat ik meteen maar een paard voor u meenemen. Narcissus is net gearriveerd. Volgens mij is er iets aan de hand. Hij zal heus niet deze lange reis gemaakt hebben voor een beker warme wijn en een babbeltje bij het houtvuur, als u begrijpt wat ik bedoel.'

'Moet hij zich dan overal mee bemoeien? Goed, ik kom eraan.' Vespasianus richtte zich vervolgens tot Tatius. 'Uitstekend, primus pilus, afgezien van de idiote trierarchus die niet weet wanneer hij moet stoppen met roeien. Was hem een poosje de oren, wil je?'

'Heer!'

'Breng de manschappen en de schepen terug naar Gesoriacum. Zorg ervoor dat iedereen te eten krijgt. Vanmiddag bij laagtij doen we alles nog eens over. Ditmaal wil ik een vlekkeloze uitvoering. Ik zal erbij zijn als ik daartoe de gelegenheid krijg.'

'Heer!' brulde Tatius. Met een ruk ging hij in de houding staan.

Vespasianus knikte en besteeg het reservepaard dat Magnus had meegenomen. 'Goed, laten we dan maar gaan. Ik ben benieuwd wat

die gluiperige Griek nu weer heeft uitgedacht om ons het leven zuur te maken.'

De regen kwam in vlagen, het hield maar niet op. Vespasianus en Magnus legden de tien mijl af naar het hoofdkwartier van Aulus Plautius in een villa die Caligula voor zichzelf had laten bouwen aan de kust, pal naast de havenmuren van Gesoriacum. Die opdracht had hij vier jaar geleden gegeven. In die periode bevond hij zich in het noorden om de verovering van Britannia te superviseren. De streken rond de haven aan de Gallische Straat, tegenover het eiland Britannia, bestonden uit akkerland. Een en al tarwe- en gerstvelden, en geploegde akkers. Er waren ook omheinde weiden bij, met varkens en muildieren. Zoveel vee had Vespasianus nog nooit bij elkaar gezien. In feite reden ze door een gigantisch landbouwgebied met akkers en weiden zo ver het oog reikte, ook op een heldere dag, en nog verder.

Het was een hele klus om deze invasiemacht te voeden en uit te rusten met het benodigde materieel. Het betrof immers de manschappen van vier legioenen en hetzelfde aantal hulplegionairs. In totaal bijna veertigduizend manschappen. Plus het dienstpersoneel, zoals voermannen, muildierdrijvers, slaven en matrozen die een vloot van duizend schepen bemanden. Vespasianus was er zeer van onder de indruk toen hij voor het eerst Gesoriacum naderde als bevelhebber van de Tweede Augusta, zes maanden geleden. Het had hem bovendien geïnspireerd. De gedachte dat elke dag opnieuw al die mensen en dieren gevoed moesten worden beschouwde hij als een logistiek probleem dat in rekenkundig opzicht buiten alle proporties was. Er was immers onvoorstelbaar veel voer nodig om voldoende varkens te voeren om voor een dag aan de vleesbehoefte van deze invasiemacht te voldoen. De vijfduizend muildieren van het leger hadden ongelofelijk grote weiden nodig. Weiden van talloze vierkante mijlen, gewoon om de maand door te komen. Daar leek de bevoorrading van de Tweede Augusta een peulenschil bij, een triviale aangelegenheid. Er waren echter problemen opgedoken waar hij zich graag in verdiepte nadat hij was teruggekeerd naar Argentoratum.

Hij en Sabinus waren met de vloot van Gabinius teruggegaan naar het keizerrijk. De reis duurde twee dagen, en Sabinus was al die tijd zeeziek geweest. Daarna waren ze over de Rijn naar hun legioenen ge-

varen, waar ze sinds kort bevelhebber van waren. Paetus en zijn Batavieren hadden hen vergezeld op hun tocht naar het zuiden. De zee was kalm, de goden zij dank, zoals Magnus vaak had gezegd, omdat hij zeer ingenomen was met het feit dat Ansigar tijdig had geofferd aan Nehalennia, de godin van de Noordzee.

Bij aankomst in Mogontiacum bereikte het nieuws hen dat hun vader was overleden. Het verdriet werd gesust door het bericht dat Vespasianus een dochter had gekregen: Domitilla. Flavia had de brief zelf geschreven, tot groot genoegen en opluchting van Vespasianus. De kans dat bij een bevalling zowel de moeder als het kind het overleefde was immers even klein als die dat een legionair op het slagveld niet sneuvelde.

Sabinus bleef achter bij het legioen waarover hij het commando had gekregen. Midden juni arriveerde Vespasianus bij zijn eigen legermacht. De rest van het jaar spendeerde hij aan het trainen van de Tweede Augusta. Een training die vooral gericht was op het vlekkeloos aan en van boord gaan. Als de invasie eenmaal een feit was, zouden ze die manoeuvres zo efficiënt mogelijk kunnen uitvoeren. Dit bleek een omvangrijke klus, omdat hij maar één trireem tot zijn beschikking had. De rest was inmiddels geconfisqueerd voor de invasievloot, wat hij een nogal kortzichtig besluit had gevonden. Om beurten moesten de centuriën hollend aan en van boord gaan van het enige schip. Ook leerde Vespasianus de kneepjes van het vak als bevelhebber van een legioen. Hij moest er immers voor zorgen dat er voldoende materieel, kleding, voeding en vee voorhanden was. Hij vond de combinatie van zijn taken geweldig: hij bestierde een groot landgoed en tezelfdertijd diende hij onder een van Romes legioenadelaars.

Het kon Vespasianus niet schelen wat Publius Gabinius met de adelaar van het Zeventiende Legioen had gedaan. Sabinus idem dito. Ze hadden bovendien geen flauw idee. Het kleinood was simpelweg verdwenen. Officieel was er in elk geval geen gewag van gemaakt. Hij en Sabinus waren allang blij dat ze het overleefd hadden en dat ze zelfs hun voordeel hadden kunnen doen met dat avontuur. Sabinus had van Gabinius immers het steenbokembleem van het Negentiende Legioen in zijn bezit mogen houden. Hij had vervolgens de legerstandaard naar Pallas in Rome verstuurd in de hoop dat het de vrijgelatene zou helpen in de machtsstrijd tegen Callistus. Maar ook als

erkenning voor zijn benoeming als legatus van de Veertiende Gemina. De reden van die gunning ontging de twee broers. Sabinus had Vespasianus een brief geschreven waarin hij te kennen gaf dat hij geen bevestiging had gekregen van Pallas inzake het geschenk, maar ook geen teken had vernomen dat zijn leven nog in gevaar was. Hij vond dat hij dus mocht aannemen dat zijn bijdrage aan de moord op Caligula vergeten was door de weinigen die van dat geheim op de hoogte waren. Vespasianus was daarentegen blij dat zijn familie nu weer op goede voet stond met de drie vrijgelatenen van Claudius, althans op persoonlijk vlak. Daar stond tegenover dat het geharrewar tussen de vrijgelatenen betekende dat de voorbereidingen inzake de invasie van Britannia niet van een leien dakje waren gegaan. Ze zetten ieder hun eigen macht en bevoegdheden in om de planning ervan zodanig te beïnvloeden dat ze er zelf beter van werden en hun twee collega's er slechter van afkwamen. Artilleriebestellingen werden dubbel gedaan en vervolgens geannuleerd, waarna opnieuw orders werden geplaatst. Het betrof dan slechts de helft van het oorspronkelijk gevraagde materieel. Gouden en zilveren munten uit de munt in Lugdunum, in het zuiden van de provincie, waren verzonden maar weer teruggehaald toen de zending al halverwege de bestemming in het noorden was. Schepen bleken verdwenen, maar waren na enkele dagen weer terecht, hoewel met slechts de helft van de bemanning. Het meest verstorend was echter dat tegenstrijdige bevelen inzake tijdsbestek, snelheid en doelstellingen van de invasie regelmatig voorkwamen. Aulus Plautius kreeg driftaanvallen van deze civiele inmenging in wat hij terecht beschouwde als een louter militaire aangelegenheid.

'Misschien heeft Narcissus er goed aan gedaan een bezoekje af te leggen,' mijmerde Vespasianus terwijl ze het eerste van de vier gigantische legerkampen van de legioenen en hulptroepen rondom Gesoriacum passeerden.

Magnus wreef over zijn ogen. Ondanks zijn breedgerande leren hoed liep de regen in straaltjes over zijn gezicht. 'Bedoelt u daarmee dat hij hier wel op elk moment van de dag van mening kan veranderen, dus niet alleen in Rome als de ijlbode al vertrokken is?'

'Nee, ik bedoel dat hij nu met eigen ogen kan zien hoe gigantisch deze onderneming in logistiek opzicht is. Wellicht beseft hij dan dat hij er beter aan doet om zich er niet meer mee te bemoeien.'

'Huh? Dat klinkt zo onwaarschijnlijk als de keizer die een hele dag niet kwijlt.'

'Dank u, prefect. U wordt overgeplaatst naar de Tweede Augusta. Meld u na deze instructies bij legatus Vespasianus,' zei Aulus Plautius terwijl de prefect van de Eerste Cohort Hamiorum weer plaatsnam, nadat hij verslag had gedaan over de onlangs gearriveerde oosterse boogschutters, die inmiddels klaar waren gestoomd voor de invasie. 'Zo, dan hebben we volgens mij alles doorgesproken, heren.' Hij liet zijn blik over de vier legati en de drieëndertig prefecten van de hulptroepen glijden. De mannen zaten op vouwstoeltjes in de grote kamer die in zijn hoofdkwartier dienstdeed als vergaderzaal. De muren waren witgekalkt. Er hingen fresco's, waarvan sommige beslist niets met het militaire vak te maken hadden, vond Vespasianus. De twee ramen stonden open. Buiten regende het nog steeds pijpenstelen. De onrustige zee lag er grijs bij. 'We realiseren ons allemaal dat er nog veel werk verricht moet worden om de voorraadloodsen van de kwartiermeesters te vullen. We hebben daarentegen voldoende schepen tot onze beschikking om alle legionairs en alle voorraden fatsoenlijk aan land te krijgen in Britannia. Wat me meer zorgen baart is of de ravitaillering na een maand van harde gevechten in dat vochtige klimaat soepel blijft lopen. Ik wil immers geen infanterie kwijtraken omdat er een tekort aan schoeisel is ontstaan. En de cavalerie moet elke dag de beschikking kunnen krijgen over reservepaarden. Ongetwijfeld hebt u uw kwartiermeesters zodanig geïnstrueerd dat ze al het mogelijke doen om de eventuele tekorten in de bevoorradingslijnen aan te pakken. Mij dunkt dat de dagelijkse problematiek inzake de bevoorrading gesuperviseerd dient te worden door iemand die het algemeen overzicht kan houden op die lijnen.' Hij wees naar de nogal zwaarlijvige man die in een belachelijk extravagant militair uniform naast hem zat. 'Zoals u allen weet zal Gnaeus Sentius Saturninus de implementatie van het Romeins beleid in de veroverde stamgebieden superviseren. Ook zal hij de vazalkoningen in de gaten houden terwijl het frontleger verder oprukt. Ik beschouw het daarom als zinvol hem te benoemen als hoofdkwartiermeester, aangezien de bevoorradingsroutes door gebieden lopen die door hem bestuurd worden.'

Sentius glimlachte als iemand die zojuist het grote geld geroken had.

'Nu wordt het zeer onwaarschijnlijk dat ik al mijn toegezegde reservetenten ook daadwerkelijk krijg voordat we gaan,' fluisterde Vespasianus tegen Sabinus, die naast hem zat. Onderwijl prees Plautius zijn plaatsvervangend opperbevelhebber om diens integriteit en bestuurlijke kwaliteiten.

Sabinus beet op zijn tanden. 'En ik hoef me er niet meer op te verheugen dat mijn complete assortiment spaden, kookpotten en graanmolentjes op tijd arriveert.'

'Ik blijf me erover verbazen dat hij zich in deze militaire functie heeft weten te wurmen nadat hij had voorgesteld om de republiek in ere te herstellen, vlak voordat Claudius tot keizer werd benoemd.'

Sabinus haalde zijn schouders op. 'Snap jij waarom ik legatus van het Veertiende Legioen ben geworden?'

'... om midden juni alle voorbereidingen achter de rug te hebben,' vervolgde Plautius. 'Aldus doen we ons voordeel met de oogstperiode in Britannia. Ik verwacht dan ook van iedereen dat alle bevoorradingsverzoeken via Sentius lopen.' Er werd gemompeld onder de officieren. Het kon instemming betekenen inzake een zeer uitvoerbaar, werkbaar plan, maar het zou ook als een soort berusting kunnen worden opgevat in de wijze waarop de militaire bevoorradingspolitiek werkte. Plautius geloofde kennelijk liever in de eerstgenoemde mogelijkheid. 'Goed. Morgen is de kalenden van april. Dat betekent dat we nog vijfenzeventig dagen hebben om de klus te klaren. U kunt gaan, prefecten. De legati gaan met mij mee om verslag uit te brengen aan de keizerlijke secretaris.'

Narcissus had zijn intrek genomen op de eerste verdieping van Caligula's villa. Vespasianus was niet verbaasd toen hij de opzichtige kunst en standbeelden zag die her en der de trappen en gangen decoreerden terwijl hij op weg was naar het tijdelijke onderkomen van Narcissus; overblijfselen van de smaak van een brutale, jonge keizer aangaande interieurdecoratie. Wat hem wel verbaasde was de aanwezigheid van praetoriaanse gardisten die op wacht stonden voor de vertrekken van Narcissus. 'De vrijgelatene van Claudius leeft zich helemaal in het keizerschap in, zo te zien,' mompelde hij tegen Sabinus. Een centurio liet een zichtbaar geërgerde Aulus Plautius bij de deur staan terwijl hij de ex-slaaf ging vragen wanneer hij er klaar voor was

om de generaal en hoofdofficieren van de invasiemacht te ontvangen.

'Misschien duren de saturnaliën tot het eind van het jaar, maar heeft niemand de moeite genomen ons dat te vertellen,' meende Sabinus.

Vespasianus keek vluchtig naar de twee andere legati: Corvinus en de pas gearriveerde Gnaeus Hosidius Geta, die het Twintigste Legioen had gekregen als dank voor zijn bijdrage aan de annexatie van Mauretania, het jaar ervoor. Niemand keek blij, want niemand wilde wachten tot een vrijgelatene genegen was hen te spreken, hoe machtig die ex-slaaf ook was.

'De keizerlijke secretaris kan u nu ontvangen, generaal,' zei de centurio. Hij opende de deur voor hen.

Plautius snoof. 'Hoe barmhartig en genereus van hem.'

Toen Vespasianus de decurio passeerde, zag hij een zweem van medeleven in diens ogen als reactie op de sarcastische opmerking van de generaal. De groep liep een ontvangstkamer met een hoog plafond binnen. Achter in het vertrek zat Narcissus aan een groot bureau. Hij ging niet staan. Vespasianus dacht het zijne over de arrogantie die de vrijgelatene tentoonspreidde. Prompt losten alle gedachten als sneeuw voor de zon op. Links aan een tafel, naast Narcissus, zat immers Caenis. Voor zich had ze schrijfgerei liggen.

Zijn hart bonsde, hield er bijna mee op. Discreet glimlachte ze hem alleen met haar ogen toe.

'Generaal Plautius,' zei Narcissus op een flemend toontje. Vespasianus was meteen weer bij de les. 'En natuurlijk de legati Corvinus, Vespasianus, Sabinus en Geta. Het doet me genoegen u gezond en wel te zien in deze gure noordelijke contreien. Neemt u plaats.' Hij maakte een gebaar naar Caenis, die meteen een pen oppakte en begon te schrijven. 'Aangezien dit een formele bijeenkomst is, zal mijn secretaresse alles noteren. De keizer groet u en laat u weten dat ik in zijn naam spreek.'

'Dat is onmogelijk!' schreeuwde Plautius toen Narcissus zijn zegje had gedaan.

Narcissus bleef onbewogen. 'Nee, generaal. Dat is niet onmogelijk, het is noodzakelijk.'

'We steken midden juli over, zodat we maar voor één maand graan mee hoeven nemen om het te kunnen uitzingen tot aan de oogstperiode.'

'Dan zult u simpelweg wat meer graan moeten inslaan.'

'Hebt u enig idee hoeveel extra graan we nodig hebben als we volgende maand al vertrekken?'

Narcissus haalde zijn schouders op, kneep zijn ogen half dicht en stak zijn handen uit, de handpalmen naar de generaal gericht. Hij beschouwde het als een volstrekt irrelevante vraag.

'Drie pond per dag, maal veertigduizend manschappen, maal zestig dagen tot de eerste oogst binnen is. Dat is... dat is...' Plautius keek om zich heen en verwachtte hulp van zijn legati bij deze rekensom.

'Dat is honderdtwintigduizend pond per dag. Dat is samen zeven miljoen tweehonderdduizend pond graan, generaal,' zei Vespasianus hulpvaardig.

'Precies. En dan hebben alleen nog maar de troepen te eten. Ik moet een kwart meer hebben voor de hulptroepen. En dan heb ik het nog niet over de hoeveelheid gerst die nodig is voor de cavaleriepaarden en de lastdieren. Pakmuilezels zullen alles moeten vervoeren, elk met een maximum last van honderdzestig pond tot we een fatsoenlijke weg hebben kunnen aanleggen.'

'Dan stel ik voor dat u het aanleggen van een weg tot een van uw prioriteiten maakt, generaal. Want zo gaat het gebeuren, en niet anders.' Narcissus legde een hand op het bureau: zowel een vriendelijk als een resoluut gebaar. Zijn blik werd echter spijkerhard. 'Het zal ongeveer honderd dagen duren voordat uw bericht in Rome arriveert en Claudius hier is aangekomen. Hij wil vóór de herfstequinox terug in Gallia zijn, dus voordat het midden september echt kan gaan stormen op zee. Begin juni moet u dus de Tamesis zijn overgestoken als u uw bericht naar Claudius verstuurt.'

Plautius keek Narcissus vol walging aan. 'En wat moet er in dat bericht staan?'

'Heel eenvoudig, generaal. In die brief maakt u de keizer duidelijk dat u op veel militair verzet bent gestuit. En dat u dus versterkingen nodig hebt. Bovendien is zijn aanwezigheid gewenst, als dat mogelijk is. Hij kan dan het opperbevelhebberschap overnemen, waar zo dringend behoefte aan is. Ik zal ervoor zorgen dat het bericht aan de Senaat wordt voorgelezen. Een bericht waarin u de keizer smeekt om een persoonlijke interventie om de belegerde legioenen van Rome te redden. De Senaat doet de rest. Vervolgens zal Claudius naar u toe snellen, uiteraard met de zo gewenste versterkingen.'

'Versterkingen die dan buiten de stad wachten en volledig inzetbaar zullen zijn?'

'Nee, generaal. Ze zullen híér zijn, volledig inzetbaar. U zult binnen een paar dagen een troepeninspectie uitvoeren, als u daar prijs op stelt.'

'Zijn die versterkingen met u meegereisd?'

'Natuurlijk. Decimus Valerius Asiaticus voert er het bevel over tot de keizer is gearriveerd.'

'U maakt me belachelijk, u zet me te kijk.'

'Nee, generaal. Ik zorg ervoor dat Claudius als een held wordt beschouwd. Hoe u overkomt, is volstrekt irrelevant.'

'Denkt u dat de Senaat daarin trapt?'

'Geen moment. Maar geloof me, de Senaat zal deze misleiding slikken als zoete koek. Later keert hij terug naar Rome met oorlogsbuit en gevangenen. Dat zijn de harde bewijzen dat hij getriomfeerd heeft, voor iedereen zichtbaar. Hij zal zegevieren.'

'Mijn triomf.'

'Nee, generaal. De triomf van de keizer. De triomf die ervoor zal zorgen dat het volk van hem gaat houden. U speelt in dat opzicht geen enkele rol. Wat hebt u eraan als het volk u omarmt? Helemaal niets.' Narcissus zweeg even om de betekenis van hetgeen hij gezegd had te laten bezinken. 'Welnu, u kunt samenwerken, waarna u beloond zult worden, of ik zoek iemand anders die wél bereid is ervoor te zorgen dat het volk mijn meester in de armen sluit. Zegt u het maar.'

Plautius tuitte zijn lippen en haalde diep adem. 'We vertrekken over zeventien dagen, vier dagen na de iden van april.'

'Dat lijkt mij een uitstekende dag, generaal. Mijn meester zal daar beslist mee akkoord gaan. Ongetwijfeld zullen ook de wijsgeren en wichelaars zich aansluiten bij de voorkeursdatum van de keizer. Maar laat ik u niet van uw werk af houden. Er moet immers nog veel gebeuren.' Met een luchtig gebaar van zijn pafferige hand maakte hij duidelijk dat zijn sociale meerderen konden gaan. Geen van allen salueerde.

Aulus Plautius stond op, vuurrood van woede. Met een ruk draaide hij zich om en drong zich tussen zijn legati door, die op dat moment eveneens opstonden. Toen Vespasianus zich omdraaide om hem te volgen zag hij dat Corvinus en Geta elkaar een bezorgde blik toewierpen. Het weerspiegelde zijn gevoelens over deze nieuwe ontwik-

keling, die het succes van deze onderneming dreigde te torpederen. Hij kon niet anders dan Magnus gelijk geven. Vespasianus liep inmiddels naast Sabinus, die net zo zorgelijk keek.

'Legati Sabinus en Vespasianus,' klonk het flemend toen ze bij de deur waren. Ze hielden meteen hun pas in. 'Excuseer, ik wil graag nog even een woordje met u wisselen.'

Corvinus keek de broers vragend aan. Ze liepen terug terwijl Caenis werd weggestuurd. Ze verliet de kamer terwijl ze Vespasianus dichter passeerde dan nodig was, zodat hij haar kon ruiken.

'Wellicht vraagt u zich af waarom u in de gunst bent gebleven,' mijmerde Narcissus terwijl de deur dichtging. 'Vooral u zult zich dat afvragen, Sabinus. Ik besef immers dat u niet eens de helft van de afspraak bent nagekomen.'

'We hebben de adelaar gevonden,' protesteerde Sabinus. Hij nam weer plaats. 'Gabinius heeft ons die afgenomen en...'

Narcissus stak een hand op, maande hem tot zwijgen. 'Ik weet heel goed wat er is voorgevallen, legatus. Het hoe en waarom is heus niet aan mijn aandacht ontsnapt. Ik heb daar immers mijn goedkeuring aan gegeven. Wellicht zal het u niet ontgaan zijn dat het mij om het even was wie de legioenadelaar zou vinden. Zolang die maar gevonden werd. Nadat u Rome had verlaten, sprak Callistus mij onder vier ogen en deelde me mee dat hij wist waar de adelaar was verborgen. Ik heb hem toen mijn permissie gegeven om Gabinius te laten doen wat hij gedaan heeft. Twee expedities. Dat kwam mij natuurlijk goed uit. Zoals het ook in mijn straatje paste dat mijn collega's elkaar het leven zuur maakten over wie uiteindelijk met de eer mocht strijken. Het plannetje van Callistus om u beiden te vermoorden stuitte mij echter tegen de borst. De kans op succes werd dan immers kleiner. Als ik dat eerder te weten was gekomen, had ik daar een stokje voor gestoken.'

Vespasianus keek Narcissus aan. Ditmaal geloofde hij hem op zijn woord. 'Het doet ons genoegen dat te horen.'

'Dat is heel verblijdend, maar onbelangrijk. Relevant is de reden waarom u niet vermoord mocht worden. Zoals u weet heb ik Gabinius speciale instructies gegeven om u ongemoeid te laten wanneer u zijn pad zou kruisen. Ook heb ik hem een kopie gestuurd van uw mandaat, zodat het goed tot hem zou doordringen dat u zich onder mijn beschermende vleugels bevond.'

'Zelfs als de adelaar niet zou worden gevonden?'

'Zelfs dan.'

De broers wierpen elkaar een zijdelingse blik toe en wisten niet wat ze ervan moesten denken.

Op het gezicht van Narcissus verscheen een zeldzaam trekje. Het duidde erop dat hij zich amuseerde. 'Geloof me, dat was beslist niet aan de orde toen we in Rome een overeenkomst sloten. Sabinus, destijds was ik vast van plan u te laten executeren... als u gefaald zou hebben in uw missie. Maar in de politiek volgen de veranderingen elkaar zeer snel op. Politici moeten dus flexibel zijn om te kunnen overleven. Ik zal er geen doekjes om winden: in de eerste maanden van Claudius' bewind werd mij duidelijk dat ik niet de grootste invloed had op mijn beïnvloedbare meester. Hij laat toe dat ik hem dingen in het oor fluister. Zaken die hij ter harte neemt. Maar zijn zeer aantrekkelijke, jonge vrouw Messalina bespeelt zijn ballen. We kunnen het er allemaal over eens zijn dat die invloed altijd groter is.'

Vespasianus was niet in de positie om dat tegen te spreken. Als hij ook maar even aan Caenis dacht, was zijn concentratie immers ook meteen aan gruzelementen. Sabinus gromde instemmend, waarbij hij stellig dacht aan de gunsten van Clementina.

'Messalina heeft echter, in tegenstelling tot wat ik altijd voor ogen heb, niet altijd het beste voor met Claudius. Sterker nog, ze denkt alleen aan zichzelf en aan haar broer Corvinus. Dat is op zich niet verrassend. Wat mij zorgen baart is dat haar belangen uitsluitend betrekking hebben op macht en lust. Het zijn immers niet alleen de ballen van de keizer waarmee zij speelt.' Narcissus legde zijn handen vroom tegen elkaar aan en boog zich naar voren. 'Inmiddels is ze bezig een formidabel netwerk op te bouwen. Het betreft stuk voor stuk ambitieuze jongemannen. Zij en die heren plezieren elkaar en hebben bovendien gemeen dat ze op macht belust zijn. Er is kortom sprake van een tweede keizerlijk hof, begrijpt u?'

'Waarom licht u de keizer niet in?' vroeg Vespasianus, die zich afvroeg wat dit gedoe met hem en zijn broer te maken had.

'Dat heb ik gedaan. Net als Pallas en Callistus. Maar Claudius hecht geen geloof aan onze woorden. Het kan er bij hem simpelweg niet in dat de moeder van zijn zoontje kwaad in de zin heeft. Ik moet dus een wig drijven tussen hem en Messalina. U beiden maakt deel uit van die wig.'

'Waarom wij?'

'Omdat ik mannen om me heen wil hebben die ik kan vertrouwen.'

De broers keken Narcissus verbijsterd aan.

'Ik bespeur verbazing, heren. Natuurlijk kan ik u beiden vertrouwen. Ik ben immers de enige die uw loopbaan kan maken of breken. Er zitten twee legati voor me, bevelhebbers van legioenen. U kunt kiezen tussen mij, het licht, of volstrekte duisternis... of nog erger. Begrijpen we elkaar?'

Natuurlijk snapten ze het. Zwijgend accepteerden Vespasianus en Sabinus de waarheid van deze verklaring.

'Goed. Ik denk dat Messalina bezig is de topfuncties in de legerleiding door haar minnaars te laten bekleden, waarna ze haar man van kant maakt en ze Corvinus haar zoontje laat adopteren. Zij en Corvinus zullen fungeren als co-regenten tot het kind volwassen is, of misschien nog langer, gesteund door haar netwerk van getrouwe minnaars die ervoor zorgen dat de legioenen loyaal blijven. Regelmatig windt ze Claudius om haar vinger om mannen die net uit haar bed zijn gestapt te benoemen tot bijvoorbeeld hoofdtribuun, hulpprefect of legatus. Geta is zo'n voorbeeld.'

'Is Geta haar minnaar?'

'Een van de velen.'

'Maar hij werd vlak voordat ze van haar zoontje beviel tot legatus gepromoveerd in Mauretania.'

'Hij heeft een aparte smaak, neem ik aan. Ik weet dat ze tijdens haar zwangerschap een verhouding hadden. Vreemd was daarentegen wel dat Claudius hem die post gaf zonder daar mij of mijn collega's eerst over te consulteren, of zonder dat wij dat hadden voorgesteld. Dat was zeer ongebruikelijk. Toen kwam het voor het eerst in me op dat Messalina grote invloed heeft op het doen en laten van Claudius. Kort nadat u Rome had verlaten, drong Claudius ergens op aan wat in militair opzicht kant noch wal sloeg. We hadden inmiddels een besluit genomen over de contouren van de invasiemacht die Britannia moest veroveren. We hebben het dan over drie legioenen, gelegerd aan de Rijn. Dat ligt voor de hand nu we verdragen hebben gesloten met de Germaanse stammen. Verder hebben we gekozen voor een legioen uit Hispania, een gepacificeerd land sinds er een einde is gekomen aan de Cantabrische Oorlogen, bijna dertig jaar geleden. Clau-

dius had echter zijn veto uitgesproken over dat legioen en wilde in plaats daarvan het Negende Legioen van Corvinus inzetbaar maken, uit Pannonia. Een provincie die op z'n minst onrustig genoemd mag worden. We hebben hem dat niet uit zijn hoofd kunnen praten. Hij vond dat de familie van zijn lieve vrouw deze glorie verdiende. Op dat moment kon ik alleen maar gissen naar haar ware motieven, maar ik was me ervan bewust dat ze er niet op zou aandringen dat haar broer risico zou lopen zonder een goede reden. Dus nam ik tegenmaatregelen. In de drie genoemde legioenen zette ik mijn mensen onmiddellijk op zoveel posities als maar mogelijk was. Vespasianus, u was inmiddels benoemd tot legatus van de Tweede Augusta. Dat was een hele stap. Maar ik wilde mijn positie verstevigen, dus kwam ik ook bij u uit, Sabinus. Dankzij uw ervaring als legatus van de Negende Hispana, die voor mijn gevoel nuttig kon zijn in de toekomst, heb ik u het Veertiende Legioen gegeven. Claudius was het daar helemaal mee eens. Maar enkele maanden geleden werd mijn besluit aangaande mijn legatus-genomineerde voor het Twintigste Legioen herroepen door de keizer. Hij wilde dat Geta legatus werd van die legermacht als beloning voor zijn aandeel in de veldtocht tegen Mauretania en de annexatie ervan. Dat bevestigde mijn bange vermoeden: Messalina gijzelt de invasie van Britannia voor haar eigen doelstellingen.'

Vespasianus keek Sabinus aan, en vervolgens Narcissus. Hij fronste zijn wenkbrauwen. 'Waarom zijn we hier nog? Ongetwijfeld heeft ze Claudius ervan proberen te overtuigen ons ook te vervangen.'

'Zeker heeft ze dat getracht. Ze heeft zelfs haar uiterste best gedaan. Maar er kwam iets tussen: het steenbokembleem van het Negentiende Legioen. Tegen die tijd zag ik me gedwongen om mijn twee collega's in vertrouwen te nemen over mijn vrees omtrent wat er zou gebeuren als zij de legati van alle vier de legioenen zou benoemen. Pallas heeft me de legioensteenbok laten zien, die u hem heeft toegestuurd.' Narcissus zweeg even en keek de broers beurtelings aan. 'De legioensteenbok die u hem hebt gegeven, dus niet aan mij. Maar dat kleine gebrek aan loyaliteit zal ik door de vingers zien. Hoe dan ook, het was precies wat we nodig hadden. We toonden het kleinood aan Claudius en zeiden dat het een geschenk was van u beiden voor hem. Hij was zeer opgetogen. Hij plaatste de legioensteenbok terug in de Marstempel en maakte er een publiek spektakel van, een propaganda-

offensief. Daarna waren uw posities veiliggesteld. Zelfs Messalina kreeg hem niet zover dat hij zijn "twee loyale Flavii" verving, zoals hij u beiden noemde.'

Sabinus streek met een hand door zijn haar. 'Waarom was de legioensteenbok zo belangrijk voor hem? Hij had toch al de adelaar van het Zeventiende Legioen in zijn bezit?'

Vespasianus keek Narcissus vluchtig aan en begreep het meteen. 'Omdat hij nog niet weet dat de legeradelaar is teruggevonden. Zo is het toch, keizerlijke secretaris?'

'De adelaar zal op het geschikte moment worden teruggevonden.' De toon die Narcissus aansloeg, maakte duidelijk dat hij er verder niets over kwijt wilde. 'Ik had in elk geval bereikt dat twee van de vier legioenen voor Britannia onder mijn commando stonden. En dat zij daar dus geen zeggenschap over had. Ook lukte het me om me ervan te verzekeren dat Asiaticus de versterkingen zou leiden, zoals u beiden inmiddels weet. Hij is voorheen al heel nuttig geweest voor de keizer.'

Vespasianus herinnerde zich de rol die Asiaticus – destijds consul – had gespeeld nadat hij en Corbulo Poppaeus hadden vermoord op verzoek van domina Antonia, de moeder van Claudius. Dat was inmiddels acht jaar geleden. De moord was beraamd door Pallas en Narcissus. Claudius was ongelofelijk rijk achtergebleven. Vespasianus verbleekte bij die gedachte. Hij was niet trots op wat hij had gedaan. 'Ik kan me voorstellen dat hun gedeelde verleden hem loyaal heeft gemaakt.'

Met één hand wuifde Narcissus dit weg. 'Het gaat om het feit dat Asiaticus Claudius heeft geholpen om diens fortuin te investeren na het Poppaeus-incident. Het heeft hem evenmin windeieren gelegd. Onlangs nog heeft Asiaticus de Tuinen van Lucullus aangekocht. Asiaticus is hem dus zeer dankbaar en ik kan op hem bouwen, zoals ik op u kan vertrouwen. Claudius hoeft niet op een zege te rekenen als de vier legioenen geleid worden door de stromannen van Messalina.'

'Zou zij de invasie saboteren?' Vol ongeloof keek Vespasianus hem aan. 'Maar dat zou toch ontzettend dwaas van haar zijn? Ze heeft Claudius nodig. Als zijn positie veilig is gesteld, zal zij daar wel bij varen.'

'Nee, niet als we het grotere plaatje in ogenschouw nemen. Toen

Aulus Plautius het opperbevelhebberschap kreeg, ontstond er een discussie over wie hem moest opvolgen als hij in de strijd het leven zou laten. Die dikzak Sentius leek een voor de hand liggende keuze. Maar zelfs Claudius realiseerde zich dat dit op een ramp zou uitdraaien. Ik was echt niet zo dom om hem van het tegendeel te proberen te overtuigen. Daar stond tegenover dat het veel te lang zou duren voordat een geschikte kandidaat uit Rome of uit een van de provincies in Britannia zou arriveren. Daarom heb ik voor Asiaticus gekozen om de versterkingen te leiden. Hij is immers op een steenworp afstand van Britannia gelegerd. Maar om mij voor de voeten te lopen stelde Messalina voor, ongetwijfeld nadat ze haar vrouwelijke charmes op haar man had losgelaten, dat haar broer genomineerd diende te worden. Hij zou zich immers dichter bij het strijdgewoel bevinden. Claudius kon zich daarin vinden en is niet te vermurwen tot een ander besluit. Corvinus heeft een keizerlijk mandaat. Ik weet zeker dat hij daar ook gebruik van gaat maken.'

'Gaat hij Plautius vermoorden?'

'Dat had hij beslist voor ogen. Nu twijfelt hij. Misschien hebt u de bezorgde blikken opgemerkt tussen hem en Geta. Dat had niets met het succes van de invasie te maken. Wel alles met hun verstoorde plannen. Oorspronkelijk waren Corvinus en Messalina van zins om de macht te grijpen zodra de invasie een succes zou blijken. Hij zou dan de victorie opeisen. Als broer van de keizerin zou Claudius hem dat niet willen misgunnen. Het gevolg zou zijn dat de invasie de positie van Claudius niet versterkt maar juist verzwakt. Om daar een stokje voor te steken heb ik besloten dat Claudius aanwezig zal zijn tijdens de laatste overwinningsveldslag om de legermacht persoonlijk naar de zege te leiden. Ook al wist ik dat dit zou betekenen dat de invasie veel eerder moest beginnen. En dat het druk zou zetten op de logistiek van deze onderneming. Claudius heeft nooit de smaak van militair succes mogen proeven. Hij was er dus meteen voor in. Messalina zal daar niets tegen in kunnen brengen, hoewel ik ervan overtuigd ben dat ze tussen de lakens menig argument zal opwerpen om haar valse bezorgdheid over zijn welzijn te uiten. Dus stel dat Corvinus besloten had Plautius te vermoorden. Inmiddels weet hij dat de keizer ter plekke de victorie zal opeisen. Dan heeft zijn samenzwering dus geen zin.'

'Inderdaad.'

'Toch zou hij een poging kunnen wagen door in samenspraak met Geta het bevel te negeren om te wachten op de oevers van de Tamesis. Hij zou dus verder kunnen oprukken om een zege af te dwingen voordat Claudius arriveert. Ik verlang het volgende van u: doe er alles aan om ervoor te zorgen dat Plautius in leven blijft. En laat Corvinus en Geta niet te ver oprukken voordat de keizer arriveert.'

'We moeten Plautius waarschuwen,' stelde Sabinus voor. 'Het zal makkelijker zijn hem in leven te houden als hij weet wat hem mogelijk te wachten staat.'

Vespasianus schudde zijn hoofd. 'Nee, broer. Ik stel me zo voor dat dit scenario inmiddels door de keizerlijke secretaris om veiligheidsredenen van de hand is gewezen.'

Bijna onmerkbaar trok Narcissus goedkeurend een wenkbrauw op. 'Inderdaad, legatus. Het is beter dat Plautius van niets weet. Bovendien wil ik van u de zekerheid dat u in geen geval naar hem toe gaat als er iets gebeurt, ongeacht wat dat is.' Hij richtte zich tot Sabinus. 'Als Plautius op de hoogte is gebracht van de aanstaande samenzwering zal hij een van deze twee dingen doen, of beide: hij schrijft een brief naar de keizer met het dringende verzoek Corvinus en Geta te vervangen. Hij krijgt die brief in handen omdat ik niet in Rome ben om zijn post door te nemen. Het zou echter ook kunnen dat hij ze confronteert met hun plannen. In elk geval zal Messalina erachter komen dat ik haar in de gaten houd. En dat mag in geen geval gebeuren. Mijn leven hangt dan aan een zijden draad en Messalina zal voorzichtiger worden bij wat ze in de toekomst nog wil bekokstoven. Om van die furie af te komen, moet ik ervoor zorgen dat ze zich veilig waant. In haar arrogantie zal ze vervolgens roekeloos worden.' Om de mondhoeken van Narcissus speelde een wrang glimlachje. 'Wellicht verbaast het u te horen dat om dat doel te bereiken ik zelfs bereid ben om die wraakzuchtige teef te helpen bij het veroordelen van oude vijanden van haar familie.'

Vespasianus zuchtte. 'Niets verbaast me nog in de keizerlijke politiek.'

Caenis sloeg haar armen om zijn nek en kuste hem, waarbij ze haar lichaam stevig tegen hem aan drukte. 'Ik heb je gemist, liefste.'

Vespasianus reageerde net zo vurig terwijl Sabinus en Magnus

rondkeken in zijn tent alsof het gewone meubilair en de schaarse decoraties het plotseling waard waren om aan een nader onderzoek te onderwerpen.

'Wat doe jij hier, zo ver van huis?' vroeg Vespasianus. Hij maakte zich los uit haar omhelzing.

'Dat heb je toch gezien? Het is precies zoals het lijkt. Ik ben de secretaresse van de secretaris. En in Rome heb ik mijn eigen secretaresse! Ongelofelijk, hè?'

Vespasianus lachte. 'De secretaresse van de secretaresse van de secretaris? Dat brengt de bureaucratie naar een nieuwe hoogtepunt!'

'Daar kun je wel eens gelijk in hebben. Narcissus, Pallas en Callistus genieten met volle teugen. Ze stoppen liefst zo veel mogelijk ambtenaren in het paleis. Hoe meer protocollen er gevolgd moeten worden, hoe moeilijker het voor iedereen wordt... behalve voor hen... om nog wijs te worden uit hoe dingen in zijn werk gaan.'

'Waarom werk je voor Narcissus? Waarom niet voor Pallas?'

'Claudius heeft me daartoe opdracht gegeven. Ik kan toch niet ongehoorzaam zijn aan mijn meester en keizer? Volgens mij heeft Pallas dit idee van Narcissus oogluikend toegestaan. Ik fungeer zonder medeweten van Callistus als communicatiemiddel tussen hen.'

'Dat klootzakje heeft ons proberen te vermoorden,' snauwde Sabinus.

'Ja, ik heb Pallas nog nooit zo hels gezien als toen hij erachter kwam. Bijna verhief hij zijn stem. Het beetje vertrouwen dat hij en Narcissus nog hadden in Callistus was meteen aan gruzelementen. Inmiddels proberen ze te bewijzen, als het moet verzinnen ze wat, dat Callistus met Messalina samenwerkt. Hij zal dan met haar ten onder gaan. Rome is momenteel geen fijne stad om in te wonen.'

'Hoe is oom Gaius eronder?' vroeg Vespasianus.

'Hij bemoeit zich als het even kan nergens mee. Maar hij is vaker uit huis dan hem lief is. Maar ja, zijn huishouden is dan ook danig veranderd.'

'Is moeder uiteindelijk gearriveerd?'

'Ja, twee maanden geleden. Onder escorte van Artebudz. Zij en Flavia verschillen fundamenteel van mening over hoe kinderen opgevoed dienen te worden.'

Vespasianus grimaste. 'Daar kan ik me wel wat bij voorstellen. En hun meningen steken ze niet onder stoelen of banken, hè?'

'Dat kun je wel zeggen. Ik heb van beiden brieven meegebracht voor jou. En een van je oom. Ongetwijfeld puilen ze uit van de klachten over elkaar.'

'Het lijkt me net zo erg als het geruzie van Claudius' vrijgelatenen,' opperde Magnus. Hij schonk zichzelf een beker wijn in.

'Veel erger.' Sabinus grinnikte. 'Zij wonen tenslotte niet gedrieën onder één dak.'

Vespasianus wierp zijn broer een chagrijnige blik toe. 'Misschien moet ik er toch over gaan denken om een eigen huis te kopen.'

'Als je mij maar niet om een lening vraagt, broer.'

'Daar zou ik nog een tijdje mee wachten, heer,' adviseerde Magnus. Ook hij vulde zijn beker. 'Het zal natuurlijk zeer onrustig worden in Rome als Narcissus en zijn maten de keizerin onderuithalen.'

'Als ze dat al lukt.'

'O, maar daar ben ik van overtuigd. De vraag is alleen wie haar plaats gaat innemen. Typisch een functie waar heel wat akelige krengen op afkomen.'

'Laten we eerst dit akelige kreng maar eens de laan uit sturen. Nu Narcissus ons in deze strijd heeft verwikkeld, verwacht ik dat hij ons de komende tijd ook met andere wespennesten confronteert.' Vespasianus legde een arm om de schouders van Caenis. 'In de tussentijd heb ik andere dingen te doen.'

Magnus dronk zijn beker leeg. 'Ik dacht dat u vanmiddag aanwezig zou zijn bij de invasie-exercities.'

'Ik weet zeker dat jullie dat best alleen kunnen.'

'U hebt namelijk een andere invasie voor ogen, hè, als u begrijpt wat ik bedoel?'

Caenis glimlachte. 'Zo zou je het kunnen noemen, Magnus.'

HOOFDSTUK XIV

'Weten jullie dat zeker?' vroeg Aulus Plautius op eisende toon aan twee Gallische handelaars. Nerveus stonden ze voor hem in zijn vergaderzaal, die inmiddels in een schijnsel van flakkerende olielampen was gehuld.

'Ja, generaal,' antwoordde de oudste van de twee. 'Mijn zoon en ik hebben het nieuws gisteren gehoord. We zijn vanmorgen bij het eerste ochtendlicht de zee overgestoken. Ze verzamelen zich in het land van de Cantiaci, in de zuidoosthoek van het eiland.'

'Ik weet waar de Cantiaci wonen,' snauwde Plautius. Zijn humeur was niet beter geworden van dit nieuws. 'Over hoeveel stammen hebben we het?'

'De Catuvellauni en alle stammen die eraan ondergeschikt zijn.'

'Wie voert het bevel?'

'Caradoc. Jullie Romeinen noemen hem Caratacus. En zijn broer Togodumnus, beiden stamleden van de Catuv...'

'Ik weet bij welke stam ze horen!' Plautius smeet een rinkelende geldbuidel naar de oudste van de twee. 'Jullie kunnen gaan.' De handelaars maakten een buiging en haastten zich de zaal uit. Onderwijl wendde Plautius zich tot een potige, langharige man van begin dertig met een blozend gezicht en een lange hangsnor. 'Wat denk je, Adminios, hoeveel manschappen hebben zich daar verzameld?'

De Brit antwoordde meteen. 'Als mijn twee broers er ook zijn, dan wil dat zeggen dat in elk geval de Trinovantes, de Atrebates, de Regni- en de Cantiaci-confederatie er gelegerd zijn. Mogelijk ook de Dobunni en Belgen uit de meer westelijke contreien. Op de stranden staat ons dan een strijdmacht te wachten van minstens honderddui-

zend krijgers, wellicht nog meer. Ik kan u verzekeren dat ze paraat zullen staan. De stranden vormen tenslotte hun beste kans om ons te verslaan.'

'Niet alle manschappen van de Atrebates- en de Regni-confederatie,' viel een al oudere Brit met grijs haar en een zwarte, eveneens lange hangsnor hen in de rede.

Plautius streek met een hand door zijn kortgeknipte haar. 'Waarom denk je dat, Verica?'

'Mijn neef, de koning van het eiland Vectis, haat Caratacus. Zijn ondergeschikte stam zal zich niet bij die strijdmacht voegen. En de ondergeschikte stammen van de Regni, waartoe ik behoor, ook niet.'

'Niettemin zal de strijdmacht groter zijn dan waar Caesar indertijd mee kampte. En hij had het er al moeilijk genoeg mee.' Plautius keek naar zijn legati, die rechts van hem zaten. 'Wel, heren, kennelijk zijn ze te weten gekomen dat we eerder oversteken dan aanvankelijk de bedoeling was. De vraag is hoe we nu het beste kunnen reageren.' In zijn stem klonk door hoe verontrust hij was.

Vespasianus keek even naar zijn drie collega's. Niemand zag eruit of hij op een lumineus idee aan het broeden was. 'Een vertragingstactiek lijkt mij het beste. Zo'n grote strijdmacht houdt het in deze tijd van het jaar als geheel niet lang uit. Daar is de landopbrengst te klein voor. Vroeg of laat zullen ze zich in groepen moeten verdelen.'

'Helemaal mee eens, Vespasianus. Dat lijkt mij ook het meest logische. Maar in politiek opzicht is dat onmogelijk. Ik word gegarandeerd van hoogverraad beschuldigd als we een uur later dan afgesproken de haven verlaten. Over twee dagen is het zover. Dat wil zeggen dat de troepen morgen aan boord moeten gaan.'

'Dan ontschepen we ergens anders,' stelde Sabinus voor.

'Dat ben ik aan het overwegen. Tribuun Alienus, de grote kaart.' Plautius stond op en liep naar de tafel waarop de landkaarten waren uitgespreid. Zijn legati volgden hem. Een jonge, onervaren tribuun ontrolde een kaart met daarop de zuid- en oostkust van Britannia en een stuk van de Gallische kust. Plautius wees naar Gesoriacum en vervolgens naar een punt net ten noordoosten daarvan, waar de Britse kust zich het dichtst bij het vasteland bevond. 'Mijn plan is om hier aan land te gaan, zoals Caesar destijds. Ik doe dat om drie redenen. Ten eerste omdat ik niet wil dat de troepen langer dan nodig op zee

zijn. Ten tweede hebben we de rapporten van Caesar over dat gebied en diens informatie over de verdomde getijden waar ze hier zo dol op zijn. Ten derde is dat de kortste bevoorradingsroute over zee. Van daaruit wil ik noordwaarts oprukken, naar de hoofdstad van de Cantiaci. Zo zorg ik ervoor dat Adminios weer koning kan zijn van zijn volk.' Hij liet zijn vinger naar een stad glijden bij de oostpunt van Britannia. Een stad die zich pal tegenover een eiland bevond. 'Tezelfdertijd krijgt onze vloot de controle over de zee-engte tussen dit eiland, Tanatis, en het vasteland van Britannia. Op die manier krijgen onze manschappen toegang tot de riviermonding van de Tamesis. Een secundaire legermacht stuur ik zuidwaarts om een kleine, natuurlijke haven onder de krijtklippen veilig te stellen.' Hij wees naar de plaats waar Britannia zich het dichtst bij Gallia bevond. 'Met onze achterhoede gedekt, en een pro-Romeinse regering aan de macht in een gebied waardoorheen onze bevoorradingsroutes lopen, rukken we in snel tempo dertig mijl op vanuit de Cantiacihoofdstad, ofwel Cantiacum, zoals ik de stad voortaan zal noemen. We blijven dicht bij de riviermonding, met in het noorden de heuvels om onze flank te beschermen. Zo nemen we de enige brug over deze rivier in, de Afon Cantiacii, die hier in de riviermonding van de Tamesis stroomt. Deze route heeft twee belangrijke voordelen. Ten eerste krijgen we daar versterkingstroepen en bevoorrading van onze vloot bij de riviermonding. Ook doen we ons voordeel met de heuvels. Adminios zegt dat ze slechts gedeeltelijk bebost zijn. Daar kunnen dan onze paarden en lastdieren grazen.' Vervolgens liet Plautius zijn vinger evenwijdig aan de riviermonding naar boven glijden. 'Van hieraf wil ik westwaarts oprukken tot aan deze doorwaadbare plaats in de Tamesis. Hier dus. Daarna doorkruisen we het territorium van de Catuvellauni naar hun hoofdstad, het Fort van Camulos, genoemd naar hun beschermgod, een oorlogsgod.'

'Stel dat de Britten de brug verwoesten voordat wij er arriveren,' merkte Vespasianus op. Hij staarde naar de rivier, ogenschijnlijk het enige belangrijke obstakel vóór de doorwaadbare plaats in de Tamesis.

'Naar alle waarschijnlijkheid zullen ze dat van plan zijn om te voorkomen dat we de rivier oversteken. Sterker nog, ik verwacht dat ze dat doen. Als we de Tamesis oversteken, zullen we hoe dan ook tegen ze moeten vechten. De manschappen kunnen dus eerst wat oefenen en de spieren losmaken bij deze rivier.'

'Ik heb acht infanteriecohorten en een Bataafse ala tot mijn beschikking. Ik heb ze in het verleden rivieren zien oversteken. Dit moet geen probleem voor ze zijn. Verre van een uitdaging.'

'O, maar dat komt nog wel. We hebben lichte pontonboten in ons konvooi. Daarmee steken we de rivier over; dat verwachten de barbaren niet. Daarna zullen onze manschappen flink op hun donder krijgen als honderdduizend harige barbaren, ingesmeerd met die walgelijke blauwgroene klei, ons op het strand opwachten. Wildemannen die verschrikkelijk chagrijnig zullen zijn en zakken vol katapultstenen bij zich hebben.'

'Waarom gaan we niet bij het Fort van Camulos van boord?' vroeg Corvinus. Door de blik in diens ogen realiseerde Vespasianus zich meteen dat Narcissus wel eens gelijk kon hebben wat zijn samenzweringstheorie betrof.

'Dat fort mag ik pas innemen als de keizer erbij aanwezig is.'

'Dan gaan we een heel eind ten noorden ervan aan land, het territorium van de Parisii. Met die stam hebben we immers een vredesverdrag gesloten,' zei Sabinus. Hij wees naar een gebied in het noorden, aan de oostkust. 'We zakken dan langs de kust af. Die streek moet vroeg of laat toch worden ingenomen.'

'Dat zou in militair opzicht pas dwaas zijn, legatus. We plaatsen onze troepen dan aan de uiterste punt van een zeer lange bevoorradingsroute over zee. Alleen een vrouw zou dat als haalbaar beschouwen.'

Sabinus verstijfde na deze regelrechte belediging.

'Het spijt me, Sabinus, zo bedoelde ik het niet. We moeten inderdaad alle mogelijkheden bespreken.'

Sabinus ontspande zich en stak een hand op. Hij accepteerde de verontschuldiging. Corvinus stond naast hem en grijnsde.

'Kunnen we niet verder westwaarts aan land gaan?' stelde Geta voor. Hij legde het topje van zijn wijsvinger op een eiland aan de zuidkust. 'De zee-engte tussen Vectis en het vasteland van Britannia biedt bescherming aan onze vloot, en iets oostelijker bevindt zich een natuurlijke haven. Volgens mij tevens de hoofdstad waar Verica het voor het zeggen heeft. Daar worden we als vrienden onthaald.'

Verica boog instemmend zijn hoofd. 'Van mijn volk, de Regni, zult u ongetwijfeld steun krijgen. We zijn echter slechts één stam die ondergeschikt is aan de Atrebates. U zult zich dus strijdend een weg

moeten banen naar het noorden, en onderweg mijn neef en zijn krijgsmacht op Vectis moeten verslaan.'

Plautius schudde zijn hoofd. 'En in het noorden kan de vloot ons geen ondersteuning bieden. Tegen de tijd dat we dan bij de Tamesis arriveren, zal de bevoorradingsroute over land ruim zeventig mijl lang zijn. Bovendien zullen we blootstaan aan aanvallen vanuit het oosten en westen zodra we noordwaarts trekken. Dat is te riskant. Bij de minste tegenslag zouden we afgesneden kunnen worden van de bevoorrading; een grote vernedering die veel levens kan kosten. Gezien dat feit zou het dwaas zijn om de strijdmacht in vijandig gebied te splitsen terwijl de victorie eigenlijk al binnen handbereik is. We moeten iets uitdenken waarbij we het complete leger in het zuidoosten aan land kunnen zetten.'

Vespasianus schraapte zijn keel en wees naar de zee-engte tussen Tanatis en de meest oostelijke punt van Britannia. 'Laten we dan kiezen voor uw oorspronkelijke plan, heer. We gaan achter hen aan land en trekken zuidwaarts, waarbij we hun achterhoede aanvallen. Op zeker moment zullen we hoe dan ook de strijd moeten aangaan. Kennelijk willen ze ons van dienst zijn door hun hele krijgsmacht op één plaats te concentreren. Ik denk dat we daar ons voordeel mee kunnen doen.'

'Hoe ziet het strand er daar uit, Adminios?'

'Heel geschikt voor ons doel.' Hij wees naar een kaap op het vasteland van Britannia. 'We noemen dat oord "Rhudd yr epis", "Paardenstrand" in het Latijn. Het is een glooiend strand, beschermd door het eiland. En er loopt een uitstekende route van tien mijl naar de hoofdstad van de Cantiaci.'

'Er moet dus eerst een strijdmacht naar dat eiland voordat de hoofdmacht ontscheept bij Rutupis, of hoe je het daar ook noemt. Daarna stellen we het bruggenhoofd veilig en rukken op naar de stad. Zodra we Cantiacum hebben ingenomen, trekken we zuidwaarts en rekenen af met die lastige broeders van je. Zullen ze tegenstand bieden of vluchten ze om het slagveld zelf te kiezen?'

'Ze gaan meteen in de tegenaanval, ze hebben geen andere keus. In het westen liggen immers enorme eikenbossen. Het is een soort niemandsland. Een strijdmacht van die omvang loopt zich daar gegarandeerd vast. Ze zullen ons dus aanvallen of proberen een omtrekkende beweging te maken.'

Plautius staarde even naar de landkaart. 'Ja, dat idee heeft pluspunten. Maar hoe goed we ons ook van onze taak kwijten, er zullen hoe dan ook veel krijgers weten te ontsnappen. Ik laat Sentius met een kleine secundaire strijdmacht achter waar we aan land zouden zijn gegaan om de bevoorradingsroute te beschermen en om noordwestelijk op te rukken met de hoofdmacht. Aldus volgen we de restanten van het Britse leger. De krijgers zullen de rivier over moeten, waarna ze de brug verwoesten en ons proberen tegen te houden. Dat zal een zeer bloedige dag worden, heren. De krijgers die dat bloedbad overleven zullen zich terugtrekken achter de Tamesis.' Plautius dacht daar even over na, woog de voors en tegens af. 'Ja, dit plan kan werken. We zouden de Tamesis binnen anderhalve maand na de landing kunnen oversteken, waarbij we de Britse strijdmacht in drie veldslagen vernietigen.'

'En gaan we daarna drie maanden lang duimendraaien om op mijn zwager te wachten? De Britten krijgen onderwijl de kans zich te hergroeperen.' Corvinus keek Plautius vragend aan.

'Legatus, ik wil u eraan herinneren dat uw zwager onze keizer is. Als dat zijn instructies zijn, dan heb ik hem te gehoorzamen.'

'Zijn instructies zijn het in geen geval. Dit plan komt uit de koker van die omhooggevallen vrijgelatene van hem, en dat weet u heel goed... heer.'

'Dat maakt niet uit. Hij spreekt in naam en met het gezag van de keizer.'

'Eind juni zouden we het hele zuidoosten van Britannia onder controle kunnen hebben!'

'Verhef uw stem niet tegen mij, legatus. Als u blijft kibbelen zal ik u, bij alle goden van mijn familie, uit uw functie ontheffen en een brief schrijven aan uw dierbare zwager dat ik u verdenk van verraad.'

'Ik weet zeker dat mijn collega alleen zijn frustraties uit,' zei Vespasianus haastig. 'Alle aanwezigen zijn uit hun normale doen door deze vertraging.' Hij oogstte een verwarde, boze blik van Corvinus. 'Ik ben ervan overtuigd dat hij de politieke noodzaak van deze oorlogsstrategie heel goed begrijpt. Dat geldt voor ons allen.'

Plautius gromde. 'U hebt gelijk, Vespasianus. Het is inderdaad zeer frustrerend voor iedereen. Maar het is zoals het is. Onenigheid onder de officieren helpt ons niet verder. Zand erover. Mee eens, Corvinus?'

Corvinus stak zijn onderkaak uit, maar hij wist ook dat het verstandiger was om het hierbij te laten. 'Mee eens, heer.'

'Goed. De bevoorradingsschepen liggen inmiddels buitengaats klaar om uit te varen. De inscheping van de troepen gaat morgenmiddag van start. De manschappen zullen de nacht aan boord doorbrengen. Een uur na middernacht zullen we met hoogtij uitvaren. Vragen?'

De vier legati schudden hun hoofd.

'Laat morgenmiddag voor de legerkampen uw legioenen en hulptroepen met volle bepakking aantreden voor inspectie. Iedereen krijgt een rantsoen van zeventien dagen mee. Dat is alles, heren.'

Vespasianus salueerde. Net als de drie andere legati. Vervolgens draaide hij zich om en viel keurig naast Sabinus in de pas, gevolgd door Corvinus en Geta.

'Wat ben je van plan, kinkel?' fluisterde Corvinus lijzig in het oor van Vespasianus terwijl een slaaf de deur van de ontvangstkamer achter hen dichtdeed. 'Ik dacht dat jij en die bedrogen broer van je het wel leuk zouden vinden om te zien hoe Plautius mij uit mijn functie als bevelhebber probeert te ontheffen.'

Sabinus draaide zich met een ruk om, greep Corvinus bij de keel en drukte hem met een klap tegen de gangmuur. 'Hoe noemde je mij?'

Corvinus sloeg met zijn rechterarm tegen de pols van Sabinus, die hem meteen losliet. 'Precies wat je bent.'

Vespasianus greep zijn broer bij de schouders vast terwijl Geta voor Corvinus ging staan. 'Laat hem met rust, broer! Kom mee.' Sabinus worstelde even terwijl Vespasianus hem meetrok.

Corvinus glimlachte zelfgenoegzaam over de schouder van Geta. 'De waarheid doet altijd pijn, nietwaar?'

Sabinus was ziedend. 'Ik krijg jou nog wel, arrogante klootzak. Jouw dagen zijn geteld.'

'Dat lijkt mij zeer onwaarschijnlijk zolang mijn zus het bed deelt met de keizer.'

'Daar zal ook wel ooit een eind aan komen. Ze...'

'Sabinus!' schreeuwde Vespasianus.

'En wie gaat haar uit het keizerlijk bed sleuren? Jij?' schamperde Corvinus. Plotseling zweeg hij en glimlachte, alsof hij meer wist. 'Of gaat Narcissus dat doen? Riep hij jullie laatst om die reden terug?

Heeft hij dat met jullie besproken? Heeft die boerenkinkel me om die reden de hand boven het hoofd gehouden? Dat was namelijk heel raar. Waarom zou je willen dat ik het bevel over mijn legioen hield? Natuurlijk om de indruk te wekken dat alles heel normaal verloopt, niks aan de hand. Die glibberige Griek zweert samen tegen mijn zus. En jullie maken deel uit van zijn complot.'

'Doe niet zo stom, Corvinus,' zei Vespasianus, terwijl hij zijn broer naar achteren duwde. 'Waarom zou hij dat doen? Hij heeft immers het beste met de keizer voor.'

Corvinus trok zijn wenkbrauwen op. 'O ja? Waarschijnlijk alleen als dat samenvalt met zijn eigen belangen. Voor de rest twijfel ik daar ten zeerste aan. Nog een prettige avond, heren. Bedankt voor het babbeltje. Het was zeer verhelderend.' Hij liep weg. Geta volgde hem en fronste boos zijn wenkbrauwen terwijl hij naar de broers keek.

Vespasianus draaide zich om naar Sabinus. 'Dat was ontzettend...'

'Hou op, broertje van me,' viel Sabinus hem in de rede. 'Ik weet heus wel hoe stom dat was.'

Vespasianus werd nog voor het eerste ochtendlicht wakker van de manschappen die het legerkamp opbraken. Hij voelde het warme lichaam van Caenis, die in zijn armen lag. Een tijdje luisterde hij naar haar zachte ademhaling. Hij wist dat het lang zou duren voordat ze op deze wijze weer van elkaar konden genieten. Vannacht zou hij zich aan boord van het schip bevinden dat gereedlag om hen naar dat barbaarse eiland aan de overkant van de zee te brengen.

Hij drukte zijn gezicht in haar lokken en nam haar geur in zich op, waarna hij haar teder kuste, zijn arm onder haar vandaan haalde en uit bed glipte.

'Tijd om te gaan, liefste?' vroeg Caenis slaperig terwijl hij zijn lendendoek omdeed.

'Mijn officieren komen dadelijk rapport uitbrengen. Daarna zal ik de hele dag druk zijn met het aan boord krijgen van de manschappen.'

'Dan kunnen we maar beter nu afscheid van elkaar nemen. Zodra jullie zijn ingescheept ga ik terug naar Rome. Narcissus wil dat ik zo snel mogelijk vertrek. Ik heb namelijk veel post voor de keizer bij me.'

Vespasianus ging op de bedrand zitten en nam haar in zijn armen.

'Zal het lang duren, Vespasianus?'

'Minstens twee jaar, waarschijnlijk langer.'

'Kleine Domitilla zal drie of vier jaar zijn voordat ze haar vader te zien krijgt.'

'Tenzij een of andere met klei bedekte barbaar me eerder van kant maakt.'

'Zo moet je niet praten, liefste. Dat brengt ongeluk. Je komt gezond en wel uit deze oorlog, ik weet het zeker.'

'Ik heb brieven voor Flavia en mijn moeder. En natuurlijk voor Gaius. Wil je die in Rome aan ze geven?'

Caenis drukte een kus op zijn wang. 'Natuurlijk, wat dacht jij dan? Flavia en ik kunnen het heel goed met elkaar vinden. Je moeder snapt daar niks van. Flavia heeft kleine Titus zover gekregen dat hij me tante noemt, hoewel ik liever zou hebben dat hij me als zijn moeder beschouwde.'

Vespasianus hield haar stevig vast; het antwoord bleef steken in zijn keel. Hij realiseerde zich immers maar al te goed hoeveel Caenis had opgeofferd om bij hem te zijn. 'Houd je gedeisd in Rome. Probeer zo weinig mogelijk in het paleis te komen. Ik denk namelijk dat de plannen van Narcissus snel tot uitvoer worden gebracht nu Sabinus zich versproken heeft.'

'Ik ben elke dag in het paleis, daar valt niet aan te ontkomen. Ik werk tenslotte voor Narcissus. Ik ben er dagelijks, ook al blijft hij hier. Maar zelfs als hij en Messalina elkaar openlijk de oorlog verklaren, dan nog zal het haar niet lukken hem ten val te brengen. Claudius is te zeer van hem afhankelijk.'

'Misschien laat ze hem vermoorden. Een poging zal ze allicht wagen.'

'Narcissus is een man die heel voorzichtig te werk gaat. Hij laat zelfs een slaaf zijn eten proeven. Maar stel dat het haar lukt, ik blijf dan buiten schot, want mij beschouwt ze niet als gevaarlijk. Ik ben trouwens heel lang ondergedoken geweest tijdens het regime van Caligula. Volgens mij weet ze niet eens hoe ik heet.'

'Laten we het hopen.'

'Ik weet het zeker. Je kunt je beter zorgen gaan maken over Sabinus. Narcissus heeft er een slecht humeur aan overgehouden.'

'Dat is nog zwak uitgedrukt,' zei Vespasianus. Hij dacht terug aan het gesprek dat hij en Sabinus hadden met Narcissus kort nadat Sa-

binus zijn mond voorbij had gepraat tegen Corvinus. Narcissus was laaiend. Dat bracht hij tot uitdrukking met een ijskoude blik in zijn van nature toch al priemende prikogen. Bovendien sprak hij fluisterzacht, sissend en kortaf terwijl hij Sabinus de les las. De vernedering om zo te worden toegesproken door een vrijgelatene, want dat was Narcissus, werd Sabinus bijna te veel. Vespasianus moest een hand op zijn schouder leggen om hem te kalmeren nadat Narcissus hem incompetent had genoemd en hem uit zijn functie dreigde te ontheffen. Narcissus werd op zijn beurt pas rustiger toen Vespasianus te berde bracht dat Corvinus zijn vermoedens absoluut niet kon staven en dat ze slechts gebaseerd waren op veronderstellingen. Narcissus riep vervolgens een praetoriaanse lijfwacht bij zich en gaf hem opdracht de post van vannacht te laten onderscheppen. Geen enkele brief van Corvinus mocht Rome bereiken. Het was slechts een tijdelijke maatregel. Iedereen wist dat Corvinus wel een manier zou bedenken om zijn zus van zijn vermoedens op de hoogte te stellen. Narcissus had de broers weggestuurd met een bruuske waarschuwing. Als het hem niet zou lukken Messalina vóór hun terugkomst in Rome te vermoorden, zou hij hen voor de keuze stellen: zelfmoord plegen of de keizerin eigenhandig doden, waarna ze geëxecuteerd zouden worden voor die misdaad.

'Je moet gaan, liefste.' Caenis drukte een kus op zijn mond. 'Een lang afscheid ligt mij niet, ik kan er niet tegen.'

'Ik ook niet.' Vespasianus stond op en trok de tunica over zijn hoofd aan.

'Heer! Heer!' schreeuwde Magnus in het woongedeelte van de tent.

'Ik weet het, ik kom eraan!'

Magnus stak zijn hoofd tussen de gordijnen die voor het slaapgedeelte hingen. 'Nee, u weet nog van niks! Mucianus heeft me gestuurd om u te halen. We hebben een groot probleem. De manschappen weigeren het kamp op te breken.'

'Wat? Dat is muiterij! Wie zijn de aanstichters?'

'Dat is nou net het probleem, heer. Er zijn kennelijk geen aanstichters. Het betreft niet alleen de Tweede Augusta. Alle manschappen van de vier legioenen en alle hulptroepen vertikken het om aan de slag te gaan. Ze vormen een hechte band, zijn zeer stellig in hun streven. De troepen kregen het bevel het kamp op te breken en be-

seften plotseling dat het geen oefening was, maar dat het nu echt ging gebeuren. Het staat ze niet aan. Ze zeggen dat het eiland beschermd wordt door machtige goden en dat het er vergeven is van sinistere geesten. Ze willen niet gaan. Ze vrezen het onbekende. De complete strijdmacht wil niet inschepen. Ze gaan niet naar Britannia.'

'Ik stel voor dat u alle manschappen bijeenroept en ze meteen toespreekt, generaal, anders gaat u geketend terug naar Rome,' dreigde Narcissus zonder omhaal van woorden terwijl hij de vergaderzaal binnenstormde. Zijn stem klonk broos en dreigend als krakend ijs. 'Het zal bovendien niet alleen uw loopbaan zijn waar voortijdig een einde aan komt.' Dreigend staarde hij de verzamelde legati, de hulpprefecten, de tribunen en de kampprefecten beurtelings aan.

Plautius keek Narcissus, die boos naar hem loerde, kalm aan. 'Dat zou zeer onverstandig zijn, keizerlijke secretaris.'

'Onverstandig? Vindt u het verstandig dat een krijgsmacht van veertigduizend manschappen de bevelen van de keizer negeert?'

'Nee, dat is evenmin verstandig. Ik zeg alleen dat dit niet het geschikte moment is om de manschappen over te halen aan boord te gaan.'

'Ze moeten inschepen als u vannacht wilt uitvaren.'

'We vertrekken vannacht dan ook niet.'

Heel even staarde Narcissus hem verbluft aan. 'Geeft u daarmee te kennen, generaal Plautius, dat u eveneens weigert naar Britannia te gaan?'

'Nee, we gaan alleen niet vannacht. Eerst moeten de gemoederen gesust zijn. Daar is tijd voor nodig. Over een paar dagen spreek ik de manschappen toe. De dag erna zullen we het ruime sop kiezen.'

'Het zijn legionairs. Ze moeten op elk moment gehoorzamen, niet alleen als het hun uitkomt... of als ze "gesust" zijn.'

'Ik ben het helemaal met u eens, keizerlijke secretaris. Maar laten we wel wezen: dit avontuur in verre streken komt u meer uit dan dat zij ermee gediend zijn. Ik heb het dan over u, de keizer en verder iedereen die graag ziet dat deze veldtocht snel en soepel verloopt.'

Vespasianus onderdrukte een glimlachje. Voor het eerst zag hij een uitdrukking van totale verbijstering op het doorgaans ondoorgrondelijke gezicht van Narcissus.

'Nu zult u me toch moeten uitleggen, generaal, hoe uitstel van deze invasie de militaire veldtocht als geheel sneller doet verlopen. Ik zou namelijk eerder aan het tegengestelde denken.'

'U hebt dan ook geen militaire achtergrond, Narcissus. U als paleisfunctionaris hebt net zo weinig inzicht in militaire kwesties als ik notie heb van de voorgeschreven sociale omgangsvormen.'

'Hoe durft u me zo aan te spreken!'

'Nee, Narcissus! Hoe durft u hier binnen te stormen en mij en mijn officieren te bedreigen. Hoe durft u mij te vernederen in hun bijzijn. Kennelijk luistert de keizer naar u en beschouwt u zichzelf als zeer belangrijk. Maar u bent en blijft een vrijgelatene, een ex-slaaf. Zonder Claudius zou alles er heel anders voor u uitzien, en dat weet u goed. Zodra uw meester overlijdt, bent u zo irrelevant in deze wereld dat u zichzelf nog geen drie uur lang in leven kunt houden. Dat moment zou wel eens snel kunnen aanbreken als deze invasie geen succes wordt. Ik ben daarentegen een Plautius, die uw arrogante gedrag niet langer zal dulden. Luister dus goed, vrijgelatene. Gisteren hebben we van een stel Gallische handelaars vernomen dat om en nabij de honderdduizend krijgers ons staan op te wachten aan de overkant.' Met een beschuldigende vinger wees hij naar het raam, waarachter een kalme zee flonkerde in de ochtendzon. Een schip met volle zeilen verdween langzaam uit het zicht. 'Een kans van een op drie, of zelfs een op vijf, schrikt mij niet af als ik het moet opnemen tegen ongedisciplineerde barbaren. Ik denk echter dat zelfs u begrijpt dat hoe kleiner de vijandelijke krijgsmacht is, hoe beter dat voor ons is. Dat lijkt me een billijke militaire stelregel. Zeker als u opdracht geeft het leger van Rome te ontschepen op een vijandelijk strand. Wat ziet u als u uit het raam kijkt, keizerlijke secretaris?'

Narcissus kneep zijn ogen half dicht terwijl hij naar het glinsterende water keek. 'De zee.'

'En wat ziet u op zee?'

'Een schip.'

'Een schip? Dat is niet zomaar een schip. Dat schip is op een zeer belangrijke missie. Afhankelijk van het succes van die missie steken wij de Tamesis in vijfenveertig dagen of in dertig dagen over. Dat schip zal binnen een marktinterval het Britse leger uiteendrijven.'

Narcissus stond nu helemaal paf. 'Negen dagen? Hoezo?'

'De handelaars die gisteren mijn zilver kregen in ruil voor informatie over de Britse krijgsmacht keren nu terug naar Britannia. Vanavond nog zullen ze van Togodumnus en Caratacus zilveren muntstukken ontvangen en hun verklappen dat onze troepen aan het muiten zijn geslagen en dat er dus geen sprake zal zijn van een invasie. Zodra de krijgers dat horen, zal hun strijdmacht tot nader order ontbonden worden. Ze gaan allemaal snel terug naar hun boerderijen. Dat zullen ze niet doen als ze verwachten dat onze schepen morgen aan de horizon verschijnen. Ik zou denken dat een burger als u zelfs kan begrijpen dat je een vijandelijk leger makkelijker kunt verslaan wanneer dat uiteen is gevallen. Dat kost minder levens. Kortom, keizerlijke secretaris, ik stel voor dat u mij mijn werk laat doen, want deze kwestie heeft niets met politiek te maken. We vertrekken op de kalenden van mei. En maakt u zich geen zorgen, we zullen de keizer op tijd roepen zodat hij zijn glorieuze overwinning kan opeisen.'

'Zorg ervoor dat het gebeurt.' Narcissus keek Plautius boos aan, draaide zich om en liep de kamer uit, zo waardig als onder deze omstandigheden maar mogelijk was.

Plautius wendde zich tot de verzamelde officieren alsof er niets aan de hand was. 'Welnu, heren, waar waren we gebleven? O ja, de invasiestranden. We zullen de nieuwe invasieplek nog steeds gebruiken voor het geval ze de strijdmacht in de oorspronkelijke staat houden, hoewel ik dat betwijfel. We ontschepen in drie golven. Legatus Corvinus, u krijgt de eer om de eerste landingsgolf te superviseren.'

Corvinus glimlachte zelfgenoegzaam en trots. 'Dank u, generaal.'

Met een stok wees Plautius naar een landkaart die achter hem aan een houten bord was gespijkerd. 'Uw Negende Legioen en de hulptroepen zullen op Tanatis aan land gaan en het eiland veiligstellen. Ik voer het bevel over de tweede landingsgolf, bestaande uit het Tweede en het Veertiende Legioen van Vespasianus en Sabinus, waarbij inbegrepen de hulptroepen. Wij arriveren een uur later op het vasteland bij Rutupiae, zoals ik dat oord in het vervolg zal noemen. Het Tweede Legioen zal zich verzamelen op het strand en meteen oprukken naar Cantiacum, tien mijl landinwaarts. Koning Adminios gaat met u mee. In de eerste nacht zal Adminios bloedverwanten ontmoeten die hem trouw hebben gezworen. Ze zullen de eed afleggen in naam van drie ondergeschikte stammen in dat gebied terwijl zijn afgezanten

onderhandelen over de inname van de stad. Als er sprake is van koppigheid wordt het oord meteen belegerd. Duidelijk, Vespasianus?'

'Ja, heer.'

'Goed. U stuurt bovendien uw Bataafse cavalerie onder bevel van prefect Paetus westwaarts om erachter te komen wat er verderop aan de hand is.' Plautius zocht Paetus onder de vele aanwezige officieren. 'Het is louter een verkenningsmissie, prefect. Er wordt dus niets of niemand aangevallen. Is dat begrepen? Ik wil geen flamboyant gedoe in mijn leger.'

Paetus trok zijn ernstigste gezicht. 'Geen flamboyant gedoe, heer!'

Plautius staarde de jonge prefect een moment lang aan. Tevergeefs speurde hij naar enige vorm van brutaliteit of onbeschaamdheid, waarna hij gromde en verderging met zijn betoog. 'Het Veertiende Legioen rukt op naar het zuiden. De Thracische en Gallische cavalerie worden naar voren gestuurd voor verkenningmissies die een groot gebied bestrijken. Ik wil weten of het Britse leger zich in die streken blijft ophouden. Als het er veilig is, laat u een garnizoen achter bij de natuurlijke haven onder de witte krijtrotsen, waarna u zich hoogstens drie dagen na de landing bij ons voegt in Cantiacum. Honderd triremen zullen u schaduwen langs de kust en die haven als hun marinebasis gaan gebruiken. De haven wordt later gebruikt voor land- en zeeoperaties langs de zuidkust. Terwijl de marine op bevelen wacht, zullen de matrozen en de rest van de bemanning aan het werk worden gezet om de haven geschikt te maken voor de taken die wij voor ogen hebben. Ik wil er binnen afzienbare tijd voorraadloodsen, steigers en een vuurtoren hebben. We blijven immers in Britannia. Sabinus, begrepen?'

'Ja, heer.'

'Vragen?'

'Wat doen we als we de strijdmacht van honderdduizend manschappen daar aantreffen?'

'Dan stuurt u mij zo snel als Mercurius een bericht met het verzoek om versterkingen.'

'Zo snel als Mercurius, heer.'

Plautius knikte kortaf. 'De derde landingsgolf valt onder het commando van legatus Geta. Deze troepenmacht bestaat uit het Twintigste Legioen en de hulptroepen, de uitrustingsschepen met de bepakking, de artillerie en de rantsoenen voor een maand. U volgt de

invasiemacht twaalf uur later. We hebben dan tijd om de landingsplaats geschikt te maken voor groot transport. Zodra u aan wal bent, bouwen uw manschappen binnen twee dagen een versterkt legerkamp dat groot genoeg is om onze volledige strijdmacht te herbergen voor het geval we ons met zijn allen moeten terugtrekken. Het kamp zal bovendien de thuisbasis worden van een permanent garnizoen, voorzien van een haven. Op de derde dag voegt u zich bij het Tweede en het Veertiende Legioen in Cantiacum.'

Geta keek beslist niet opgetogen dat hij zich met bouwwerkzaamheden moest bezighouden.

'Corvinus, zodra Geta het legerkamp verlaat, verscheept u uw strijdmacht over de zee-engte naar land. U bezet het kustgebied en geeft het bevel aan de helft van de resterende marine-eenheden om de haven te bouwen. De andere helft stuurt u noordwaarts de riviermonding van de Tamesis in om later de hoofdmacht te schaduwen die westwaarts zal oprukken. Als alles goed gaat staan we als leger dan paraat om grotere gebieden te bezetten, mits Sabinus niet te veel tegenstand ondervindt in het zuiden. Ik zal daaromtrent algemene orders geven op de derde dag dat we aan land zijn, als iedereen posities heeft ingenomen en ik meer inzicht heb gekregen omtrent de aard en de aanvalskracht van de vijand. Vragen, heren?'

Vespasianus keek om zich heen. Het had er alle schijn van dat niemand de voor de hand liggende vraag ging stellen. 'Ja, generaal. Hoe pakken we de muiterij aan?'

'We laten ze in hun sop gaarkoken, Vespasianus. We vertrekken pas over ongeveer twee marktintervals. In die periode zullen er heel wat handelaars de Gallische wateren zijn overgestoken. Laat ze aan de overkant maar denken dat we in een impasse zitten. Ze zullen er heilig in geloven, aangezien ze vier jaar geleden iets soortgelijks hebben meegemaakt toen Caligula Britannia probeerde te veroveren. Ik wil zelfs niet de schijn wekken dat we uiteindelijk toch gaan. Want zodra de Britten daar lucht van krijgen, zullen ze hun krijgsmacht weer mobiliseren. De voorraadschepen worden niet uitgeladen. De manschappen blijven echter in de legerkampen en volgen basisexercities om in vorm te blijven. Het zal aan mij zijn om ze op de dag voor het vertrek over te halen toch aan boord te gaan van de troepentransportschepen. We zien wel als het zover is. Dat is alles, heren.'

'Ik denk niet dat hij dat voor elkaar krijgt,' zei Magnus tegen Vespasianus. Ze stonden buiten de poort van het legerkamp van de Tweede Augusta.

'We zullen zien.'

'Wedden? Ik reken erop dat we getuige zullen zijn van een fiasco. Ik heb inmiddels veel jongens gesproken, ze willen niet gaan. Ze zijn als de dood voor dat eiland, omdat ze geluisterd hebben naar verhalen van vroeger. Van maten die zich na hun eerste dienstperiode weer hadden ingeschreven in het leger. Er zijn er nogal wat bij van de Veertiende Gemina, de strijdmacht die deel uitmaakte van Germanicus' vloot. Ze kwamen terug uit Germania en raakten verzeild in een storm, zevenentwintig jaar geleden. Ze spoelden aan op de Britse kust. Nu komen ze met verhalen over beesten die half mens, half vis zijn. En ze hebben het over geesten, spoken en zo meer. Ze zijn heel serieus, heer. Ze zitten de boel heus niet te stangen.'

Vespasianus staarde naar de gezichten van de legionairs die geformeerd in cohorten de poort uit marcheerden voor een exercitie met de andere legioenen en hulptroepen op het vlakke terrein tussen de haven en de vijf gigantische legerkampen die er als een halve cirkel omheen lagen. Het vijfde legerkamp was gebouwd door de onlangs gearriveerde versterkingstroepen van Asiaticus, bestaande uit twee praetoriaanse cohorten, vier cohorten van het Achtste Legioen, de hulptroepen en een heleboel olifanten. Formeel gezien zou Claudius die troepen meenemen vanuit Rome. 'Ze zien er inderdaad nogal nors uit, en dan druk ik me nog zwak uit.'

'Nors? Ze zijn zo pissig als maar zijn kan, klaar voor een muiterij van de ergste soort.'

'Misschien, we zullen zien,' mompelde Vespasianus. Heimelijk moest hij zijn vriend echter gelijk geven.

Hij had geen reden om het met hem oneens te zijn. Gedurende de eerste dagen na de instructieve bijeenkomst met Plautius hield de discipline in de legerkampen beslist niet over. De centuriones en hun optiones moesten alle zeilen bijzetten om te voorkomen dat de manschappen het zo zat werden dat ze zouden overgaan tot totale rebellie. Hij had het bevel gegeven tot twee executies, meer dan tien zweepstraffen en talloze stokstraffen. Soms kreeg hij de indruk dat er meer manschappen latrinedienst hadden dan dat er legionairs waren die er

gebruik van wilden maken. Inmiddels waren de troepen enigszins gekalmeerd. 'Discipline' en 'saamhorigheid' waren weer de kernwoorden geworden waarop de legermacht stoelde. Er werden minder straffen uitgedeeld. De basisexercities gingen onverminderd door, zoals ook het onderhoud van het materieel en het wapentuig. Ondanks het feit dat het moreel weer vrij goed was, betwijfelde Vespasianus of het voldoende was om Aulus Plautius ook maar een schijn van kans te geven als het ging om zijn pogingen de manschappen over te halen om over enkele uren in te schepen.

Het voordeel van dit uitstel was dat hij wat vaker bij Caenis kon zijn. Hoewel ze overdag beiden hun eigen beslommeringen en plichten hadden, waren ze 's nachts samen. Ze genoten er met volle teugen van. Caenis kwam telkens met waardevolle informatie over de stemming waarin Narcissus verkeerde. Het stond buiten kijf dat niet alleen Plautius te lijden zou hebben onder dit uitstel. Narcissus zou meedogenloos een einde maken aan de loopbanen van alle officieren. Caenis wist echter niet zeker of ook de loopbaan van Narcissus zelf aan een zijden draad hing. Ze vermoedde van wel, omdat ze ervan overtuigd was dat Pallas en Callistus een eventueel fiasco zouden gebruiken om hem ten val te brengen. Om maar te zwijgen van Messalina als de vermoedens van Corvinus haar ter ore kwamen. Vespasianus dacht dat Narcissus in wezen net zoveel te verliezen had als Plautius indien deze bijeenkomst de mist in ging. Dit zou wellicht het geschikte moment zijn om de legioenadelaar terug te geven.

Met deze gedachten in zijn achterhoofd zag hij zijn manschappen naar de hun toegewezen plaatsen op het exercitieterrein marcheren. Ze formeerden zich in keurige rijen naast de twee cohorten van de praetoriaanse lijfgarde op de ereplaats tegenover het podium. Toen de eenheden gepositioneerd waren, en hij hun saluut in ontvangst had genomen, liep hij naar zijn eigen plaats naast Sabinus, de andere legati en de hulpprefecten naast het podium waarop Plautius de manschappen zou toespreken. Vele herauten waren rondom het terrein opgesteld om zijn woord te verkondigen.

Plautius arriveerde nadat de laatste legereenheden hun posities hadden ingenomen. Conform zijn rechten als proconsul werd hij voorgegaan door elf lictoren. Narcissus stak er nogal dwaas bij af zoals hij naast hem liep met slechts twee slaven in zijn kielzog. De vrijgelatene

bleef achter bij de eerste trede van het podium. De generaal liep naar boven, waar de lictoren voor hem gingen staan en hij hun fasces in zijn hand hield, die de macht van Rome symboliseerden, de macht om wetten uit te vaardigen en erop toe te zien dat ze werden uitgevoerd.

Ergens in de gelederen brulde een officier een bevel uit. De harnassen en maliënkolders van de manschappen flonkerden in de warme ochtendzon. In koor weerklonk vervolgens een uitroep; het Romeinse leger groette zijn opperbevelhebber. Van veel enthousiasme was echter geen sprake, dat realiseerde Vespasianus zich uit ervaring.

Na enkele momenten – uiteraard nog voordat dit eerbetoon vanzelf wegstierf – stak Plautius zijn handen in de lucht en gebaarde om stilte. 'Soldaten van Rome, ik sta niet alleen voor jullie als generaal, maar ook als jullie strijdmakker. Als generaal zal ik jullie leiden in deze oorlog, maar als strijdmakker deel ik met jullie de moeilijkheden en beproevingen die we eventueel zullen moeten doorstaan. Als soldaat weet ik dat ontbering deel uitmaakt van het leven, zoals ook de zege dat is. En uiteindelijk zullen we zegevieren. Maar om de zege te oogsten, zullen we eerst de oversteek moeten wagen. Zegevieren zullen we beslist niet als we in de legerkampen blijven bivakkeren.'

Plautius zweeg even zodat de herauten zijn woorden konden herhalen. De enorme legermacht luisterde. Hier en daar staken de legerstandaards en banieren erboven uit. Met ervoor de adelaars van de vier legioenen. Vespasianus staarde naar de gezichten van de legionairs die zich het dichtst bij hem bevonden. Wat hij zag, stemde hem niet hoopvol.

'Ik begrijp jullie vrees,' vervolgde Plautius. 'Het onbekende wekt geen verlangen bij jullie op. Maar Britannia is geen onbekend gebied meer. Onze legers zijn er bijna honderd jaar geleden al geweest, en weer teruggekeerd! Die manschappen kwamen niet terug met verhalen over sinistere monsters en gemene geesten. Zij hadden het over mannen. Mannen die verslagen konden worden. Ze keerden terug met cijnzen en verdragen.'

'Volgens mij pakt hij dit verkeerd aan,' fluisterde Sabinus tegen Vespasianus. Telkens galmde de monoloog van Plautius over het exercitieterrein; de herauten deden hun werk. 'Cijnzen en verdragen kunnen ze geen donder schelen. Ze willen plunderen en neuken.'

'Dat kan hij ze niet beloven. Als we deze stammen willen pacifice-

ren, zullen we ze eerst moeten verslaan op het slagveld. Ze moeten capituleren, waarna we ze tot onze bondgenoten maken. Op z'n minst moeten ze zich neutraal opstellen. Daarna pas kunnen we westwaarts oprukken zonder dat we steeds over onze schouder moeten kijken.'

Prompt klonk er gegrom in de gelederen. Een zwaar, ronkend geluid weerklonk op het exercitieplein voor hen. Alsof uit duizenden kelen de uitspraak van Sabinus werd bevestigd. De legionairs waren inderdaad niet onder de indruk van cijnzen en verdragen.

Er verscheen een nerveuze uitdrukking op het gezicht van Plautius terwijl hij verder sprak. 'Ik doe dus een beroep op jullie, soldaten van Rome. Laat geen ongegronde vrees de glorieuze overwinning in de weg staan. Ik ken de Negende Hispana en de hulptroepen van toen ik in Pannonia diende. Ik weet hoe waardevol dat legioen is.' Een halfhartig gejuich steeg op uit de gelederen van die legermacht en hun hulpcohorten. 'Ook ken ik de kracht van het Tweede, het Veertiende en het Twintigste Legioen en hun hulptroepen. Ik weet hoe goed ze hun best doen om de grenzen van het keizerrijk aan de Rijn veilig te houden. Ik ben dat te weten gekomen nadat ik de vele rapporten had doorgenomen terwijl ik benoemd was als opperbevelhebber van deze expeditie. Ik verheug me erop om persoonlijk getuige te zijn van de kracht van deze legioenen.' De rest van de Romeinse strijdmacht juichte niet. Het gegrom zwol aan, verwerd tot een grauwend gemor. Hier en daar werd met de schachten van pila op de grond gestampt. Centuriones droegen vervolgens hun manschappen tevergeefs op daarmee op te houden. Plautius keek vluchtig neer op Narcissus. Angst straalde uit de ogen van de generaal. Hij knikte de vrijgelatene toe. Narcissus keek vervolgens naar de praetoriaanse cohorten, stak een hand op en liep naar de treden van het podium. Twee manschappen uit de gelederen van de praetoriaanse lijfgardisten stapten naar voren, tussen hen in een grote kist. Inmiddels klonk het bonkende geluid van de pila zo ritmisch als een zware trom; het symboliseerde eenheid onder de manschappen.

Vespasianus deelde de spanning onder de officieren rondom hem.

'Tjonge, komen ze daarmee aan. Alsof dat nu zal helpen,' morde Sabinus terwijl hij getuige was van het toenemende tumult.

'Beschouw het als de laatste poging om het tij te keren,' antwoordde Vespasianus. Narcissus ging naast Plautius op het podium staan.

'Alles of niets, net als bij dobbelen. Daar hebben we ons leven dus voor op het spel gezet.'

De twee lijfgardisten tilden de kist op de verhoging en marcheerden terug naar hun eenheid. Het ritmische gebonk van de pila klonk steeds luider. Hier en daar werd geschreeuwd. 'Nee!' en 'We gaan niet!' Het klonk boven de herrie uit.

Narcissus liet zich op een knie vallen, opende de kist en reikte erin. Het leger werd almaar rebelser. Steeds meer manschappen uitten hun onvrede. Ze wilden niet naar de overkant. De centuriones en optiones waren in de minderheid – veertig tegen een – en niet in staat een escalatie te smoren. Korzelig stonden ze te kijken, ziedend over hun eigen onmacht terwijl hun manschappen massaal ongehoorzaam werden.

Narcissus stond op, rechtte zijn rug en hield een houten stok in zijn handen. Het uiteinde ervan liet hij vooralsnog in de kist. Even later stak hij met enige moeite de stok omhoog en hield de adelaar van het Zeventiende Legioen hoog in de lucht.

De voorste gelederen van twee centraal opgestelde legioenen hielden langzaam op met het ritmische gebonk van hun speren. De verstilling waaierde uit over de twee legioenen die hen flankeerden. Het duurde niet lang of alle ogen waren gericht op het symbool van Rome dat hun werd getoond.

'Onze keizer heeft de gevallen adelaar van Rome voor jullie laten herrijzen,' riep Narcissus schril, bijna krijsend, nadat het iets stiller was geworden. 'Hij geeft jullie de adelaar van het Zeventiende Legioen terug!' De herauten herhaalden wat hij had gezegd. Het weerklonk door de gelederen van de inmiddels zwijgende legionairs. Prompt juichten de praetoriaanse cohorten. Aan weerszijden van deze eenheden klonk bijval van de andere cohorten. Uiteindelijk golfde het gejuich van de ene cohort naar de andere; het nam bezit van de hele Romeinse strijdmacht terwijl de herauten de woorden van Narcissus bleven herhalen tot iedereen, ook honderd passen achter hen, wist waarnaar men staarde. De bijval klonk daarna zo luid als in de voorste gelederen.

Vespasianus en de andere officieren deden hartgrondig mee, deelden luid de blijdschap van de soldaten. Ze waren opgetogen dat de gevallen adelaar eindelijk zogenaamd terecht was, maar ook dat Nar-

cissus op theatrale wijze de ontstane situatie naar zijn hand wist te zetten. Plautius draaide zich half om en salueerde naar de gouden adelaar die boven de invasiemacht uitstak, waarbij hij één arm met een felle beweging voor de borst kruiste en met één voet op de grond stampte terwijl hij in de houding ging staan. De centuriones zagen wat hij deed en brulden naar hun manschappen om het voorbeeld van de generaal te volgen. Binnen enkele hartslagen wezen veertigduizend vuisten – elke vuist omklemde een pilum – naar de adelaar terwijl de praetoriaanse gardisten voluit 'Heil caesar!' riepen. Niet lang daarna riep en zong iedereen die woorden uit volle borst en in koor mee.

Narcissus moedigde de legionairs aan. Telkens stak hij de legeradelaar welwillend in de hoogte, tot alle manschappen zich schor geschreeuwd hadden. Toen het gejuich geleidelijk minder werd, liet hij de adelaar zakken. Met een pathetisch zwierig gebaar overhandigde hij de legerstandaard aan Plautius, die er een kus op drukte, de adelaar in zijn linkerhand vasthield, zijn rechterhand omhoogstak en om stilte vroeg. 'De loyale soldaten van de keizer danken hem voor dit geschenk,' riep hij terwijl het kabaal wegstierf.

'Het doet de keizer genoegen de gevallen adelaar te schenken aan zijn moedige soldaten en hulptroepen,' riep Narcissus. Hij had zich weer tot de inmiddels bedaarde legioenen gericht. De herauten herhaalden zijn woorden. Toen de laatste heraut uitgesproken was, vervolgde Narcissus: 'Het is de keizer die jullie dit geschenk heeft gegeven. Zijn jullie nu bereid hem te gehoorzamen? Zijn jullie dat, vrijgeboren soldaten van Rome? Willen julie nu wel inschepen?'

Het werd doodstil. De gehele krijgsmacht staarde naar de vrijgelatene van de keizer. Een ex-slaaf die in naam van zijn meester een beroep op hen deed.

Vespasianus voelde zijn hart bonken.

'Io, Saturnalia!' weerklonk het plotseling uit de menigte.

Vespasianus voelde zijn hart kloppen. Na twee hartslagen hoorde hij legionairs rauw, spottend lachen, vermengd met nog meer joviaal geschreeuw. 'Io Saturnalia!' Het versmolt met de hilariteit van de manschappen. Uiteindelijk lachte iedereen, behalve Narcissus, die zich gedwongen zag te blijven staan om bespot te worden als een slaaf of vrijgelatene die tijdens de saturnaliën gedurende één dag toestem-

ming had gekregen rond te lopen in de kleren van de meester en het huishouden te bestieren, zoals de traditie dat voorschreef. Hij keek Plautius aan, een smeekbede om hier een eind aan te maken. Maar Plautius wist dat dat niet verstandig was. De opgekropte spanning van de afgelopen tijd moest de vrije loop worden gelaten.

'Ze hebben de saturnaliën dus verlengd zonder ons dat te vertellen,' zei Sabinus. Ook hij zag de grap ervan in.

'Kennelijk!' antwoordde Vespasianus. Hij genoot ervan dat Narcissus vernederd werd, zoals hij ook zeer opgetogen was over het feit dat de stemming in het leger was verbeterd. 'Het geeft de jongens een zorgeloos gevoel. Volgens mij zijn ze dan wel in voor een uitje.'

HOOFDSTUK XV

'Goeie genade, waar zijn we?' morde Magnus. Hij tuurde door de dikke mist. Ze waren een uur voor de dageraad opgestaan.

Vespasianus nam een hap van een homp brood. 'Waar we gisteravond ook waren, zou ik zo denken. In het legerkamp aan een landweg, ongeveer drie mijl voor Cantiacum. Tenzij vannacht een of andere Britse god tienduizend manschappen naar een sinister oord heeft getoverd.'

'Alles op dit eiland is sinister.'

'Dat is niet waar. Deze landweg komt ons goed van pas, aangezien hij naar Cantiacum leidt. Dat is niet sinister. Wat ons niet gelegen komt is de mist, en het feit dat de afgezanten van Adminios nog niet terug zijn en hij pas in het tweede uur van de ochtend arriveert. Ik wil weten hoe de stemming in die stad is. Ik durf het oord niet blind binnen te trekken. We zouden wel eens in de flanken kunnen worden aangevallen. Bovendien kan ik geen ondersteunende patrouilles erop uitsturen, omdat westelijk van hier de landweg door een moeras loopt, aan weerszijden.'

'Ziet u wel, heel sinister.'

'De Britten zien dat anders. Adminios heeft me gewaarschuwd voor zelfgenoegzaamheid, ook al zijn mijn flanken beschermd door het moeras. De plaatselijke bevolking weet er de weg, zelfs in deze mist. Ik wil geen flankaanval terwijl ik me alleen maar in het moeras kan terugtrekken. Je weet toch wat Varus is overkomen?'

'Wachten we dus af?'

'Ja, ouwe makker van me. We moeten wachten tot de mist optrekt. Het nadeel daarvan is dat elk uur dat we vertraging oplopen de Britten

meer tijd krijgen om zich voor te bereiden. Hopelijk keren de afgezanten van Adminios snel terug. Dan weten we meer. Tot straks.' Vespasianus draaide zich om en liep door de poort het marskamp binnen.

Hij laveerde tussen groepjes verkleumde legionairs die gehurkt aan hun miserabele ontbijt zaten. In deze weersomstandigheden konden ze geen kampvuren maken. Ze morden onder elkaar over het feit dat ze de nacht in deze mist hadden moeten doorbrengen en dat ieder slechts één deken had om zich te beschermen tegen de elementen. Toen Vespasianus hen passeerde, deden ze geen moeite om zachter te praten. Vespasianus negeerde hun klachten, maar nam zich voor om op zoek te gaan naar de leiding van het muildierkonvooi. De uitrusting met de leren tenten was met de derde invasiegolf in Rutupiae gearriveerd.

De landing als zodanig was een anticlimax geweest. Alles was immers min of meer van een leien dakje gegaan, zonder de minste tegenstand van de vijand. Ze kregen waar ze tijdens de gebeden van de talloze offerdiensten om gevraagd hadden, vlak voordat ze om middernacht vertrokken. De levers van de offerdieren wezen erop dat de goden deze invasie gunstig gezind waren. En de heilige kippen hadden zodanig van het graan gepikt dat het veel goeds voorspelde. Er waren echter momenten dat de manschappen dachten dat de goden hen in de steek hadden gelaten. Halverwege de zeereis was het namelijk gaan waaien, waardoor ze weer afdreven in de richting van Gallia. Het licht van Caligula's enorme vuurtoren bij Gesoriacum, een imitatie van de Pharos in Alexandrië, leek gedurende enkele uren steeds dichterbij te komen en steeds groter te worden, hoe hard de roeiers ook zwoegden aan de riemen. Uiteindelijk werden ze er toch geruster op dankzij een oogverblindende vallende ster die het nachtzwerk kliefde en in westelijke richting verdween, het gebied dat ze zouden veroveren. Niet lang daarna was de wind gaan liggen, waardoor hun zeezieke magen rust kregen terwijl ze gehurkt op het met braaksel besmeurde dek zaten. Toen de dageraad aanbrak, lag de kust van Britannia in het ochtendlicht. Er was geen vijand te bespeuren. Plautius had het dus bij het juiste eind gehad met zijn voorgevoel: de Britten hadden hun krijgsmacht verlaten en waren naar huis gegaan. Geen donkere horde schaduwde de Romeinen noordwaarts langs de kust, laat staan dat ze een landing wilden verijdelen.

Plautius was de eerste die van boord ging en het strand op liep. Aldus hield hij zich aan de belofte die hij zijn manschappen had gedaan nadat ze gisteren op het exercitieterrein eindelijk gestopt waren met lachen en joelen. De manschappen hadden geen weet van de politieke verwikkelingen in Rome. Het feit dat een vrijgelatene van de keizer diens wensen aan hen overbracht, beschouwden ze als een schertsvertoning, alsof de wereld op zijn kop was gezet. Uiteindelijk had Plautius een laatste poging gedaan door een beroep te doen op hun eergevoel. Daarmee oogstte hij alle bijval en gejuich die hij zich maar kon wensen. Vespasianus dacht dat dat voornamelijk te danken was aan het feit dat ze ermee ingenomen waren dat de gevestigde orde weer werd rechtgezet, in de persoon van een generaal uit een zeer belangrijke familie. Een gevierd generaal die hun zei wat ze moesten doen. Niettemin waren ze ook zeer onder de indruk van de herrijzenis van de legioenadelaar. En natuurlijk van de premie van tien denarii die Plautius iedere soldaat in het vooruitzicht stelde.

Ze hadden het kamp opgebroken en waren meteen aan boord gegaan. Dat verliep zeer efficiënt omdat ze inmiddels maandenlang geoefend hadden. De eerste invasiegolf was twaalf uur later – toen het tij keerde – vertrokken. De invasiemacht waartoe Vespasianus en Sabinus behoorden, volgde een uur later, in de hoop dat ze bij het eerste ochtendlicht de stranden zouden naderen. Door de straffe wind hadden ze echter vertraging opgelopen. Het was inmiddels middag toen de Tweede Augusta over de boegkleppen van boord marcheerde en zich op het strand formeerde terwijl de kiezels kraakten en knerpten onder de schoenen van de legionairs, zoals dat steevast het geval was tijdens de vele exercities. Vespasianus gaf zijn manschappen de gelegenheid om uit de hand wat brood en gedroogd varkensvlees te eten terwijl ze in rijen geformeerd bleven. De cavaleriepatrouilles van Paetus waren inmiddels uitgezwermd. Een uur later keerden de cavaleristen terug om te rapporteren aan Vespasianus. Tussen het strand en Cantiacum bevonden zich slechts enkele verlaten boerderijen; de kookvuren gloeiden nog in de haarden. De Britten hadden zich dus teruggetrokken. Op basis van deze informatie gaf Plautius het bevel om op te rukken.

Sabinus was zuidwaarts getrokken met zijn legioen. Vespasianus was met de Tweede Augusta westwaarts opgerukt over een goede land-

weg. Adminios en zijn medebannelingen vergezelden hen. Op hetzelfde moment was de derde invasiegolf aan de horizon verschenen, achter het eiland dat inmiddels bezet was door de Negende Hispana van Corvinus.

Na een mars van drie uur was Vespasianus gestopt op het laatste droge gedeelte van de route. Dat gebeurde op advies van Adminios. Hierna zouden ze zich in het lagergelegen moeras begeven, tussen twee rivieren in. Deze tussenstop gaf de legionairs de gelegenheid om nog voor het invallen van de duisternis een gigantisch marskamp te bouwen dat een legioen kon herbergen. De afgezanten van Adminios waren verder getrokken naar Cantiacum om de stemming in de stad te peilen en indien mogelijk te onderhandelen over een capitulatie. Adminios trok noordwaarts tot bij de riviermonding voor een ontmoeting met zijn loyale bloedverwanten. Vespasianus had gehoopt dat de afgezanten voor het donker terug zouden zijn. Twaalf uur later waren ze nog steeds in geen velden of wegen te bekennen. Het baarde hem zorgen. Net als de mist. Voor de rest was de operatie opmerkelijk goed verlopen, bijna vlekkeloos, vond hij terwijl hij naar het praetorium liep.

'Goedemorgen, heer,' groette Mucianus terwijl Vespasianus naar binnen liep. Nu de uitrusting nog niet was gearriveerd, stelde deze ruimte niet veel voor. Eigenlijk was het slechts een markering op de grond. De legioenadelaar en de cohortstandaards stonden in een hoek, bewaakt door een *contubernium* van acht manschappen. 'Alle hoofdcenturiones van alle cohorten, waarbij inbegrepen de hulptroepen, hebben zonet bij mij rapport uitgebracht. Het legioen is praktisch op volle sterkte, op minder dan honderd manschappen na. Het moreel onder de legionairs is goed, behalve dat ze verkleumd zijn en graag een warme maaltijd zouden willen hebben.'

'En ongetwijfeld een warm wijf, nietwaar?'

Mucianus grinnikte.'Wel, dat is een kwestie die voortdurend speelt onder de manschappen, heer. Het lijkt me zinloos om daarmee uw tijd steeds te verspillen.'

'Dank je, heel attent van je, tribuun. Ik zal niet verzuimen dat te vermelden in mijn rapportage aan Plautius. Zeg tegen Maximus dat ik Adminios wil spreken zodra hij is teruggekeerd.'

'Ja, heer.'

Toen Mucianus het praetorium verliet, ging Vespasianus op de vochtige deken zitten. Hij had er vannacht een paar uurtjes onder geslapen. Vervolgens trok hij zijn mantel steviger om zijn schouders en nam een hap van een homp brood terwijl hij nadacht over wat hem te doen stond als de afgezanten van Adminios niet zouden terugkomen.

Maximus, de kampprefect, liep de 'kamer' in via wat onder normale omstandigheden de ingang van het praetorium zou moeten zijn. Hij was in gezelschap van Adminios. De kampprefect ging in de houding staan. Het haalde Vespasianus uit zijn gedachtestroom. 'Mag ik binnenkomen, heer?'

Vespasianus maakte een gebaar dat hij kon doorlopen, waarna hij opstond. 'Heeft uw familie ingestemd, Adminios?'

De koning maakte een gebaar dat niet overhield. 'Ja, maar we hebben het over slechts enkele duizenden krijgers minder.'

'Dat zijn in elk geval een paar duizend zwaarden minder die de achterhoede kunnen belagen.'

Adminios gromde instemmend, maar misnoegd. 'Het was niettemin fijn om ze na vijf jaar weer terug te zien.'

'Ongetwijfeld. Hoe denkt u over uw afgezanten? Wat voeren ze uit?'

'Ze zullen zo terug zijn, legatus. Ze zijn kort na het invallen van de duisternis vertrokken.'

'Waarom zijn ze zo lang in de stad gebleven?'

'Drank.'

'Drank?'

'Ja, kennelijk hebben ze met de stamoudsten kunnen onderhandelen over de capitulatie van de stad. In het andere geval zouden ze meteen zijn teruggekomen. Of ze zouden zijn vermoord. Het is traditie om dit soort verdragen te bezegelen met een dranksessie die de hele nacht kan duren.'

'Hoe weet u dat ze niet vermoord zijn?'

'Als de oudsten hadden besloten ze te vermoorden, zou een van hen met afgesneden tong zijn teruggestuurd, om te benadrukken dat er nergens meer over te onderhandelen valt.'

'Wil dat zeggen dat we de stad veilig in colonne kunnen naderen? In slagorde oprukken is namelijk onmogelijk in dit moerasgebied.'

De verbannen koning knikte.

Vespasianus wist nu wat hem te doen stond. 'Maximus, zorg ervoor

dat Paetus enkele turmae erop uitstuurt om de landweg te verkennen. Binnen een uur wil ik dat ze rapport uitbrengen. Laat de manschappen onmiddellijk het kamp opbreken. Ze moeten klaarstaan voor vertrek zodra de mist optrekt en het zicht honderd passen is. We lopen al achter op schema, we hebben geen moment te verliezen.'

Maximus draaide zich om en blafte een bevel tegen de bucinator, die op wacht stond voor het praetorium. De man bracht de hoorn naar zijn lippen en blies een combinatie van vijf tonen. Het signaal werd opgepikt door zijn collega's in elke cohort, onzichtbaar in de mist, en vervolgens herhaald. Daarna schreeuwden de centuriones en optiones tegen de manschappen, die hun koude ontbijt meteen in de steek lieten. Even later hoorde Vespasianus rondom hem de doffe geluiden – gedempt door de dikke mist – van een legioen dat zich voorbereidde op een mars. 'Adminios, ga met me mee naar de poort. Ik wil uw afgezanten spreken zodra ze arriveren.'

Magnus hield zich nog steeds bij de poort op en maakte een babbeltje met de centurio van de wacht. 'U vertrekt toch pas als de mist is opgetrokken en u zeker weet dat de stad heeft gecapituleerd?' vroeg hij aan Vespasianus. 'Of heb ik dat verkeerd begrepen?'

'Bepaalde risico's zal ik moeten nemen, die heb ik ingecalculeerd. Plautius vermoordt me als ik Cantiacum niet binnen afzienbare tijd heb ingenomen. We liggen al flink achter op schema.'

'U kunt er ook niets aan doen dat we verlaat zijn. We arriveerden pas tegen de middag op het invasiestrand. Gisteravond konden we niet verder oprukken. En nu ook nog dit.' Hij stak een hand in de spiralende mist.

Vespasianus keek Magnus met opgetrokken wenkbrauwen aan.

'O, stom van me. Dit is het leger. Natuurlijk gaat u...'

Prompt klonk er een waarschuwingskreet van een wachtpost. Twintig passen verder op de landweg verschenen bereden schimmen langzaam uit de mist.

'Zijn dat uw afgezanten, Adminios?' Hij voelde zich zeer opgelucht.

'Ja, legatus, ik praat even met ze.'

Adminios liep naar voren om zijn afgezanten te groeten. Op hetzelfde moment reden twee Bataafse turmae van Paetus de poort uit, geleid door Ansigar. De decurio salueerde naar Vespasianus en zwaaide joviaal naar Magnus, waarna de eenheden in de mist verdwenen.

De manschappen van Adminios stegen af. Nadat ze enkele woorden met de koning hadden gewisseld, liepen ze naar Vespasianus. Ze hadden bloeddoorlopen ogen en stonken naar de alcohol.

'We mogen de stad innemen, legatus,' informeerde Adminios hem. 'De stamoudsten zullen ervoor zorgen dat de poorten openstaan.'

'Dat lucht op.'

'Er is alleen een probleem.'

Vespasianus trok een gezicht. 'Wat dan?'

'Er zijn nogal wat jonge krijgers die niet achter het besluit van de stamoudsten staan. Ongeveer duizend van hen zijn vannacht in de mist vertrokken om zich bij Caratacus te voegen, in de hoofdstad van de Atrebates, zuidwestelijk van de Afon Cantiacii. Vanavond zal hij weten wat er is gebeurd.'

Vespasianus deed zijn ogen dicht. 'Plautius kruisigt me.'

'Bij alle goden, waarom hebt u ze niet tegengehouden en van kant gemaakt, legatus?' schreeuwde Plautius. Vespasianus bracht twee dagen later rapport uit en deed de beschamende kwestie uit de doeken waarom Vespasianus zo laat Cantiacum had ingenomen.

Vespasianus huiverde van deze zeer pijnlijke vraag. 'We konden de stad niet op de eerste dag binnentrekken, heer. We hadden nog twee uur voordat de duisternis zou invallen. Ik stond voor de keuze: een marskamp opzetten of mijn manschappen over een drie mijl lange landweg door moerasgebied leiden. De achterhoede van de colonne zou dan een hele tijd in de donkerte hebben moeten marcheren. Ik zou dan een groot risico hebben genomen.'

'Maar u zou wel op schema zijn geweest! U zou de stad dan omsingeld kunnen hebben, en aldus langharigen die ons niet mochten hebben kunnen doden. In plaats daarvan kiest u voor de slechtst mogelijke combinatie van mogelijkheden. U laat de stad ongemoeid, maar stuurt wel een delegatie naar de plooibare stamoudsten om aan te kondigen dat u morgen arriveert. Daardoor hebt u alle jonge ijzervreters de kans gegeven om er naar het westen vandoor te gaan en zich te voegen in de gelederen van Caratacus! Idioot!'

'Ja, heer,' gaf Vespasianus toe, verteerd door schaamte. Nu pas drong de omvang van deze vergissing, en de consequenties ervan, volledig tot hem door. Bovendien haatte hij het dat Corvinus en Geta hem met

een geamuseerde blik aanstaarden terwijl hij wel erg in het openbaar de oren gewassen kreeg. Alleen Sabinus bleef neutraal kijken terwijl Plautius heen en weer door zijn tent liep. De regen kletterde met vlagen op het dak. Het leek of het na elke windvlaag harder gutste. De muffe geur van hun vochtige wollen kleren hing penetrant in de tent.

'In oorlogstijd kan elke vertraging fataal uitpakken, legatus,' vervolgde Plautius toen hij enigszins gekalmeerd was. 'Lees de verslagen van Caesar nog eens door. Misschien begrijpt u dan eindelijk dat een generaal altijd het initiatief moet nemen, gevolgd door snelle acties.'

'Ja, heer.'

'Waarom hebt u de cavalerie er niet meteen achteraan gestuurd?'

'De mist was...'

'De mist! Alle legioenen hebben last gehad van de mist. U zult eraan moeten wennen dat het in dit aarsgat van de wereld altijd mistig is. Als u meteen de cavalerie erop af had gestuurd, zouden ze in elk geval dichter bij die barbaren zijn geweest wanneer de mist optrok. Bij alle goden, de krijgers waren nog wel te voet!'

'Ja, heer. Het spijt me, heer.'

Plautius staarde Vespasianus enkele momenten boos aan, waarna hij een diepe zucht slaakte. 'Nou ja, het is nu eenmaal gebeurd. In verhouding tot de aantallen die gemoeid zijn bij deze invasie vallen duizend krijgers in het niet. Laat dit echter een les voor u zijn, Vespasianus. Als ik u de volgende keer iets opdraag, doe dan wat ik zeg tenzij u kunt aantonen dat Jupiter naar beneden is gekomen om u persoonlijk te castreren en uw ogen uit te steken om u tegen te houden. In het andere geval zal ik dat namelijk zelf doen. Hebt u mij begrepen?'

Vespasianus huiverde weer. 'Ja, heer!'

'Goed. Ga zitten.'

Vespasianus nam weer plaats naast Sabinus terwijl Corvinus en Geta elkaar een geamuseerde blik toewierpen.

'Hou op met grijnzen,' bromde Plautius tegen ze terwijl hij achter zijn bureau ging zitten. 'Dit zal heus niet de laatste fout zijn op dit reisje. Maar ik weet zeker dat Vespasianus er geen meer zal maken. Goed, waar waren we gebleven, heren?' Hij vouwde een rol uit en bestudeerde de kaart een tijdje, waarna hij opkeek naar zijn ondergeschikten. 'Tot nu toe is alles redelijk soepel verlopen. Resumerend kunnen we stellen dat Sabinus in het zuiden amper tegenstand heeft

ondervonden. Verder hebben we de haven bij de witte krijtrotsen ingenomen. De marine is er al aan de slag gegaan. Er ligt een groot vlooteskader voor anker in de monding van de Tamesis, noordelijk van hier. Bovendien is Rutupiae veiliggesteld; in de haven hebben de werkzaamheden een aanvang genomen. De Negende heeft het legerkamp van Geta overgenomen en heeft inmiddels een tijdelijke weg aangelegd van twee mijl lang, vanaf het kamp in onze richting. Onze vazalkoning Adminios zit op zijn troon en heeft loyaliteitsbetuigingen ontvangen van de plaatselijke ondergeschikte stammen. Er heerst nu een civiel bestuur dat ons goedgezind is en dat in de gaten wordt gehouden door Sentius. Onze cavaleriepatrouilles rapporteren dat er zich geen grote strijdmacht bevindt tussen ons en de Afon Cantiacii. De brug is trouwens nog steeds intact. Nu onze achterhoede en flanken niets te vrezen hebben, rukken we meteen westwaarts op. Ik wil dat de legioenen twee uur na deze bijeenkomst klaarstaan voor vertrek. Is dat begrepen?'

'Ja, heer!' antwoordden de vier legati in koor.

'Goed. Dat was het makkelijkste gedeelte. Vanaf nu hoeven we niet meer te rekenen op verrassingselementen. De Britten kennen het land immers veel beter dan wij. We rukken in een breed front op. En dat doen we razendsnel. We letten er wel op dat we niet te veel akkerland verwoesten. Ik wil dat achter ons de oogst goed zal zijn. Wij en de stammen die capituleren mogen deze winter natuurlijk niet omkomen van de honger. De Veertiende van Sabinus vormt het centrum van het front. Tussen hier en de rivier zullen we door een glooiend gebied trekken. We hoeven dus geen omtrekkende bewegingen te maken, tenzij de vijand opduikt. Uw hulptroepen zullen de verkenningseenheden van het leger vormen. Ze zullen telkens naar voren worden gestuurd. Geta, uw Twintigste vormt de rechterflank. U blijft binnen twee mijl van het leger van Sabinus. Uw taak is tweevoudig. Ten eerste houdt u alles tegen wat rond de flank wil wegkomen. Ten tweede onderhoudt u contact met het vlooteskader in de riviermonding. Deze schepen zullen ons bevoorraden. Uw hulptroepen krijgen het dus druk. Vespasianus, uw Tweede Augusta gaat de linkerflank vormen. U rukt met uw hulptroepen langs de noordzijde van deze laagtes op en bezet de hogere streken. Ik wil regelmatig verslag ontvangen over hoe het er aan de zuidzijde uitziet. Geen enkel vijande-

lijk leger mag ons stiekem passeren. Corvinus, de Negende zal onze achterhoede bewaken. Twee van uw hulpcohorten blijven in Rutupiae om het legerkamp een permanent karakter te geven. Twee andere cohorten zullen de weg aanleggen; het hoeft geen mooie te worden. Dat komt later wel, als we daar de tijd en de slaven voor hebben. Zorg er wel voor dat het zware transport eroverheen kan, dus alles wat wielen heeft. Bovendien wil ik dat uw alae in het zuiden patrouilleren. Deze cavalerie-eenheden moeten ervoor zorgen dat de plaatselijke bevolking weet dat we er zijn. Er moet een soort gewenning plaatsvinden. Het legioen en de rest van uw cohorten zullen ons een halve dagmars later volgen voor het geval er iets achter onze rug wil wegglippen. Neem uw eigen bepakking mee. Die zal dan inmiddels zijn aangekomen. De Negende neemt het belegeringskonvooi en het andere zware materieel onder zijn hoede. Vragen, heren?'

'Moet de Negende zich steeds in de achterhoede ophouden?' vroeg Corvinus met meer dan een zweem van spot in zijn stem.

'U spreekt me aan met heer of generaal, legatus!' snauwde Plautius. Hij sloeg met een vuist op zijn bureau. 'U bent de zwager van de keizer, wat niet wil zeggen dat u zich nu als mijn superieur mag beschouwen. Dit is een leger in oorlogsgebied, geen etentje op de Palatijn, hebt u mij begrepen… makker?'

Corvinus deinsde achteruit door de felheid van deze sneer en de belediging die erachteraan kwam. Zijn wangspieren spanden en ontspanden zich. 'Ja, generaal,' zei hij uiteindelijk.

'Dat is de tweede keer in korte tijd dat u mijn bevelen in twijfel trekt. Laat het niet een derde keer gebeuren. De Negende doet wat ik zeg en zal onze achterhoede bewaken tot we over de rivier zijn. Eenmaal bij de oevers van de Tamesis zal dit legioen ook het meest uitgerust zijn en het dan als frontlegioen zwaar te verduren krijgen. Zodra we de oversteekplaats bij de Tamesis hebben veiliggesteld, en we op Claudius wachten, zal uw legioen zuidwaarts oprukken en Verica op zijn troon zetten, waarna Vectis wordt ingenomen als voorbereiding op de verovering van de westelijke streken, in het volgende seizoen. U zult dus genoeg aan uw hoofd hebben, wees maar niet bang. We hebben samen in Pannonia gediend, dus ik weet dat u deze taken aankunt. Daarom heb ik geen bezwaar gemaakt toen u bij het invasieleger werd gevoegd.' Dreigend wees Plautius naar Corvinus.

'Geef me geen reden om daar spijt van te krijgen.' Hij rolde de landkaart op, stond op en richtte zich tot de drie andere legati. 'Over twee uur vertrekken we in marstempo. Dat wil zeggen dat u over vier uur onderweg een marskamp moet opzetten. Tegen die tijd wil ik dat de legioenen van Vespasianus en Geta de genoemde posities hebben ingenomen aan weerszijden van Sabinus, zodat alles in gereedheid is gebracht voor de lange mars van morgen. Het is de bedoeling dat we overmorgen bij het vallen van de avond bij de Afon Cantiacii zijn. Hopelijk is de brug niet belegerd door de vijand. Dat is alles, heren!'

De zon scheen warm in het gezicht van Vespasianus, voor het eerst sinds ze in Britannia waren gearriveerd. Hij en Magnus werden vergezeld door een turma van de Tweede Augusta, de legioencavalerie. Ze reden de met gras begroeide noordhelling van de heuvelrug op en maakten deel uit van de linkerflank van het oprukkende leger. Nu de zon opkwam, zag het landschap er totaal anders uit. De somberheid van de druipende bomen en struiken was verdwenen. Geen regenpoelen meer in de modderige grond onder een zwaar betrokken, grijze lucht, die je bijna kon aanraken. De aanvankelijk droefgeestige natuur had plaatsgemaakt voor een weelderig, groen landschap; weiden, bossen en akkers waar de tarwe net uit de grond sproot. De lucht was helder, zuiver, fris. Vespasianus voelde zijn lijf opwarmen en kreeg de indruk dat dit land niet zo miserabel was als hij had gedacht.

Twee dagen geleden had Plautius zijn instructies gegeven. Meteen daarna waren ze snel opgerukt. Van vijandelijk verzet was geen sprake. Alleen de weersomstandigheden vielen in het begin wat tegen. En onderweg kwamen ze soms ook vijandige koeien en schapen tegen, die steevast hun weg vonden naar de kookvuren van de centurie die de eer opeiste om een van die vreeswekkende tegenstanders een kopje kleiner te maken.

'Ik krijg langzaam de indruk dat de pest vreselijk heeft huisgehouden in dit gebied ten westen van Cantiacum,' zei Magnus toen ze de zoveelste verlaten boerderij passeerden. 'Gelet op de verse schapenkeutels moet die ramp onlangs hebben plaatsgevonden.'

'Zie jij lijken?' vroeg Vespasianus. Hij glimlachte om de bedenksels van Magnus. 'We zullen het Paetus eens vragen. We kunnen hem elk moment tegenkomen.'

'Het ontgaat mij waarom u geen ijlbode hebt gestuurd met het bericht dat hij naar u moet komen in plaats van dat wij steeds omhoog moeten krabbelen naar de heuveltoppen.'

Vespasianus stopte, keerde zijn paard en stak zijn arm uit. 'Daarom niet.'

In de diepte zag het landschap er donkergestreept uit door talloze marcherende colonnes van acht manschappen breed. Ze vormden een vrijwel kaarsrechte lijn die noordwaarts liep. De drie legioenen in het midden rukten in een bredere formatie op; veertig manschappen breed in twee lange colonnes van vijf cohorten, gevolgd door talloze zwaar bepakte wagens waar muilezels voor waren gespannen. Tussen Vespasianus en zijn Tweede Augusta, op slechts drie mijl afstand, marcheerden zijn zeven hulpcohorten van de infanterie. De dichtstbijzijnde, de boogschutters van de Eerste Cohort Hamiorum, bevond zich pakweg honderd passen van hen vandaan aan de voet van de helling. De voorhoede van de drie legioenen werd gevormd door de acht cohorten Bataafse infanterie van de Veertiende Gemina. Ze verkenden de omgeving om eventuele hinderlagen op tijd te ontdekken en aldus de levens van de waardevollere Romeinse burgers in de legioenen te beschermen. Een turma galoppeerde hun voorbij. De cavaleristen kwamen terug van een patrouille in het westen. Het zware dondergeluid van de cornua golfde over de oprukkende strijdmacht. Talloze helmen flonkerden in de zon.

In de verte, tien mijl noordwaarts, verscheen het ondersteunende vlooteskader, bestaande uit triremen en bevoorradingsschepen. Stipjes waren het in de glinsterende riviermonding van de Tamesis. In het oosten was een donkere schaduw in het landschap te zien; het belegeringskonvooi met het zware materieel nam vijf mijl achter de laatste colonnes in beslag, gevolgd door de bijna vierkante formatie van de Negende Hispana, geflankeerd door hulpcohorten.

'Wat een magnifieke aanblik,' zei Vespasianus even later vol bewondering. 'Waarlijk een grote strijdmacht.'

Magnus was niet onder de indruk. 'Ik heb ze groter gezien.'

De reactie van Magnus, zijn vriend, stelde hem teleur. Hij zweeg echter; hij was vergeten dat Magnus had gediend in het leger van Germanicus in Germania. Een krijgsmacht die bijna twee keer zo groot was. 'Ongetwijfeld,' mompelde hij, waarna hij zijn paard keerde,

het ros in de flanken trapte en verder de heuvel op reed naar de bossen die de glooiingen bekroonden. 'Hoe dan ook, ik wil met eigen ogen zien hoe het land voor ons erbij ligt.'

'Natuurlijk, heel verstandig.'

'En ik wil uit de eerste hand weten hoe Paetus ervoor staat.'

'Zeker.'

De situatie waarin Paetus zich bevond, was vergelijkbaar met de omstandigheden waarin de andere bevelhebbers in het leger verkeerden: niemand had veel omhanden. 'We hebben amper iemand gezien,' zei hij tegen Vespasianus en Magnus. Ze hadden hem ingehaald tussen de bomen. 'Hier en daar wat boerengezinnen, hoewel zonder mannen in de krijgsleeftijd. Ze verschuilen zich in de bossen met hun vee. Ik zorg ervoor dat mijn jongens met hun fikken van ze afblijven. Ze mogen zelfs geen vee meenemen voor 's avonds in de pot. Al mijn patrouilles in het zuiden hebben niets te melden, behalve zo nu en dan een vijandig hert dat zijn martiale kunnen demonstreert door razendsnel weg te vluchten. Het is hier doodstil, om het zo maar eens te zeggen.'

'Ik heb het gevoel dat daar snel verandering in komt, Paetus.' Vespasianus liet zijn blik over de dichtbegroeide bossen glijden. 'Hoe ver heb je je patrouilles de wouden in gestuurd?'

'Tien mijl, heer. We hebben alleen wat houtskoolbranders gevonden. We hebben het trouwens over zeer dichtbegroeide bossen. Je kunt er een compleet leger in verbergen, dat alleen niet snel kan oprukken.'

'Dank je, Paetus. Houd je maten scherp.' Vespasianus keerde zijn paard en wilde wegrijden.

'U weet natuurlijk waar ze zijn, hè?' zei Magnus terwijl ze het bos uit reden.

'Hoe bedoel je?'

'Precies zoals ik het zeg.'

'Ik heb daar mijn gedachten over laten gaan. De vraag is of ze ons bij de rivier opwachten of dat ze een omtrekkende beweging maken om bij onze achterhoede te komen. Het zou ook kunnen dat ze iets doen waar wij geen moment aan gedacht hebben.'

Magnus trok een gezicht. 'Ik denk het laatste, heer. Kijk maar.' Hij wees naar het westen, naar een heuvel pal voor de Bataafse frontinfanterie.

Vespasianus volgde zijn blik. Over de heuvel zag hij een donkere vlek verschijnen. Erboven hing een stofwolk. Even later hoorden ze het geroep, geschreeuw en gebulder van een krijgersmenigte die gedompeld was in haat. 'Zijn ze gek geworden? Vallen ze ons frontaal aan?'

Duizenden krijgers, voorgegaan door honderden tweespanstrijdwagens die over de met gras begroeide helling naar beneden joegen, zwermden uit voor de Veertiende Gemina en de Tweede Augusta. De Bataven waren kennelijk gewaarschuwd door vooruitgereden verkenners; de acht cohorten hadden een linie gevormd, een beschermend, compact schild voor de legioenen, die zich erachter eveneens in slagorde opstelden.

'Volgens mij wordt het hoog tijd om terug te rijden naar het legioen, heer.'

HOOFDSTUK XVI

'Het lijkt erop dat we geconfronteerd worden met pakweg dertigduizend krijgers, heer. Plautius heeft ons bevolen een op de vier Gallische hulpcohorten naar voren te sturen om de Bataafse linies te versterken,' rapporteerde Mucianus terwijl Vespasianus en Magnus hun paarden met slippende hoeven tot stilstand brachten bij de commandopost van de Tweede Augusta, tussen de twee linies van de tien legioencohorten die inmiddels in slagorde afwachtten. 'Ik heb ze gestuurd. Even geleden hebben ze zich bij de Bataven gevoegd. De vijfde rukt op naar onze linkerflank met de rest van de cavalerie van de Tweede Augusta.'

'Uitstekend, hoe luiden onze bevelen?'

'Twee linies vormen om een zo breed mogelijk front te creëren in een niettemin open formatie. Dat is inmiddels gebeurd. Daarna moesten we afwachten.'

'Afwachten?'

'Ja, heer. Afwachten.'

'Het zij zo. Stuur een ijlbode naar de Eerste Hamiorum. Ze moeten binnen het bereik van onze linkerflank komen. Als het misgaat, wil ik versterking van de boogschutters. Een andere ijlbode gaat Paetus zoeken. Zijn cavalerie moet op de heuvel blijven voor het geval de barbaren een omtrekkende beweging maken. Zodra je dat geregeld hebt, voeg je je bij de eerste en tweede cohort.'

'Ja, heer!'

Vespasianus liet zijn blik over de hoofden van zijn frontcohorten glijden. Vervolgens tuurde hij naar de glooiing, tweehonderd passen verder. De hulptroepen hadden vier rijen gevormd in een linie van

bijna een mijl lang. Voor hen, op de heuveltop, bevonden zich vele duizenden naakte en halfnaakte barbaren die oorlogskreten slaakten, bokkensprongen maakten en met hun wapens zwaaiden. Voor hen vlogen honderden strijdwagens slippend de met kort gras begroeide glooiing af. De ervaren menners reden naar de linies tot ze er zo dichtbij waren dat de krijgers – één in elke strijdwagen – een paar speren konden werpen naar de hulplegionairs achter de schilden. Daarna lieten ze hun gedrongen pony's een scherpe bocht maken naar de glooiing. Op hetzelfde moment kwam een andere aanvalsgolf naar voren gereden. Aldus wisselden ze elkaar af. Overmand door oorlogslust sprong zo nu en dan een krijger uit de strijdwagen en viel de voorste gelederen van de hulptroepen aan. Het gevolg was onvermijdelijk. De snelle, bloedige dood van de strijder oogstte rauw gebrul en gejuich van de menigte toekijkende barbaren.

Eén man in het bijzonder was Vespasianus opgevallen. Een lange, stevig gebouwde vent. Zijn brede bast en gespierde armen waren met een blauwgroene kleurstof zwierig gedecoreerd, zijn kleihaar piekte. Fier stond hij in zijn strijdwagen en hij stak voortdurend zijn zwaard in de lucht om de aanvalsgolven aan te moedigen; de strijdwagens reden stuiterend over de glooiing naar beneden, recht op de Romeinse linies af. 'Die hoofdman moet Caratacus of Togodumnus zijn.'

'Rondrijden in strijdwagens zal ze niet veel opleveren,' meende Magnus. 'Waarom geeft hij ze niet het bevel om aan te vallen?'

'Ik denk dat hun nobele krijgers in de strijdwagens de eer moeten krijgen om als eersten de vijand te lijf te gaan. Ze verwachten dat wij enkele kampioenen naar voren sturen voor een duel. Volgens Caesar beginnen ze hun veldslagen het liefst op deze manier.'

'Nou, dan zullen ze moeten wennen aan een ander stramien. Onze jongens nemen niet eens de moeite om een speer naar ze te werpen.'

Het zware geluid van de cornua galmde door de gelederen. Een voor een zakten de legerstandaards van de hulptroepen. Het bevel om op te rukken was gegeven. De Batavieren en Galliërs, wier grootvaders ooit zo fel gekant waren tegen de Romeinse veroveringsdrift, marcheerden nu naar voren om in naam van Rome dit gebied te bezetten.

De hoofdman sprong van zijn strijdwagen en draaide zich om naar de menigte krijgers. Met het zwaard in zijn hand, het schild in de andere vuist, leek hij iedereen persoonlijk te omarmen. De strijdwagens

vlogen naar beneden. De krijgers bleven achter op het veld terwijl hun hoofdman zich weer langzaam omdraaide naar de oprukkende vijand.

De Britten vielen aan.

Het was een aanval zoals Vespasianus die nog nooit had meegemaakt. Een woeste aanval, ongecoördineerd en angstaanjagend roekeloos. Het gebrul zou Pluto in zijn duistere rijk doen opkijken. Ze formeerden zich niet in gelederen om elkaar wederzijds te kunnen dekken. Duizenden krijgers, zwierig en sinister besmeurd in blauw en groen, zwaaiden met lange zwaarden boven hun piekerige haar. Als dollen renden ze de glooiing af, waarbij iedereen elkaar de loef probeerde af te steken in een poging als eerste het bloed van de vijand te laten vloeien. Kennelijk waren ze zich niet bewust van de gevaren terwijl honderden maten neervielen na de eerste sperenregen, die de laatste vijftig passen tussen de twee fronten moeiteloos overbrugde en vervolgens dood en verderf zaaide. De barbaren sprongen over hun gewonde en gesneuvelde kameraden, die gespietst neervielen terwijl hun bloed alle kanten op spoot. Al hollend braken de overgebleven krijgers de speren onder hun voeten tot een tweede salvo zich door de massa onbeschermde, naakte lijven boorde, waarna talloze krijgers struikelend neervielen en met gebogen rug en ontblote tanden hun laatste schreeuw slaakten.

De hulptroepen hielden hun pas in nadat ze hun speren hadden geworpen. Met het gewicht op hun linkerbeen omklemden ze de ovale schilden en trokken hun zwaarden. De achterste gelederen schuifelden naar voren om de manschappen voor hen ruggensteun te bieden. De schok van het treffen tussen de twee fronten deed de linie van een mijl lang huiveren.

Vespasianus hield zijn adem in. De linie van cohorten begon hier en daar heel geleidelijk deuken te vertonen, die echter even traag weer verdwenen terwijl de centuriones hun manschappen afblaften om vooral te blijven duwen. De onderofficieren leidden de manoeuvre, gaven het voorbeeld, pareerden de houwen en steken van de lange zwaarden van de vijand, waarna ze met hun spathae dodelijk toesloegen. De hulptroepen staken en hakten erop los terwijl de Britten er alles aan deden om een wig te slaan in de voorste linie.

Maar het grotere aantal Britten, en het gewicht dat ze in de strijd

wierpen, gaf niet de doorslag. Hun lange zwaarden waren niet geschikt voor man-tegen-mangevechten. Zodra ze hun schilden tegen die van de vijand hadden geslagen, en een bovenarmse houwbeweging hadden gemaakt, deden ze een stap naar achteren omdat anders de lengte van het zwaard hun in de weg zat, waarna ze opnieuw staken en houwden maar geen deel meer uitmaakten van een homogene schildmuur. De Romeinse linie hield stand. De aanval, de slagkracht ervan, was geabsorbeerd. Opnieuw galmden de cornua boven het geschreeuw en gekrijs uit. Plautius had het bevel gegeven aan de Tweede Augusta en de Veertiende Gemina om op te rukken en de hulptroepen af te lossen.

'Oprukken in open formatie!' schreeuwde Vespasianus tegen de *cornicen* die bij de commandopost stond. Een reeks galmende tonen weerklonk boven de cohorten van het legioen. Legerstandaards zakten, de Tweede Augusta rukte op. Weldra zouden de legionairs hun eerste gevecht doormaken op Britse bodem, tegen een vijand die woest en primitief tekeerging.

Vespasianus reed stapvoets met het oprukkende leger mee. Hij was trots als nooit tevoren nu het tot hem doordrong dat hij een compleet legioen leidde in een omvangrijke veldslag. Zijn hele leven leek gestuurd te zijn geweest naar dit moment. Nu moest blijken of hij deze eer waardig was. Hij bereidde zich voor, vastbesloten om Plautius geen enkele reden te geven hem te berispen. Deze hele manoeuvre moest foutloos verlopen.

'Dit vergt actie op het juiste moment,' mompelde Magnus achter zijn rug.

'Wat doe jij hier nog?'

'Dat vroeg ik me zelf ook al af.'

'Nou, als je hier blijft, leid me dan niet af. En ja, je hebt gelijk, dit vergt actie op het juiste moment.' Vespasianus concentreerde zich weer op de voortgang van de vijf cohorten in de frontlinie. Ze rukten in open formatie op, waarbij elke tweede rij van vier manschappen zich bij de rij ernaast voegde en er mansbrede open rijen ontstonden.

Dertig passen voordat de Tweede Augusta de hulptroepen bereikte – manschappen die het zwaar te verduren hadden – keek Vespasianus neer op de cornicen die naast hem meeliep. 'Voorbereiden om te werpen!'

De man blies drie tonen. Zijn collega's in de frontcohorten pikten dit signaal op en herhaalden het. Met de legerstandaards werden tekens gegeven, waarna de eerste vier manschappen in elke linie hun rechterarm naar achteren brachten en het gewicht van de pila voelden. Met nog tien passen te gaan maakten de twee achterste rijen van elke hulpcohort zich los uit de gelederen en renden door de open linies van de Tweede Augusta.

'Werpen!' schreeuwde Vespasianus.

Na een zware toon van de cornu schreeuwden de centuriones hun bevelen uit. Ruim duizend pila vlogen over de hoofden van de hulptroepen. Dankzij de stuwkracht van de met lood verzwaarde speren werd de vijand en masse doorboord. De pila suisden dwars door schedels, borstkassen en schouders.

Het salvo van de naburige Veertiende Gemina trof een moment later doel terwijl de boogschutters van de Eerste Cohort Hamiorum vanuit de flank hun pijlen afschoten. Honderden barbaren werden erdoor geveld. De frontlinie van de Britten schokte, gaf mee. Meer was er niet voor nodig om het tij te keren. De resterende hulptroepen draaiden zich om en begaven zich in de open linies van het aflossingslegioen. Elke tweede legionair in de linie van acht manschappen rende achter zijn hulpkameraden aan om de gelederen weer te sluiten. Hier en daar lukte het enkele Britten om door de open formatie heen te breken. Dat veroorzaakte enige ravage binnen de regimentgelederen en de cohortlinies, maar dat was slechts van korte duur.

Vespasianus wierp weer een blik naar zijn cornicen. 'Achterste gelederen, werpen!'

Na nog enkele tonen, die herhaald werden in het legioen, brachten de achterste twee manschappen van elke linie hun pila boven de hoofden van hun kameraden, die mechanisch instaken op de vitale delen van de brullende vijand.

De van weerhaken voorziene speerpunten aan het uiteinde van de dunne ijzeren stelen waren ontworpen om maximaal te penetreren, mede dankzij de verzwaarde schachten. Opnieuw regende het pila in de Britse gelederen. Velen werden doorboord en vielen op de grond, waardoor het slagveld nog verraderlijker werd omdat de modder bovendien al danig doordrenkt en bespat was met bloed, urine en ontlasting.

De uitgeruste legionairs van de Tweede Augusta hadden de afge-

lopen twee jaar geen slagveld meer gezien. Op wrede, enthousiaste wijze deden ze efficiënt hun werk. Ontelbaar veel barbaren moesten eraan geloven terwijl de legionairs met hun zwaarden tekeergingen en oprukten, waarbij de boogschutters van de Eerste Cohort Hamiorum hen met snelle salvo's ondersteunden. Hun pijlen lieten weinig over van de Britse achterhoede en de groepjes barbaren die via de flank probeerden weg te glippen.

Het gewicht en de tactiek van de twee legioenen samen was te veel voor krijgers die alleen man-tegen-mangevechten gewend waren. Ze hielden het voor gezien en vluchtten eerst individueel, daarna met zijn tweeën of drieën weg. Vervolgens waren het er honderden, tot de rest van het leger terug de glooiing op rende. Ze holden en schreeuwden zo hard als ze even geleden naar beneden waren gekomen. Duizenden van hun kameraden lagen doodstil op het slagveld of kronkelden van de pijn in de stinkende modder.

'Geef het signaal stop!' beval Vespasianus.

De cornu galmde, waarna ver weg het signaal herhaald werd. De Tweede Augusta stopte. De legionairs joelden naar hun overwonnen vijanden, die wegvluchtten en zich realiseerden wat het inhield als ze een Romeins legioen probeerden te verslaan.

Maar het gejuich stierf snel weg. Een even grote of nog grotere strijdmacht verscheen op een heuvel in het noorden, op twee mijl tegenover het Twintigste Legioen. Nu zouden deze legionairs en hulptroepen op de proef worden gesteld.

'Linies aflossen!' riep Vespasianus.

Opnieuw galmden de cornua. De vijf achterste cohorten rukten op en losten hun vermoeide en met bloed besmeurde kameraden af. In minder dan geen tijd vormden ze een nieuw front voor als er die dag weer een beroep zou worden gedaan op de Tweede Augusta. Achter hen begonnen de Gallische en Bataafse hulptroepen zich te hergroeperen. Ze kregen nieuwe speren van de kwartiermeesters, die in de achterhoede met hun muildierkarren stonden te wachten.

De Tweede Augusta keek toe terwijl de barbaren zich schor schreeuwden en brulden om zichzelf zodanig op te fokken dat ze in een vechtroes kwamen.

'Waar zijn hun strijdwagens gebleven?' vroeg Magnus plotseling. Hij merkte dat ze verdwenen waren.

'Geen idee.' Vespasianus schudde zijn hoofd. 'Wat me meer bezighoudt is de vraag waarom ze ons niet samen hebben aangevallen. Dat zou dan een strijdmacht zijn van zestigduizend krijgers.'

'Maar dat zou nog steeds niet voldoende zijn geweest.'

'Misschien. Een idiote zet om ons op open terrein aan te vallen. Waarom hebben ze ons niet opgewacht bij de rivier? Drie, hoogstens vier mijl, verder kan het niet zijn.'

'Dat zullen ze ongetwijfeld doen. Net als deze makkers nu ze kennis hebben gemaakt met de speren en zwaarden van de Twintigste.'

Uit de krijgersmenigte verscheen een strijder. Het speelde zich ver weg af, de uiterlijke kenmerken van de krijger waren dan ook niet te zien. Uit het gebrul en gejuich maakte Vespasianus op dat de man zeer belangrijk was, en hij glimlachte kil. 'Volgens mij is dat de broer van degene die de vijand van zonet aanvoerde in de strijd. Ik denk dat we hier te maken hebben met een familievete.'

'Ah, daarom wilden ze niet wachten. Niets erger dan de glorie delen met je broer. Zo te zien gaat uw broer u vandaag naar de kroon steken.'

Rechts van hen bereidde de Veertiende Gemina zich voor om de Twintigste, die ernaast stond opgesteld, te versterken. De horde Britten op de heuveltop zwermde uit om een breder front te vormen. De twee cohortenlinies van de Gemina waren al van plaats verwisseld. Inmiddels werden hun hulptroepen naar voren gebracht om de eerste klappen van de ongetwijfeld woeste aanval op te vangen.

Lang hoefden ze niet te wachten. Met bloedstollend gekrijs en geschreeuw – zelfs op twee mijl afstand was het te horen – kwamen de strijders als een stroperige, donkere schaduw de heuvel af gerend. Een grillig front dat voortdurend van vorm veranderde, als gesmolten pek die uit een kuip op de vijand werd gegoten.

Een wolk van speren dreef in de richting van de barbaren. De speren van de Spaanse en Aquitaanse hulptroepen van de Twintigste verduisterden het zwerk boven hen. De wolk veranderde snel in een scherpgepunte regenbui. Vespasianus keek er met stille bewondering naar. De aanval kwam niet tot staan, ook niet toen het tweede sperensalvo dood en verderf zaaide.

'Heer!' klonk een jonge stem terwijl het tweede salvo nog meer geschreeuw en gekerm veroorzaakte.

Vespasianus keek om en zag de jonge tribuun uit de legerstaf van Plautius. De man zat op een zwetend paard en salueerde.

'Zeg het maar, tribuun Alienus.'

'De generaal complimenteert u met uw acties tot dusver. Hij wil dat u uw hulptroepen naar voren brengt en de flank van de vijand bedreigt. Hij denkt dat dat voldoende is om de strijdmacht te breken. Zodra dat het geval is, volgt u ze zo snel mogelijk, om ze bij het oversteken van de Afon Cantiacii aan te vallen.'

'Dank je, tribuun. Zeg maar tegen de generaal dat het in orde komt.'

Alienus salueerde weer, waarna hij in galop wegreed terwijl Vespasianus bevelen gaf aan Maximus, de kampprefect, om de koeriers van het cavaleriedetachement op de hoogte te brengen en de manoeuvre daarna te superviseren.

De cavaleristen reden snel weg. Vespasianus richtte zijn aandacht weer op het gevecht aan zijn rechterhand. Het front van de hulptroepen hield stand. Na enkele zware, sonore tonen van de cornua rukten de Veertiende en Twintigste op om hen af te lossen.

Magnus glimlachte wrang. 'Wat is het leger toch conservatief, hè? Romeinse opperbevelhebbers zullen geen prijzen winnen voor hun innovatieve tactieken.'

'Het werkt. Waarom zou je er dan iets aan veranderen?' antwoordde Vespasianus. Hij bewonderde de precisie van de manoeuvre terwijl de achterhoede van de hulptroepen zich losmaakte uit de gelederen en zich in een rij door de legioenlinies naar achteren begaf.

Tegen de tijd dat de twee legioenen in de aanval waren gegaan, liepen de hulptroepen van de Tweede Augusta – ze zaten nog steeds onder het verse bloed – op een holletje langs Vespasianus heen. Hun uitrusting en wapens maakten een rinkelend geluid. De bonkende stappen klonken doordringend. In colonnes van acht manschappen breed begaven ze zich door de gangen van de frontcohorten van het legioen. Toen ze op open terrein waren aanbeland, waaierden ze uit in de vloeiende beweging die zo eigen was aan op precisie gedrilde legionairs. Ze vormden een front van vier dichte rijen. Het gebrul van hun centuriones en optiones, die de rijen inspecteerden, ging verloren in de herrie van de veldslag. Het geschreeuw en het metalige gekletter van scherpe wapens deed denken aan een kudde koeien die

werd afgeslacht terwijl duizenden smeden willekeurig en maniakaal op hun aambeelden sloegen.

Nu de linies kaarsrecht waren geformeerd, rukte de frontlinie van hulptroepen vanaf de linkerkant op, gecoördineerd door Maximus, en draaide als de spaak van een wiel tot er een hoek van vijfenveertig graden was ontstaan, waarna de legionairs in marstempo de open flank van de Britten belaagden.

Vespasianus staarde naar de heuvel voor hem. De barbarenstrijdmacht vertoonde nog geen tekenen van verslagenheid. 'Langzaam oprukken!'

Opnieuw weerklonk de cornu. Gestaag marcheerde de Tweede Augustus voor de tweede keer een glooiing op om de hulptroepen te versterken. De aanblik van de naderende versterkingsmacht gaf de manschappen van de Veertiende en Twintigste moed. Ze wierpen zich met hernieuwde ijver in de strijd. Plotseling was er sprake van enige moedeloosheid bij de Britten. Hun front wankelde. De mentaal zwaksten keerden zich al om en vluchtten de heuvel op in plaats van zich te herpakken bij het zien van de nieuwe dreiging; paniek verspreidde zich als een heivuur door hun gelederen. Steeds meer strijders hielden het voor gezien en renden terug. Alleen de meest bloeddorstige barbaren gingen door en zagen zich geconfronteerd met de ontelbare zwaarden van het legioen, dat als een hakselmachine meedogenloos en ongenadig efficiënt korte metten met ze maakte.

Plotseling was de strijd gestreden.

Maximus riep de hulptroepen van de Tweede Augusta terug. Ze hadden niet eens in actie hoeven komen. Hun aanwezigheid was inderdaad voldoende geweest om het tij te keren. Gezwind renden ze langs het oprukkende legioen en namen tweehonderd passen van het front posities in.

Rechts van Vespasianus losten de Veertiende en Twintigste hun frontcohorten af. Ze lieten vervolgens hun hulptroepen door, die een beschermend schild voor de frontlinie vormden voordat er opnieuw werd opgerukt. Daardoor bevonden de drie legioenen zich in een hoek ten opzichte van elkaar, met de Tweede Augusta als frontlegioen.

Met rechte rug zat Vespasianus fier op zijn paard en keek toe wat er gebeurde. Zijn hart bonsde. 'Snel oprukken!' riep hij tegen de cornicen. Hij koesterde zich in zijn trots dat zijn legioen de andere leger-

eenheden westwaarts leidde, op jacht naar een gedemoraliseerde maar niet verslagen strijdmacht.

Het bericht galmde in de vorm van hoorntonen over de legioenen. Binnen enkele hartslagen had de Tweede Augusta de pas versneld. Hun voetstappen bonkten op het toch al platgetrapte gras. De hulptroepen reageerden meteen. De laatste honderd passen naar de heuvelkam legden ze op een holletje af. Op hetzelfde moment verscheen een eenzame strijder op de top. Enkele ogenblikken later voegden zich talloze krijgers bij hem, als omtrekken stonden ze in het licht van de namiddagzon. Het front strekte zich uit over de heuvelkam. De hulptroepen stopten meteen. Voor de derde keer die dag formeerden ze zich in slagorde.

'Stop!' beval Vespasianus.

'De smeerlappen zijn niet gevlucht. Dat gaat faliekant tegen de regels in,' klaagde Magnus terwijl de cornu schalde. Het legioen stopte.

'Dan moeten we ze ervanlangs blijven geven tot ze wel op de vlucht slaan,' morde Vespasianus terwijl hij probeerde in te schatten hoeveel strijders er schuilgingen achter de zichtbare krijgsmacht.

De Veertiende Gemina en de Twintigste marcheerden door tot ze zich evenwijdig aan de Tweede Augusta bevonden. Vervolgens stopten ook deze legioenen. Voor het eerst die dag daalde er een stilte neer over het slagveld terwijl de twee krijgsmachten tegenover elkaar stonden.

Vespasianus keek over zijn schouder naar de commandopost van Plautius, die zich achter het legioen van Sabinus bevond. Over en weer werden ijlboden gestuurd. Vervolgens keek Vespasianus naar de vijand. Er hing nog steeds een doodse stilte. De twee kampen staarden elkaar aan, niet langer dan enkele snelle hartslagen, waarna de hoofdman zich losmaakte uit de strijdmacht en naar de Tweede Augusta liep. Toen hij tien passen had gedaan, stak hij een tak in de hoogte die vol in het blad stond. De krijgers achter hem volgden.

'Ze hebben er al genoeg van,' riep Magnus uit. Uit de Romeinse frontlinies steeg gejuich op.

'Volgens mij ligt het wat genuanceerder. Kijk maar.' Vespasianus wees naar de Britten die langzaam naderden. De heuveltop erachter bleef verlaten. 'Volgens mij hebben we het over één stam. En niet eens een grote. Ik ga met ze praten.' Hij trapte zijn paard in de flan-

ken terwijl de Britten hun pas verlangzaamden, waarna ze allemaal tegelijk hun wapens op de grond gooiden. Vervolgens deden ze enkele passen achteruit en lieten zich op hun knieën vallen.

Vespasianus galoppeerde door de gelederen van zijn legioen, voorbij de hulptroepen, waarna hij vlak voor de hoofdman zijn paard tot stilstand bracht. De leider bleek de enige die was blijven staan.

De Brit keek naar hem op. Hij had een lang, blozend gezicht. Bij zijn ooghoeken liepen zorgenrimpels naar de jukbeenderen. Zijn gefronste wenkbrauwen, gecombineerd met zijn grijze hangsnor, gaven de indruk dat hij een kommerlijk man was die gebukt ging onder vele zorgen. 'Ik ben Budvoc, koning van de Dobunni, ondergeschikte van Caratacus. Ik heb alleen mijn lot in eigen hand,' zei hij in verdienstelijk Latijn. 'Vandaag hebben mijn strijders en ik alles gedaan om onze eer te verdedigen. Nu ons bloed vergoten is, kiezen we onze eigen lotsbestemming. Als we een ondergeschikte stam blijven, het zij zo, dat is dan onze keuze. Maar we zijn liever ondergeschikt aan het machtige Rome dan aan onze buren, de Catuvellauni. Hoe luidt uw naam, generaal?'

'Titus Flavius Vespasianus. Ik ben echter geen generaal, maar een legatus.'

'Maakt niet uit, legatus. Dit legioen heeft ons verslagen en voor dit legioen zullen we dan ook buigen.' Hij trok zijn zwaard uit de schede en liet het voor de hoeven van Vespasianus' paard op het gras vallen. Daarna legde hij er de tak met bladeren op. 'Wij zijn nu uw volk. U kunt over ons beschikken.'

'Wat is hier aan de hand, legatus?' schreeuwde Plautius. Naast Vespasianus bracht hij zijn paard tot stilstand.

'Ik heb zojuist de capitulatie van Budvoc geaccepteerd. Hij is koning van de Dobunni, heer.'

'O ja?' Plautius keek neer op de koning. 'Wel, Budvoc, uw manschappen hebben dapper gevochten, ofschoon ze geleid werden door bevelhebbers met het strategische en tactische inzicht van een muildier. Ik kan me voorstellen dat u Caratacus en Togodumnus geen dank verschuldigd bent voor de wijze waarop ze vandaag gehandeld hebben.'

De koning schudde zijn hoofd. 'Helaas heeft Caratacus de glorie van de overwinning zelf willen opeisen. Hij had niet het geduld om te wachten op het leger van zijn broer, hoewel die strijdmacht al in

zicht was. Ik weet wat eer inhoudt, ook dat het soms noodzakelijk is om omwille van de eer te sterven. Ik zal mijn mannen echter niet opofferen voor het ijdele eergevoel van een dwaas.'

'Over eer gesproken, zweert u dat uw stam zich ondergeschikt maakt aan Rome?'

'Ik zal mezelf van het leven beroven als een van de aanwezige mannen het zwaard heft tegen u.'

'In dat geval zal ik de levens van uw manschappen sparen. Ze zullen niet tot slaven worden gemaakt. Wel blijft u voorlopig onder bewaking staan van het reservelegioen. Als u probeert te ontsnappen, of als u uw woord breekt, zal de helft van uw krijgers sterven aan het kruis en de rest tot slavernij gedoemd zijn.'

De koning maakte een buiging. 'Die maatregelen zullen niet nodig zijn, generaal.'

'Laten we het daar dan maar op houden. Vespasianus, ik wil dat twee cohorten van uw hulptroepen bij hen blijven tot de Negende is gearriveerd. Lang zal dat niet duren, ze zijn al in zicht. Opschieten, we moeten een rivier oversteken.'

In het westen zakte de zon als een gouden bal naar de horizon. De met gras begroeide top van de laatste heuvel voor de Afon Cantiacii baadde in een zachte, warme gloed. Vespasianus reed voor zijn legioen en de hulptroepen uit en was in gezelschap van Mucianus, Maximus en Magnus, geëscorteerd door zestig van de honderdtwintig legioencavaleristen. De rest was aan het patrouilleren bij de rivier. Ze hadden inmiddels gerapporteerd dat de Britten zich op de westoever bevonden en de brug achter zich vernield hadden.

Hij onderdrukte een opgetogen glimlach terwijl hij dacht aan de wijze waarop hij en zijn legioen vandaag in actie waren gekomen. Hij keek om. De legionairs marcheerden vermoeid de glooiing op.'We moeten ervoor zorgen dat ze een stevige maaltijd krijgen en een goede nachtrust, Maximus. Zodra we het marskamp hebben opgezet, geef je ze toestemming om de helft meer van het rantsoen te nemen. Het wijnrantsoen blijft hetzelfde. Ik wil niet dat ze morgen met een kater opstaan. Volgens mij hebben we een zware dag voor de boeg.'

'Het eten is geen probleem, heer. Maar ik kan hun nachtrust niet garanderen, althans niet voor iedereen. Ik verwacht namelijk dat u

veel patrouilles op pad wilt sturen. Ik ben ervan overtuigd dat de langharige barbaren in groepjes de rivier oversteken om het ons lastig te maken.'

Vespasianus vervloekte zichzelf. Hij was zo opgetogen geweest dat zijn professionaliteit eronder te lijden had. 'Je hebt natuurlijk gelijk, Maximus. Probeer de last zo veel mogelijk te verdelen.'

'Ik zal ervoor zorgen dat slechts één centurie van elke cohort niet de hele nacht kan doorslapen.'

Vespasianus voelde zich een dwaas omdat de kampprefect hem aan een basale voorzorgsmaatregel had moeten herinneren, hoe tactvol dat ook was gedaan. Hij beloofde zichzelf dat hij na de volgende gevechtsroes meteen weer met beide benen op de grond zou staan. Het zou niet meer voorkomen dat Maximus hem moest corrigeren. Daar stond tegenover dat dat nou juist de taak was van de kampprefect, die in alle opzichten de meest ervaren legioensoldaat was. Maximus was helemaal onderaan begonnen als legioenrekruut en had zich opgewerkt tot jongste centurio van de tiende cohort. Daarna had hij de centuriohiërarchie doorlopen en werd hij uiteindelijk primus pilus van de eerste cohort voordat hij gepromoveerd werd tot de hoogste rang die een legionair kon ambiëren. Iemand met zoveel gevechts- en bestuurservaring diende een oogje in het zeil te houden op de minder ervaren superieuren, die sociaal echter zijn meerderen waren: de legatus en de hoofdtribuun.

Het was een goed systeem, vond Vespasianus terwijl ze de glooiing op reden en zich inmiddels vlak onder de heuveltop bevonden. Vooropgesteld dat de legatus niet zo arrogant was het advies van iemand met een veel lagere sociale status per definitie van de hand te wijzen. Dat was immers schering en inslag in het maatschappelijk gebeuren. Hij beloofde zichzelf plechtig om nooit die fout te maken. Het was beter om min of meer als een dwaas over te komen, en veilig elke dans te ontspringen, dan het leven te laten omdat je gezichtsverlies probeerde te vermijden.

Op de heuveltop verdwenen die mijmeringen als sneeuw voor de zon. 'Mars, bescherm ons,' fluisterde hij. Hij staarde langs de glooiing van een halve mijl lang de diepte in en zag de verwoeste brug en wat zich daar voorbij bevond.

Op de andere oever en op de heuvel erachter zag hij meer mannen

dan hij ooit verzameld had gezien, afgezien van de menigten in het Circus Maximus in Rome. Het gekrioel strekte zich links en rechts over een afstand van bijna een mijl uit. De barbaren kampeerden lukraak in talloze groepjes. Terwijl Vespasianus toekeek, zag hij nog meer manschappen over de heuvel arriveren en uitwaaieren om zich bij hun landgenoten te voegen. Toen het Romeinse legioen op de heuveltop verscheen, kwam de gehele Britse strijdmacht overeind. De barbaren brulden, joelden en schreeuwden hun haat uit; een oorverdovende herrie.

'Dat moeten er minstens honderdduizend zijn.'

Maximus bracht zijn paard naast hem tot stilstand en liet zijn blik over het verre tafereel glijden. 'Ja, dat zou best wel eens kunnen. Misschien tienduizend meer of minder. In elk geval komen er steeds meer bij. Als ik in de schoenen van Plautius stond, zou ik niet tot morgen wachten. De avond valt pas over vier uur. Tijd genoeg om een pontonbrug te leggen.'

Magnus floot zachtjes en vol bewondering tussen zijn tanden. 'Dat noem ik nog eens een groot leger!'

HOOFDSTUK XVII

Aulus Plautius grijnsde zijn legati en hulpprefecten toe terwijl ze in de openlucht rond een tafel stonden. 'We gaan er onmiddellijk op af, heren. We maken gebruik van de zorgeloosheid waarmee ze hun kamp hebben opgeslagen. We moeten nu toeslaan, voordat daar iemand het initiatief neemt en versterkingswallen gaat maken.' Hij vouwde een rol open. De loop van de Afon Cantiacii was er schetsmatig op aangebracht. Vervolgens priemde hij een vingertop op de rivier. 'Hier zijn we. Net ten noorden van ons maakt de rivier een lus. Over een afstand van een halve mijl is de rivier achter deze heuvel uit het zicht van het Britse kamp.' Hij liet zijn wijsvinger naar het noorden glijden en stopte bij een heuvel van tweehonderd voet, ongeveer een mijl achter de verwoeste brug. 'Ik wil dat de acht cohorten van de Bataafse infanterie zo snel mogelijk de rivier overzwemmen.' Hij keek de bebaarde hulpprefect aan. 'Civilis, als prefect van de eerste cohort geef ik u het commando. Zodra u bent overgestoken, neemt u die heuvel in. Volgens mij gaat ze dan een licht op. Ik vermoed dat het ongedisciplineerde zootje over u heen valt. Maar dankzij de hoge posities die u hebt ingenomen, kunt u lang genoeg standhouden om ervoor te zorgen dat wij onze posities kunnen innemen. Waarschijnlijk komen ze er te laat achter wat we aan het doen zijn. Daarna krijgt u een adempauze en wordt de druk op de Tweede Augusta gelegd. Vragen?'

Civilis fronste zijn wenkbrauwen. 'Wat is het doel van onze afleidingstactiek?'

'De Tweede Augusta gaat natuurlijk een provisorische brug bouwen. Als u die heuvel maar niet prijsgeeft. Vooruit, aan de slag. We

hebben geen moment te verliezen. Dat Fortuna u moge beschermen, of welke god ook op wie de Batavieren gesteld zijn.'

'Fortuna kan er zeker mee door, heer.' Civilis salueerde fel, net als zijn zeven collega's, en holde weg om zijn manschappen te verzamelen.

Plautius staarde zijn officieren een voor een aan. 'We maken gebruik van twee grote voordelen. Ten eerste weten de Britten niet dat we acht cohorten van elk achthonderd manschappen hebben die in staat zijn met volle bepakking en geharnast de rivier over te zwemmen. En van pontonbruggen hebben ze ook nog nooit gehoord. Zij denken dat we wachten op laag tij, dat we palen in de grond slaan en een brug bouwen zoals zij dat gewend zijn. Laat ze voorlopig die illusie koesteren. Ik wil dat u marskampen opzet. De langharige barbaren zullen zich dan veilig wanen. Dat houdt de manschappen van Civilis, die zich noordwaarts begeven, eveneens buiten schot. Graaf echter alleen defensieve wallen. Laat de tenten ingepakt bij de rest van de uitrusting.' Plautius keek Vespasianus aan. 'De karren met de pontonboten kunnen elk moment arriveren. Laad ze uit en maak ze gereed voor inzet tussen het kampgewoel.' Hij richtte zich tot Sabinus. 'Zodra de Batavieren de heuveltop bereiken, rukt uw legioen op naar de verwoeste brug. Wek de schijn dat u de brug probeert te repareren. De Britse legermacht zal zich dan splitsen om zowel de Batavieren van de heuvel te jagen als ervoor te zorgen dat u die brug niet bereikt. Ongetwijfeld zult u veel katapultprojectielen moeten incasseren. Ook zal deze tactiek levens kosten, maar het is uitermate belangrijk dat u standhoudt.'

'Ja, generaal.'

'Vespasianus, zodra de Britten het druk krijgen in het noorden zorgt u ervoor dat die pontonboten in de rivier komen te liggen. U doet dat hier.' Hij wees naar een gedeelte van de rivier, ongeveer een mijl ten zuiden van de verwoeste brug. De heuvels draaien hier weg van beide oevers. U hoeft dus niet bergop te vechten als u eenmaal aan de overkant bent. U hebt een uur om over te steken en een bruggenhoofd te vormen voor Geta, die na u met zijn legioen oversteekt.' Hij keek Geta aan. 'Uw legioen dient zich hier te formeren, waar we nu zijn, zodra de Batavieren de heuvel hebben ingenomen. Daarna rukt u noordwaarts op. Dat zal Caratacus en zijn broer danig in verwarring brengen. Ze denken natuurlijk dat u probeert over te steken waar de

Batavieren dat deden. Wat Vespasianus uitspookt, zal dan even aan hun aandacht ontsnappen. Na een uur trekt u zich razendsnel terug en bij het vallen van de avond steekt u de tweede brug over. Wanneer u aan de overkant bent, zorg ik ervoor dat de pontonbrug in de inktzwarte duisternis naar de Veertiende wordt getrokken, zodra de maan ondergaat. Bij het eerste ochtendlicht zal alles in gereedheid zijn gebracht. Daarna vallen we aan terwijl de Tweede Augusta zich in de uiterwaarden bevindt en de Twintigste in de hogergelegen gebieden. Beide strijdmachten rukken noordwaarts op om de Veertiende te versterken. Dat dwingt de langharige barbaren om zich terug te trekken, natuurlijk recht in de armen van de Batavieren, die korte metten met ze zullen maken.'

'En de Negende dan, generaal?' vroeg Corvinus. Hij was zichtbaar verontwaardigd dat zijn strijdmacht niet genoemd werd.

'Daar zal ik het nu over hebben, legatus. U blijft uit het zicht aan de andere kant van de heuvel. Morgen bij het eerste ochtendlicht komt u tevoorschijn en steekt u achter de Veertiende de rivier over. Als de Britse strijdmacht breekt, zullen de overlevenden naar de Tamesis vluchten. Net ten noorden van hier is die rivier minder dan een mijl breed en bij laag tij vrijwel helemaal doorwaadbaar, volgens mijn informatie. Wie de oversteekroute kent, hoeft maar een paar honderd passen te zwemmen. We moeten zien te voorkomen dat ze die plaats bereiken. Onze vloot zal ze vanaf de rivier belagen. Toch zullen we niet kunnen voorkomen dat vele duizenden ontsnappen en de overkant halen. Terwijl wij hen opjagen, rukt u met de Negende zo snel mogelijk westwaarts op om stroomopwaarts de noordoever van de doorwaadbare plaats in te nemen. Houd stand tot wij er arriveren. Als u vechtend naar de overkant moet, dan zij het zo. Is dat een taak die uw dignitas waardig is, Corvinus?'

Corvinus keek chagrijnig. Hij wist niet wat hij moest zeggen zonder als een idioot over te komen, en knikte slechts alsof hij met stomheid geslagen was.

Plautius glimlachte hem flauwtjes toe. 'Goed, ik ben blij dat ik u een opdracht heb kunnen geven die u waardig is. Wel, heren, het is aan u om uw legioenen en hulptroepen te instrueren omtrent de aanstaande gevechtstactieken. Doe wat ik u heb bevolen op de wijze die u het meest geschikt lijkt. Zijn er nog vragen?'

Vespasianus keek rond naar de andere officieren. De meesten bestudeerden de landkaart en dachten na over de aanpak. Met hoofdknikjes en instemmende geluiden maakten ze duidelijk dat ze het plan voldoende gedetailleerd en uitvoerbaar achtten. Hij zag dat Corvinus en Geta elkaar als twee samenzweerders een blik toewierpen. Prompt realiseerde hij zich dat het moment dat Narcissus voorzien had snel naderde. Vluchtig keek hij naar Sabinus, die knikte. Hun blik was hem evenmin ontgaan, en hij begreep het belang ervan.

Even later gromde Plautius tevreden. 'Goed. Tijdens de eerste gevechtscontacten verwacht ik van u dat u meevecht in de frontlinies. Het is zeer belangrijk dat de mannen beseffen dat hun officieren niet bang zijn voor het enorme aantal met klei ingesmeerde barbaren. Ga terug naar uw commandoposten en veins dat u een marskamp opzet. Als alles goed gaat, verschijnen de Batavieren binnen een uur op de heuveltop. Ik zal in naam van onze strijdmacht offeren aan Mars Victorie, Fortuna en Jupiter. Laten we hopen dat mijn gebeden verhoord worden, want dit komt er echt op aan. Dat is alles, heren.'

'Vooruit, schatjes, laad die verdomde boten uit!' schreeuwde primus pilus Tatius tegen twee centuriën die geoefend waren in het monteren van pontonbruggen. Hij keek niet bepaald enthousiast naar het konvooi van twintig ossenkarren met elk twee pontons van vijftien voet lang.

'Doe geen moeite, primus pilus,' riep Vespasianus. Hij reed zo snel de heuvel op als zijn waardigheid toeliet. 'Ik heb net even het terrein bekeken tussen hier en waar de pontonbrug moet komen. Het is vlak grasland. Het gaat veel sneller als je de ossen aftuigt en de karren met de hand naar de oever rijdt.'

'Als u het zegt, heer.' Tatius richtte zich weer tot zijn manschappen. Sommigen waren al bezig om zijn laatstgenoemde bevel uit te voeren. 'Leg die kloteboten terug waar ze horen! Waarom halen jullie ze eraf? Het zijn toch puike karren? We rijden ze gewoon naar de rivieroever, zoals het hoort!' De legionairs waren in verwarring gebracht en staarden hun primus pilus aan. Niemand durfde echter iets te vragen. 'Dat is al beter. Tuig de ossen af en leid ze weg. En vreet ze niet op! Ze zijn van het leger en moeten terug naar hun rechtmatige bevelhebber.'

'Hebben de officieren zich al in het praetorium verzameld, Tatius?'

'Ja, heer. Ik kom er net vandaan om het uitladen van de boten te superviseren.'

Vespasianus gaf zijn paard een trap in de flanken en baande zich een weg door de zorgvuldig geënsceneerde werkzaamheden. Er moest immers de schijn worden gewekt dat er een marskamp werd opgeslagen. Hij begaf zich naar het centrum van het kamp. Tatius volgde hem. Het gedoe met de pontonboten liet hij over aan de optiones van de centuriën.

Alle tribunen, prefecten en centuriones van zijn legioen en de hulpcohorten wachtten op hem terwijl hij afsteeg en zijn paard aan een slaaf gaf die gereedstond.

'Ik zal het kort houden, heren. Over ruim een halfuur zijn we op pad. Tatius heeft de vijfde en zesde centurie van de tiende cohort bijeengevoegd. Beide eenheden zijn geoefend in het monteren van pontonboten.' Hij keek de kampprefect aan. 'Zijn de planken gearriveerd, Maximus?'

'Ja, heer. De eerste centurie van de tweede cohort krijgt op dit moment hamers en spijkers aangereikt.'

'Uitstekend. Ik kom net van de rivier vandaan. Het tij loopt af, maar we hebben het nog steeds over een oversteek van ruim vijftig passen. We hebben dus dertien pontonboten nodig, misschien een paar meer. We kunnen dan een dubbele pontonbrug maken.' Hij pikte de cavalerieprefect uit de verzamelde officieren. 'Paetus, zodra wij aan de slag gaan, vertrekt jouw cavalerie naar de rivier. Zwem zo snel mogelijk naar de overkant.'

De jonge prefect grijnsde. 'Ik heb ze hun waterzakken al laten legen en ze ieder tien extra speren gegeven.'

'Goed. Eenmaal aan de overkant vertragen jullie elke legermacht die probeert te voorkomen dat wij de plaatsing van de pontonbrug voltooien.'

'Ja, heer.'

'De Hamiorische boogschutters geven dekking vanaf deze oever.' Vespasianus keek de prefect van de Eerste Cohort Hamiorum aan. 'Hoeveel pijlen hebben jouw boogschutters ieder gekregen?'

'Vijftig stuks. En twee keer die hoeveelheid ligt klaar in de voorraadkarren.'

Vespasianus knikte. 'Dat moet voldoende zijn om de dag door te komen. Ik wil dat alle katapultschutters onder het bevel van de prefect van de Eerste Cohort Hamiorum vallen, Maximus. Laten we bidden tot Janus dat we de brug in een halfuurtje kunnen monteren. Zodra alles in gereedheid is gebracht, steekt de eerste cohort over via de rechter brug. Tatius en ik zullen ons bij het front voegen. Ik sta erop dat jullie allemaal ons voorbeeld volgen, heren. Jullie vechten in de frontlinie van jullie eenheden, ook de jongste officieren.' Vespasianus keek vluchtig naar de vijf jonge, onervaren legertribunen. Met hun flonkerogen en eerlijke gezichten straalden ze zowel opwinding als vrees uit. Hij hoopte intens dat niemand van hen ten prooi zou vallen aan de uitzinnige gevechtsroes waar hij in zijn jeugd zo vaak mee te kampen had gehad. Daar had immers niemand wat aan in de gedisciplineerde gelederen van de legioenen. 'Zodra we aan de overkant zijn, formeert de eerste cohort zich in noordelijke richting met de rivier aan de rechterflank. Daarna is de tweede cohort aan de beurt met Mucianus in de frontlinie, gevolgd door de andere cohorten. We vormen drie linies met vier cohorten in de tweede linie. De hulptroepen steken via de linker pontonbrug over. Ik wil dat de Gallische ala als eerste de overkant bereikt. Deze cavalerie kan dan de glooiingen aan onze rechterflank zo snel mogelijk innemen en standhouden tot de vijf Gallische infanteriecohorten arriveren. Deze infanterie formeert zich op de heuvel en houdt contact met de linkerflank van het legioen. Het is de taak van de cavalerie om elke omtrekkende beweging van de vijand terug te slaan. De legioencavalerie steekt als laatste over. Deze eenheden houden we achter de hand. De Eerste Cohort Hamiorum en de artillerie blijven op deze oever en rukken met ons op. De *carroballistae* schieten dus vanaf hun karren. We hebben echter het bevel gekregen niet door te stoten. We dienen alleen het bruggenhoofd te versterken en te wachten op de Twintigste. Elke oprukking dient kort en tactisch te zijn; de eerste cohort zal daartoe het sein geven. De rest rukt mee op om de eerste cohort dekking te geven en ze te versterken. Is dat begrepen, heren?'

De verzamelde officieren mompelden instemmend. Met dat antwoord was Vespasianus tevreden. 'Ik betwijfel ten zeerste of we hier heelhuids uit komen, maar hoe sneller we dit achter de rug hebben, hoe groter de kans is dat we de Britten kunnen overrompelen. Maar

ze zullen aanvallen, wees daar zeker van. Ze zullen er alles aan doen om ons weer aan deze kant van de rivier te krijgen.' Hij keek naar de horden op de heuvel, op minder dan duizend passen van hen vandaan. Ze juichten en joelden niet meer. Kennelijk hadden ze het druk met koken en drinken. Hun stemmen klonken als een ver achtergrondgedreun dat niet ophield. 'Dat mogen we niet laten gebeuren. Dus moeten we de strijd aangaan tegen een overmacht van vijf, zes... misschien wel zeven tegen een. Ons doel is om tegen het vallen van de avond het bruggenhoofd veilig te stellen. Daarna steekt de Twintigste over en voegt zich bij ons, waarbij onze hulptroepen in de heuvels worden afgelost. Het zal een lastige nacht worden. We slapen in formatie en met tussenpozen na wat toch al een vermoeiende dag is geweest. Morgen rukken we noordwaarts op, heren, met veel bloed in ons kielzog.'

Zijn officieren lieten deze ware woorden tot zich doordringen. Het gedempte gedreun van duizenden stemmen, aan de overkant van de rivier, nam eerst geleidelijk en vervolgens snel toe tot een oorverdovend geraas. Het klonk opnieuw opstandig, trotserend.

Vespasianus keek naar het noorden en glimlachte wrang terwijl hij zijn hart sneller voelde kloppen en het leek alsof er een steen in zijn maag lag. 'Het is de Batavieren gelukt. Het feest kan beginnen, heren. Keer terug naar jullie eenheden, laat ze ophouden met de zinloze kampwerkzaamheden en formeer ze in colonnes. Ik geef het bevel om op te rukken zodra ik denk dat de Britten voldoende zijn afgeleid. De Batavieren, de Eerste Cohort Hamiorum, de artillerie en de genie gaan voorop. Ik zal me bij hen voegen, Mucianus. Zodra we de rivier hebben bereikt, gaat iedereen aan de slag. Dat is alles, heren.'

De officieren salueerden naar hun legatus, hun uitrusting rinkelde. Vervolgens draaiden ze zich met een ruk om en marcheerden weg om zich bij hun eenheden te voegen. Vespasianus staarde weer naar de overkant van de rivier. De Britse horde zwermde noordwaarts en kolkend uit; de stroperigheid ervan deed sinister aan.

'Net een spreeuwenvlucht die plotseling van richting verandert,' zei Magnus, die achter hem ging staan.

'Ik heb volgens mij nog nooit zoveel spreeuwen in één vlucht gezien.' Vespasianus draaide zich om en keek zijn vriend verrast aan. 'Waarom heb je je zo uitgedost?'

'Nou ja, ik heb een maliënkolder aangetrokken. Daar is toch niks mis mee? Het harnas maakt het de barbaren een stuk moeilijker om mijn ingewanden binnenstebuiten te keren. En de helm voorkomt dat mijn schedel gespleten wordt. En met een schild kan ik een zwaardhouw beter pareren dan met mijn linkerarm, als u begrijpt wat ik bedoel.'

'Zeker begrijp ik dat. Wil dat zeggen dat je vastbesloten bent het gevecht aan te gaan?'

'Ik heb even overwogen om in het gras lekker te gaan luieren en toe te kijken tot dit gedoe achter de rug is. Maar het weer zit niet mee, een beetje kil. Ik kan me dus maar beter goed inpakken en u gezelschap houden in de frontlinie. O ja, dit heb ik voor u meegenomen.' Magnus gaf hem zijn schild.

'Word je niet wat te oud voor dit soort schermutselingen?' vroeg Vespasianus. Hij knikte erkentelijk terwijl hij het schild van hem overnam.

'Dit jaar word ik eenenvijftig. Ondanks mijn leeftijd kan ik nog goed vechten en neuken. Ik heb trouwens nog nooit tegen een Brit gevochten. Het zou wel eens interessant kunnen worden.'

Vespasianus schudde zijn hoofd. Hij wist dat hij zijn vriend niet kon overhalen om zich buiten dit gevecht te houden. Als burger had Magnus niets op het slagveld te zoeken. Hij realiseerde zich echter ook dat hij zijn vriend liever aan zijn zijde had, dat hij zich dan meer op zijn gemak voelde. Hij keek om, naar de overkant van de rivier. De Britten rukten op naar het noorden. Terwijl hij toekeek zag hij de mensenmassa als een zwarte wolk de met gras begroeide glooiing op glijden. Plotseling was hij er getuige van dat een deel van die wolk zich afsplitste en zich naar de rivier begaf. De Veertiende naderde de verwoeste brug. Vespasianus deed een schietgebedje aan Mithras, de god van Sabinus, om zijn goddelijke handen beschermend boven zijn broer te houden. Rechts van Vespasianus, op een halve mijl van hem vandaan, rukte de Twintigste eveneens op en volgde de Veertiende, een schijnmanoeuvre om de oversteekplaats van de Batavieren 'uit het zicht' te houden.

'Dat heeft hun aandacht getrokken,' zei Magnus terwijl de menigte nog harder begon te tieren bij de aanblik van de nieuwe, oprukkende dreiging.

'Inderdaad, ze gaan vrijwel allemaal de andere kant op. Hoog tijd om te vertrekken.' Hij keek naar de bucinator die op wacht stond bij het praetorium. 'Geef het sein: oprukken.'

De tonen weerklonken hoog en helder. Vrijwel meteen schalden monotoon de cornua. Links duwden de geniecenturiën in looppas de pontonkarren de glooiing af. De cavalerie van Paetus galoppeerde weg, gevolgd door de boogschutters in looppas, en de zestig muilezelkarren met de legioenkatapulten.

Vespasianus haalde diep adem en bereidde zich voor op wat ongetwijfeld de meest beproevende uren van zijn leven zouden worden. 'We gaan ervoor, vriend van me.'

'Ik hoopte al dat u dat zou zeggen.'

Vespasianus en Magnus liepen de glooiing af, in het kielzog van de artilleriekarren. Overal om hen heen bereidden de cohorten van de Tweede Augusta en de hulptroepen zich voor op het gevecht tegen een overmacht van barbaren. Vespasianus besefte dat de strijd die deze middag was geleverd in het niet zou vallen bij wat de Tweede Augusta op de andere oever van de Afon Cantiacii te wachten stond.

'Niet naar staren, duw ze het water in!' brulde de centurio van de zesde centurie van de tiende cohort tegen vier van zijn manschappen, die heel even een rustpauze namen nadat ze een pontonboot van de kar hadden gehaald; een zeer vermoeiend karwei. Achter hen sloegen mannen met mokerhamers acht dikke palen in het drogere oevergedeelte. De legionairs pakten de boot aan, kiepten hem met de bodem naar beneden om en haastten zich ermee over de met hoog riet begroeide oever naar de modderige waterkant. Met veel gevoel voor urgentie, aangespoord door de woeste blik van hun centurio, maakten ze de twee roeispanen los die aan de bankjes waren bevestigd, waarna ze de boot het water in duwden. Toen de boot eenmaal dreef, sprongen de vier mannen er met hun modderige sandalen in.

Vespasianus keek toe. Zo nu en dan wierp hij een nerveuze blik in noordelijke richting, voorbij de artilleriekarren die zich in drie rijen van twintig achter de Eerste Cohort Hamiorum opstelden. De Britten zwermden uit naar de vermeende dreiging. Op deze oever werden alle boten uitgeladen. Uiteindelijk wiegden ze allemaal in de traag stromende rivier.

Het geklop van de mokerhamers hield op. De verantwoordelijke optio van de genie was tevreden. De acht palen – vier voor elke pontonbrug – waren diep genoeg in de grond geslagen. Vier lange touwen die opgerold op de oever lagen werden er vervolgens aan vastgebonden. De pontonboten van de tweede brug lagen al in het water. Iets verder zuidelijk, op de andere oever, zag Vespasianus de laatste cavaleristen van Paetus uit het water krabbelen om zich bij de ala te voegen, die zich inmiddels in vier linies opstelde. Tot dusver was er geen spoor van de vijand te bekennen.

'Misschien komen we ermee weg,' zei Vespasianus. Hij keek langs Magnus naar de heuveltop. De Tweede Augusta kwam razendsnel naar beneden.

Magnus spuugde, stak zijn duim tussen zijn vingers en prevelde een schietgebedje. Hij hoopte daarmee het boze oog af te wenden.

'Het spijt me.'

'De eerste boten!' brulde de centurio. Zijn collega's op de tweede brug blaften hetzelfde bevel.

Vijf boten werden inmiddels in positie geroeid. Ze waaierden uit over de rivier. Toen de eerste boot zich evenwijdig aan de palen bevond, grepen twee legionairs het vaartuig vast en hielden het in balans terwijl twee andere soldaten de opgerolde touwen aan elkaar doorgaven. Touwen die inmiddels waren vastgemaakt aan twee palen en aan de manschappen gegeven die niet roeiden, een op de boeg en de andere op de achtersteven. Snel voerden ze de touwen door grote metalen ringen die aan elk uiteinde van de boot waren bevestigd, knoopten ze vast en gaven ze door aan de soldaten in de tweede boot, die langszij kwam. De roeiers hielden de boten bij elkaar terwijl de touwen door de ringen werden getrokken, vastgeknoopt en aan de bemanning van de derde boot gegeven. De buitenste roeiers zorgden er met hun roeispanen voor dat de brug recht naar de overkant wees. Ze trokken de spanen alleen in wanneer een andere boot langszij kwam. Naast hen vond dezelfde procedure plaats voor de tweede brug.

Vespasianus staarde weer naar de heuvel in het noorden. Talloze strijdwagens werden de met gras begroeide glooiing opgejaagd naar de Batavieren, die op de heuveltop in slagorde afwachtten. Een bijna doorzichtige, donkere wolk steeg plotseling op uit de hulptroepen. De wolk maakte een boog en daalde neer in het midden van de

enorme groep strijdwagens. Het geschreeuw en gekerm in de verte verdronk in het continue gedreun van vele tienduizenden stemmen. Maar zelfs van deze afstand zag Vespasianus talrijke strijdwagens die op de helling buiten gevecht waren gesteld; de pony's lagen ervoor.

'De volgende vijf!' riepen de centuriones toen de laatste twee boten waren vastgemaakt. Het trok opnieuw de aandacht van Vespasianus.

Nog eens vijf boten roeiden aan weerszijden de rivier op. Op de oever bevond zich een centurie met hamers en spijkers. Ze renden langs de palen, gevolgd door muilezelkarren geladen met planken, en verdrongen de soldaten die zich als eersten op de vaartuigen bevonden. De vier voorste legionairs baanden zich een weg over de vastgemaakte boten. Er vormde zich een keten van soldaten, waarbij de planken, van elk twee voet breed, werden doorgegeven. Elke plank werd dwars op de dikke horizontale zijkanten gelegd en met lange spijkers in het hout getimmerd. Werkend vanuit het midden kreeg de weg van twaalf voet breed langzaam vorm. Er volgden steeds meer overlappingen naar de oever toe. Tegen de tijd dat de laatste planken waren gelegd, waren de volgende vijf boten al in positie geroeid. Inmiddels was twee derde deel van de rivier overbrugd, waarna alle werkzaamheden herhaald werden bij de laatste vaartuigen. Op de andere oever rukte de ala van Paetus achter de brug op terwijl twee boten aankwamen met een contubernium legionairs, voorzien van mokerhamers en palen om de brug op de westoever vast te maken.

Kampprefect Maximus ging met een heftige beweging in de houding staan voor Vespasianus. Zijn *phalerae* – militaire onderscheidingen – rinkelden terwijl hij onberispelijk salueerde. 'De Tweede Augusta en de hulptroepen hebben een colonne gevormd en zijn klaar om over te steken, legatus!'

'Dank je, prefect.' Vespasianus draaide zich om en zag de tienduizend manschappen die zich onder zijn bevel in twee colonnes van acht legionairs breed op de heuvel geformeerd hadden. De ondergaande zon scheen warm op de vermoeide, grimmige gezichten en deed de opgepoetste harnassen flonkeren. Ze stonden voor de legerstandaard die ze zouden volgen tot in de dood.

De schrille roep van de *lituus*, de lange cavaleriehoorn, weerklonk aan de overkant van de rivier. Vespasianus schrok. Niet door de harde klank, maar door wat het betekende. Hij nam niet eens de moeite om

te kijken waar de cavalerie zich bevond, maar keek meteen naar het noorden en zag wat hij gevreesd had. De manoeuvres van de Tweede Augusta waren niet onopgemerkt gebleven, wat niemand verbaasde. Een aanzienlijke legermacht had zich losgemaakt van de Britse horde en begaf zich naar de vlakke weiden van de uiterwaarden in hun richting, geleid door een grote formatie strijdwagens. De ala van Paetus had zich in slagorde opgesteld en ging inmiddels in draf op de naderende vijand af, amper een mijl verderop.

'Sneller, Maximus. Anders krijgen ze ons te pakken voordat de eerste cohort is overgestoken.'

De kampprefect keek naar de laatste twee boten van elke brug. Ze moesten nog worden vastgemaakt. Bevelen schreeuwend rende hij weg en maande iedereen om op te schieten.

Magnus fronste zijn wenkbrauwen. 'Dat zal niet veel baten. De jongens werken al zo hard als ze kunnen. Nog nooit heb ik een pontonbrug zo snel opgebouwd zien worden.'

Vespasianus negeerde hem en gaf een sein aan de prefect van de Eerste Cohort Hamiorum om zich te melden.

'Schaduw onze cavalerie noordwaarts. Ren indien nodig mee. Als jullie maar elke tien hartslagen achthonderd pijlen naar de overkant schieten om onze cavalerie te dekken zodra het gevecht een aanvang neemt. Richt op de paarden.'

De prefect salueerde en rende weg. Enkele momenten later hadden de boogschutters zich omgedraaid en haastten zich noordwaarts langs de rivier in een poging de dravende cavaleriepaarden bij te houden.

Ondanks de twijfels van Magnus had de aanwezigheid van Maximus, aan de andere kant van de brug, de manschappen gemotiveerd zich nog meer uit te sloven. De laatste twee boten werden in positie gebracht. Vespasianus trok zich enkele passen terug op de heuvel en voegde zich in de frontlinie van de eerste cohort, naast Tatius. Magnus ging aan de andere kant van Vespasianus staan. Achter hen stond de drager van de legeradelaar van de Tweede Augusta met rechte rug en luisterrijk gehuld in wolfshuid te wachten tot hij de standaard met beide handen in de hoogte mocht houden wanneer de veldslag was begonnen. De legionairs rondom hem zouden zich doodvechten om te voorkomen dat het kleinood in handen van de vijand zou vallen. Vespasianus zou het liefst meteen oprukken, maar eerst moesten de tou-

wen aan de palen zijn bevestigd en de planken op de boten vastgespijkerd. Een vluchtige blik noordwaarts maakte hem duidelijk dat een halve mijl verder de Batavieren zich op minder dan tweehonderd passen van de vijand bevonden. De boogschutters renden in een grillige formatie mee om de cavaleristen bij te houden.

'Niet kijken, heer. Het gaat nu zoals het gaat. U kunt daar niets meer aan veranderen,' mompelde Magnus in zijn oor.

Vespasianus greep naar het gevest van zijn zwaard, controleerde of het wapen los in de schede zat in een poging de bijna ondraaglijke spanning in toom te houden. Hij realiseerde zich dat dit de eerste keer was dat hij het geschenk van domina Antonia had gebruikt sinds het neerslaan van de Joodse opstand in Alexandrië, vijf jaar geleden. Het zwaard dat aanvankelijk van haar vader Marcus Antonius was geweest. Hij had het wapen gemist in Germania. Maar de veel langere spatha van de cavalerie was nu eenmaal...

'Van de brug af!' schreeuwde Maximus.

De genietroepen holden weg over het plankier, waardoor de brug hier en daar begon te wiegen.

'We gaan, primus pilus!' beval Vespasianus nog voordat de laatste genielegionairs van de brug af waren.

'De eerste cohort in snel tempo.'

De cornu schalde. De legerstandaards werden twee keer op en neer bewogen. Achthonderd manschappen van de vijf dubbele centuriën van de eerste cohort begaven zich naar de pontonbrug.

'Breek de marstred!' beval Tatius vlak voordat ze de brug betraden.

Dat vond plaats met een reeks sprongetjes. De reguliere marstred was meteen gebroken. Als ze over het plankier marcheerden was het gevaar groot dat de pontonbrug al deinend en wiegend zou breken.

Vespasianus moest zich inhouden om niet de brug over te rennen. In plaats daarvan hield hij zich aan de snelheid die Tatius dicteerde. De talloze spijkersandalen maakten achter hem een donderend kabaal, versterkt door de holle boten. Het klonk als het continue gerommel van een zwaar onweer. Met elke stap die hij zette, werden zijn zorgen groter terwijl hij om de haverklap een blik noordwaarts wierp. De cavaleristen van Paetus waren inmiddels verwikkeld in een reeks schermutselingen; de strijdwagens maakten telkens ontwijkende manoeuvres. Op de valreep draaiden de wagens weg om een frontale aanval te

voorkomen. Onderwijl wierpen de krijgers speren naar de Bataafse ala. De cavaleristen beantwoordden deze dubieuze geschenken met hun eigen speren. Veel pony's van de barbaren moesten het ontgelden. De rossen struikelden en vielen. Tientallen strijdwagens en berijders vlogen door de lucht; de wagens vielen als wrakhout voor de cavalerielinie. Het zou desastreus zijn om de formatie nu te breken. De Bataafse linie moest wel stoppen. De cavaleristen vochten daarna man-tegenmangevechten uit met de krijgers die uit de relatief weinig gebroken strijdwagens kropen. Een paar honderd wagens maakten een omtrekkende beweging naar de Batavieren, die geen kant op konden, en kregen voortdurend pijlenregens te verduren van de boogschutters op de oostoever. Uit elke strijdwagen werden twee of drie speren geworpen naar de ala, die tot stilstand was gekomen. Veel cavaleristen en paarden werden geraakt; het gekerm en gekrijs was enorm.

Plotseling hoorde Vespasianus zijn eigen voetstappen niet meer. Ook voelde hij de planken onder zich niet meer bewegen. De frontlinie was de rivier overgestoken. Een halve mijl noordwaarts brak de ala van Peatus en trok zich terug. Standhouden was onmogelijk door de vele verliezen als gevolg van een zeer beweeglijke vijand tegen wie een directe aanval niet mogelijk was. De Britten hadden op hun beurt verschrikkelijk te lijden onder de pijlenregens van de boogschutters. Toch achtervolgden ze de vijand, die op de vlucht was geslagen, want ze wisten dat de pijlen van hun kwelgeesten hen weldra niet meer konden bereiken. Achter de strijdwagens rukten duizenden krijgers op; een ongedisciplineerde maar vastbesloten mensenmassa.

De eerste cohort begaf zich op de westoever. Tatius versnelde zijn pas toen hij besefte dat de legereenheid groot gevaar liep op open terrein aangevallen te worden terwijl ze zich nog formeerden. Hij telde zijn passen luid terwijl ze over de weiden renden. De uiterwaarden waren inmiddels vertrapt door de cavalerie van Paetus tijdens hun opofferingsgezinde offensief in het noorden. Naast hen galoppeerde de Gallische ala voorwaarts naar de heuvel. Ook de legioencavalerie was zich ervan bewust dat snelheid telde in deze aankomende confrontatie. Achter hen volgde de infanterie in alle haast, aangespoord door hun schreeuwende centuriones en optiones. Toen Tatius tot vijftig had geteld, bevonden de Batavieren zich op vijfhonderd passen. De paarden schuimbekten terwijl ze opgejaagd werden door hun berij-

ders, die het vege lijf probeerden te redden. Ze waren inderdaad sneller dan hun achtervolgers, die op hun beurt inmiddels buiten het bereik van de boogschutters waren. De Eerste Cohort Hamiorum richtte de pijlen nu op de oprukkende infanterie achter de strijdwagens. Veel voetvolk moest het met het leven bekopen, omdat ze in dichte formatie bleven.

Op zeventig passen keek Vespasianus nerveus vanuit een ooghoek naar de primus pilus. Hij zweeg echter, want hij realiseerde zich dat de doorgewinterde veteraan heel goed wist hoe groot het terrein moest zijn om een cohort van achthonderd manschappen in stelling te brengen. Zijn hart bonsde in zijn keel terwijl hij mee rende. Naast hem hijgde en gromde Magnus van de inspanning.

'Naar rechts draaien!' schreeuwde Tatius toen hij voorbij de honderd tellen was.

De voorste gelederen draaiden naar het noorden, met de vluchtende Batavieren op minder dan driehonderd passen van hen vandaan. Na nog eens twintig kwellende hartslagen stak Tatius een arm in de lucht. 'Stop en linie vormen!' Hij verlangzaamde zijn tempo om te voorkomen dat de cohort als een harmonica in elkaar zou schuiven. Uiteindelijk stond hij stil. Achter hem waaierde de colonne uit. Linies van vier rijen breed formeerden zich aan weerszijden verbazingwekkend soepel en precies dankzij eindeloze exercities. In minder dan geen tijd was de colonne veranderd in een frontlinie van vier rijen breed. In de achterhoede marcheerden de Gallische hulptroepen de glooiing op. De tweede cohort had de oversteek gehaald, terwijl de Bataafse cavalerie aan weerszijden een omtrekkende beweging maakte rond hun kameraden, waardoor de strijdwagens en de ontelbare krijgers zich plotseling en zeer zichtbaar pal voor de Romeinse frontlinie bevonden.

Tatius wierp Vespasianus vanuit zijn ooghoek een vragende blik toe.

Vespasianus knikte. 'Het is jouw centurie, primus pilus. Jij geeft de bevelen tot ik besluit dat het legioen iets anders moet doen dan alleen standhouden.'

'Heer! Presenteer pila!'

De cornua schalden. Zijn ondergeschikte centuriones herhaalden het bevel. Over de hele linie, vanaf de middenpositie van Tatius, brachten de legionairs hun linkerbeen met een stampende beweging naar

voren. De schilden hielden ze met een ruk voor zich en de lange pila met de van weerhaken voorziene uiteinden hielden ze boven hun hoofd. Hoewel de pilum niet ontworpen was om er bovenarms mee te steken, wist de zeer ervaren Tatius dat het presenteren van een solide schildmuur met erboven talloze gemeen uitziende ijzeren punten, nog wel op ooghoogte van de pony's, een woest afschrikkingsmiddel zou zijn voor de gedrongen beesten die op hen af raasden, inmiddels op minder dan honderd passen van het Romeinse front vandaan.

Vespasianus keek vluchtig over zijn schouder. Boven de hoofden van de grimmig kijkende legionairs zag hij dat de legerstandaard van de tweede cohort evenwijdig was aan zijn positie. De frontlinie was dus versterkt. Hij ving een glimp op van de derde cohort die door de gaten in de formatie glipte. Achter de legionairs hergroepeerde de cavalerie van Paetus zich. Op hetzelfde moment kwamen de Galliërs de heuvel af. Hij draaide zich weer om naar de naderende verschrikking, nu op minder dan vijftig passen. Prompt realiseerde hij zich dat de derde cohort halverwege deze manoeuvre in het gedrang zou komen.

Een snelle reeks scherpe geluiden in combinatie met zwaar gebonk deed hem zijn ogen opslaan naar rechts. Vaag zag hij laag over de rivier de sporen van zestig carroballista-projectielen. Ze zoefden naar de overkant en door de hoge snelheid veroorzaakten ze een afschuwelijk soort dood en verderf in de strijdwagens. Mannen, dieren en wagens leken binnen een seconde van de aardbodem te verdwijnen. Vlak voor Vespasianus vloog een pony met geweld tegen het paard dat ernaast galoppeerde. Een bloederige *ballista* stak door hun nek en priemde de twee dieren aan elkaar vast. De berijder van de volgende strijdwagen werd uit zijn geknielde houding gesmeten, gespietst aan de buik van het schoppende paard. Met open mond bleef hij hangen. Een warrige chaos draaide rond, was met ballistae doorzeefd, het bloed sproeide en spoot alle kanten op; een krijsende kwelling. Overal kiepten strijdwagens om. Ze versplinterden. Brokstukken van wielen, gevlochten rietwerk en hout vlogen met hoge snelheid in de gezichten van degenen die volgden. Alsof ze niet geraakt waren, waaierden de strijdwagens links en rechts uit om de brokstukken te omzeilen, waarbij ze de gesneuvelden, de verminkte gewonden die op de grond lagen en de verbouwereerde overlevenden die wankelend overeind probeerden te komen vertrapten. Het tempo van de aanval was er echter uit. De

menners en krijgers staarden vol angst naar de artillerie van de Tweede Augusta, aan de overkant van de rivier, alsof ze zich afvroegen hoe het mogelijk was dat deze legereenheid zoveel chaos en verwoesting kon veroorzaken. Enkele momenten na het artilleriesalvo was de aanval van de Britten knarsend tot stilstand gekomen. Meer dan vijftig strijdwagens lagen versplinterd en verspreid over het slagveld als gevolg van directe inslagen of door botsingen met de brokstukken van andere wagens.

Vespasianus wist dat het moment was aangebroken om het initiatief te nemen. 'Tweede Augusta, oprukken!'

Het geluid van de cornua galmde over de cohorten. De legeradelaar en de standaard van de eerste cohort zakten. Achthonderd manschappen gingen tegelijk in de aanval, gevolgd door de tweede cohort. De derde cohort, met Maximus in de frontlinie, nam het laatste gedeelte van het terrein voor de heuvel in. Achter de cohort renden nog meer legionairs en hulptroepen de pontonbrug over, waardoor de slagkracht van het legioen steeds groter werd. De stuwkracht van het strijdwagenfront was ingezakt. De menners keerden de wagens en sloegen op de vlucht onder Romeins gejuich en gejoel. De strijdwagens voegden zich bij de enorme Britse infanterie, ongeveer vierhonderd passen van het Romeinse front vandaan. Een gigantische, donkere wolk van krijgers strekte zich uit van de rivieroever tot aan de top van de heuvel.

'Halt!' schreeuwde Vespasianus toen ze bij de vele wrakken op het slagveld waren aanbeland.

De frontlinie stopte vlak voor de meest nabije chaos van dode en gewonde paarden, die nog steeds kronkelend en schoppend tussen de versplinterde overblijfselen van drie strijdwagens lagen. De derde cohort, inmiddels in slagorde, naderde in snel tempo om het legioen compleet te maken.

'Makkelijk zat,' mompelde Magnus. Hij staarde naar de zwarte wolk die gestaag en onverbiddelijk op hen afkwam.

'O ja? Ik zou zeggen dat het verre van makkelijk was om tienduizend manschappen onder het oog van de vijand de rivier over te zetten, nog wel zonder veel verliezen. Kijk maar.' Vespasianus wees naar links.

Op de heuvel had de Gallische cavalerie een vage omtrek tegen de achtergrond van het donkergouden licht van de ondergaande zon. De

eerste cohort van de hulptroepen had hen bijna bereikt, gevolgd door nog eens twee cohorten. De laatste twee namen posities in en fungeerden als reservetroepen. Terwijl Vespasianus en Magnus toekeken, bereikte de eerste cohort de heuveltop en vormde een frontlinie. De cavalerie trok zich vervolgens terug en verdween over de heuvel. De twee volgende cohorten formeerden zich eveneens naar de vijand toe, waarna ze alle drie in snel tempo naar beneden kwamen om uiteindelijk naast en vlak achter het legioen de linkerflank te versterken. Aldus was er een solide linie gecreëerd van vier rijen dik. Een linie die zich over meer dan een halve mijl uitstrekte.

Toen de laatste twee Gallische cohorten oprukten om de tweede linie te completeren, gromde Magnus en staarde weer naar de Britten. 'Dom van me, ik had me niet gerealiseerd dat tot zonsondergang een uur lang standhouden tegen een overmacht van vijf of zes tegen een het makkelijkste deel van dit avontuur is.'

Vespasianus zag het gigantische barbarenleger naderen. Ook merkte hij dat het tempo eruit was. Aan de linkerflank, op de rivieroever, waren honderden mannen met katapulten in duel met de boogschutters aan de overkant. De Eerste Cohort Hamiorum, zonder schilden, had het zwaar te verduren terwijl de stenen van de vijand, die zich wel kon beschermen achter schilden, in een boog op de boogschutters afkwamen, waardoor tallozen neervielen en de rest zich terugtrok tot ze buiten bereik waren van de katapulten met een kleine actieradius. De boogschutters gingen terug naar de karren om hun voorraad pijlen aan te vullen. In de verte hield de Bataafse infanterie nog steeds stand op de heuvel. Vele aanvallen heuvelopwaarts hadden ze inmiddels afgeslagen. Het was hem niet duidelijk hoe het legioen van Sabinus het er afbracht. De horde krijgers benam hem het zicht. Het vijandelijke front stopte op minder dan tweehonderd passen van de Romeinse linies.

Opnieuw stapte een hoofdman naar voren uit het midden van de Britse linie. Een lange, fiere man, die zich omdraaide naar zijn krijgers, zijn armen in de lucht stak en hen in zijn eigen taal schreeuwend aanspoorde. Het klonk luid en duidelijk.

'Dat is niet dezelfde vent van vanmorgen, heer,' zei Tatius. 'Dat moet dus Togodumnus zijn.'

De hoofdman kreeg alom bijval, een donderend gebrul en geraas weerklonk uit de vijandelijke horde. Talloze *carnyxes* – lange, rechte

dierenhoorns – werden omhooggebracht. Het geluid ervan varieerde van hoge, schrille staccatotonen, als de uitroep van vossen, tot weifelende trillers uit het middenregister en zware tonen die op de klank van de cornua leken. Het kabaal nam toe en klonk boven het zoeven van de carroballistae uit. De salvo's katapultpijlen dunden met dodelijke precisie de Britse gelederen uit. De bloederige gaten in de linies werden echter snel opgevuld.

Togodumnus negeerde de vele slachtoffers, want over de hele linie genomen stelde het aantal gesneuvelden als gevolg van die aanvallen immers niet veel voor. Vervolgens richtte hij zich tot de Romeinse bezetters. Hij stak zijn zwaard in de lucht. De kling flonkerde in het gouden licht van de ondergaande zon. Hij brulde zijn haat uit, waarna hij met een zwaardhouw de volgende fase inluidde.

De Britten gingen in de aanval.

Met Togodumnus aan de leiding, in het midden van de frontlinie, kwam de horde als een golf op de Romeinen af. Het deed op geen enkele manier denken aan de aanval waar Vespasianus die ochtend getuige van was geweest. Ditmaal heerste er enige vorm van discipline. Geen enkele krijger rende alvast vooruit om persoonlijke glorie te oogsten, hoewel er ook geen sprake was van gedisciplineerde gelederen volgens Romeinse maatstaven. Er heerste niettemin een sfeer van orde. Prompt realiseerde Vespasianus zich dat de barbaren met hun enorme overmacht de Romeinen simpelweg onder de voet wilden lopen.

Hij keek Tatius aan. 'Aan jou het woord, primus pilus.'

Tatius knikte. 'Klaar om te werpen, daarna de aanval incasseren.'

Opnieuw werden zijn bevelen doorgegeven aan de verstilde cohort. Achthonderd manschappen brachten hun rechterarm naar achteren. Over de hele Romeinse linie volgden de centuriones het voorbeeld van de hoofdcohort. De legionairs bereidden zich voor op de schok terwijl de horde naderde. De barbaren zwaaiden met hun zwaarden, waarbij vanuit het centrum plotseling sneller – als drijvend kwikzilver – werd opgerukt dan elders in de linie.

De artillerie vuurde opnieuw zestig ballistae – zo snel als bliksemschichten – over de rivier de menigte in. Talloze krijgers werden gespietst. Hun gekrijs en gekerm werd overstemd door de oorlogskreten van tienduizenden barbaren. De slingeraars hadden de artillerie nu als doelwit gekozen. De manschappen hadden het onderwijl druk

met het opnieuw op spanning brengen van de katapulten. De Britse slingeraars – met leren slingers – renden naar de waterkant, slingerden de stenen boven hun hoofd weg. Honderden projectielen maakten een bonkend geluid toen ze op de artilleriekarren vielen. Botten van mens en dier werden versplinterd. Vele mannen sneuvelden. Sommige dieren sloegen met kar en al op hol terwijl de manschappen wegdoken.

Vespasianus voelde zijn maag en darmen verkrampen terwijl de horde eraan kwam. Hij troostte zichzelf met de gedachte dat iedereen in de Romeinse frontlinie dezelfde vrees kende. Hij kon het ruiken.

Hij had geen pilum om te werpen. Terwijl hij ervoor zorgde dat zijn gladius losjes in de schede zat, bad hij heimelijk dat hij in martiaal opzicht net zo bekwaam zou optreden als de vorige, sinds lang overleden eigenaar van dit zwaard. De Britten naderden. Het front bevond zich nu op vijftig passen van de Romeinse linie. De beschilderde naakte basten en ledematen – het leek alsof ze getatoeëerd waren – waren duidelijk zichtbaar. De lange hangsnorren deinden in de wind en onthulden grommende, grauwende monden die grimmige doodswensen uitstieten. Vespasianus hield zijn schild stevig vast.

De voorzijde van het in het midden opbollende front botste tegen de derde cohort. Er weerklonken metalige geluiden van zwaarden en schilden. Vespasianus wierp een vluchtige blik naar links terwijl de pila van de tweede cohort in een boog door de lucht vlogen. Op de heuvel steeg uit de Gallische hulpcohorten vervolgens een wolk van speren op terwijl het opbollende barbarenfront werd platgedrukt tegen de Romeinse schildmuur. De impact rimpelde naar beide kanten weg.

'Werpen!' brulde Tatius terwijl de mensenmassa als een golf tegen de meest verafgelegen schildmuur van de tweede cohort botste.

Bijna in koor gromden de achthonderd manschappen van de eerste cohort van inspanning terwijl ze hun pila wierpen. Vervolgens brachten ze hun linkerbeen met een stampende beweging naar voren op de grond en trokken het zwaard. Het gebeurde in één zeer goed gedrilde beweging. Vespasianus voelde het schild van de legionair achter hem in zijn rug drukken terwijl het dodelijke sperensalvo naar de brullende vijand suisde.

Even leek de tijd stil te staan. Een verstilde wereld. Plotseling werd

er schril geschreeuwd terwijl de met lood verzwaarde pila de aanstormende krijgers spietsten en naar achteren smeten terwijl het bloed in bogen door de lucht spoot. De loden ballen vermaalden gezichten tot pulp, de speren versplinterden schilden en prikten armen vast aan borst en buik. Honderden krijgers werden naar achteren gedrukt, benen begaven het, wapens vlogen uit gestrekte armen, bloed sproeide en leek hun doodskreten te besmeuren. Hun ogen puilden uit van de pijn, de kameraden achter hen werden verdrukt terwijl degenen die niet geraakt waren door het suizende salvo plotseling leken te versnellen en hun voorbijrenden.

Knarsetandend spande Vespasianus zijn spieren, gebukt achter zijn schild. Op hetzelfde moment sloeg de aanvalsgolf stuk tegen de eerste cohort, van links naar rechts, waarbij de slagen over de hele linie bijna ritmisch en razendsnel dichterbij kwamen. Plotseling schokte zijn lichaam door de klap, die zo hard aankwam dat hij bijna door zijn rechterbeen zakte. Het schild drukte in zijn rug en duwde hem naar voren, waardoor de lucht uit zijn longen werd geperst terwijl hij er alles aan deed om rechtop te blijven staan.

Zijn instinct nam het van hem over.

Happend naar adem hief hij zijn schild. De rand ervan brak een arm die een houwbeweging maakte, nog voordat de barbaar hem kon raken. Hij voelde een zwaard dat met een metalig, kletterend geluid over zijn rug naar beneden gleed. Met zijn gladius stak hij in een hoek door het gat tussen zijn schild en dat van Magnus. Hij merkte dat de kling door huid heen brak, in zacht vlees drong. Vrijwel meteen gutste warm bloed op zijn linkervoet. Zijn oren suisden door het geschreeuw, de metalige geluiden om hem heen, de slagen en de lichamen die met een klap tegen de houten en aan de voorzijde met leer afgewerkte schilden vielen. Met een polsbeweging draaide hij zijn gladius en trok terug. Vervolgens sloeg hij zijn blik op en staarde in de ogen van de man die hij zonet in de buik had gestoken. De barbaar leek aan het schild vast gepriemd door de druk van de bloeddorstige krijgers achter hem. Zijn mond hing half open onder de lange snor, besmeurd met slijm en modder. Onderwijl probeerde de Brit adem te halen, wat niet lukte; hij stikte. Zijn ribben waren gebroken door de dreun tegen de schildknop van Vespasianus, waarbij hij letterlijk werd doodgedrukt door hetzelfde schild. Opnieuw probeerde

hij in te ademen, hij trok zijn kin op. Zijn ogen rolden, het wit bloeddoorlopen, want de druk achter hem nam alleen maar toe. Vespasianus duwde zijn schild nog harder tegen hem aan, geholpen door het gecombineerde gewicht van de manschappen achter hem. De stank van verse ontlasting was ondraaglijk. Daar kon zelfs de doordringende ijzergeur van bloed niet tegenop. Aan weerszijden stonden Tatius en Magnus gebogen achter hun schild; alle mogelijke vloeken en verwensingen passeerden de revue. Uit alle macht probeerden ze zich staande te houden, zoals iedereen in de Romeinse linie. Het was een gevecht tegen tienduizenden barbaren die allemaal tegelijk een dam opwierpen en het front aldus letterlijk onder de voet wilden lopen.

Wapens waren zinloos in deze fase van de strijd. De hele linie bestond immers uit een worsteling om overeind te blijven. Zelfs als er tussen de schilden gaten ontstonden, waren de mannen aan de andere kant inmiddels dood als gevolg van een zwaardsteek of door de enorme druk, waardoor de Britten hun lange wapens niet konden gebruiken. Van bovenarmse zwaardhouwen was dus geen sprake meer. Plotseling nam de druk toe in de rug van Vespasianus. Meteen realiseerde hij zich dat de tweede cohortlinies eveneens aan het duwen waren in deze chaos. Hij hield zijn schouder in een hoek tegen het schild, duwde er ook met zijn hoofd, zijn rechtervuist en zijn linkerknie tegen. Hij wist immers dat als hij zijn hele lichaam gebruikte zijn ribbenkast langzaam en zeer pijnlijk tot moes zou worden gedrukt. Het hoofd van de man van wie de ingewanden op de grond lagen, hing op de schildrand. Bloederig slijm droop uit zijn mond en drupte op de binnenkant van het houten schild, vlak voor de ogen van Vespasianus. Het geschreeuw en gekrijs had plaatsgemaakt voor ingespannen gekreun, gejammer en gegrom van twee legers die elkaar uit alle macht probeerden weg te drukken.

Zelfs met het toegevoegde gewicht van de tweede linie bleek de druk die de vijandelijke legermacht uitoefende te groot. Langzaam maar gestaag werd de Tweede Augusta naar achteren gedrongen. De leren riemen van Vespasianus' sandalen sneden in zijn voeten, zo hard zette hij zich af. En ondanks de spijkerzolen voelde hij dat hij geleidelijk maar onverbiddelijk naar achteren schoof. De spijkers trokken het gras uit de grond, steeds verder schraapte de Romeinse linie naar achteren. Vespasianus' sandalen maakten vele smalle voren in de

aarde. Hoe langer die groeven werden, hoe meer zijn hoop vervloog. Hij had er rekening mee gehouden dat ze minstens tien passen naar achteren zouden worden geduwd. Nu besefte hij dat er ergens in de linie een bres zou kunnen ontstaan, wat de ramp compleet zou maken. Plotseling verminderde de druk. De linie werd niet langer naar achteren gedrongen. Hij riskeerde het om even over de rand van zijn schild te kijken, waarbij hij zich gedeeltelijk achter de man met de opengesneden buik kon verschuilen, en hij ving een glimp op van de Britse chaos. De boogschutters van de Eerste Cohort Hamiorum schoten laag en richtten op de benen en billen van de achterhoede.

Ondanks de talloze stenen die de slingeraars naar hen wierpen, toonden de oosterse boogschutters dat ze hun vak verstonden door zich te blijven concentreren op de dreiging die het hele legioen kon vernietigen en niet op de talloze slingeraars die hen met hun projectielen belaagden. Velen werden geraakt, maar de meesten bleven de ene pijl na de andere afschieten naar de barbaren die zich het dichtstbij bevonden en die de grootste dreiging vormden voor de eerste cohort.

Vespasianus wist dat dit de kans was die ze moesten grijpen voordat de oosterse boogschutters zich gedwongen zagen zich terug te trekken. Hij keek Tatius aan. 'Naar voren!'

De primus pilus draaide zich om en schreeuwde het bevel naar links en rechts. Niet alleen zijn ondergeschikte centuriones pikten het bevel op. De hele cohort gromde instemmend, rauw en scanderend.

Vespasianus zette zich af tegen zijn schild en voelde de gecombineerde druk van de manschappen achter hem. Hij dwong zichzelf om zijn linkervoet een halve stap naar voren te zetten. Aan weerszijden kregen Magnus en Tatius het voor elkaar zijn voorbeeld te volgen. Voor het eerst wonnen ze terrein, al was het een bescheiden zege. Het inspireerde de cohort, waardoor de manschappen niet langer scandeerden, maar vastbesloten gromden, bijna luidkeels. Na nog een uiterste krachtsinspanning kon hij met zijn linkervoet opnieuw een stap zetten. En weer een.

'De smeerlappen verliezen terrein,' riep Magnus naar hem.

'Wat?'

'Door de stront, de pies en het bloed is de grond modderig en glad geworden. Ze hebben geen grip meer.'

Met vereende krachten, en na nog enkele stappen, konden ze hun

oorspronkelijke posities innemen. De druk op de schilden nam gestaag af. De man zonder ingewanden zakte ineen, gevolgd door honderden platgedrukte of neergestoken krijgers. Ze vormden een kleine dam van gesneuvelden, waarachter de Britten in totale verwarring verkeerden. Velen gleden uit in de modder als gevolg van de viezigheid en het bloed dat uit de doden en stervenden was getrapt. Nog veel meer krijgers struikelden over de gewonden die waren geveld door oosterse pijlen nadat ze zich gedwongen hadden teruggetrokken.

Vespasianus keek vluchtig naar Tatius. Ze knikten elkaar toe en stapten over de lijken. De voorste gelederen rukten mee op. Nu konden ze wel hun zwaarden gebruiken.

De Britten die nog overeind stonden verdedigden zich, hoewel ongeorganiseerd. Ze sprongen – ieder voor zich – naar de linie van met bloed besmeurde Romeinse schilden en sloegen toe.

Vespasianus drukte zijn schildknop met geweld tegen de blote bast van een potige krijger, die zijn zwaard al hief om een dodelijke houw toe te brengen. Laag stak hij met zijn gladius toe. De punt van zijn messcherp geslepen zwaard verdween diep in het kruis van de krijger. Naast hem kon Magnus ternauwernood voorkomen dat hij een speer in zijn gezicht kreeg die bovenarms werd toegestoken en afketste tegen het schild van de legionair die zich achter hem bevond. Met een soepele, dubbele beweging trok Vespasianus zijn zwaard terug, hief zijn schild en sloeg met de schildrand tegen de kin van de inmiddels krijsende gigant. De klap verbrijzelde diens kaak, waardoor hij meteen stil was. Onderwijl trapte Magnus brullend met een spijkersandaal op de voet van degene die hem met zijn speer wilde vellen. Gillend van de pijn trok de krijger zijn gebroken voet terug, waarbij hij Magnus meetrok doordat een spijker achter de riem van de laars was blijven hangen. Magnus verloor zijn evenwicht en viel op zijn rug in de slijmerige modder, zijn linkerbeen onder zijn billen. Ondanks de gewonde voet greep de tegenstander van Magnus zijn kans en stak met zijn speer toe. Maar de legionair uit de tweede linie ging snel met gespreide benen boven Magnus staan en bracht zijn schild omlaag, waardoor de speerpunt afketste en in de grond verdween. Magnus trok zijn zwaard terug, richtte op het gezicht van de vijand en ramde het wapen vervolgens recht naar voren in de keel van de strijder. De Brit struikelde en viel op zijn rug. Magnus nam zijn plaats naast Vespasianus weer in.

Vespasianus, die hier allemaal niets van gemerkt had, sloeg toe met zijn zwaard en deed er alles aan om in de modder overeind te blijven. De Britten gleden eveneens uit, of ze struikelden, maar krabbelden weer overeind, besmeurd met modder, bloed en andere viezigheid, waarna ze telkens opnieuw in de aanval gingen. Maar de snelheid was eruit. Ze vochten nu niet meer gezamenlijk maar als individuen, waardoor ze geen schijn van kans hadden tegen de meedogenloze moordmachine die gestaag en malend oprukte. Velen offerden zich op en hingen even later aan de met bloed druipende zwaarden van de eerste cohort. Hier en daar sneuvelde daarbij een Romein, maar de barbaren hadden geen tijd om dat heuglijke feit te vieren. Het duurde niet lang of ze beseften dat ze die avond rond het kampvuur nergens over konden opscheppen. Dus draaiden ze zich om en namen de vlucht.

'Halt!' schreeuwde Vespasianus tegen de eerste cohort. De tegenstand was gebroken.

Dat hoefde niemand hun een tweede keer te bevelen. De legionairs stopten, hapten naar adem en rechtten met moeite hun zere rug. Ze waren lichamelijk en mentaal uitgeput.

Vespasianus keek naar links en zag dat het op het slagveld niet overal van een leien dakje ging. De tweede cohort had eveneens baat gehad bij de tactiek van de oosterse boogschutters. Praktisch alle vijanden hadden ze van zich af kunnen slaan. Maar de derde cohort zat diep in de problemen. Kennelijk was het alleen dankzij de interventie van een van de derde linie-cohorten geweest, die de bres had gedicht nadat de tweede cohort oprukte en de derde cohort zich moest terugtrekken, dat de linie geen chaos was geworden. De situatie op de heuvel baarde Vespasianus echter de meeste zorgen. De twee hulpcohorten op de linkerflank werden langzaam heuvelafwaarts teruggedreven, ondanks de versterkingen van de twee reservecohorten. De Gallische ala, die de Britse flank en achterhoede belaagde, vormde nu de enige legereenheid die kon voorkomen dat wat de terugtrekking betrof de vaart erin kwam en de linies van de hulptroepen aldus volledig desintegreerden.

Vespasianus wees naar de laatste paar honderd Britten die nog in gevecht waren met de tweede cohort. 'Tatius, neem de eerste cohort mee en ruim die zooi op, waarna je met de tweede cohort hun flank breekt. Ik laat de vierde en de vijfde cohort hier om dit gebied veilig te stellen en ik zorg ervoor dat de andere cohorten de hulptroepen aflossen.'

Tatius knikte. Militaire formaliteiten waren het laatste waar men aan dacht in deze penibele omstandigheden. Vespasianus draaide zich om en baande zich haastig een weg door de linies. Hier en daar klopte hij een uitgeputte legionair op de schouder. Hij wist dat nu alles afhing van snelle acties.

'Ik beroep me op mijn burgerrecht en houd de rest voor gezien, heer,' zei Magnus. Mankend liep hij naar Vespasianus. 'Mijn nieuwsgierigheid is bevredigd en dat heeft me bijna mijn leven gekost.'

Vespasianus knikte naar het uitrustingskonvooi van de Tweede Augusta. Luidruchtig hobbelend kwam het over de pontonbrug gereden. Vervolgens liet hij zijn blik over de achterhoede van de invasiemacht glijden. 'Ik denk dat je daar wel een zak wijn kunt vinden die minder tegenstand biedt dan een Brit.'

Magnus grinnikte en grimaste meteen van de pijn. 'Dat is precies wat ik nodig heb. Een vijand die niet terugslaat als je zijn ingewanden eruit pulkt, als u begrijpt wat ik bedoel.'

Vespasianus keek zijn strompelende vriend na. Nu de strijd gestreden was en hij hem het slagveld zag verlaten, voelde hij dat de vermoeidheid stevig postvatte door de intense spanningen die hij had doorgemaakt. Hij wist echter ook dat hij pas rust zou krijgen als de Romeinse zege een feit was. Wellicht de volgende dag.

Hij draaide zich om en overzag het slagveld. Het gegil, gekerm en gejammer van de verminkten en stervenden, en de herrie van het strijdgewoel, werd niet minder. Vespasianus was inmiddels gewend aan die kakofonie. Hij zat te paard op het hoge uitkijkpunt en aan het hoofd van de vier turmae van de legioencavalerie. Hij zag dat de achtste, negende en tiende cohort in snel tempo heuvelopwaarts oprukten naar de Gallische hulptroepen, die het zwaar te verduren hadden en inmiddels halverwege de glooiing waren teruggedrongen. Ze lieten een spoor van doden achter. Rechts had de eerste cohort de overgebleven strijders die de tweede cohort belaagden een kopje kleiner gemaakt. Met vereende krachten gingen de twee cohorten nu in de aanval om de enorme Britse flank te breken, die nog steeds een bedreiging vormde voor het gehavende centrum van de Romeinse linie. Hij had een ijlbode naar de oosterse boogschutters gestuurd met het bericht om met de artillerie aan de andere kant van de rivier te blij-

ven. Aldus ontmoedigden ze elke poging van de vijand om langs de met lijken bezaaide rivieroever een nieuwe aanval te lanceren. Deze strijders schoten nu hun kameraden te hulp die het legioen van Sabinus belaagden. Een legioen dat nog steeds de schijn wekte dat het de verwoeste brug repareerde, waardoor duizenden krijgers druk in de weer bleven om dat te voorkomen. Het was een cruciale tactiek. Erachter was de Bataafse infanterie nog net zichtbaar in de schemering. Ze hielden stand op de heuvel. Van de Twintigste, die een schijnmars uitvoerde, was echter geen spoor te bekennen. Maar hij realiseerde zich dat het minder dan twee uur geleden was dat de Bataafse infanteristen de heuvel hadden ingenomen, waarna de strijd een aanvang had genomen. Nog geen uur geleden was hij via de pontonbrug de rivier overgestoken, hoewel het een dag geleden leek. Hij keek naar de lucht. Nog even en het zou tot zijn grote opluchting donker worden. Het slagveld lag inmiddels in de schaduw. Het leger hoefde niet lang meer stand te houden voordat de duisternis de Britten zou dwingen zich terug te trekken.

Hij had zijn instructies kort en bondig aan de reservecohorten gegeven. Nu kon hij alleen maar wachten op de resultaten. Hij had immers besloten bij de cavalerie te blijven om geslagen bressen te dichten.

Paetus reed naar hem toe met zijn verzamelde maar uitgeputte ala. 'Ik heb geen driehonderd manschappen meer over, legatus. Maar ze hebben er nog steeds zin in en zijn er klaar voor. Ze vonden het niet leuk om de oren gewassen te krijgen terwijl het hele legioen toekeek. Vooral niet omdat velen van hen verwanten hebben bij de infanterie op de heuvel. We zullen hard vechten om iets van die schande goed te maken.'

Vespasianus keek de jonge prefect een tijdje aan. Om diens rechterdijbeen was een bloederig verband gewikkeld. Net als om zijn hoofd. Het maakte weer eens duidelijk dat hij ervoor gezorgd had dat het legioen wat extra tijd kreeg om de oversteek te maken. 'Goed gedaan, Paetus. Bedankt. Formeer je ala naast mijn cavalerie en zeg tegen je makkers dat ze zich nergens voor hoeven te schamen. Als zij zich niet hadden opgeofferd, zouden we nu nog steeds bezig zijn met de oversteek.'

Paetus salueerde. 'Met genoegen, heer.'

Vespasianus zag de zoon van zijn overleden vriend in handgalop te-

rugrijden naar zijn manschappen. Hij hoopte dat het niet meer nodig zou zijn om hem een bevel te geven waarmee hij zijn leven danig in de waagschaal zou stellen.

Een onmiskenbare Romeinse juichkreet verjoeg deze zwartgallige gedachten. Hij draaide zich om en zag dat de Britse hoofdmacht uiteen begon te vallen. Honderden strijders renden noordwaarts om te kunnen ontsnappen aan de meedogenloze klingen van de eerste en tweede cohort, die zich nu op de flanken hadden gericht. Daardoor werden de bijna naakte Britten in de tang van de geharnaste derde cohort gedreven. De cohort stond onder bevel van Maximus, die zich in de frontlinie bevond en besefte dat de beproeving bijna voorbij was, wat zijn vechtlust goeddeed. De enige hulpcohort die zich niet had hoeven terug te trekken putte er eveneens moed uit, ofschoon de gelederen van die legereenheid zichtbaar waren uitgedund. Steeds meer Britten hielden het voor gezien. Ze namen de benen over de weiden tot er nog maar ruim duizend krijgers over waren, die min of meer gedisciplineerd doorvochten. Langzaam moesten ook zij meer terrein prijsgeven. In hun midden bevond zich hun hoofdman.

'Togodumnus!' fluisterde Vespasianus tegen zichzelf. Hij zag de Britten het slachtoffer worden van de Romeinse verzamelde troepen die hen in de tang hadden. In hun gelederen weerklonken telkens opnieuw de korte, hoge tonen van de carnyxes terwijl hun frontlinies onhoudbaar werden. In antwoord op die hoornsignalen joegen de strijdwagens naar hen toe vanuit het noorden. Ze laveerden tussen de groepen vluchtende strijders door de glooiing af, waar de Gallische hulptroepen uiteindelijk niet meer konden standhouden. Togodumnus vertraagde de aftocht terwijl hij toekeek hoe zijn rechterflank uitwaaierde naar de verslagen Galliërs en met hun lange houwzwaarden uithaalde naar de achterhoede van de legereenheid die de relatieve veiligheid opzocht van de reservecohorten, ongeveer dertig passen heuvelafwaarts. Vespasianus zag het gebeuren. De Britse hoofdman hield op met vechten en keek om naar zijn vijanden, waarvan de achterhoede nu onder de voet gelopen dreigde te worden door zijn krijgers. Alsof hij de afweging maakte of een doorbraak op de rechterflank het proberen waard was. De reservecohorten openden hun gelederen. De Galliërs renden door die gangen naar de achterhoede van de cohort. Adembenemend nauwkeurig – en net voordat de Britten

in die bressen wilden springen – werden de gelederen vervolgens weer gesloten, waarbij enkele hulplegionairs strandden en gedoemd waren om te sterven. Togodumnus zag het gesloten front en koos toch maar voor de aftocht. Gestaag trok hij zich met zijn manschappen terug, stap voor stap, de zwaarden gericht op de Romeinse vijand, die deze adempauze gebruikte om de voorste gelederen af te lossen. Na vijftig passen draaiden de Britten zich simpelweg om en holden naar de naderende strijdwagens.

De Romeinse centuriones hielden zich aan hun bevelen. De cohorten stopten. Er volgde geen actie meer, maar de geformeerde, zware infanterie kon de veel snellere Britten toch niet bijhouden.

Vespasianus staarde naar de rug van Togodumnus, die ervandoor ging. Het lag binnen zijn macht om de zich terugtrekkende formatie te breken en misschien de hoofdprijs van de dag te kunnen opeisen. Maar dan moest hij meteen in actie komen. Vluchtig keek hij naar de heuvel. Wat hij zag bevestigde zijn vermoeden dat de reservecohorten de Britse opmars hadden gestuit; de overgebleven Gallische hulptroepen joegen de barbaren op. Voorlopig was de flank dus veiliggesteld. 'Opmars in colonne!' Een lituus van de cavalerie weerklonk achter hem. Hij trapte zijn paard in de flanken en gebaarde naar Paetus dat hij zijn voorbeeld moest volgen.

In handgalop leidde hij de vier turmae van de legioencavalerie naar de kleine bres in de Romeinse frontlinie. Een bres die was ontstaan dankzij de flankbeweging van de eerste en tweede cohort. De zich terugtrekkende Britten bevonden zich op nog geen honderd passen van hen vandaan, nog steeds met de rug naar hen toe, hun aandacht volledig gericht op de strijdwagens die toesnelden om de aftocht te dekken.

Toen de turmae in handgalop door die flessenhals reden, was er sprake van enige vertraging omdat ze niet langer in colonne maar achter elkaar erdoor moesten. Aldus kreeg de ala van Paetus voldoende tijd om hen in te halen. Nog voordat de cavaleriegelederen zich sloten, trok Vespasianus zijn spatha en zwaaide ermee in de lucht. 'We grijpen ze, jongens!' De manschappen van de turmae brulden het enthousiast uit. Ze schopten hun paarden in de flanken en reden in volle galop naar voren. Met in de linkerhand de teugel, het schild vastgesnoerd om de linkeronderarm, de zware speren in de rechterhand.

De wind rukte aan de schoudermantel van Vespasianus; de hoeven die zich met versnelde bewegingen door de smerige modder ploegden deden de mantel schokkend golven. Ze bevonden zich op het met bloed en andere viezigheid doordrenkte gedeelte van het slagveld, waar onlangs heftig was gevochten, en reden naar meer open terrein, waar de grond nog hard was. Nadat hij zo lang in de beangstigend dichte frontlinie had gevochten, realiseerde hij zich dat deze aanval zeer vitaliserend en opwekkend was. Het deed hem goed. Hij grijnsde en grinnikte, waarbij hij omkeek en zijn manschappen aanspoorde om het gevecht aan te gaan met de hoofdman van de Britse strijdmacht.

De litui maakten een krijsend geluid, beantwoord door de hoorns van de Batavieren, die de legioencavalerie op de voet volgden. Ook deze cavaleristen wilden zo graag wraak nemen nadat ze vernederd waren door de gedwongen aftocht.

Het geschal van de hoorns maakte de Britten erop attent dat ze achtervolgd werden. Er ontstond paniek onder het voetvolk, dat zich geconfronteerd zag met de cavalerie. Degenen die zich het dichtst bij de strijdwagens bevonden, op minder dan een kwart mijl ervandaan, zetten een sprint in. Daardoor viel de strijdmacht volledig uiteen. Togodumnus schreeuwde zijn volgers toe dat ze zich moesten formeren om de dreiging af te slaan. Maar het bevel kwam te laat. Een paar honderd strijders waren al gevlucht, terwijl de rest in verwarring en ongeorganiseerd een poging deed iets te formeren wat op een frontlinie leek.

'Werpen!' krijste Vespasianus toen hij de gezichtsuitdrukkingen van de strijders kon onderscheiden. De speren van de turmae suisden door de lucht, waarbij de snelheid ervan flink toenam door het tempo van de aanval. In de ongeorganiseerde gelederen van de Britten troffen die speren doel als een dodelijke hagel. De lange, dunne en zeer scherp gepunte projectielen boorden zich moeiteloos in de naakte lijven. Door de kracht van de inslagen werden de strijders achterover geworpen en aan de grond gespietst, waarbij de speren trilden door de plotselinge vertraging. De verwarring en paniek bereikte een hoogtepunt, de bressen werden steeds ruimer. Vespasianus manoeuvreerde zijn paard naar een strijder die in zijn eentje een bres van vijf passen breed probeerde te dichten. Met twee handen hield de barbaar het zwaard boven zijn hoofd, zijn ogen puilden uit van de schrik. Vespasianus

stak zijn spatha horizontaal in diens richting, vlak boven de mond van zijn paard. De strijder maakte een houwbeweging met zijn zwaard. Vespasianus pareerde de slag; het klonk metalig en zeer luid. Plotseling verdween de krijger onder de hoeven, alsof er tegelijkertijd aan zijn haren en enkels werd getrokken, terwijl Vespasianus door de linie van cavaleristen heen brak, die hun voordeel deden met de slechte verdediging van de Britten. Toen hij verder reed, sloeg hij met zijn cavaleriezwaard de hals van een man half open. Het bloed spoot eruit. En verder reed hij, richting Togodumnus, die hem binnen een vierkante linie van strijders aanstaarde.

Opnieuw schokten de Britse gelederen. Het Bataafse sperensalvo verdween in hun midden, gevolgd door een massale aanval van de ala, die via de bressen de frontlinie kliefde. De cavaleristen waren uit op wraak en genoten van het bloedbad dat ze aanrichtten. Steeds meer krijgers namen de vlucht, maar Togodumnus gaf geen krimp. Uit zijn ogen straalde intense haat, en op zijn ronde, blozende gezicht verscheen een minachtend lachje. Met een schreeuw, het zwaard hoog in de lucht gestoken, baande hij zich een weg door de eigen linie en sprong op Vespasianus af, die zijn paard naar rechts dwong, waardoor een venijnige zwaardhouw afketste tegen zijn schild. De krijgers van Togodumnus wierpen zich massaal op de cavaleristen aan weerszijden van Vespasianus. Er volgde een soort vertroebeling van alle mogelijke bewegingen en uithalen. Klingen flitsten door de lucht, paarden steigerden, het bloed sproeide en spoot alle kanten op en ledematen vielen op de grond. Vespasianus zag alleen de Britse hoofdman. Hij trok zijn paard, dat hoge passen maakte, naar links en reed op Togodumnus af. De Brit sprong achteruit en hield het zwaard, waarvan hij het heft met twee handen omklemde, laag voor zich uit, waarna hij het met kracht in de brede borst van het ros stak. Schril hinnikend begon het paard te steigeren, waardoor het zwaard uit de handen van Togodumnus werd gerukt. Vespasianus werd van het paard geworpen en viel op de harde grond. Even kreeg hij geen adem meer. Togodumnus dook onder de trappende voorbenen van het dier door en maakte een sprong naar Vespasianus, waarbij hij een lange dolk van zijn riem haalde. Vespasianus was nog steeds vrijwel buiten westen. Vaag zag hij de krijger die op hem af sprong en rolde naar links. De hoofdman viel met een klap op de grond waar Vespasianus zonet nog gelegen

had. Op hetzelfde moment zakte het paard van Vespasianus door de achterbenen en kiepte briesend na een laatste snuif om. Togodumnus keek om en schreeuwde toen het stervende paard hem dreigde te verpletteren onder het gewicht. Zijn botten kraakten toen dat ook gebeurde. Het paard stuiterde een keer lichtjes, waarna het slappe paardenlijf trillend met een alles verbrijzelende klap terugviel. De bast van de hoofdman was tot moes gedrukt. Met troebele ogen staarde de dode hoofdman naar de lucht.

De strijdwagens vielen aan.

Speren met zware schachten vlogen de chaos in. Nieuwe krijgers wierpen zich in de strijd. Ze klommen in de steunpalen van hun wagens en sprongen recht op de cavaleristen af, schopten de manschappen van de paarden terwijl hun gedrongen pony's tegen de cavalerierossen stuiterden, zo wanhopig waren de pogingen van de Britten om hun hoofdman te redden.

Vespasianus sprong overeind en hapte nog steeds naar adem. Prompt moest hij een strijdwagen ontwijken, waarna hij om zich heen keek en in de schemering tuurde of hij ergens een loslopend paard zag in deze chaos. Nadat hij een zwaard in de rug van een Brit had gestoken, die op hetzelfde moment een cavalerist keelde, greep hij de teugel van de dode ruiter en gebruikte het lijk als opstap om zichzelf in het zadel te hijsen. Het doel was in elk geval bereikt, Togodumnus was dood. Hij liet zijn paard steigeren en riep: 'Terugtrekken! Terugtrekken!'

De legionairs die zich het dichtst bij hem bevonden, hoorden de uitroep. Zij die zich konden terugtrekken deden dat meteen en gaven het bevel door aan hun kameraden die zich verder in de linies bevonden. Het grootste deel van de Britse infanterie bevond zich nu veilig achter de strijdwagens. De toegestroomde krijgers merkten dat ze in de minderheid waren en zochten eveneens hun toevlucht tot de linie achter de wagens. Bijna eenstemmig kwamen de Britten overeen dat het beter was om zich terug te trekken. Uitgeput bliezen ze in groepjes de aftocht en sleepten de gewonden achter zich aan. Uiteindelijk werd het stil op het slagveld. De twee kampen staarden naar elkaar terwijl het steeds donkerder werd. Aan de andere kant van de rivier weerklonk het geluid van duizenden voetstappen in marstempo. De Twintigste kwam haastig teruggemarcheerd en wilde oversteken.

'Ik zie dat je in het nauw hebt gezeten, Vespasianus.' Gnaeus Hosidius Geta steeg af terwijl de cohorten van de Twintigste over de pontonbrug marcheerden. 'Het moet niet makkelijk zijn geweest om bij die overmacht het bruggenhoofd veilig te stellen, ook al zijn het maar barbaren.'

Het lukte Vespasianus om zijn verbazing te onderdrukken nu hij een schouderklopje kreeg van een man die zich doorgaans tegen hem keerde, zo niet hem openlijk vijandig gezind was. 'Dank je, Geta. De jongens hebben vandaag uitstekend standgehouden.' Hij keek naar de Britse linies. Ook daar was er sprake van een terugtocht; de Batavieren mochten de heuvel hebben. Bovendien hielden de Britten de verwoeste brug voor gezien nu de Veertiende Gemina zich had teruggetrokken. Het barbarenleger leek zich inmiddels verzameld te hebben rond kampvuurtjes, waarvan er in de schemering duizenden goudkleurig opflakkerden. Kennelijk kon het ze niet meer schelen dat de Twintigste de rivier was overgestoken. 'Volgens mij eten ze liever eerst dan dat ze voorkomen dat we oversteken.'

Geta maakte een minachtend gebaar. 'Een zootje is het. Ze zijn dapper, maar ongedisciplineerd, en ze worden slecht geleid.'

'Ze hebben nu een leider minder. Ik heb Togodumnus van kant gemaakt. Beter gezegd, mijn paard viel boven op hem dood neer... hij werd vermorzeld.'

Geta keek Vespasianus bezorgd aan. Achter hem marcheerde zijn legioen de heuvel op. 'Dat komt ons misschien niet gelegen.'

'Wat bedoel je? Eén hoofdman minder. Daar hoeven we ons in elk geval geen zorgen meer over te maken.'

'Mee eens. Maar vandaag zijn we geholpen door het feit dat de broers schijnbaar niet met elkaar konden samenwerken. Vanochtend hadden ze hun leger opgesplitst. En vanmiddag deden ze dat opnieuw. Als de hele strijdmacht onder één bevelhebber in actie was gekomen, zouden de Bataviëren er wellicht niet zo goed van af zijn gekomen, of wat denk jij? Hij zou de Veertiende links hebben laten liggen en alles wat hij had in de strijd hebben gegooid om jou weer terug over de rivier te drijven.'

Vespasianus fronste zijn wenkbrauwen. 'Daar zou je wel eens gelijk in kunnen hebben.'

'Ik weet dat ik gelijk heb. Morgen hebben ze maar één bevelheb-

ber, dus zullen wij het een stuk moeilijker krijgen. Misschien had je daar eerst je gedachten over moeten laten gaan, voordat je het zover liet komen dat je paard hem dooddrukte.' Geta draaide zich om en volgde zijn legioen de heuvel op.

Vespasianus keek hem na. Hij kreeg een bezorgde trek op zijn gezicht terwijl hij nadacht over Geta's woorden, waarna hij ze uit zijn hoofd zette. Hij moest inderdaad toegeven dat Geta een sterk argument had. Maar zowel Caratacus als Togodumnus moest sterven of capituleren. Rome zou hoe dan ook triomferen. Er was geen tussenweg. Vespasianus wist zeker dat hij met zijn tactiek alles in een stroomversnelling had gebracht.

Toen de duisternis was ingevallen, en de bijna volle maan het slagveld bescheen, had de Twintigste posities ingenomen aan de linkerflank van de Tweede Augusta. De formatie strekte zich uit van de rivier tot op de heuveltop. Duizenden Romeinse legionairs bereidden zich voor op de nacht. Het maanlicht deed hun helmen glinsteren. Ze flonkerden als paarlen die keurig in rijen geschikt waren. De achterhoede van het uitrustingskonvooi stak over. Daarna kwam de genie weer in actie. De soldaten sprongen in het water en bevestigden touwen aan de pontonbrug. Zodra de maan achter de horizon was verdwenen, zou de complete brug noordwaarts worden getrokken. Vespasianus bad tot Mars, want hij wist dat ze zich morgen niet meer over de rivier konden terugtrekken.

HOOFDSTUK XVIII

Het eerste ochtendlicht beroerde de horizon in het oosten. Hier en daar floot een vogel. Vespasianus had zonet een ronde gedaan langs de vijf cohorten die stand hadden gehouden. Hij had de manschappen geprezen om de dapperheid die ze de vorige dag hadden getoond en moedigde hen aan om de gevaren van de nieuwe dageraad net zo onvermurwbaar tegenmoet te treden. Maximus had de tien cohorten ploegendienst opgedragen, zodat elke cohort vier uurtjes had kunnen slapen onder een met sterren bezaaide lucht nadat de heldere maan was ondergegaan. Het ontbijt bestond uit brood met gezouten varkensvlees, dat ze staand in formatie aten. Kampvuren waren verboden om te voorkomen dat de Britse slingeraars en de weinige boogschutters zich op de lichten konden oriënteren. Niettemin waren de werpers die nacht enkele keren naderbij geslopen. Gehuld in duisternis hadden ze het voor elkaar gekregen dodelijke treffers uit te delen in de nietsvermoedende gelederen. Sommige legionairs moesten eraan geloven omdat ze niet op tijd de schilden paraat hadden. Na de eerste aanval durfden alleen de zeer uitgeputte of roekeloze legionairs hun schild te laten zakken, prompt gevolgd door een tirade van de centuriones in de vorm van heftig gesis.

De Tweede Augusta had geen andersoortige aanvallen te verduren gekregen in deze lange nacht. Luidruchtig oorlogsgeweld achter de heuvel impliceerde dat de hulptroepen van de Twintigste te kampen hadden met omtrekkende bewegingen van de Britten. Er werd echter geen alarm geslagen. Vespasianus ging er dus van uit dat de vijandelijke manoeuvres succesvol waren afgeslagen. Een ijlbode van Geta bevestigde dat kort voordat Vespasianus zijn ronde deed.

Vespasianus haalde diep adem. De zomerse ochtendlucht was fris, het deed hem goed. Hij overzag de spookachtig aandoende gelederen en vroeg zich af hoeveel legionairs die dag onder zijn verantwoordelijkheid zouden sterven. Of verminkt uit de strijd zouden komen, waarna het leger hen afdankte en ze afhankelijk werden van de goedgunstigheid van vreemden en een miserabel leven zouden leiden. Hij wist dat het zwartgallige gedachten waren om op te broeden, maar het bevelhebberschap woog zwaar op zijn schouders na de veldslag van de vorige dag. Hoewel hij vond dat hij zich goed van zijn taak gekweten had – de lofprijzing, hoewel met een dubbele bodem, van de veel ervarener Geta had dat bewezen – realiseerde hij zich ook dat hij door het oog van de naald was gegaan. Het had niet veel gescheeld of hij had het bruggenhoofd niet veilig kunnen stellen. De marge tussen zege en nederlaag was zeer smal geweest, en dat was nog zwak uitgedrukt. De angst dat hij zou falen ten overstaan van het hele Romeinse invasieleger knaagde aan hem sinds Aulus Plautius hem publiekelijk de oren had gewassen omdat hij verzuimd had adequaat op te rukken naar Cantiacum. De gevolgen waren gelukkig niet desastreus geweest. Het was een heilzame les voor hem. Ook hij besefte immers maar al te goed dat een voorzichtige generaal net zo gevaarlijk kon zijn voor het leger als een roekeloze bevelhebber. Soms was het van cruciaal belang om een besluit te nemen zonder de feiten te kennen. Gezond verstand en kundig oordeelsvermogen vormden aldus de sleutel tot het nemen van de juiste beslissingen. Maar dat had alles met ervaring te maken. En veel ervaring had hij nog niet.

De vijf andere cohorten, die zonet gewekt waren, marcheerden keurig terug naar hun posities in de tweede linie. Hij keek naar de verweerde, geharde gezichten van de centuriones en besefte dat ieder van hen veel meer ervaring had dan hij. Hij had slechts vier jaar dienstgedaan als legertribuun en tot dusver twee jaar als legatus. Toch was hij hun superieur, simpelweg omdat hij in de juiste wieg had gelegen. Hij vroeg zich af hoe ze over hem dachten na de afgang bij Cantiacum. Vertrouwden ze hem hun leven toe na de manoeuvres van gisteren en nadat zijn legioen dankzij de tijdige versterking aan de linkerflank ternauwernood aan een omsingeling was ontsnapt? Of beschouwden ze hem als de zoveelste onervaren bevelhebber die de scepter over hen zwaaide? Want zo werkte het systeem nu eenmaal. Als

puntje bij paaltje kwam, hielden zij het legioen draaiende, en niet hij. Al die vragen bleven onbeantwoord, en hij kon niemand daaromtrent in vertrouwen nemen. Hij glimlachte wrang en realiseerde zich tijdens deze bespiegelingen dat dat het lot was van iedere bevelhebber: eenzaamheid. Hij kon met niemand van gedachten wisselen of zijn twijfels delen. Zelfs niet met Magnus, want dan zou hij als een zwakkeling overkomen. En dat was nu juist een karaktereigenschap waar iedere militair per definitie van gruwde, van de minst onervaren rekruut tot de meest doorgewinterde generaal.

Een cornu weerklonk bij de verwoeste brug. In de vage ochtendschemering zag hij soldaten over de pontonbrug hollen. De brug die stroomopwaarts was verplaatst. Plautius wilde dus niet wachten tot het licht was. De opperbevelhebber nam het initiatief terwijl de vijand nog slaapdronken was. Opnieuw had Vespasianus een les geleerd en hij troostte zichzelf met het onwankelbare gegeven dat als hij deze veldslag overleefde hij een van de bekwamere en meest ervaren legati zou zijn. Hij leerde immers van een generaal die hij was gaan bewonderen, ondanks diens glibberige politieke verleden. Met grote passen liep hij naar de commandopost van de Tweede Augusta, in de opening tussen twee cohortenlinies. Daar stond een ander paard voor hem gereed. Hij was vastbesloten vandaag geen beoordelingsfouten te maken en bereidde zich voor op een dag die urenlang in het teken zou staan van strijdgewoel, bloed en dood. Zijn zelfvertrouwen groeide terwijl hij te paard ging en het machtige leger rondom hem in ogenschouw nam. Vandaag zouden ze triomferen. Want zo wilde Rome het, en niet anders.

Vespasianus haalde nog een keer diep adem en trok de kinriem van zijn helm strak. Daarna keek hij naar de cornicen die naast hem stond. 'De Tweede Augusta rukt op!'

De Britten waren letterlijk in hun slaap overrompeld. De kleine strijdmacht die bij de verwoeste brug was achtergelaten had niet gemerkt dat de pontonbrug in de maanloze duisternis en zonder het minste geluid stroomafwaarts was getrokken. De krijgers beseften dat pas toen de frontcohorten van de Veertiende Gemina, met Aulus Plautius en Sabinus in de voorste gelederen, plotseling over de brug naar de overkant stormden. Een brug die ogenschijnlijk uit het niets

was opgedoken. Tegen de tijd dat ze zich afvroegen hoe dat mogelijk was, zagen ze zich al geconfronteerd met de hakkende en stekende klingen van de eerste cohort van de Veertiende Gemina. Hun ongeloof werd meteen gesmoord door de pijn van de dodelijke houwen. In een ommezien was het slagveld bezaaid met doden en gewonden. De rest vluchtte terug naar de hoofdmacht, die zich op de glooiing bevond. De krijgers aldaar raasden en tierden van boosheid. Het gebrul klonk zo luid dat het zelfs Hades in zijn slaap verstoorde.

De Tweede Augusta marcheerde gestaag verder, met de Twintigste ernaast, gevolgd door de hulptroepen. Deze dag zou in het teken staan van man-tegen-mangevechten. Vespasianus had besloten de lichtere hulptroepen in te zetten om de Britten op te jagen zodra hun gelederen in chaos vervielen. De legionairs wisten dat het op hen neerkwam om de horde te breken. Een horde die zich nog geen mijl verderop snel formeerde en bewapende. Langzaam en ritmisch sloegen ze met hun pila op hun schilden en zongen de hymne van Mars laag en sonoor in hetzelfde ritme. Aldus reciteerden ze zichzelf moed in.

De manschappen van de Twintigste begonnen mee te zingen. Het gezang klonk steeds luider. Tienduizenden stemmen zorgden voor een dreunende, loodzware en verheven recitatie, een hymne aan de oorlogsgod waarin ze hem vroegen hen te beschermen terwijl ze in de ochtendschemering in rijen oprukten naar de vijand.

Vespasianus aanschouwde de gelederen van de geharnaste zware infanterie, die gestaag oprukte naar een angstaanjagende vijand. Een vijand die vele malen het aantal Romeinse soldaten overtrof. De gezichtsuitdrukkingen maakten duidelijk dat iedereen zijn uiterste best zou doen in het komende gevecht. Ze zouden strijden voor zichzelf en degenen naast hen. Het was deze kameraadschappelijke sfeer die een legioen bijeenhield, waarbij iedereen even belangrijk was. Vespasianus trok zijn schouders naar achteren. Met kaarsrechte rug zat hij in het zadel. Zijn hart liep over van trots. Hij zou dit legioen leiden zo goed als hij kon. Twijfelen aan zijn vaardigheden was hetzelfde als zijn manschappen in de steek laten. Rome wilde gebieden veroveren en hij zou deel uitmaken van de victorie. En Rome zou zich zijn naam herinneren dankzij de acties die hij op deze dag ondernam.

Meer dan de helft van de cohorten van de Veertiende Gemina was inmiddels overgestoken. Op dat moment zetten de Britten de aanval

in. Het gedreun van talloze afzonderlijke stemmen rees boven het halfduister uit. Een kabaal dat samensmolt tot een gekrijs van oorlogskreten. Een schaduw die uit talloze krijgers bestond leek van de heuvel af te rollen. Omtrekken waren in de ochtendschemering, terwijl het steeds lichter werd, nog niet te herkennen. Maar de intentie was duidelijk. De mensenmassa bewoog in één richting en begaf zich naar de Veertiende om de soldaten te dwingen terug de rivier over te steken voordat de Tweede en de Twintigste zich bij deze legionairs konden voegen. Alle Bataafse hulptroepen hadden nog steeds hun handen vol aan het behouden van het overwicht op de heuvels in het noorden. De kracht van de Veertiende Gemina bestond uit bijna vijfduizend legionairs. Vijfduizend manschappen tegen een strijdmacht van honderdduizend Britten. Het gewicht tegen de schildmuur zou straks onhoudbaar worden. Lang zouden de Romeinen niet stand kunnen houden.

'Snel oprukken!' riep Vespasianus naar de cornicen. Het klonk boven het tumultueuze kabaal van het offensief en het steeds luidere, reciterende gezang van de manschappen uit.

Binnen enkele hartslagen werd het bevel doorgegeven aan de verschillende legioeneenheden. Het tempo versnelde, het gezang ging onverminderd door.

Op de oostoever bevonden zich de boogschutters en de artilleriekarren. Als een schaduw volgden ze het legioen. Ook hun tempo versnelde. Hun suizende pijlen zouden weinig verschil maken in die ongelofelijk grote, vijandelijke strijdmacht. Toch realiseerden ze zich dat elk slachtoffer dat ze maakten er één was dat geen schade meer kon aanrichten in de legioenengelederen.

In het toenemende ochtendlicht konden de afzonderlijke strijders inmiddels worden waargenomen. Ze holden de helling af naar de cohorten die zich voor de pontonbrug formeerden. De eerste vijf frontlinies, met Sabinus in de voorste gelederen, hadden posities ingenomen. De achterhoede bestond uit twee cohorten. Erachter volgden nog talloze legionairs die bezig waren met de oversteek. De infanterieformatie bood een meelijwekkende aanblik vergeleken met de gigantische strijdmacht, waarvan de kracht aan een niet te stuiten vloedgolf deed denken. Vespasianus maakte zich geen illusies. Bovendien had hij niets of niemand om de flanken te beschermen.

In de ochtendschemering probeerde Vespasianus de afstand te bepalen. Hij dacht dat de strijdmacht op nog geen vijfhonderd passen van hen vandaan was. In half zoveel hartslagen zouden ze de Romeinse frontlinie bereiken. Tot dan moest Sabinus standhouden.

Als een vage lijkwade zweefde er iets door de lucht. Het was afkomstig uit de gelederen van de Veertiende Gemina. Pila. Een moment later volgde weer een sperensalvo. Beide verdwenen in de vijandelijke menigte en het leek geen enkel effect te sorteren, alsof de speren in een rivier waren geworpen. De dood van enkele duizenden strijders was niet eens merkbaar aan de oprukkende slagkracht van het barbarenleger.

Plotseling was het effect van de aanval wel merkbaar. De voorste linies schokten, alsof ze over elkaar heen buitelden, waarna een paar passen voldoende waren om het evenwicht te herstellen. De hindernis in de vorm van talloze lijken leek overwonnen, werd letterlijk overspoeld. De eerste zonnestralen raakten de hoge wolken. De lucht kleurde dieprood, alsof ook het zwerk bloedde.

Het toenemende kabaal en het oorlogsgekrijs in deze dicht opeengepakte, ongelofelijk overweldigende vijandelijke strijdmacht waren de enige aanwijzingen dat er een legioen aanwezig was. De laatste twee cohorten staken de pontonbrug over en verdwenen in het legioen. Ze zouden de schildmuur iets meer gewicht geven. Vespasianus wist van de vorige dag dat het een afschuwelijk botsen zou worden, waar geen ribbenkast tegen bestand was.

Nog tweehonderd passen. Een groot deel van de Britten zwermde weg van de Veertiende Gemina en viel de Tweede Augusta aan. Daardoor werd de druk op het legioen van Sabinus iets minder, dat in deze cruciale momenten nog steeds dapper standhield. Ongetwijfeld konden ze dat ook nu ze een fractie minder krijgers zagen aankomen. De krijgsmacht op de heuvel was eveneens van richting veranderd en viel de Twintigste aan. Opnieuw verminderde dat de dreiging waarmee het belegerde legioen zich geconfronteerd zag. Op de oostoever losten de boogschutters het ene salvo na het andere; honderden krijgers moesten eraan geloven. De artilleriekarren werden in stelling gebracht. Vertwijfeld maakten de artilleristen hun zware wapens schietklaar.

Vespasianus zette zijn angst om zijn broer uit zijn hoofd. Hij concentreerde zich daarentegen op de timing van de seinen en signalen.

Rondom hem werd de Marshymne nog volop gezongen. Het klonk boven het gekletter van zowel de wapens als de uitrusting en de snelle voetstappen van de legionairs uit. Maar de strijdkreten en het oorlogskabaal van de vijand klonken zwaar en leken alles en iedereen te overstemmen. De barbaren waren nu zo dichtbij dat de eerste dodelijke projectielen van de Romeinen doel konden treffen. Vespasianus gaf het bevel, de pila suisden door de lucht. Meer dan tweeduizend speerpunten met gemene weerhaken zweefden over de Britse frontlinies en doofden op bloedige wijze het levenslicht van talloze jongemannen. Ze zaaiden angst in de harten van hun kameraden erachter terwijl ze over de gespietste lichamen sprongen, waarvan het bloed de grond doordrenkte.

Maar de opmars leek onstuitbaar. Vespasianus gaf het bevel om aan te vallen. Het legioen rukte op na het gedreun van de cornua. Nog enkele passen. De hymne werd fragieler toen de lange schildmuur van de voorste linie – iedere afzonderlijke legionair met het gewicht van vier manschappen erachter – zich in de Britse gelederen stortte. Aan beide kanten werd de lucht uit ieders longen geperst. De Romeinse schildmuur rukte nog iets verder op dankzij het tempo van de aanval. De reglementair gedisciplineerde legionairs – zware infanterie – duwden de lichtere en minder als een compact front gevormde Britten met een knarsetandende zekerheid naar achteren.

Daarna volgde het metalige wapengekletter.

Het front van het legioen schoof steeds langzamer op. De linies kwamen tot stilstand. Tot grote opluchting van Vespasianus bleef het Romeinse front standhouden, maar het hield beslist niet over. Hij schreeuwde boven het tumult uit en beval de tweede linie van vijf cohorten om de pila te werpen en hun gewicht toe te voegen aan de duwende frontlinie. Luidkeels de Marshymne zingend rukte de andere helft van het legioen op. Alle soldaten wierpen beide pila snel achter elkaar boven de hoofden van hun kameraden, waarna ze letterlijk hun gewicht in de strijd wierpen; ze drukten hun schilden in de ruggen van de manschappen die zich voor hen bevonden.

Het extra gewicht van een half legioen brak de Britse frontformatie, die in geen enkel opzicht was wat ze moest zijn. Honderden krijgers leken te verkreukelen en vielen dood neer. En vele honderden werden naar achteren geslagen; het bloed spoot uit hun fatale won-

den. Het legioen ploegde door, de vaart zat er weer in. De manschappen in de eerste linie waren tijdens het eerste treffen gestopt met zingen, maar ze vielen hun maten weer bij terwijl ze een bloedbad aanrichtten; meedogenloos zaaiden hun klingen dood en verderf terwijl ze de oorlogsgod prezen.

Een nieuwe verschrikking kliefde de vijandelijke strijdmacht. De artillerie trof doel. De zware, houten projectielen tolden door de lucht en teisterden op vernietigende wijze de flank. Talrijke strijders verdwenen van het ene moment op het andere in een vertroebelde beweging. Ze verdwenen uit het zicht en kwamen tien passen verder tevoorschijn met een artilleriepijl die zijdelings door hun borstkas stak en een stomverbaasde blik in hun dode ogen.

De manschappen van de Tweede Augusta zongen door. Hun klingen waren besmeurd met bloed en viezigheid, waaronder ontlasting. Ze marcheerden over de gesneuvelde Britse krijgers, liepen ze letterlijk onder de voet. De frontsoldaten gingen schrijlings boven de gevallen lichamen staan, waarna de tweede rij de barbaren aan hun zwaarden reeg, dood of levend. Elke frontsoldaat was immers bang dat een gevallene een mes in zijn kruis stak, dus nam hij het zekere voor het onzekere.

Gestaag kwam het barbarenleger steeds meer in de verdrukking. Stap voor stap liepen de strijders achteruit, waarbij ze struikelden over de lijken. Geleidelijk taande de Britse defensie terwijl de zon opkwam. Vespasianus kon nergens aan afmeten hoe lang ze hadden gevochten. Tijd had geen betekenis in dit strijdgewoel. Hij kon er alleen een indruk van krijgen aan de hand van de regelmaat waarmee de artillerie vuurde. Hij dacht acht salvo's geteld te hebben, maar zeker was hij er niet van. Wat als een paal boven water stond was dat de dodelijke artillerieprojectielen de rivieroever keurig hadden schoongeveegd; de eerste cohort kwam praktisch geen verzet meer tegen. Door de bressen heen zag hij links de cohorten van de Veertiende Gemina. Ze hielden stand. Met vereende krachten kon de Tweede Augusta zich bij hen voegen, waarna de frontlinie weer gesloten was.

Opnieuw suisde een artilleriesalvo sissend in de Britse gelederen. Talloze krijgers vielen gespietst en omhuld door spuitend bloed neer, waarbij hun ledematen verwrongen aan hun romp hingen, als trekpoppen waarvan de touwtjes waren doorgeknipt. Ditmaal taande het

Britse verzet danig, en de manschappen van de Tweede Augusta voelden dat. Ze deden hun voordeel met deze tijdelijke mentale stagnatie van de vijand en rukten met hernieuwde energie op. Ze staken toe, sloegen met hun schildknoppen om zich heen. Een stampende hakselmachine: steken, stap voorwaarts, steken, stap voorwaarts. De achterhoede zong, de frontlinie had elke ademteug nodig in het strijdgewoel.

De Britten trokken zich steeds sneller terug nu de onstuitbare Romeinse oorlogsmachine vlugger oprukte en dood en verderf zaaide. De eerste cohort draaide weg in oostelijke richting. Daarmee blokkeerden de legionairs het directe schootsveld van de artillerie, maar ze konden wel aansluiten bij de linkerflank van de Veertiende Gemina. Steeds meer Britten bliezen de aftocht, waardoor de Tweede Augusta meer terrein won. Dat kwam goed uit nu ze de Veertiende Gemina naderden.

De zon scheen over de heuvel in het oosten. Het slagveld baadde in het ochtendlicht onder de dreunende klanken van de cornua, die gezelschap kregen van de litui. Op de heuveltop weergalmden talloze hoorns langs de glooiing naar beneden. De Britten keken op terwijl ze zich terugtrokken. De moedeloosheid was van hun gezichten te lezen. Op dat moment draaide de eerste strijder zich om en haastte zich weg.

Zijn voorbeeld werd massaal opgevolgd.

Vespasianus keek naar rechts. Op de heuvelrug hadden de Negende Hispana en de hulptroepen zich geformeerd; een omtrek in het gouden licht van de rijzende zon. In slagorde kwamen ze naar beneden gemarcheerd. De zoveelste Romeinse oorlogsmachine, gereed om te doen waar legioenen voor in het leven waren geroepen. De aanblik boezemde zelfs de meest roekeloze krijgers angst in. De vijandelijke strijdmacht had zonet nog tegen drie legermachten gevochten en grote verliezen geleden. Nu het vierde legioen oprukte, deed de terugtocht denken aan een lopend vuur in een tarwestoppelveld.

De eerste cohort sloot de gelederen bij de flank van de Veertiende Gemina; de frontlinie vormde weer een geheel. Vespasianus beval de hulptroepen en de legioencavalerie om in actie te komen. Dit was het moment om de fatale klap uit te delen.

Het zware gedreun van de cornua maakte de cohorten duidelijk dat ze de gelederen moesten openen. In elke legereenheid werden bressen

gevormd. Vespasianus nam zijn positie in de voorste gelederen van de legioencavalerie in. Hij trapte zijn paard in de flanken en leidde hen, samen met de ala van Paetus en de Gallische formatie, door de bressen het slagveld op naar de vluchtende strijders. Ze werden gevolgd door de infanteriecohorten. Terwijl de cavaleristen in galop het strijdperk doorkruisten, waar het vergeven was van de gesneuvelden en gewonden, schalden nog meer hoorns. Ditmaal weerklonken de signalen op de heuvel waar de Bataafse infanterie standhield. Vespasianus zag de acht cohorten over de glooiing en in slagorde naar beneden komen en bedreigde de wanordelijke flank van de gebroken horde. Een flank die pokdalig was geworden van de geslagen bressen. Met zijn zwaard doorkliefde Vespasianus de rug van de eerste de beste strijder die hij inhaalde. Nu konden hij en de rest wraak nemen voor de bloedige, angstwekkende momenten die ze de vorige dag hadden meegemaakt. De Batavieren kerfden met dodelijke precisie de andere kant van de vluchtende menigte.

De cavalerie brak de formatie en zwermde uit naar de vluchtende krijgers. De ruiters hakten en staken op hen in terwijl de Britten naar de heuvel renden om het vege lijf te redden. Hier en daar kwamen de cavaleristen kleine en slecht georganiseerde verzetshaarden tegen. Mannen die in groepjes steun bij elkaar zochten, kleine clusters van honderd of nog meer krijgers die de veiligheid opzochten en zich min of meer in duldbare orde terugtrokken. Deze groepen lieten ze met rust nu de zege binnen handbereik was. In plaats daarvan richtten ze zich op de talloze individuen. Honderden van hen moesten eraan geloven. Ze schreeuwden en scholden terwijl de lange cavaleriezwaarden korte metten met ze maakten. Ze vielen op de met bloed doordrenkte aarde van hun thuisland, dat Rome op het punt stond zich toe te eigenen.

Vespasianus toonde geen genade terwijl hij zijn paard van links naar rechts liet zwenken en zo veel mogelijk krijgers doodde. Wel zorgde hij ervoor dat hij zich niet te ver in de hoofdmacht van de Britten begaf. Het risico was immers groot dat hij en zijn cavalerie dan omsingeld zouden worden, en dat ze een wraakzuchtige dood zouden sterven. Verder heuvelopwaarts was de Twintigste opgerukt. Daar konden ze nog meer slachtoffers maken, omdat de krijgers dichter opeengepakt wegvluchtten. Vespasianus keek om en zag dat de Veertiende Gemina zijdelings was opgeschoven, waarna de eerste een-

heden van de Negende Hispana zich voorbereidden om de pontonbrug over te steken. Daarna zou het legioen snel westwaarts marcheren naar de oversteekplaats bij de Tamesis. Dichterbij galoppeerde een groep van de Romeinse cavalerie in zijn richting. Met aan het hoofd ervan Aulus Plautius, gehuld in een luisterrijke generaalsmantel en met een gepluimde helm op.

'Legatus!' schreeuwde de generaal terwijl hij naderde. 'Trek uw cavalerie terug voordat u afgesneden wordt van de hoofdmacht. We klaren deze klus wel met de hulpinfanterie en drijven ze noordwaarts op naar de Tamesis in de hoop dat ze met duizenden zullen verdrinken tijdens de oversteek.'

'Ja, generaal.' Vespasianus riep naar de dichtstbijzijnde *liticen*. 'Signaleer de terugtocht!'

De man bracht de hoorn naar zijn mond. Het bevel schalde over het slagveld.

'Uw legioen heeft Rome en de keizer goed gediend, Vespasianus. Ik zal ervoor zorgen dat de juiste mensen dat ter ore komt. Vandaag is een uitstekende dag geweest om ieders loopbaan een zetje te geven.'

Vespasianus keek Plautius aan. Het uniform onder zijn indrukwekkende mantel was besmeurd met bloed en op sommige plaatsen gescheurd. In zijn kuras zaten grote deuken. 'Vooral de Veertiende heeft het te verduren gekregen, dacht ik zo. Hoe gaat het met mijn broer?'

Plautius fronste zijn wenkbrauwen en veegde het opgedroogde, verkorrelde bloed van zijn voorhoofd. 'Hij kreeg een speer in zijn rechterschouder, vlak voordat de Britten zich terugtrokken. Maar hij heeft het overleefd. Het bloeden is gestelpt, maar hij zal een paar dagen niet het bevel kunnen voeren over zijn krijgsmacht. Mijn persoonlijke arts houdt een oogje in het zeil.'

'Dank u, generaal.' Met moeite kon Vespasianus zijn paard in toom houden terwijl om hem heen de cavalerie voorbij suisde. Dartele paarden met de geur van bloed in hun neusgaten stampten en snoven van opwinding. 'Ik weet zeker dat hij van ernstiger wonden is opgeknapt. Hoe luiden uw bevelen voor de Tweede Augusta, generaal?'

De schrille klank van een lituus weerklonk heuvelopwaarts voordat Plautius antwoord kon geven. Iedereen wist wat dat signaal betekende.

'Ze zitten daar in de problemen,' zei Vespasianus. Hij keek in de richting vanwaar het geluid kwam en zag dat ongeveer een halve mijl

verder de zich terugtrekkende hoofdmacht van de Britten een ruitergroepje van de Twintigste Legioencavalerie had omsingeld.

'Verdomde idioten!' snauwde Plautius. 'Dat is precies wat ik vreesde dat er zou gebeuren. Ik heb al te weinig cavalerie tot mijn beschikking. Ik kan me niet permitteren dat ik die dwazen verlies als het niet strikt noodzakelijk is. Legatus, roep uw cavaleristen bijeen en volg me.'

Plautius sloeg met de teugel tegen de nek van het paard en stoof de heuvel op. Vespasianus reed als in een bestorming achter hem aan en gilde naar zijn manschappen en de ala van Paetus dat ze hem moesten volgen terwijl de hulpinfanterie van de Tweede Augusta hen inmiddels had ingehaald om de terugtocht van de vijand te verstoren.

Ze galoppeerden de glooiing op en haalden de laatste achterblijvers in. Als ze niet zoveel haast hadden gehad, zouden ze hen vertrapt hebben. Maar de belegerde cavalerie had nu meer prioriteit. Honderden krijgers hadden het ruitergroepje omsingeld en dreven de cavaleristen steeds verder weg van de Romeinse linies. Een voor een moesten de ruiters eraan geloven. De lituus weerklonk hoog en schril, maar werd prompt met een gil onderbroken. Ook de hoornblazer had het niet gered.

Plautius stormde de achterhoede in van de Britse strijdmacht, die de belegerde cavalerie belaagde. Hij vertrapte enkelen en duwden sommigen opzij, die met gebroken ledematen op de grond vielen. Zijn paard steigerde, de voorbenen maakten trappelende bewegingen, wat veel gebroken schedels en schouders opleverde. In het voorbijgaan onthoofdde hij met zijn zwaard een krijger. Op het gezicht van die barbaar was de verbazing af te lezen terwijl hij daar stond en er uit zijn hals een fontein van bloed spoot, waarna zijn lichaam op zijn eigen hoofd viel en het levenslicht in zijn ogen langzaam vertroebelde.

Vespasianus volgde zijn generaal met aan weerszijden zijn cavalerie. Ze kliefden een bloedig pad, dwars door de Britse gelederen. De barbaren hadden hun aandacht te veel gericht op hun prooi, waardoor ze de dreiging die vanuit de achterhoede opdoemde niet hadden opgemerkt. De toorn van Plautius was gericht op zowel zijn eigen cavalerie, die zich in deze hopeloze positie had gemanoeuvreerd, als de krijgers die zijn kostbare en inmiddels schaarse bereden troepen probeerden te decimeren. De generaal raakte daardoor in zo'n moordlustige stemming dat geen enkele officier zich tegen hem durfde te

keren. In diens kielzog moordde Vespasianus erop los. Hij hakte iedereen in stukken die het gelukt was aan de bereden verschrikking te ontkomen die zich op bloedige wijze dwars door hun gelederen baande. Hij joeg zijn paard op, waarvan de flanken besmeurd waren met bloed, dat plakte aan zijn kuiten.

Nadat ze al een keer de aftocht hadden moeten blazen, gaven de Britten de prooi die ze omsingeld hadden haastig prijs en vluchtten heuvelopwaarts. De ongeveer tachtig overlevenden van de Twintigste Legioencavalerie bleven achter, geschokt door de verliezen terwijl de veldslag feitelijk al in een eerder stadium gewonnen was. En nu zagen ze zich ook nog geconfronteerd met een helse generaal.

Plautius reed om de dichtstbijzijnde centurio heen. 'Rijd die verdomde heuvel op en moord ze uit, dan wordt tenminste nog iets van je eer hersteld!' Hij richtte zich tot Vespasianus. 'Neem uw cavaleristen mee en verzeker u ervan dat ze zich niet opnieuw als rekruten gedragen. Dood alleen de achterblijvers en blijf onder de heuveltop. Iedere cavalerist dient vijf barbaren te doden. Dat zijn duizend wilden minder bij de volgende confrontatie.'

'Halt!' schreeuwde Vespasianus. Hij stak zijn zwaardarm in de lucht. Het bloed drupte langs de kling over zijn vingers en pols. Rechts lag de laatste krijger die hij had gedood tijdens de jacht op de vluchters. Het gras stak uit de druipende snor van de barbaar, en zijn ondertanden waren in de modder verzonken. Met lege ogen staarde de dode krijger naar de bloederige kruin van zijn schedel, die als een spookachtige kelk voor hem lag.

Terwijl de cavaleristen zich verzamelden, aanschouwde Vespasianus het slagveld vanaf de heuveltop. In het noorden droop de hoofdmacht van het verslagen leger af naar de Tamesis, die nog geen tien mijl verderop glinsterde in de zon. De Bataafse infanterie en de hulptroepen van de Tweede Augusta achtervolgden hen, keurig in rijen geformeerd. Ze maakten de achterblijvers af, maar deden geen poging om de hoofdmacht in te halen. Ze dreven de krijgers alleen noordwaarts naar de rivier. De andere Britten – enkele strijdwagens voorop – begaven zich, een paar mijl verder, in westelijke richting. De achterblijvers, die ternauwernood ontsnapt waren aan de spathae van de cavalerie, bevonden zich op niet meer dan tweehonderd passen.

'De aanblik van een vluchtende vijand is altijd hartverwarmend, nietwaar, legatus?' zei Plautius. Hij reed op zijn paard naast Vespasianus. 'We hebben vandaag goed werk afgeleverd. Bijna veertigduizend van die etterbakken hebben we een kopje kleiner gemaakt. Het is ironisch dat ik na zo'n zege de keizer moet verzoeken mij te hulp te schieten.'

'Aan de resterende vijandelijke legermacht zal hij zijn handen vol hebben.'

'Ja, het zijn er veel te veel. Dat bevalt me niks. Pakweg twintigduizend krijgers vluchten westwaarts en veertigduizend proberen straks de rivier over te steken.'

'Waarom zou u de klus niet gewoon afmaken, generaal?'

'Omdat ik, bij alle goden, niet genoeg cavalerie tot mijn beschikking heb. De barbaren zijn niet zo stom om opnieuw de confrontatie aan te gaan met de legioenen. Met vijftienduizend cavaleristen zou ik dat ook niet nodig hebben. Dan zou ik ze inhalen en de hele zooi uitmoorden. Maar ja, wens niet wat je niet hebt. Dan dwaal je af en kun je niet datgene wat je wel hebt maximaal inzetten. Ik heb ijlboden naar de hulptroepen gestuurd. Ze moeten de barbaren opjagen naar de rivier, waar de vloot de overgebleven legermacht met de katapulten aan flarden mag schieten. De hulptroepen zullen daar best mee in hun schik zijn. De Negende volgt de rest westwaarts naar de oversteekplaats in de Tamesis. Daarna is het aan Caratacus en Togodumnus om te besluiten wat het beste voor ze is.'

'Togodumnus is dood, heer. Ik heb hem zien sterven.'

'O ja? Wie heeft hem van kant gemaakt?'

'Mijn paard.'

Plautius bekeek het paard van Vespasianus met een goedkeurende blik. 'Zo, zo. Dat beest van u kan er wat van.'

'Het was een ander paard. Togodumnus heeft het gedood, waarna het dier boven op hem viel. Heel onvoorzichtig van hem.'

'Inderdaad, heel roekeloos. Maar ik ben dankbaar dat uw paard zich heeft opgeofferd. Dat maakt alles in politiek opzicht een stuk makkelijker. Caratacus heerst in het westen. Togodumnus zwaaide de scepter ten noorden van de Tamesis met als hoofdstad Camulodunum, waar Claudius heen wil. Als die verslagen stam geen leider meer heeft, en wij ons de noordoever van de Tamesis kunnen toe-eigenen, zullen

we de bevolking aldus misschien tot rede kunnen brengen, vooropgesteld dat we ze geen reden meer geven om ons te haten. Goed gedaan, legatus. Wellicht heeft uw paard duizenden levens gered.'

Vespasianus werd sterk in de verleiding gebracht om Plautius te vragen Geta daarvan te overtuigen, maar hij hield zich in. 'Dank u, heer.'

Plautius knikte tevreden en draaide zich om naar de overgebleven ruiters van de Twintigste Legioencavalerie. 'Wat zijn jullie toch een stommelingen. Wie van jullie is er verantwoordelijk voor dat ik nu een groot deel van mijn cavalerie heb verloren?'

De decurio die zonet de gramschap van Plautius te verduren had gekregen, riskeerde het antwoord te geven. 'Onze legatus, heer.'

'Geta? Waar is die idioot?'

De decurio maakte een hoofdknik naar de voet van de heuvel. 'Daar, heer. Hij viel van zijn paard vlak voordat u een doorbraak forceerde. Volgens mij is hij dood.'

Vespasianus en Plautius reden terug de heuvel af. De glooiing was bezaaid met lijken en doordrenkt met bloed, zo ver hij kon kijken. Verbijsterd staarde Vespasianus naar de omvang van wat er was gebeurd. Duizenden en nog eens duizenden Britse krijgers lagen verspreid over het slagveld. Vanaf de Bataafse heuvel in het noorden helemaal langs de linie van de Veertiende Gemina bij de pontonbrug – waar de Negende Hispana nu overstak – tot aan de voormalige frontlinie van de Tweede Augusta, waar de vorige dag de eerste confrontatie had plaatsgevonden. Ze lagen alleen of in groepjes, maar ook in lange rijen, als drijfhout dat op de oever de vloedlijn markeerde. Daar hadden de Britten met opgeheven hoofd de macht van Rome getrotseerd met weinig hoop op een zege. Tussen de gesneuvelden lag hier en daar ook een Romein, wellicht in de verhouding van een op veertig, had Vespasianus berekend. Het was een beslissende overwinning geweest met relatief weinig verliezen, maar de gevolgen, de nasleep, boden een trieste aanblik. Talloze jongemannen in de bloei van hun leven lagen dood op het slagveld terwijl ze alleen maar geprobeerd hadden hun geboorteland te verdedigen, een invasie van vreemden te voorkomen. Een invasie die geen strategische noodzaak kende, maar louter ontsproten was aan de wens van drie vrijgelatenen om hun kwijlende,

verre van krijgshaftige meester op de troon te houden, zodat zij daar hun voordeel van konden blijven hebben. Haastig verbande hij die bittere gedachten en realiseerde zich dat als hij een carrière in Rome wenste hij altijd getuige zou blijven van dit soort zelfzuchtige politiek, tenzij hij zich terugtrok op zijn landgoederen.

'Dit moet een van de weinige plaatsen zijn waar een stuk of twintig van onze jongens liggen, afgezien van de gesneuvelden bij de defensielinie van de Veertiende,' piekerde Plautius terwijl ze de plek naderden waar de cavalerie was gered.

Vespasianus liet zijn blik over het kluwen gesneuvelde cavaleristen en hun paarden glijden. Het waren er bijna veertig. Hun kameraden liepen tussen de lijken door om te kijken of ze nog een teken van leven zagen. Op hetzelfde moment marcheerden de hulptroepen van de Negende Hispana voorbij, de voorhoede van het legioen. 'Mijn Batavieren hebben ook zware verliezen geleden om tijd te winnen, opdat wij aan deze kant van de rivier een bruggenhoofd konden vormen.'

'Ja, ik heb dat vanuit de verte gevolgd. Knap gedaan, heel dapper. Ik zal ervoor zorgen dat de prestatie van Paetus onder de aandacht wordt gebracht van de keizer zodra hij is gearriveerd, waarbij ik natuurlijk Civilis, van de Bataafse infanterie, niet zal vergeten. Die afleidingstactiek op de heuvel vormde immers de sleutel van deze strategie. Wist u dat hij de kleinzoon is van de laatste Batavierenkoning?'

'Nee.'

'Zijn manschappen gedragen zich tegen hem alsof hij de koning zelf is. Ze volgen hem waarheen hij maar wil.'

'Generaal!' schreeuwde een cavalerist die tussen de lijken stond. 'Hier ligt de legatus. Hij ademt nog.'

Vespasianus en Plautius stegen af, baanden zich een weg door het bloedbad en arriveerden bij Geta. Het bloed sijpelde onder zijn borstplaat uit. Net onder zijn ribbenkast was hij gespietst. Hij ademde, maar was bewusteloos.

Plautius keek zowel afkeurend als verdrietig op hem neer. 'Breng hem naar mijn dokter, soldaat. Je vindt hem in een tent op de andere rivieroever.'

De cavalerist salueerde, waarna hij en drie van zijn kameraden de gewonde legatus voorzichtig uit het kluwen gesneuvelden haalden.

Plautius schudde zijn hoofd. 'Een uitstekende militair. Het ontgaat

me hoe hij deze basisfout heeft kunnen maken. Iedereen weet dat de cavalerie nooit te diep mag doordringen in de aftochtroute van de vijand.'

'Misschien heeft hij Caratacus gezien en probeerde hij hem te grijpen.'

'We zullen er wel achter komen als mijn arts hem in leven kan houden. U gaat nu terug naar uw legioen. Ik wil morgenvroeg een uitgebreid verslag over de verliezen. Bij het eerste ochtendlicht marcheren we westwaarts. Ik moet alleen nog zeker weten dat de manschappen van Togodumnus dood zijn of inmiddels de rivier zijn overgestoken. Ik wil immers geen strijdmacht van die omvang die straks in mijn kont bijt. Uw legioen vormt de voorhoede. U bent tenslotte mijn enige legatus die niet gewond is geraakt.' Hij staarde naar de eerste cohort van de Negende Hispana. De eenheid marcheerde voorbij met de legioenadelaar in de eerste gelederen. 'Nu is het hun beurt.' Hij zag Corvinus, die langs de colonne meereed en als een trotse bevelhebber in het zadel zat. 'De vaart erin, legatus. Snelheid heeft nu prioriteit. U hebt nog twintig mijl te gaan. Morgenmiddag moet u bij de Tamesis zijn gearriveerd.'

'Komt voor elkaar, generaal.'

'Daar twijfel ik niet aan. De vloot zal u volgen om u dekking te geven, zodra er is afgerekend met de Britten die de rivier proberen over te steken. Houd stand op de noordoever. Ruk niet verder op.'

Corvinus glimlachte flauwtjes en salueerde. 'Natuurlijk, heer. Het ga u goed!'

Vespasianus kreeg de indruk dat er iets definitiefs lag in die laatste woorden. Hij zag Corvinus wegrijden en dacht aan de vermoedens van Narcissus. Ook vroeg hij zich af of hij Plautius daarover in vertrouwen moest nemen. 'Vertrouwt u hem, heer?'

'Of ik hem vertrouw? Ik zal wel moeten. Narcissus heeft mij de suggestie aan de hand gedaan dat ik hem vooruit moet sturen. Hij deed dat vlak voordat we naar Britannia vertrokken. Hij denkt dat Claudius het wel zal appreciëren als ik zijn zwager op pad stuur. Corvinus zou dan de eerste Romein zijn die de Tamesis oversteekt sinds Julius Caesar. Dat zet de keizerlijke familie in een goed daglicht. Mijn gebaar zal de keizer beslist niet ontgaan. Voor het eerst ben ik het hartgrondig eens met die glibberige vrijgelatene.'

'Corvinus liep niet over van enthousiasme toen u zei dat we moeten wachten op Claudius.'

'Hij zal mijn bevelen opvolgen.'

'Stel dat hij dat niet doet.'

'Hij zal het doen. Narcissus heeft me verteld dat hij en zijn zus alles te winnen hebben als Claudius persoonlijk victorie kan kraaien in Britannia.'

Vespasianus keek hem zijdelings vol ongeloof aan. 'Weet u zeker dat hij dat heeft gezegd?'

'Natuurlijk weet ik dat zeker, legatus! Ik ben niet doof!'

'Excuseer, heer. Ik ga nu terug naar mijn legioen.' Vespasianus salueerde, keerde zijn paard en reed weg. Terwijl hij dat deed, keek hij om naar de heuvel waar de Negende Hispana marcheerde. In een helder moment realiseerde hij zich wat Narcissus had gedaan en waarom. De vrijgelatene deed daarmee de eerste zet om Messalina op een zijspoor te zetten.

HOOFDSTUK XIX

'Kunt u Plautius niet waarschuwen? Waarom niet?' vroeg Magnus. Vespasianus had hem bijgepraat. De kruispuntbroeder begreep er weinig van.

Sabinus verschoof op zijn kampbed, tilde zijn hoofd op en grimaste van de pijn. 'Mijn broer heeft gelijk, Magnus. Narcissus heeft ons laten beloven dat we Plautius nooit mogen waarschuwen, wat er ook gebeurt.'

'Waarom niet? Hij kan Corvinus nu nog tegenhouden. De Negende Hispana bevindt zich op minder dan een dagmars hiervandaan.'

Vespasianus hield een dampende beker wijn bij de lippen van Sabinus, die er dankbaar slokjes van nam. 'Narcissus wil niet dat Corvinus wordt tegengehouden. Hij wist dat dit zou gebeuren. Hij heeft het zelf geënsceneerd. Narcissus wil dat Plautius getuige is van het verraad dat Corvinus pleegt. Op die manier heeft de vrijgelatene harde bewijzen waarmee hij bij Claudius kan aankomen, zodra hij hier arriveert. Dus niet slechts vermoedens. Claudius heeft de waarschuwingen van zijn vrijgelatenen omtrent Messalina en haar broer steeds in de wind geslagen. Maar als Plautius met bewijzen komt, en de keizer er zelf getuige van is, gaat hij misschien overstag.'

Magnus keek rond in de schemerige tent. Kennelijk ergerde hij zich mateloos. 'Wat gaat u nu doen?'

'Doen? Wat zou ik dan moeten doen? Voorlopig helemaal niets. Narcissus heeft ons gevraagd om Plautius in leven te houden en te voorkomen dat Corvinus en Geta te ver oprukken. We dachten dat hij daarmee bedoelde dat ze niet verder dan de Tamesis mochten gaan. Maar hij bedoelde dat ze zich niet té ver noordelijk van de Tamesis

mochten begeven. Kortom, we moeten ze tegenhouden als ze zichzelf verdoemd hebben, maar wel voordat ze Camulodunum bereiken.'

'Nou, Geta blijft voorlopig waar hij is. Volgens een van de ziekenhulpen, een kameraad van me, mag hij blij zijn als hij het er levend van afbrengt. Hij zegt dat Geta de komende tijd geen bevelhebberstaken zal krijgen. Die dreiging kunt u dus doorstrepen.'

'Bovendien weet Corvinus van niets, en dat is een pluspunt. Hij was al een eind op weg en kan dus niet gezien hebben dat Geta van het slagveld werd weggedragen. Mogelijk was het de bedoeling dat Geta Plautius uit de weg ruimde terwijl Corvinus noordwaarts oprukte. In dat geval is er een kink in de kabel gekomen.'

Met een zucht ging Sabinus liggen. 'Dat is zo, maar zijn luitenant Priscus voert nu het bevel over de Twintigste. En we weten allemaal aan wie hij loyaal is.'

Vespasianus zette de beker neer naast de olielamp, die op het ruwhouten bijzettafeltje naast het bed stond. Het was de enige lamp die zich in de tent bevond. 'Op de een of andere manier moeten we Plautius in de gaten houden. Ondertussen rukken we vanaf morgen westwaarts op. De Tweede Augusta vormt de voorhoede, omdat ik de enige legatus ben die niet bedlegerig is. Mijn cavalerie zal dus het verkenningswerk doen.'

Magnus grinnikte. 'En Paetus zal alleen datgene zien wat hem is opgedragen.'

'Zoiets.'

'Hoe wilt u Corvinus tegenhouden?'

'Nu zijn we aanbeland bij de vooruitziende blik van Narcissus. Zijn denkwerk is soms adembenemend.'

De zwaargewonden werden teruggebracht naar Rutupiae. Een langgerekt gewondenkonvooi leek in het oosten op te lossen in de heiige lucht door de rook van talloze brandstapels waarop de gesneuvelden gecremeerd werden. De Dobunni hadden het slagveld gedeeltelijk schoongemaakt. Veel lijken lagen echter nog in de zon. De Britten deden hun best; ze stapelden de doden van hun voormalige bondgenoten op de brandstapels onder supervisie van slechts twee cohorten. Budvoc had zich aan zijn woord gehouden. Zijn manschappen werkten bereidwillig mee.

Vespasianus wendde zich af van de trieste aanblik en reed naar zijn legioen, dat op de heuvel een colonne vormde. De legionairs maakten zich gereed om naar het westen te marcheren. Afgezien van het bezoekje dat hij gisteravond aan Sabinus had gebracht, en een paar dutjes waarbij hij diep geslapen had, had hij zijn tijd vrijwel helemaal besteed aan de nasleep van de veldslag. Van elke cohort ontving hij een lijst met gesneuvelden. Hij was opgelucht dat er relatief weinig doden vielen te betreuren. Bijna driehonderd. En twee keer zoveel gewonden, van wie er bijna honderd niet meer in het leger zouden dienen. Gesneuvelde of zwaargewonde centuriones, optiones en vaandeldragers dienden vervangen te worden. De promoties vonden plaats onder leiding van de officieren van elke cohort. Tot slot werden de flink toegetakelde centuriën ontbonden. De overlevenden werden ingedeeld bij andere centuriën, zodat de slagkracht van de cohorten weer van een aanvaardbaar niveau was. Dat alles werd de dag na de veldslag in alle haast geregeld om het legioen, of beter gezegd de bevelhebbershiërarchie, zodanig op te krikken dat er weer veldtochten konden worden georganiseerd.

Daar zou geen gebrek aan zijn, daar was Vespasianus vast van overtuigd. Ondanks het noeste werk van de vloot had het grootste deel van de Britse legermacht de Tamesis kunnen oversteken, zoals Plautius had voorspeld. Duizenden Britten waren niettemin afgeslacht in het water. De hulptroepen hadden de Britten proberen te volgen over de moeraspaden die naar de rivier leidden, maar dat bleek zonder plaatselijke gidsen een onmogelijk karwei. Veel legionairs werden door hun zware kurassen steeds dieper in de modder gezogen en kwamen uiteindelijk om. Enkele Bataafse cohorten vonden na lang zoeken een route door het moeras en zwommen dom genoeg de rivier over. Ze leden zware verliezen en moesten zich terugtrekken omdat enkele duizenden Britten die zich op de noordoever hergroepeerden hen aanvielen, ondanks het feit dat de Batavieren artilleriesteun kregen van de vloottriremen, die met hun boegkatapulten de barbaren bestookten.

Vespasianus arriveerde bij de voorhoede van de colonne. Hij stak een arm in de lucht, die hij met een enigszins zwierig gebaar weer liet zakken. Een zware hoorn schalde over het legioen. Het signaal werd alom herhaald, waarna de Tweede Augusta in beweging kwam. Twee hulpcohorten verkenden in open formatie het gebied dat ze door-

kruisten, met aan weerszijden twee cohorten die de flanken bewaakten. Erachter volgden de Twintigste en de Veertiende zonder legati. Sabinus had zichzelf fit genoeg verklaard om te reizen in een huifkar. Geta was bij bewustzijn, maar zeer verzwakt door het bloedverlies. Hij was samen met de andere gewonden naar de hospitaaltenten in Rutupiae vervoerd.

Terwijl de colonne voorwaarts ging, dacht Vespasianus na over de kunst van Narcissus om situaties naar zijn hand te zetten. Vanaf veilige afstand in Gallia kon deze vrijgelatene de vijand dwingen zichzelf in alle opzichten bloot te geven, waarbij hij een reeks gebeurtenissen in gang zette waar zelfs een keizerin onder zou bezwijken. Opnieuw realiseerde hij zich dat hij een klein radertje in een grote machine was. Het was echter nooit anders gegaan in deze nevelige wereld van de keizerlijke politiek, waarbij hij de indruk kreeg dat de tentakels ervan zijn lot altijd zouden bestieren. Tenzij hij zich natuurlijk terugtrok op zijn landgoederen. Zou hij gelukkig zijn wanneer hij een rustig leventje kon leiden, zoals hij ooit zo intens had verlangd? Een leven dat in het teken zou staan van wijn, en of die van dit jaar beter zou zijn dan die van het vorige. Meer opwinding zou daar niet te vinden zijn, had Sabinus hem neerbuigend onder de neus gewreven. Hij dacht terug aan het gesprek in Germania, twee jaar geleden. In die periode overwoog hij serieus om zich terug te trekken. Nu realiseerde hij zich dat zijn broer gelijk had. Hij zou zich dood vervelen. Inmiddels had hij op het slagveld een legioen naar de zege geleid, en van zijn opperbevelhebber hulde geoogst. Ook realiseerde hij zich dat hij het bevel over een legioen aankon. En dat er nog veel meer veldslagen in het verschiet lagen. Veldslagen waar hij van leerde. Hoe kon hij zich dan terugtrekken op een landgoed met als enige verzetje de wisseling van de seizoenen? Hij keek om naar zijn legioen, dat hij voorging, en koesterde zich in zijn trots. Hij zou nog niet met pensioen gaan. Nog niet. Zijn carrière lag voor hem gespreid en de prijs die hij daarvoor moest betalen was dat hij telkens verwikkeld zou raken in politieke spelletjes. Het zij zo.

Hij troostte zich met het feit dat zijn rol ditmaal crucialer was. Nu moest hij immers beoordelen hoe lang hij nog kon talmen alvorens Plautius te waarschuwen over hetgeen de verkenners hem binnen enkele uren ongetwijfeld zouden vertellen. Hij wist dat het noodzake-

lijk was dat Corvinus genoeg tijd kreeg. Alleen dan zou hij volledig uit de gratie vallen bij Plautius. De machtsstrijd van Narcissus, de oorlog die hij tegen Messalina voerde, kon hem niet zoveel schelen. Ofschoon hij wist dat hij – het was kiezen tussen twee kwaden – beter af zou zijn als Narcissus die strijd zou winnen. Vespasianus had nu andere dingen aan zijn hoofd. Hij kreeg de kans wraak te nemen voor het feit dat Corvinus Clementina had ontvoerd en haar aan Caligula had afgeleverd, die haar vervolgens herhaaldelijk wreed had verkracht. Hij glimlachte kil, zijn ogen straalden tevredenheid uit terwijl hij mijmerde over de vergelding jegens een man die zijn familie kwaad had gedaan.

'U lijkt zeer ingenomen over iets.' Magnus ging naast hem rijden. 'Bijzonder goed kunnen poepen voordat we vertrokken?'

'Inderdaad, nu je het er toch over hebt. Trouwens, waar heb jij uitgehangen? Ik heb je gezocht om je erover bij te praten.'

'O, wat vervelend dat ik dat gemist heb. Maar maakt u zich geen zorgen. Sabinus heeft veel goedgemaakt. Ik was in zijn huifkar terwijl hij zijn behoefte deed. Alle gekheid op een stokje, ik heb mijn maatje de ziekenhulp weer ontmoet. Hij zegt dat hij gehoord heeft dat een zeer ontstemde Plautius Geta heeft gevraagd waarom hij die beginnersfout had gemaakt door met zijn cavalerie-eenheid te diep door te dringen in de ontsnappingsroute van de vijand, waardoor hij veertig van zijn kostbare cavaleristen de gelegenheid gaf te deserteren over de Styx.'

Magnus zweeg even. Vespasius wachtte een moment en keek hem toen aan. 'En? Vertel. Wat had Geta daarop te zeggen?'

'Dat hij er niet echt een reden voor had, dat hij simpelweg werd meegesleurd door zijn eigen enthousiasme, en dat dat nooit meer zou gebeuren.'

'Heeft Plautius dat excuus geaccepteerd?'

'Kennelijk wel. Hij blafte Geta een poosje af, waarna de dokter hem om medische redenen adviseerde daarmee op te houden. Daarna liep Plautius weg. Inderdaad, ogenschijnlijk was hij tevreden met die verklaring. Geta kwam er goed van af met slechts een waarschuwing dat hij zich in zijn leger nooit meer als een roekeloze idioot mocht gedragen. Verder kwam de generaal met een vage dreiging over zijn ballen in combinatie met een mokerhamer en een aambeeld.'

'Dat slaat nergens op. Ongeacht hoe je over Geta denkt, hij mag zich

beroemen op een uitstekende militaire reputatie. Neem nou die veldtocht in Mauretania. Hij heeft zich daar voorbeeldig gedragen. Hij maakt dat soort stomme fouten niet. Hij is er niet de persoon naar.'

'Iedereen doet domme dingen... zo nu en dan.'

'Zinspeel je erop dat ik destijds verzuimd heb op tijd op te rukken naar Cantiacum? Dat is appels met peren vergelijken. Ik ben bij lange na niet zo ervaren als Geta, maar ik weet me te beheersen. Ik ben heus niet zo dom om met slechts een groepje legioencavaleristen midden in een zich terugtrekkende vijandelijke horde dood en verderf te willen zaaien. Dan weet je wat er kan gebeuren.'

'Helemaal mee eens. Maar er is wel een tijd geweest dat u zich eveneens liet meeslepen in de strijd.'

'Daar ben ik gelukkig overheen.'

'De goden zij dank. Ik heb me vaak zorgen gemaakt dat dat nog eens uw dood zou worden. Goed, mee eens, Geta laat zich niet meeslepen. Maar wat maakt het uit? Hij heeft gedaan wat hij heeft gedaan. En de toorn van Plautius kreeg hij op de koop toe.'

'Daar heb je gelijk in. Alleen jammer dat hij daardoor die arme sloebers de dood in heeft gejaagd. Hij had er zelf ook aan moeten geloven. Hoe gaat het met Sabinus?'

'Die knapt zienderogen op. De wond geneest als een Vestaalse snee. De dokter zegt dat hij morgen weer in het zadel mag. Hij zal zich dus prima voelen als u later een gesprekje met Corvinus hebt.'

'Fijn om te horen,' antwoordde Vespasianus. Hij keek voor zich uit en zag Paetus naderen. 'Nu zullen we het krijgen.'

'Wat dan?'

'Het moment om een beslissing te nemen.'

'Mijn patrouille is net terug van de oversteekplaats in de Tamesis, heer,' rapporteerde Paetus terwijl hij zijn paard inhield.

'En de Negende is nergens te zien, afgezien van een centurie op elke oever, nietwaar?'

De jonge prefect keek hem een moment lang stomverbaasd aan. 'Hoe weet u dat, heer?'

'Maakt niet uit. Stuur je patrouille opnieuw op pad. Ik wil niet dat dit openbaar wordt.'

'Maar Plautius...'

'Het zal hem op het juiste moment verteld worden. Ik neem de ver-

antwoordelijkheid, Paetus. Je moet me vertrouwen. Wat jou betreft is de Negende bezig met het opzetten van een comfortabel marskamp op de noordoever van de Tamesis. Als je tegen wie dan ook iets anders zegt, sta je niet aan de kant van Narcissus, begrepen?'

Paetus trok zijn wenkbrauwen op. 'Ik sta liever aan geen enkele kant van Narcissus, heer. Ik meld me weer zodra ik vernomen heb dat het marskamp van de Negende in gereedheid is gebracht.'

'Dank je, prefect. Ik ben zeer benieuwd hoe lang ze erover doen.'

Paetus grinnikte en salueerde.

Magnus keek Paetus bedenkelijk na. 'Dit is een zeer gevaarlijk spelletje dat Narcissus u laat spelen, heer. Als Plautius hiervan hoort, lopen niet alleen de ballen van Geta gevaar om onder de mokerhamer van de generaal vermorzeld te worden, als u begrijpt wat ik bedoel.'

'Ik gun de ballen van Corvinus alle vriendelijke aandacht van Plautius.'

'Op het aambeeld van de generaal is plaats voor heel veel ballen.'

De dag na de veldslag moest er van alles geregeld worden. Dat was nu eenmaal onvermijdelijk. Door die vertraging joeg Plautius zijn leger op. De mars westwaarts was een zware klus voor de uitgeputte legionairs. De route was daarentegen makkelijk: lichtglooiend akkerland. Caratacus had het bouwland grotendeels ongemoeid gelaten, omdat de Negende Hispana vlak achter hem zat. De colonne baande zich een weg door de rijpe tarwe- en gerstvelden en andersoortig akkerland, en niet door een landschap dat door een zich terugtrekkende strijdmacht zwartgeblakerd en verwoest was achtergelaten om te voorkomen dat de vijand later van de oogst kon profiteren.

Op de ochtend van de tweede dag daalde het leger af naar een vallei waardoorheen de Tamesis stroomde, ongeveer een mijl verder. Majestueus meanderde de rivier in grote lussen naar de zee. Daardoor moest de vloot harder roeien om de colonne bij te houden.

In de verte, ongeveer vijf mijl westelijk, zag Vespasianus de schepen die de opmars van Corvinus hadden ondersteund. Wiegend lagen ze voor anker bij wat Vespasianus dacht dat de doorwaadbare plaats in de Tamesis moest zijn. Ook besefte hij dat Plautius niet veel langer voor de gek kon worden gehouden. Een vlek aan de horizon, ver ten noorden van de rivier, trok zijn aandacht. Hij ma-

noeuvreerde zijn paard opzij, zodat zijn manschappen van de eerste cohort konden doormarcheren. Onderwijl tuurde hij aandachtig naar dat vlekje in de verte. Nadat hij even met zichzelf beraadslaagd had, waarbij hij op zijn onderlip kauwde, reed hij langs de colonne naar de achterhoede.

'Neem het commando over, tribuun,' schreeuwde hij naar Mucianus, die zich aan het hoofd van de tweede cohort bevond. Vespasianus galoppeerde hem voorbij. 'Houd de vaart erin. Ik moet rapport uitbrengen aan de generaal.'

Hij galoppeerde langs talloze rijen legionairs. Uiteindelijk bereikte hij het konvooi van zeshonderd pakmuilezels – een voor elk contubernium – en de wagens en artillerie van de centuriën. Erachter reed de commandogroep van het leger, vlak voor de Veertiende Gemina.

Vespasianus hield zijn paard in en haalde diep adem terwijl hij Plautius naderde. 'Generaal, ik moet u dringend onder vier ogen spreken.'

'Wat heeft hij gedaan?' Plautius ontplofte bijna.

'Hij is opgerukt naar Camulodunum, heer.'

'Hoe weet u dat zo zeker?'

Vespasianus wees naar het noorden. 'Kijk naar de horizon. Wat ziet u daar?'

Plautius tuurde. 'Ik vrees dat mijn ogen achteruit zijn gegaan. Wat is daar te zien, legatus?'

'Rook, heer. Veel rook.'

'Dat hoeft niet het legioen van Corvinus te zijn.'

'Corvinus is niet gestopt. Dat is ook nooit zijn bedoeling geweest.'

'Hij bevindt zich mijlenver van de doorwaadbare plaats. Hoe is hij daar zo snel gekomen? Volgens uw rapportage van gisteravond was hij een marskamp aan het opzetten op de noordoever van de doorwaadbare plaats.'

'Dat was gelogen, heer.'

Plautius staarde Vespasianus verontwaardigd aan. 'Wilt u daarmee zeggen dat u dit van meet af aan wist en dat u erover gezwegen hebt? Dat is verraad, legatus.'

'Daar ben ik me van bewust, heer. Als ik het u eerder had verteld, zou dat zodanig kunnen worden uitgelegd dat u het wellicht eveneens als verraad zou beschouwen.'

'Corvinus negeert de expliciete bevelen van de keizer. Als dat voorkomen had kunnen worden, zie ik daar geen verraad in.'

'Het betreft niet de bevelen van de keizer. Ze zijn alleen in zijn naam gegeven. De keizer is machteloos. Het lijkt alleen maar of hij regeert. De ware macht ligt...'

'Beleer me niet!' zei Plautius. 'Ik weet heus wel wie de macht heeft in Rome. Maar Narcissus spreekt in naam van de keizer; het komt op hetzelfde neer.'

'Nee, heer, dat is niet waar. In de schaduw van de keizer spreekt Narcissus voor zichzelf. Sterker nog, hij is zijn schaduw. Hij gebruikt Claudius om macht uit te oefenen. Macht die het daglicht niet kan verdragen. Hij beschermt de keizer angstvallig in alle opzichten, simpelweg omdat hij alleen op die manier de macht in eigen hand houdt. De keizer is een volslagen idioot. Hij is blind voor alles of hij wil niet geloven dat mensen aan het hof een bedreiging vormen voor zijn positie.'

'De keizerin?'

'Precies.'

'Maar zonder hem is zij een niemendal.'

'Helemaal niet. Ze is de moeder van de zoon van de keizer.'

'Hij is te jong om zonder plaatsvervangend regent te heersen. Een vrouw in die positie wordt niet geduld.'

'Dat is zo. Maar een man én een vrouw wordt wel geaccepteerd. Ik bedoel de moeder van de jonge keizer én haar broer.'

Plautius zette grote ogen op nu hij het begreep. 'Die vrouw is de moeder van een rechtmatige caesar, en die man heeft Camulodunum veroverd en is dus de stichter van de nieuwe Romeinse provincie Britannia. Dat stel zou zelf een dynastie kunnen beginnen omdat ze broer en zus zijn en aldus geen bedreiging vormen voor de familielijn van Claudius. Sterker nog, ze bewaken de zuiverheid ervan. Perfect. Maar dan mag het kind niet voortijdig iets overkomen. Dat mag pas als de regenten zo stevig in het zadel zitten dat de praetoriaanse lijfgarde ze zal blijven steunen.'

'Precies, en we weten allebei dat de keizerlijke familie tot alles in staat is. Livilla, de zus van Claudius, heeft haar zoon Tiberius Gemellus vergiftigd, waarna haar moeder Antonia haar bestrafte met de hongerdood. Claudius weet als geen ander wat er kan gebeuren. Die dwaas wil maar niet luisteren naar goede raad.'

'Dan moet hij op een andere manier worden overtuigd.' Plotseling legde Plautius een hand op zijn voorhoofd en deed zijn ogen dicht. 'Nou snap ik het. Die klootzak Narcissus heeft mijn besluitvorming zodanig weten te beïnvloeden dat ik Corvinus de gelegenheid gaf de wens van de keizer te negeren met de bedoeling dat ik het complot met harde bewijzen aan Claudius zou onthullen, om hem ervan te overtuigen dat zijn zwager en zijn vrouw zich tegen hem hebben gekeerd. U hebt er goed aan gedaan te zwijgen tot Corvinus contact had gemaakt met de vijand, Vespasianus. Anders zou ik hem hebben tegengehouden voordat hij zichzelf vervloekte.'

'Nee, hij zou u vermoord hebben. Sterker nog, als Geta niet gewond was geraakt, zou u volgens mij inmiddels dood zijn.'

'Geta?'

'Ja, ik denk dat hij u diende te vermoorden op een wijze die geen achterdocht zou wekken.'

'Bijvoorbeeld door zijn cavalerie voor mijn ogen in een onmogelijke positie te brengen?'

'Dat lijkt nogal extreem, heer. Per slot van rekening heeft hij er bijna zelf aan moeten geloven.'

'Hij had gewoon domme pech. Nadat ik gisteren Geta gesproken had, liet ik ook de decurio bij me komen. Ik kon simpelweg niet geloven dat de doorgewinterde Geta zo'n stomme fout had gemaakt en zich zogenaamd had laten meeslepen door zijn enthousiasme, zoals hij zelf zei. De decurio vertelde me dat Geta hun niet was voorgegaan, maar zich midden in de cavalerie-eenheid bevond; de veiligste positie. Dat vond ik heel vreemd. Maar achteraf bezien was het er een perfect moment voor. Ik reed de heuvel op om u en uw cavalerie-eenheid terug te roepen. Toen ik nog maar pakweg honderd passen van u verwijderd was, haastten Geta en zijn manschappen zich weg en begaven zich in een horde nurkse Britten die zich terugtrokken. Hij wist heel goed dat ik ze te hulp zou schieten. Ik had immers al zo weinig cavalerie over. Ik ging in de aanval en nam u en uw manschappen mee. Dat had me makkelijk het leven kunnen kosten, en niemand zou er iets achter gezocht hebben. Ik was zo kwaad dat niets of niemand me kon tegenhouden. We forceerden een doorbraak, precies zoals Geta verwachtte. Helaas wierp een verdwaalde speer hem uit het zadel en werd hij vertrapt. Die klootzak verdient het. Veertig van zijn manschappen zijn voor niets gesneuveld.'

'Heel plausibel.'

'En of dat plausibel is. Ik krijg die smeerlap wel zodra hij is opgeknapt. Waarom hebt u mij niet verteld dat ze het op mijn leven hadden voorzien?'

'Narcissus zou dan opdracht hebben gegeven mij te vermoorden.'

Plautius glimlachte flauwtjes. 'Wel, Narcissus laat ons beiden vermoorden als we het niet voor elkaar krijgen Corvinus te stoppen. Maar hoe houd je het leger van een schurk tegen zonder ermee slaags te raken, waardoor de hele invasie in elkaar kan donderen?'

'Daar heeft Narcissus ook rekening mee gehouden. Samen met mijn broer en de cavalerie van Paetus krijg ik dat wel voor elkaar.'

Plautius keek hem vragend aan. 'Goed,' zei hij even later. 'Ik zal u moeten vertrouwen. Kennelijk kunt u in het hoofd van Narcissus kijken. Neem wat u nodig hebt... en schiet vooral op. Ik volg u op de voet met de hoofdmacht. In de namiddag probeer ik bij laagtij twee legioenen aan de overkant van de Tamesis te krijgen. Nu Corvinus in het noorden de boel op stelten zet, ben ik gedwongen af te maken wat die verraderlijke rotzak is begonnen. Als ik dat verzuim te doen, zullen de Britten dat als zwakte beschouwen. Het zou best kunnen dat er voor Claudius geen gevecht meer overblijft.'

'Niet eens zo'n gek idee, generaal. Zolang hij maar de eerste is die zegevierend Camulodunum binnentrekt.'

'Inderdaad.' Plautius zweeg weer even. 'En Claudius krijgt dan nog steeds wat hij wil zonder ontmaskerd te worden als een incompetente opperbevelhebber.'

'Ik vraag me af of Narcissus daar al aan gedacht heeft.'

'Ja, die gluiperd van een vrijgelatene! Dat vraag ik me ook af.'

'Ik heb opdracht gekregen om niemand door te laten, heer.' De centurio van de centurie van de Veertiende Hispana, gelegerd op de zuidoever van de Tamesis, was onvermurwbaar. Hij trok zijn schouders naar achteren terwijl hij in de houding stond, alsof hij daarmee nog meer nadruk wilde leggen op zijn woorden.

Vespasianus boog zich naar voren op zijn paard, zijn gezicht dicht bij het hoofd van de veteraan. 'Ongetwijfeld, centurio. Maar ik heb bevelen van hogerhand. Mijn opdracht komt rechtstreeks van Aulus Plautius en jij gehoorzaamt Corvinus. Welk bevel is dan zwaarwegender, denk je?'

De centurio slikte. 'Het bevel van de generaal, heer. Corvinus heeft me echter verteld dat de generaal dood is en dat hij nu het opperbevel voert. Niemand mag oversteken tot legatus Geta is gearriveerd.'

'Heeft hij dat gezegd? Nou, centurio, ik kan je verzekeren dat Plautius springlevend is. Sterker nog, hij zal je eigenhandig executeren als hij hier over drie uurtjes arriveert en ziet dat wij nog steeds steggelen over wie hier het bevel voert.' Met zijn duim maakte hij een felle beweging over zijn schouder. 'Nog iets... een legatus, een cavalerieprefect en driehonderd cavaleristen zullen in zijn bijzijn getuigen dat jij hebt willen voorkomen dat ik zijn bevelen opvolg.'

'En een Romeins burger,' voegde Magnus eraan toe.

'Ja, en een Romeins burger.'

Sabinus reed naar voren. 'Centurio Quintillus, nietwaar?'

'Ja, legatus. Fijn u weer te zien, legatus,' brulde Quintillus. Tevergeefs probeerde hij zijn rug nog meer te rechten terwijl hij in de houding stond.

'Insgelijks, centurio. Het zou erg jammer zijn als dit onze laatste ontmoeting is.'

'Inderdaad, legatus.'

'Dus wat wordt het?'

Quintillus keek nerveus om zich heen en slikte opnieuw moeizaam. 'Wel, gelet op de omstandigheden kan ik beter toestemming geven voor de oversteek.'

'Een zeer verstandig besluit.'

'Maar u zult nog minstens een paar uur moeten wachten tot het laagtij is. Het water staat nu te hoog.'

Vespasianus steeg af. 'Niet voor deze jongens. Vertel eens, Quintillus, welke kant is de Negende op gegaan?'

De centurio wees naar de overkant, naar twee kleine heuvels met hier en daar groepjes bomen, ongeveer een kwart mijl verder. 'Het legioen is tussen die heuvels in noordoostelijke richting vertrokken, heer. U dient wel door die vallei te gaan. Een boer heeft ons verteld dat op een van die heuvels, ik weet niet welke, een schrijn staat die gewijd is aan een god die Lud wordt genoemd. Het is kennelijk beter om die godheid niet kwaad te maken.'

'Bedankt voor de waarschuwing, centurio. Ik zal beslist aan de ge-

neraal melden dat u zich zeer coöperatief hebt opgesteld. Goed, Paetus, jouw jongens kunnen het water in.'

'Ik moet zo even stoppen,' zei Sabinus klappertandend, nadat ze de twee heuvels pas drie of vier mijl achter zich hadden gelaten. 'Anders ga ik van mijn stokje.'

Vespasianus keek naar de lucht, die een donkere tint kreeg. De zon zakte naar de horizon. 'Goed, we stoppen. Vanavond kunnen we ze toch niet meer inhalen. Paetus, we slaan hier ons kamp op.'

De Batavieren gingen aan het werk. Tegen het invallen van de duisternis hadden ze een drie voet diepe geul gegraven, op de opgeworpen aarde een palissade van takken en stammen, doorweven met hazelaarloof. De bijna manshoge wal was rond het kamp gebouwd, een klein terrein dat net voldoende plaats bood aan driehonderd cavaleristen en hun paarden, die gezadeld bleven voor het geval er alarm werd geslagen. Het was bepaald ook geen gezellig kamp, zo zonder houtvuurtjes. Om voor de hand liggende redenen had Vespasianus hun dat verboden. De Batavieren rilden in hun nog natte, vochtige kleren en mantels. Velen lagen onder hun paarden voor wat extra warmte, waarbij ze het risico liepen dat de paarden op hen piesten. Het maakte de omstandigheden er alleen maar ellendiger op.

'Het is de bedoeling dat Plautius vanavond de doorwaadbare plaats bereikt en aan deze kant van de rivier het marskamp opslaat,' zei Vespasianus. Hij masseerde de schouders van Sabinus in de hoop dat zijn broer, die het steenkoud had, het wat warmer kreeg. Om hen heen zaten de manschappen ineengedoken van de kou. Ze aten wat en spraken bijna fluisterend tegen elkaar. Een sombere bedoening.

Magnus beet een stuk van een lap gezouten varkensvlees. 'Wat denkt u dat hij morgen gaat doen?'

'Hij laat een legioen achter op de noordoever en op de zuidoever. De rest van de hoofdmacht volgt ons,' opperde Sabinus. 'Voor het geval het ons niet lukt om Corvinus tegen te houden.'

'Bedoelt u dat hij eventueel de Negende aanvalt als alles tegenzit?'

Vespasianus haalde zijn schouders op. 'Als laatste redmiddel heeft hij daar in elk geval mee gedreigd. Hij heeft immers geen andere keus. Hij weet dat zijn leven nu op het spel staat. Als Narcissus het niet voor elkaar krijgt om Claudius persoonlijk te laten zegevieren,

zoals hij beloofd heeft, zal hij zich distantiëren van deze hele onderneming. Plautius zal dan overal de schuld van krijgen, waarna de generaal een beleefd briefje krijgt, in naam van de keizer, met het verzoek om de eer aan zichzelf te houden.'

Magnus kauwde nadenkend en zei even later: 'Ik denk bovendien dat hij niet de enige is die zo'n briefje krijgt.'

'Daar zou je wel eens gelijk in kunnen hebben. Sabinus en ik zijn van te veel zaken op de hoogte. Oma heeft me daar jaren geleden al voor gewaarschuwd. Ze zei dat ik me niet moest inlaten met het gekonkel van de machtigen. Als puntje bij paaltje komt streven zij immers alleen naar nog meer macht. Om dat voor elkaar te krijgen zetten ze ons soort mensen in. Lui uit onze sociale klasse zijn immers makkelijk vervangbaar. Wij komen hun heel goed van pas als alles van een leien dakje gaat. In het andere geval zijn we een blok aan het been, simpelweg omdat we te veel weten. Dus ontdoen ze zich van ons.'

'Dat heeft ze nooit tegen mij gezegd,' zei Sabinus gekrenkt.

'Omdat je nooit naar haar luisterde. Je was voortdurend bezig mij te terroriseren. Daar had je het druk mee. Daarna nam je dienst in het leger en kwam je niet meer terug. Maar ik heb haar vaak gesproken. Beter gezegd, ik luisterde naar wat ze te vertellen had. Het meeste wat ze zei kreeg pas echt betekenis toen ik ouder werd. Magnus zei het al: in het Rome waarin jij en ik leven zullen we nooit de top bereiken, omdat dat soort functies is voorbehouden aan één familie. En toch proberen we hogerop te komen, want wat moeten we anders? We hebben geen keus. Er zullen altijd mensen rondlopen die machtiger zijn dan wij. Die mensen zullen ons steevast voor hun doel inzetten. Op een dag zal dat onze dood worden. Tenzij we de komende tijd succes boeken. Die dag zou wel eens snel kunnen aanbreken. Dat weet Plautius maar al te goed.'

'Misschien zal ik in de toekomst wat vaker moeten luisteren.'

Vespasianus glimlachte in de duisternis. 'De dag dat jij leert luisteren, vraag ik jou om een lening.'

'Heer,' siste Paetus. Hij laveerde tussen de groepjes cavaleristen. 'Ik denk dat u beter even kunt komen kijken.'

'Wat is er, prefect?'

'Een kampvuur, op een afstandje. Het is zojuist aangestoken.'

Vespasianus volgde Paetus naar de noordelijke defensiewal. Turend in de duisternis zag hij een vuurtje dat snel groeide terwijl hij ernaar keek. Daarna verschenen er schaduwen, omtrekken. Ze liepen om het vuur heen. Gezang dreef door de kille nachtlucht. 'Zie jij iets herkenbaars, Paetus?'

'Ja, maar het houdt niet over. Ze dragen in elk geval geen broeken, zoals de Britten. Als ze al wat aanhebben.'

Vespasianus kneep zijn ogen half dicht. Op hetzelfde moment hielden twee figuren een bundeltje boven hun hoofd. 'Je hebt gelijk. Ze dragen een gewaad, een soort toga tot bijna op hun enkels. Wie zijn dat?'

'Zal ik wat manschappen sturen om de boel te verkennen?'

'Doe maar niet. Het kan een hinderlaag zijn. Hier zijn we veiliger.'

Magnus voegde zich bij hen. Ook hij tuurde naar het groepje van ongeveer zes vreemd uitgedoste personen. Het bundeltje werd weer op de grond gelegd. Het gezang hield op. Prompt huilde een zuigeling. 'Ik denk dat we vervloekt worden,' mompelde hij op sinistere toon terwijl een persoon naast het bundeltje knielde. 'Ik heb akelige verhalen gehoord over dat soort lui. Ook heb ik sterk het vermoeden dat u liever dat keurig opgestelde, beleefde briefje krijgt van de keizer om de wereld van uw last te ontdoen dan dat u in hun handen wilt vallen.' Het gehuil hield abrupt op. Magnus stak een duim tussen zijn vingers en spuugde op de grond. 'Dat zijn priesters. Ze worden druïden genoemd.'

Vespasianus kreeg een droge, zere keel van de bijtende rook. Het platgebrande dorp smeulde nog na. Hij was niet voor het eerst getuige van zoiets. Maar het was ongetwijfeld wel de grootste brand sinds ze twee uur geleden bij het eerste ochtendlicht waren vertrokken en ze de ontweide resten van de pasgeborene waren gepasseerd. Nu staarde hij even naar de verkoolde lichamen en het smeulende hout. Een sombere aanblik. Daarna richtte hij zich tot Sabinus. 'Hier kwam de rook die we gisteren zagen dus vandaan. De brand is er groot genoeg voor.'

'Dan kan de Negende niet ver weg zijn.'

Vespasianus wees naar het half verbrande lichaam van een jong meisje. 'Corvinus maakt het ons hierdoor niet makkelijker. Je kunt een leger verslaan en er valt iets voor te zeggen om zo veel mogelijk

strijders te vermoorden. Maar vrouwen en kinderen afmaken, simpelweg omdat je hun dorp passeert, helpt niet om ervoor te zorgen dat het verslagen leger zich ook overgeeft. Dit wekt alleen maar wraakgevoelens op.'

'Als je ze maar vaak genoeg verslaat, zullen ze zich uiteindelijk overgeven, omdat ze je gaan vrezen.'

'Ja, maar als ze je bovendien haten, zal het niet lang duren voordat er rebellie uitbreekt. Zoals Plautius zei, we zijn gekomen om te blijven. Dit soort incidenten wekt alleen maar rancune en haatgevoelens op. Later kost dat Romeinse levens.'

'Ik zou me daar geen zorgen over maken. Op de lange termijn maken enkele doden hier en daar niet uit. Er zal nog hard gevochten moeten worden voordat we dit eiland onder de duim hebben. Veel kinderen zal hetzelfde lot beschoren zijn als dat kleine meisje. Jij en ik zullen daar medeverantwoordelijk voor zijn, simpelweg omdat we onze bijdrage hebben geleverd aan de ontstane situatie. We moeten verdergaan nu ik er nog de kracht voor heb.' Sabinus gaf een ruk aan de teugel en reed weg. Vespasianus bleef achter en dacht na over het dode kind.

Magnus voegde zich bij hem. 'Hij heeft gelijk, we moeten verder, heer. Vergeet dat kind. Ze heeft geluk gehad dat ze zo oud is geworden. In elk geval is zij zich ervan bewust geweest dat ze leefde, in tegenstelling tot het wurm dat afgelopen nacht door de druïden is geofferd.'

'Je zult wel gelijk hebben, Magnus.'

'Natuurlijk heb ik gelijk. Ik denk nooit lang na over de dood. Mij te zwartgallig. We krijgen er allemaal mee te maken, over het tijdstip beschikken de goden.'

'En de priesters... blijkbaar,' diende Vespasianus hem van repliek. Hij gebaarde naar Paetus, die zijn manschappen naar voren wenkte.

Vespasianus leidde de colonne in handgalop. In noordoostelijke richting trokken ze door een vlak, dun bebost landschap en volgden het spoor van de Negende Hispana. Om de haverklap passeerden ze platgebrande boerderijen en dorpen. Hun gevoel van urgentie werd er steeds sterker door. Nu Corvinus zichzelf verdoemd had, moest hij tegengehouden worden voordat hij zoveel schade had aangericht dat de kans op een eervolle overgave van de Britten te verwaarlozen werd.

De zon klom steeds hoger. Hier en daar dreef wat hoge bewolking

langs het blauwe zwerk. De colonne arriveerde op de eerste lage heuvel die ze tegenkwamen. Vespasianus, Sabinus en Paetus hielden tegelijk in.

'Dat zal toch niet waar zijn!' riep Sabinus uit. 'Dat gevecht had opgeschort moeten worden voor Claudius.'

Vespasianus sloeg hard met een vuist op zijn dij. Zijn paard werd er wat schichtig van. 'Narcissus zal me dit niet in dank afnemen. Ik heb me volledig misrekend.'

Ongeveer een mijl verder waren de Negende Hispana en de hulptroepen slaags geraakt met een strijdmacht die minstens twee keer zo groot was als het legioen. De frontlinie van de Negende was lang en dun. Slechts twee cohorten werden in reserve gehouden voor de poorten van het marskamp, waar de legionairs de nacht hadden doorgebracht. De linkerflank bevond zich tegen een drassig gebied aan, in het noorden. Dat verzekerde hen ervan dat de Britten geen omvangrijke omtrekkende bewegingen konden maken. Maar de rechterflank stond onder druk en was gekromd om te voorkomen dat vijandelijke strijdwagens en cavalerie bressen konden slaan.

'Hoe luiden uw bevelen, legatus?' vroeg Paetus. Met enkele teugelslagen hield hij zijn dartele paard in toom.

'Heer!' schreeuwde Magnus. 'Kijk eens wat er achter ons gebeurt.'

Vespasianus keek om. Vanaf dit uitkijkpunt zag hij op enige afstand de Tamesisvallei. Op minder dan drie mijl bevond zich een snelle colonne. 'Cavalerie! Plautius moet die ala vooruit gestuurd hebben. Paetus, stuur een ijlbode en geef ze in mijn naam het bevel om op te schieten. Stuur ook een koerier naar Plautius om hem te vertellen wat hier aan de hand is.'

'Ja, heer. En hoe luidt onze taak?'

'We doen wat we moeten doen: de Britten aanvallen die de rechterflank van de Negende bedreigt. Hopelijk kunnen we standhouden tot de ala arriveert. In slagorde!'

Razendsnel veranderden de ruiters van formatie. De schrille toon van de lituus weerklonk terwijl de colonne zich met rinkelende hoofdstellen, snuivende paarden en schreeuwende centuriones in een slagorde van vier manschappen breed opstelde.

Vespasianus trok zijn broer terzijde. 'Jij bent hier niet genoeg voor in vorm, Sabinus. Het kan me niet schelen hoe jij erover denkt.'

Sabinus protesteerde al, maar Vespasianus viel hem in de rede. 'Jij rijdt beneden het marskamp binnen. Kijk of je iets interessants vindt in het praetorium van Corvinus. Dan ben je voor ons nuttiger. Je kunt niet eens hard met een zwaard toeslaan; op dat slagveld sneuvel je binnen een paar hartslagen.'

Sabinus greep zijn broer bij zijn onderarm vast. 'Deze ene keer luister ik naar je en neem ik je raad serieus, broertje van me.'

'U zult hem nu om een lening moeten vragen, heer,' zei Magnus grinnikend terwijl Sabinus wegreed. 'Sabinus heeft zojuist naar iemand geluisterd.'

'Rijd hem dan snel achterna en zorg ervoor dat hij dat niet weer doet. Ik wil niet op één dag twee keer om een lening vragen. Je kunt hem helpen in plaats van hier iedereen voor de voeten te lopen met je geklaag dat je te paard moet vechten.'

'Daar kan ik niets tegen inbrengen,' zei Magnus. Hij reed Sabinus achterna.

De linie was gevormd. Vespasianus nam zijn plaats in tussen Ansigar en Paetus, waarna hij zijn zwaard trok en de jonge prefect kort en nuchter toeknikte.

'De Eerste Bataafse Cavalerie-Ala rukt op!' brulde Paetus. Hij trok de spatha uit de schede en stak het wapen in de lucht.

De lituus schalde. Driehonderd Bataafse cavaleristen trapten hun paarden in de flanken, waarbij ze de teugels in de schildhanden vasthielden, en in hun rechterhand de speren waarmee ze boven hun hoofd zwaaiden.

Toen ze de heuvel waren afgedaald – aanvankelijk in draf en daarna in handgalop na een signaal van Paetus – klonk het donderend kabaal van de talloze hoeven boven het wapengekletter uit. De grond trilde en dreunde terwijl ze op de bedreigde rechterflank van het legioen af stormden. Ze naderden het strijdgewoel. Op zeker moment gaf Paetus het bevel om aan te vallen. De cavaleristen brulden hun Bataafse oorlogskreten uit, zware keelklanken. Ze spoorden hun bereidwillige rossen aan. Vespasianus omklemde de zwetende flanken met zijn kuiten, voelde de enorme borstkas deinen terwijl zijn paard schokkerig inademde en door het hoge gras draafde, de kop naar voren gestrekt, de oren in de nek, de spieren en pezen van de krachtige nek gespannen onder de strakke huid.

Een stuk of veertig Britse cavaleristen en enkele strijdwagens wurmden zich uit het strijdgewoel; ze maakten deel uit van de infiltratiegroep in de Romeinse verdedigingslinie. Ze richtte zich op de nieuwe dreiging, maar de poging verzandde, ging ten onder in een suizend salvo; slanke speren doorboorden de Britten en braken de toch al armoedige formatie, waarna er ook nog eens paniek uitbrak onder hun paarden.

Nu de vijandelijke samenhang van de gelederen ver te zoeken was, voerden de meeste Bataafse paarden de aanval bereidwillig uit. Ze stormden door de grote bressen in de onstabiele frontlinie van de Britten. Slechts enkele paarden gedroegen zich op de valreep schichtig en waren niet klaar voor de confrontatie met de vijandelijke paarden, ondanks het feit dat ze veel kleiner waren.

Met een zijwaartse houw van zijn spatha sloeg Vespasianus toe, waarbij hij de zwaardarm van een jonge bereden strijder afhakte en diens blote bast openreet. De strijder, die half zo oud was als hij, viel gillend van zijn paard terwijl het bloed alle kanten op spoot. Van schrik sloeg het paard op hol. Het paard van Vespasianus en de rossen van zijn kameraden hielden plotseling als vanzelf in terwijl ze dieper doordrongen in de Britse formatie, waardoor de dynamiek van het offensief verdween. Veel cavaleristen lieten hun paarden in het rond draaien en hakten in op elke vijand die dapper genoeg was om een poging te wagen stand te houden. Op deze wijze werd op bloedig efficiënte wijze het terrein om hen heen schoongeveegd, om aldus steeds verder op te rukken. Vespasianus trok op met de turma van Paetus en Ansigar en baande zich houwend, hakkend en stekend een weg naar de achterhoede van de Britten, die nog steeds strijd voerden met de uiterst rechts gepositioneerde hulpcohort in de Romeinse linie.

De hulptroepen stonden nu onder minder druk van de krijgers en hun paarden. Ze slaakten hun oorlogskreten, sloegen met hernieuwde ijver bloedig toe, staken hun zwaarden in de ogen van de gedrongen pony's en hakten in op de bungelende benen van de ruiters. Vanuit hun eigen formatie drongen ze de vijand terug, waarna ze uiteindelijk weer een schildmuur konden vormen. Er ontstond weer samenhang in de formatie; aldus vormde zich opnieuw een effectieve menselijke vechtmachine.

De Britten aarzelden even. Pal voor hen zagen ze zich geconfron-

teerd met de klingen van de wraakzuchtige hulptroepen. En achter hen hakten de cavaleristen met gepolijst staal – deze nieuwe, afschrikwekkende strijdmacht – hen moeiteloos in mootjes. Plotseling brak de vijandelijke linie, alsof het afgesproken werk was. De strijdwagens en de cavalerie vluchtten terug naar de hoofdmacht om de hoek van de gekromde flank. Vespasianus en Paetus gingen de Batavieren voor in de achtervolging, waarbij ze lukraak inhakten op de ruggen van de strijders en de rompen van hun paarden. De krijgers die zich op de strijdwagens bevonden, hadden slechts enkele speren over waarmee ze iets konden aanrichten. Het spoorde de Batavieren nog meer aan om zich met verve van hun taak te kwijten. Ze vergoten zoveel bloed als maar mogelijk was zonder dat ze te diep doordrongen in de vijandelijke linies, waardoor ze het risico zouden lopen omsingeld te worden door de infanteriehorde, die nog steeds vastbesloten was de Romeinse daadkracht te breken. Achter hen volgden de hulptroepen, geleid door hun centuriones, terwijl de optiones in de achterhoede lange staken gebruikten om de legionairs in een draaiende beweging naar voren te dwingen en de linie weer recht te krijgen.

'Halt!' schreeuwde Vespasianus toen hun doelwit rond de flank van de infanteriehoofdmacht wegdraaide. De hoofdmacht keerde vervolgens om de Batavieren aan te vallen.

'Terugtrekken en hergroeperen!' brulde Paetus. Hij besefte dat ze niet georganiseerd genoeg waren om het gevecht met de infanterie aan te gaan.

De lituus schalde. De Batavieren trokken zich terug en verzamelden zich aan de flank van de oprukkende hulplegionairs, die geformeerd in een schildmuur in looppas aankwamen. Ze versnelden zelfs hun pas toen ze de vijand dicht waren genaderd. Met dapper opportunisme draaide de formatie om haar as en stortte zich in de Britse flank.

Vespasianus aanschouwde het slagveld terwijl de decuriones de Bataafse gelederen opnieuw formeerden, honderd passen achter de hulptroepen. De Veertiende Hispana hield stand terwijl de Britten aanvielen, zich daarna snel weer terugtrokken en dat voortdurend herhaalden. Dit was geen onzinnig en dom geduw en getrek in een poging de linies te breken met het gewicht van de hoofdmacht. Dit waren vrijwel continue man-tegen-mangevechten. In golven kwamen de Britten naar voren, houwden met hun lange zwaarden en staken met hun speren

toe. Ze vielen aan en hielden daar weer mee op, alsof ze werden teruggezogen door een onderstroom, waarna ze opnieuw als een getijdegolf aankwamen. Als rimpelingen volgden die aanvallen elkaar over de hele linie op, waardoor er op elk moment wel ergens in het front werd gevochten. Het had iets vloeibaars, behalve waar de hulptroepen de flank versterkten. Daar zagen de Britten zich geconfronteerd met een schildmuur van de meest rechts gesitueerde legioencohort, waar de legionairs dan ook zeer dankbaar voor waren. Hun ongeziene klingen zaaiden dood en verderf in het strijdgewoel bij de Britse frontlinie. De krijgers schreeuwden terwijl ze letterlijk ontweid werden en hun gekronkelde darmen met een vochtig kletsend geluid op de omgewoelde grond vielen, waarna ze vertrapt werden door legionairs met spijkersandalen, die meteen oprukten na elke geslagen bres.

Er brak paniek uit in de Britse hoofdmacht. De hulptroepen bestookten immers hun flank, waardoor de krijgers zich op een aambeeld voelden liggen. De toon van de kakofonie veranderde, klonk schriller en banger.

De legionairs rukten steeds verder op terwijl de hulptroepen de flank in de tang hielden, waardoor talloze krijgers eraan moesten geloven omdat ze niet in staat waren uit de buurt van de wrede klingen te blijven. Toch hielden ze stand, alsof de wil van hun goden hen dwong geen stap prijs te geven en aldus te sterven op de heilige grond van hun thuisland. Hun geschreeuw en de doodskreten weerklonken als eerbetoon aan de godheden die toekeken maar hen uiteindelijk niet konden beschermen.

Plotseling klonk een nieuw geluid, het zware, dreunende gegrom van wanhoop. Vespasianus keek naar links. Op de heuvelkam verschenen ruiters. Steeds meer doken er op bij de top, verspreid over de hele heuvel. Naarmate hun aantal toenam, kwijnde de hoop van de Britten weg. Ze wisten immers maar al te goed dat zich achter die tweede, grotere cavalerie-eenheid ongetwijfeld een Romeins legioen bevond. Het geschal van hun hoorns kondigde hun wisse dood aan.

De legionairs voelden de wanhoop in de Britse strijdmacht toenemen en zetten met hernieuwde ijver een nieuw offensief in, aangespoord door hun centuriones in een poging over de hele linie aan te vallen, zoals de vijand had gedaan, en op die manier een nog groter bloedbad aan te richten. De Britten moesten zich wel terugtrekken en

leden afschuwelijk veel verliezen. Hun frontlinie wankelde. Toen de tweede cavalerie-eenheid op de heuvel verscheen en aanviel, brak de vijandelijke linie. De strijders namen de vlucht. Het tij was gekeerd.

De Britten probeerden te ontkomen aan de meedogenloze klingen van het legioen. De vele doden en gewonden lieten ze achter. Ze renden oostwaarts om het vege lijf te redden.

Vespasianus wendde zich tot Paetus. 'Voeg je bij de gearriveerde ala en achtervolg de barbaren ongeveer een mijl. Dood zo veel mogelijk strijders.'

'Met genoegen, heer. Vergezelt u ons niet?'

'Nee, Paetus. Ik ga Sabinus zoeken, waarna we Corvinus aan de tand gaan voelen. Als we gesneuveld zijn wanneer jij terugkomt, rijd dan naar Plautius en zeg tegen hem dat we gefaald hebben.'

Paetus salueerde. Vespasianus keerde zijn paard en reed naar het marskamp.

Razendsnel galoppeerde hij achter de gelederen van de juichende cohorten weg en korte tijd later bereikte hij de zuidpoort, waarna hij de verlaten Via Principalis volgde naar het praetorium, midden in het kamp. Hij steeg af, bond zijn paard vast en liep door de onbewaakte ingang naar binnen.

'Nou, dat heeft lang geduurd, broertje,' zei Sabinus ergens achter in de tent.

'We moesten eerst een kleine kwestie met het Britse leger oplossen. Waar zijn de bewakers?'

'Ze wilden niet met ons samenwerken, dus zagen Magnus en ik ons gedwongen ze te ontwapenen. Ze maken het goed, behalve dat ze barstende hoofdpijn hebben.'

'Iets gevonden?'

'En of. Het ligt in het slaapgedeelte. Magnus is daar ook.'

Vespasianus volgde zijn broer door een ingang en arriveerde achter in de tent. Magnus zat bij iemand die languit op bed lag. Toen zijn ogen gewend raakten aan de schemer zag hij dat die persoon lang grijs haar en een zwarte hangsnor had. 'Verica! Wat doet hij hier?'

'Hij is hier niet vrijwillig,' informeerde Magnus hem. 'We troffen hem gekneveld en bewusteloos aan op bed. Net voordat u arriveerde, kwam hij bij bewustzijn.'

De oude koning opende langzaam zijn ogen. Hij was versuft en

keek Vespasianus met troebele ogen aan. 'Ze zijn gekomen om zich over te geven.'

'Wie?'

'De Catuvellauni en de Trinovantes. Ze arriveerden vanochtend. Corvinus formeerde vervolgens zijn legioen voor het marskamp. De Britse leiders kwamen naar voren om met hem te onderhandelen. Ze hadden een tak vol loof bij zich, waarmee ze de wapenstilstand bevestigden. Ik tolkte voor ze. Ze zeiden dat ze gekomen waren om de wapens neer te leggen. Toen Togodumnus stierf, was in het oosten geen enkele stam nog bereid zich te verzetten tegen de invasie. Ze wilden zich onderwerpen aan Rome. Corvinus snauwde ze af, verweet ze dat ze zich zwak opstelden en zei dat hij Camulodunum te vuur en te zwaard wilde innemen. Hij accepteerde de overgave dus niet. Hij liet ze in het bijzijn van zijn mannen executeren. Ik protesteerde, maar hij sloeg me neer, waarna de Britten in de aanval gingen. Toen de strijders zagen wat Corvinus had gedaan, was er natuurlijk geen sprake meer van een capitulatie. Dat is alles wat ik weet.'

'Wel, hij heeft op bloedige wijze kunnen triomferen. De weg naar Camulodunum ligt voor hem open.'

Verica keek verbitterd terwijl hij rechtop probeerde te gaan zitten. 'De weg lag vanochtend ook voor hem open en was niet besmeurd met bloed, zoals nu.'

'Zijn ze nu weer bereid om te capituleren, denkt u?'

'Ja, ze zijn immers verslagen. Maar de verontwaardiging zit diep. Veel strijders zullen westwaarts trekken en zich bij Caratacus voegen. Rome zal nog lang en hard tegen hem moeten strijden.'

Sabinus haalde zijn schouders op. 'Volgens mij zal dat ook zo blijven. Een paar duizend strijders meer of minder zullen het verschil niet maken.'

Vespasianus schudde zijn hoofd. 'Daar gaat het niet om. Het nieuws dat we geen overgave accepteren zal zich verspreiden. De stammen zullen denken dat ze geen andere keus hebben dan doorvechten tot het bittere einde. Corvinus heeft zonet het doodvonnis van vele Romeinen getekend.'

'Als de bewakers worden gevonden, wil ik dat hun rug gevild wordt, primus pilus,' bromde iemand die de tent in liep.

'Ja, heer!'

'Willen jullie ondertussen een grote beker wijn om het harde werk van vanochtend te vieren, heren?'

'Dank u, legatus,' klonken drie stemmen.

De broers keken elkaar aan. 'Tijd voor een babbeltje met Corvinus,' fluisterde Vespasianus. 'Magnus, jij blijft hier. Je laat je pas zien als er gevochten wordt.'

Magnus knikte, waarna de twee broers het hoofdgedeelte van de tent binnenliepen.

'Kijk aan, de boer en de bedrogen echtgenoot!' riep Corvinus ziedend. 'Hoe durven jullie onuitgenodigd mijn tent te betreden!'

'Hoe durf jij de bevelen van de keizer te veronachtzamen!' Met enkele grote passen liep Vespasianus naar hem toe; hij bleef een stap van hem vandaan staan. 'En hoe durf je de vrijwillige overgave van twee stammen te negeren!'

De neusvleugels van Corvinus trilden. Zijn drie officieren vreesden het ergste. Ze legden hun hand al op het gevest van hun zwaarden. 'Is er eer en glorie te behalen aan het accepteren van een overgave als mijn legioen tot dusver nog niet heeft hoeven te vechten? Maar dat begrijp jij niet. Jij komt immers uit een armzalige familie die nooit triomfen heeft geproefd omdat jullie altijd op opvallende wijze elke eer hebben misgelopen.'

'Vind je het eervol om de glorie van de keizer te stelen als hij die triomf voor zichzelf heeft voorbehouden?'

'De keizer is een dwaas!'

'Ongeacht hoe je over de keizer denkt, hij is en blijft je zwager. De personen die hem adviseren weten heel goed hoe je de verkregen positie wilt gebruiken en wat je van plan bent met die gestolen triomf.'

De donkere ogen van Corvinus versmalden. 'Alleen maar vermoedens. Niemand kan bewijzen dat ik niet altijd de belangen van Claudius heb behartigd.'

'Daar valt wat voor te zeggen als Plautius dood zou zijn. Maar hij is springlevend.' Vespasianus genoot ervan dat Corvinus zijn stomverbaasde blik probeerde te verbergen. 'Toen je afscheid van hem nam, klonk er iets definitiefs in door. Jij dacht natuurlijk dat je hem nooit meer zou zien. Je wist alleen niet dat Geta nog geen vijftig passen verder gewond op de grond lag. Hij heeft geprobeerd Plautius de dood in te lokken en daarbij zijn eigen cavalerie opgeofferd. Maar

de generaal heeft het overleefd. Ongetwijfeld zou Geta hem op een andere manier hebben willen vermoorden als hij niet ernstig gewond was geraakt en terug naar Rutupiae was gebracht. We zullen het nooit weten. Zeker is dat het mandaat dat je van de keizer hebt gekregen om het bevel over de invasiemacht te voeren als Plautius zou sterven beslist nog niet geldig is. Jij voert niet het opperbevel, Corvinus. Gelet op het voorgaande heb je dus verraad gepleegd. Plautius heeft ons gestuurd om je te arresteren.'

De hand van Corvinus reikte al naar het zwaard aan zijn riem. Vespasianus greep hem met zijn linkerhand bij zijn pols vast. Met zijn rechterhand trok hij zijn *pugio* uit de schede en met een razendsnelle beweging hield hij het mes onder de kin van Corvinus, die zijn hoofd in zijn nek legde. De drie officieren reageerden meteen, en drie klingen werden tegen de keel van Vespasianus gehouden.

'Ik vraag om bezinning, heren,' adviseerde Sabinus. Hij liep naar voren en staarde twee van de drie officieren beurtelings aan. Achter hem kwam Magnus met getrokken zwaard uit het slaapgedeelte gestormd. Buiten klonk het vrolijke geschreeuw en gejuich van een triomferend legioen dat terugkeerde naar het marskamp. 'Vibianus, het doet me genoegen te zien dat je nog steeds primus pilus bent. En Laurentinus, volgens mij mag jij over enkele maanden het leger verlaten. De Negende zal dus snel op zoek moeten gaan naar een nieuwe kampprefect.' Hij keek de jongste van de drie aan. 'Scaevola, ongetwijfeld ben je Corvinus jouw loyaliteit schuldig. Hij heeft je immers niet voor niets tot hoofdtribuun gepromoveerd. Maar ik adviseer je om daar even niet aan te denken en naar mij te luisteren.' De jonge tribuun knipperde nerveus met zijn ogen terwijl hij naar Sabinus keek, waarna hij Vespasianus aanstaarde. Zijn zwaard hield hij in dezelfde positie. Ook zijn maten gaven geen krimp. 'Plautius kan elk moment arriveren. Hij heeft minstens één legioen bij zich. Jullie drieën staan dan voor de keuze. Of jullie proberen ons te vermoorden, om vervolgens medeplichtig te zijn aan het verraad van jullie legatus, of jullie leveren Corvinus aan ons uit. Besluiten jullie tot de eerstgenoemde keuze, dan leiden jullie dit legioen in de strijd tegen de Romeinse legionairs van Plautius. De generaal zal immers geen andere keus hebben dan geweld te gebruiken om ervoor te zorgen dat de bevelen van de keizer hoe dan ook worden uitgevoerd. Kie-

zen jullie voor het laatste, dan zal de keizer jullie zeer dankbaar zijn.'

Scaevola drukte zijn zwaard harder tegen de keel van Vespasianus. 'Waarom zou ik u vertrouwen?'

'Daar heb je inderdaad geen enkele reden toe. Maar Vibianus en Laurentinus, jullie kennen mij. Jullie weten hoe trots ik ben op de Negende Hispana, het eerste legioen waarin ik als tribuun diende en mijn eerste als legatus. Denken jullie dat ik dit legioen schande wil brengen? Jullie hebben beiden een aantal jaren onder mij gediend. Heb ik ooit iets gedaan wat jullie deed twijfelen aan mijn woord? Narcissus heeft dit gedoe op touw gezet om het verraad van Corvinus aan het licht te brengen. Tegelijk heeft hij mij tot legatus van de Veertiende benoemd, zodat er iemand in de buurt zou zijn met wie jullie in vertrouwen van gedachten kunnen wisselen, iemand van wie jullie weten dat hij het beste met jullie voorheeft en het legioen in zijn hart draagt. Geloof me, heren, jullie nieuwe legatus heeft tegen jullie gelogen en jullie leven in gevaar gebracht.'

Vibianus en Laurentinus keken elkaar langs Corvinus aan. Even later knikten ze elkaar bijna onmerkbaar toe. Langzaam en aarzelend haalden ze hun zwaard bij de keel van Vespasianus weg en bewogen het wapen naar de hals van Corvinus.

Het gezicht van Scaevola verstrakte, zo besluiteloos was hij. Op zijn voorhoofd parelden zweetdruppeltjes.

'Ze zijn hier, heer!' schreeuwde Paetus. Hij rende naar binnen, waardoor de jonge tribuun schrok. Zijn zwaard schokte en Vespasianus trok met een ruk zijn hoofd terug. Het bloed sijpelde uit een rechte snee in zijn keel.

'Bij alle goden, wat moet ik de keizer en Narcissus vertellen?' brulde Plautius, die achter Paetus naar binnen stormde. 'U zei dat u paal en perk zou stellen aan dit verraderlijke gedoe voordat er te veel schade zou zijn aangericht.'

Vol afschuw staarde Vespasianus naar het bloed aan de kling. Terwijl hij dat deed, liet Scaevola het gevest los, waardoor het zwaard op de houten vloer kletterde. Glazig staarde de tribuun over de schouder van Corvinus in het niets; bloed liep in een stroompje uit zijn mond en over zijn kin. Vibianus en Vespasianus hielden een verstramde Corvinus stevig vast; het zwaard tegen zijn keel gedrukt. Scaevola zakte ineen op de vloer. Een mes stak uit zijn nek.

Vespasianus controleerde de wond bij zijn keel. Tot zijn grote opluchting bleek de snee slechts oppervlakkig te zijn. Langzaam liet hij zijn hand zakken, haalde het wapen van Corvinus uit de schede en gooide het een eindje van hem vandaan op de vloer. 'Het spijt me, generaal, we zijn te laat gearriveerd.'

'Goeie genade, en of u te laat bent!' Plautius beende naar Corvinus. Zonder te aarzelen sloeg hij met een vuist recht in diens gezicht, waardoor de neus brak en de legatus op het lijk van Scaevola viel. 'Zo, dat voelt een stuk beter.' Furieus staarde hij Vibianus en Laurentinus aan, de pezen in zijn hals strakgespannen. 'Weg met die smeerlap. Sluit hem op tot de keizer arriveert en hem ter dood veroordeelt.'

'Ja, heer!' antwoordden ze in koor. Met een ruk gingen ze in de houding staan.

'Wie van jullie heeft de tribuun gedood?'

'Ik heb dat gedaan, heer!' blafte Vibianus.

'Stel jezelf in staat van beschuldiging, primus pilus.'

'Ja, heer!'

'Aanklacht nietig verklaard en maak nou dat je wegkomt.'

Vibianus en Laurentinus salueerden gehaast, waarna ze zich uit de tent van Corvinus haastten. Ze sleepten de bewusteloze legatus achter zich aan. Vespasianus knikte Vibianus dankbaar toe terwijl ze vertrokken.

Plautius richtte zijn boosaardige blik op de twee broers. 'Ik heb gezien wat er is gebeurd. Ik bevond me in de cavalerie-eenheid op de heuvel. Hoewel het erop lijkt dat we de barbaren definitief verslagen hebben, zullen ze morgen ongetwijfeld voorwaarden komen stellen.'

'Ze hebben zich vanochtend proberen over te geven, maar Corvinus liet de gezanten doden,' zei Verica. Hij strompelde uit het slaapgedeelte.

Geschokt keek Plautius naar de oude koning, waarna hij zich in een vouwstoel liet vallen en het zweet van zijn voorhoofd veegde. 'Wat een chaos. En Narcissus heeft er ongetwijfeld voor gezorgd dat hem niets te verwijten valt. Claudius marcheert straks een inmiddels ingenomen stad binnen. Wat komt hij nog doen, behalve opdracht geven om Corvinus te executeren?'

'Misschien moet u de stad niet bezetten,' stelde Vespasianus voor. 'Dat het oord morgen wellicht capituleert, wil niet zeggen dat wij per se in triomftocht naar binnen moeten marcheren.'

Zwijgend fronste Plautius zijn wenkbrauwen, waarna hij grijnsde. 'Natuurlijk, die dwaas heeft nooit een veldslag meegemaakt. Hij weet niet eens wat een oorlogssituatie in vijandelijk gebied inhoudt. We zouden wat gevangenen kunnen opdoffen, zoals Caligula deed toen hij Germania zegevierend binnentrok. We doden ze wanneer we de stad binnenmarcheren, waarna we Claudius de capitulatie van de stad aanbieden. Hij heeft dan het gevoel dat hij iets geweldigs heeft gepresteerd. Met een blije Claudius om zich heen heeft Narcissus niks te klagen. En ik mag me voorlopig weer veilig wanen. Ik stuur meteen een ijlbode op pad. De keizer kan komen.'

'Wat doen we in de tussentijd, heer?'

'Ik stuur gezanten van de Britten die ons hun capitulatie hebben aangeboden naar alle stammen om erachter te komen welke hoofdmannen straks daadwerkelijk hun loyaliteit zullen betuigen aan die dwaas. Sabinus, trek met uw legioen een maand lang westwaarts om ervoor te zorgen dat onze aanwezigheid in die streken voelbaar wordt. Keer vervolgens terug met een aantal gevangenen voor de triomftocht van Claudius in Camulodunum. De Negende blijft hier, dan kan ik een oogje in het zeil houden. Ik heb de Twintigste achtergelaten om een brug te bouwen over de Tamesis en de zuidoever veilig te stellen tegen aanvallen van Caratacus. De Tweede blijft op de andere oever en maakt zich gereed om op te rukken naar het zuiden. Vespasianus, het is nu dus aan u en niet aan Corvinus om Verica naar zijn hoofdstad te escorteren en het eiland Vectis veilig te stellen, zodat u volgend seizoen als u langs de kust naar het westen trekt geen dreiging achter uw rug hoeft te vrezen. Probeer dat in samenwerking met de koning te bewerkstelligen, als dat mogelijk is; we moeten onze troepen enigszins sparen. Als die poging mislukt, klaren we de klus zelf. Ik verwacht Claudius spoedig na de kalenden van september. Tegen die tijd moet u terug zijn en het eiland Vectis zijn veiliggesteld. Verder dient Verica op zijn troon te zitten, terwijl uw legioen de hoofdmacht vormt in het zuidelijk deel van Britannia.'

HOOFDSTUK XX

'Mijn neef zal zwichten,' verzekerde Verica hem. 'Hij zal daarna volledig loyaal zijn aan Rome.'

Vespasianus hield zich steviger vast aan de reling van de trireem en zette zich schrap tegen de zoveelste windvlaag in het stormachtige kanaal tussen het vasteland van Britannia en het eiland Vectis. 'Denkt u dat? In de afgelopen maanden heeft hij zich tijdens de onderhandelingen niet bepaald meegaand getoond.'

'Zodra zijn eer is veiliggesteld, zal hij de bezetting door Rome accepteren.'

'Is het dan nodig dat omwille van zijn eergevoel eerst veel legionairs sneuvelen?'

Verica haalde zijn schouders op en veegde het zoute zeewater uit zijn gezicht. 'Het is nooit anders geweest. Geloof me, er zullen meer krijgers dan legionairs sneuvelen voor die eer.'

'Ongetwijfeld. Maar waarom zou hij het erop aan laten komen? Waarom zou hij niet simpelweg capituleren als ik gezanten stuur die hem goede voorwaarden aanbieden?'

'Omdat ik hem heb opgedragen die te weigeren.'

Vespasianus keek de oude koning geschrokken aan. 'Wat?'

'Ik heb gedaan waarvan ik dacht dat dat het beste was voor alle partijen, aangezien ik van zins ben Cogidubnus tot mijn erfgenaam te maken. Mijn volk heeft geleden tijdens de gezamenlijke strijd met Caratacus bij de oversteekplaats in de Afon Cantiacii. Cogidubnus en zijn krijgers waren daar niet bij, omdat hij en Caratacus als water en vuur zijn. Mijn volk zal Cogidubnus niet als leider accepteren als hij zich zonder slag of stoot overgeeft aan Rome.'

'De bevolking heeft uw terugkeer wel geaccepteerd. U hebt nota bene samen met ons de oversteek naar Britannia gemaakt.'

'Dat is zo. Maar met tegenzin. Nu Caratacus verslagen is, en westwaarts gevlucht, vallen de Atrebates en de Regni, die een confederatie vormen, niet langer onder zijn heerschappij. Ze hebben mij inmiddels weer geaccepteerd als hun rechtmatige koning, die door Caratacus onder de duim werd gehouden. Ze zijn echter verbolgen dat ik met de Romeinen ben gekomen en me niet samen met hen verzet heb.'

'Dus om uw positie veilig te stellen maakt u van uw neef een held vanwege het feit dat hij in verzet is gekomen tegen Rome. Vervolgens benoemt u hem tot uw erfgenaam, ongeacht hoeveel levens dat kost.'

'Zo zou u het kunnen stellen. Het belangrijkste is dat er rust komt in mijn koninkrijk. Als ik sterf, en dat zal niet lang meer duren, staat er een sterke opvolger op die Rome gaat steunen. U wilt toch niet dat de Atrebates en de Regni volgend jaar of het jaar erna rebelleren en een bedreiging vormen voor uw bevoorradingsroutes?'

'Natuurlijk wil ik dat niet.'

'Als deze slag niet plaatsvindt, zal precies datgene wat u vreest gebeuren. Mijn beide zoons zijn dood, legatus. Mijn enige kleinzoon is mijn natuurlijke erfgenaam, genoemd naar mij. Maar hij zit nog in de tienerleeftijd. Hij is dus nog veel te jong. Bovendien heeft hij de afgelopen drie jaar met mij in Rome gewoond. Hij kent mijn volk niet. De mensen zullen hem niet accepteren als hun leider.'

'Vindt hij het niet erg dat hij gepasseerd wordt?'

'Ik heb het er nog niet met hem over gehad. Hopelijk begrijpt hij dat ik alleen het beste voorheb met mijn volk. Ik denk dat hij zijn weg wil vinden in Rome. Hij heeft samen met mij het burgerschap verkregen, en hij is lid van de ordo equester. Hij spreekt inmiddels vloeiend Latijn. Op dit moment dient hij als jongste tribuun in de legerstaf van Plautius. Hebt u hem al ontmoet? Zijn Latijnse naam is Tiberius Claudius Alienus.'

'Alienus. Ja, ik ken hem. Hij is inderdaad nog erg jong.'

'En onmiskenbaar niet sterk genoeg om de eenheid van mijn volk onder Rome te bewaren.'

'Cogidubnus dus wel, als hij kan aantonen dat hij in verzet is gekomen tegen Rome.'

'Ja, een kleine veldslag, weinig verliezen. Het is de prijs waard, vindt u niet?'

Vespasianus keek om zich heen en aanschouwde de honderdvijftig manschappen van de eerste centurie van de gedecimeerde eerste cohort. Ze zaten kletsnat en geknield op het dek terwijl ze reikhalzend naar de stranden van het eiland keken, inmiddels op minder dan een mijl afstand. Zelfs in het eerste ochtendlicht was duidelijk dat een grote strijdmacht die stranden verdedigde. Achter de centurie knielden de twee contubernia boogschutters van de oosterse hulptroepen, die hun bogen stevig vasthielden. Vespasianus had opdracht gegeven om op elk schip hetzelfde aantal te plaatsen. Hij vroeg zich af hoeveel manschappen binnen een uur zouden sneuvelen om het koninkrijk van Verica veilig te stellen. Nadat hij even naar de verweerde, harde gezichten van de manschappen had gestaard, realiseerde hij zich op pragmatische wijze dat het niet uitmaakte hoeveel er zouden sterven. Als het doel maar bereikt werd en de gekozen erfgenaam van Verica zou worden beschouwd als iemand die zou buigen voor de superieure macht van Rome nadat hij eerst zijn eigen kracht op de proef had gesteld. De positie van Rome in Britannia zou er alleen maar door versterkt worden.

Verica had gelijk, peinsde Vespasianus terwijl de wind aan zijn mantel trok. De koning was niet bepaald enthousiast verwelkomd. In de maand na de arrestatie van Corvinus had Vespasianus zijn legioen in fases naar het zuiden geleid. Ze hadden het thuisland van de Atrebates doorkruist. Alle heuvelforten, steden en dorpen hadden de poorten geopend en zich onderworpen aan Rome. De krijgers hadden de wapens neergelegd, maar Vespasianus had gezegd dat ze die mochten houden zolang ze Verica als hun koning erkenden, die in naam van Rome regeerde. Hij droeg zelfs de naam van de keizer: Tiberius Claudius Verica. Hem was het burgerschap verleend terwijl hij in Rome vertoefde. De loyaliteit van zijn stamgenoten had hij echter niet geschonken gekregen. Verica had zich gedwongen gezien langdurig te onderhandelen met de stamoudsten van elk dorp voordat ze hun voormalige koning weer accepteerden als hun leider. De verdragen werden meteen bekrachtigd met een nacht lang drinken, wat weer zijn tol eiste van de toch al broze gezondheid van de oude Verica. 's Ochtends waren er steevast minder krijgers gekomen om hun wapens op te eisen dan het

aantal dat de vorige avond de wapens had ingeleverd. Veel strijders waren onderschept op hun tocht westwaarts om zich bij Caratacus te voegen, waarna ze geketend en al naar Plautius werden gestuurd om hen in te zetten voor de komende bespottelijke triomftocht van Claudius. Aanzienlijke groepen hadden echter het groeiende leger van de provocerende hoofdman bereikt en zich bij de gelederen gevoegd.

De aankomst van Verica in zijn machtscentrum Regnum – een haven binnen een natuurlijke haven op het vasteland, oostelijk van Vectis – bleek zegerijker, omdat hij verwelkomd werd door zijn bloedverwanten van de Regni. De Tweede Augusta had daarentegen beslist geen warme ontvangst gekregen. Vespasianus en Verica hadden in de maand erna lang en intensief moeten praten om de relatie tussen de twee kampen enigszins plooibaar te maken. Onderwijl bouwden de legionairs een permanent legerkamp en de marine moderniseerde de haven. In die fase was Vespasianus verwikkeld geraakt in de onderhandelingen met Cogidubnus, koning van Vectis, om een vredige overgave van zijn koninkrijk te bewerkstelligen. Maar zijn toenaderingspogingen werden steevast gedwarsboomd door de grote Romeinse vloot in het kanaal van Vectis, ondanks het feit dat de geboden voorwaarden zeer eerzaam waren.

Inmiddels zag Vespasianus zich gedwongen de vloot in te zetten om te nemen wat Rome eiste. Ook besefte hij nu waarom dat niet vrijwillig gekund had. Vanuit zijn ooghoek keek hij naar de oude, sluwe koning. 'Waarom hebt u mij verzwegen dat u Cogidubnus hebt geadviseerd niet zonder slag of stoot tot capitulatie over te gaan? Ik heb bijna een maand lang zinloos met hem zitten onderhandelen.'

'Ik moest ervoor zorgen dat mijn volk zou inzien dat u van goede wil was en vredesonderhandelingen verwelkomde. Als ik u van meet af aan had bijgepraat, zou u niet geaarzeld hebben geweld te gebruiken, waardoor Rome als een onstuimige agressor zou worden beschouwd.' Verica keek de legatus met ziekelijke ogen aan. 'U dient te begrijpen, jongeman, dat als Rome van plan is te blijven, en niet constant vier of vijf legioenen wil inzetten om de stammen onder de duim te houden, er sprake dient te zijn van een brede consensus onder de bevolking. Alleen dan krijgt Rome het aanzien van een machtige, allesomvattende mogendheid. Ik heb u trouwens al verteld dat u mij dan wellicht had moeten executeren.'

'Dat zou zeer onverstandig zijn geweest.'

'Inderdaad. Het doet me genoegen dat u dat inziet.'

'Zet jullie schrap, schatjes!' brulde primus pilus Tatius. 'Dan doet het geen pijn. Hoewel...'

De dubbele centurie plaatste de onderkant van de schilden met een klap op het dek, waarna de legionairs erachter kropen. De matrozen renden naar voren om de twee corvi te bemannen. Katapultprojectielen, afgeschoten vanaf het strand op ruim honderd passen, maakten een hol geluid tegen de romp. De strijd had nu serieus een aanvang genomen. Vespasianus nam de inmiddels vertrouwde aanblik van krijgers die zich met klei hadden ingesmeerd in zich op. Ze brulden, joelden en slaakten oorlogskreten, zwaaiden met hun wapens terwijl de carnyxes schalden. Vespasianus liepen de rillingen over de rug. De handpalm van zijn rechterhand werd klam terwijl hij de schildgreep omklemde. Vervolgens deed hij een schietgebed aan zijn beschermgod om hem gunstig te stemmen. Hij wilde voorkomen dat hij er in deze veldslag aan moest geloven. Een strijd die op de korte termijn zinloos was. De politieke implicaties op de lange termijn begreep hij inmiddels maar al te goed.

Het sissende geluid van een loden projectiel dat langs zijn hoofd suisde deed hem meteen wegduiken achter zijn schild. 'U kunt maar het beste even bukken, Verica.'

De koning knikte en liep met rechte rug naar de achtersteven, alsof hij zich niet bewust was van de stenen en loden projectielen die van alle kanten op het schip af leken te komen. Vespasianus keek vluchtig naar links en rechts. De veertig schepen van zijn invasievloot bevonden zich keurig in één lijn, met niet meer dan vijftig passen ruimte tussen de roeispanen. Ze zouden allemaal tegelijk het strand raken. De rechterflank bestond uit zes schepen, die in reserve werden gehouden, met aan boord de cavalerie van Paetus.

De trierarchus schreeuwde een bevel, waarna de roeispanen met een schrapend geluid werden ingetrokken. Vespasianus wist nu dat ze elk moment het strand konden raken. Met een schrille pijnkreet viel een van de matrozen op zijn rug bij een corvus. Met een hand hield hij zijn andere, verbrijzelde arm vast. Na nog een brul van de trierarchus liepen twee matrozen naar voren om diens plaats in te nemen. Slechts één van hen bereikte de voorsteven. Zijn maat lag op het dek; het

bloed stroomde uit zijn mond. Zijn voorhoofd was verbrijzeld door een katapultvoltreffer.

De projectielenregen intensiveerde en ketste met een staccatogeluid af tegen de schilden, de reling en de masten. De manschappen van de eerste cohort zaten weggedoken achter hun houten schilden, bekleed met leer. Ze grimasten knarsetandend terwijl de salvo's elkaar voortdurend en meedogenloos opvolgden. De afgeschoten projectielen rolden heen en weer over het deinende dek. Vespasianus' oren suisden, zo hard klonk het kabaal dat een steen maakte tegen zijn schild. Een ronde kei, half zo groot als een vuist, kaatste weg en raakte het scheenbeen van een legionair, die het prompt uitgilde. Het verbrijzelde bot stak door de huid. De man schreeuwde, greep met zijn rechterhand naar de wond, maar hield zijn schild omhoog omdat hij zich ondanks de helse pijn heel goed realiseerde dat hij anders binnen enkele momenten dood zou zijn.

De projectielen misten steeds vaker doel naarmate de schepen dichter het strand naderden. Voor de slingeraars werd de hoek immers almaar ongunstiger. Wel kwamen de vaartuigen nu binnen bereik van de andere handwapens; het regende inmiddels speren op de legionairs, die een dak vormden met de aaneengesloten schilden. Alvorens dat gebeurd was, vielen twee gespietste soldaten bloedend op het dek.

Plotseling weerklonk het schrapende geluid van hout over kiezels. De trireem liep aan de grond en vertraagde heftig. Door de schok schoven veel legionairs languit over het dek, waardoor het schilddak bressen ging vertonen. Dit had catastrofale gevolgen. Meer dan tien soldaten gaven niet op tijd gehoor aan het bevel van Tatius om overeind te komen en naar voren te lopen, terwijl de twee corvi al in een boog en met veel kettinggeratel en piepende scharnieren op het kiezelstrand klapten. Een legionair werd verpletterd omdat hij door de druk van de kameraden achter hem niet op tijd aan de kant kon gaan. De legionairs renden over de twee boegkleppen het strand op. De sperenregen kreeg gezelschap van katapultprojectielen nu er opnieuw pogingen werden gedaan omdat het doel weer binnen het blikveld viel. Vespasianus hief zijn schild, pareerde een zware speer en trok zijn zwaard. Hij baande zich een weg naar de derde linie, die, na een salvo met hun pila, over de rechter boegklep naar beneden renden. Met geweld sloegen de katapultprojectielen in de gelederen, en boven

hen weerklonk het sissende ijzer van speren: de eerste cohort stormde over de trillende planken. De voorste rijen vormden met hun schilden een muur, de rest een dakschild nadat ze hun pila hadden geworpen. Iedereen wist dat ze de vijand zo snel en zo dicht mogelijk moesten naderen. Alleen dan zou de projectielenhagel kwijnen, omdat man-tegen-mangevechten het gebruik van dat soort wapens vrijwel onmogelijk maakte.

Ze renden naar beneden terwijl de strijders – een linie van negen tot tien rijen diep – hen opwachtten bij de neergelaten boegkleppen.

'Meekomen!' riep Vespasianus over zijn schouder naar de manschappen in de vierde en vijfde linie terwijl de frontlegionairs zich op de eerste rij Britten stortten. Hij sprong van de zijkant van de corvus, gevolgd door de manschappen die zich achter hem bevonden, en begaf zich in het strijdgewoel. Toen hij eraf sprong, hield hij zijn schild naar beneden gericht en sloeg het wapen uit de hand van een naakte, grauwende vent, waarna hij met de schildknop diens gezicht verbrijzelde. De Brit viel op de kiezels. Vespasianus sprong op de bewusteloze strijder en rolde naar een kant. Het schild hield hij boven zijn gezicht, zodat hij de punt van een speer kon tegenhouden, die zich met een enorme klap in het hout boorde, waardoor zijn arm het bijna begaf. Enkele soldaten die hem gevolgd waren kwamen overeind. Vespasianus voelde de druk op zijn schild afnemen en rook plotseling verse ontlasting, vlak bij zijn hoofd. Hij bracht zijn schild met een ruk omhoog, draaide zich om en ging op zijn knieën zitten terwijl de Brit die hem met zijn speer belaagd had gillend op hem viel. Diens buik was opengehaald en zijn stinkende darmen kronkelden pal voor Vespasianus over de kiezels. Zonder de legionair die de barbaar had gedood te kunnen bedanken, terwijl hij met veel moeite de barbaar van zich afschudde, kwam Vespasianus overeind en sloeg zijn schild waarin de speer zat naar voren. De schacht raakte de schouder van een Brit terwijl hij de bres in de linie probeerde te dichten. Door de klap kwam de speer vrij en viel voor de voeten van de strijder, waardoor de man struikelde en vooroverviel op de vuist waarmee Vespasianus zijn zwaard vasthield. De kaak kraakte, verbrijzelde, er vielen tanden uit zijn mond terwijl hij ruggelings op de kiezels terechtkwam. Vespasianus boog zich naar voren en haalde met zijn zwaard razendsnel uit naar de keel van de gevallen Brit, waarna hij zich bij

de kameraad voegde die waarschijnlijk met diens zwaard zijn leven had gered. Steeds meer legionairs sneuvelden of raakten ernstig gewond, waardoor de Romeinse frontlinie almaar breder werd. Plotseling gebeurde waar hij op gewacht had. Een gevederde pijlschacht verscheen van het ene moment op het andere in het voorhoofd van een strijder die zich voor hem bevond. De oosterse boogschutters schoten gaten in de Britse gelederen. Ze zaaiden paniek. De mentaal minder geharde strijders trokken zich al terug, waardoor de druk op de Romeinse schildmuur afnam.

Dood en verderf omringde hem. Verder kon hij niet kijken. Terwijl hij met zijn zwaard toesloeg, hoopte hij intens dat hetzelfde zich voordeed bij de andere schepen: de oosterlingen schoten vanaf de boeg, wat betekende dat alle legionairs van boord waren.

Toen hij het gewicht achter zijn rug gestaag voelde toenemen, maakte hij zich los uit de gelederen door naar een kant weg te duiken, zodat de legionair achter hem zijn plaats kon innemen. Vervolgens baande hij zich een weg naar achteren, naar de corvus, en klauterde het dek op. Hij aanschouwde het strand van links naar rechts en zag dat de meeste schepen hun krijgslading kwijt waren. Op enkele plaatsen vormden centuriën van de naburige schepen het begin van een langgerekt front. De Britten hadden zich in een halve boog rond de schepen verzameld. Hoog tijd om het initiatief te nemen.

'Hijs de signaalvlag,' riep Vespasianus naar de trierarchus.

Matrozen renden haastig op hun blote voeten weg. Aan de hoofdmast werd een zwarte, vierkante vlag gehesen. In een oogwenk reageerden de reserveschepen en voeren naar het strand aan de buitenkant van de rechterflank. Hij kon alleen maar hopen dat Paetus zijn cavalerie snel en ongehinderd aan land kreeg. Vespasianus drong zich tussen twee oosterse boogschutters door en richtte zijn aandacht weer op de gevechten die voor de boeg van zijn eigen schip plaatsvonden. De eerste centurie had de Britten enkele passen kunnen verdringen, dankzij de boogschutters. Maar als tegenzet hadden de Britten de slingeraars achter hun linies gestuurd. Ze waren nu in duel met de oosterse boogschutters, van wie er twee al languit op het dek lagen. Nu de eerste centurie niet meer de noodzakelijke hoewel beperkte dekking van de boogschutters kreeg, probeerden de legionairs toch op te rukken en zich links van hen bij de tweede centurie te voegen en rechts bij

de zesde centurie. Omdat ze geïsoleerd vochten, riskeerden ze immers zware verliezen en konden ze onder de voet worden gelopen.

Vespasianus wendde zich weer tot de trierarchus en brulde: 'Ik wil pakweg twintig matrozen of roeiers en zoveel speren als ze kunnen dragen!' De trierarchus gehoorzaamde meteen, waarna Vespasianus aan de schouder van een oosterse boogschutter trok. 'Terug!'

De boogschutters trokken zich terug naar de hoofdmast. Door de hoek konden de slingeraars hen niet meer zien. Na enkele ogenblikken was een provisorisch geformeerd aanvalsgroepje van de scheepsbemanning bijeengeroepen. Ze openden de wapenkist onder de mast en haalden ieder ongeveer zes speren tevoorschijn.

'Ren op mijn commando naar de voorsteven en werp zo veel mogelijk speren in de Britse frontlinie!' schreeuwde Vespasianus boven het wapengekletter uit naar de speerwerpers. 'De boogschutters gaan mee en nemen de slingeraars voor hun rekening. Begrepen?'

Het provisorische groepje knikte nerveus; ze mompelden instemmend. De oosterse boogschutters waren positiever gestemd en legden hun pijlen alvast aan. Ze waren er klaar voor om dekking te geven.

Vespasianus pakte enkele speren. 'Goed... nu!' Hij rende over het naar boven glooiende dek. Het groepje zeelui volgde hem. Toen ze de boeg bereikten, wierp hij de eerste speer tussen de Britse frontkrijgers met wie Tatius zich geconfronteerd zag. Een moment later wierp hij de tweede. De matrozen volgden zijn voorbeeld. De boogschutters schoten een salvo naar de slingeraars, die dat kennelijk niet verwacht hadden. Ze reageerden pas toen het tweede snelle salvo naar hen onderweg was, waardoor bijna tien slingeraars eraan moesten geloven terwijl de ene speer na de andere in het kluwen krijgers terechtkwam. Het gevolg was bloedig. De katapultprojectielen raakten twee roeiers; de mannen vielen achterover, het bloed gutste uit afschuwelijke hoofdwonden voordat ze hun speren hadden kunnen werpen. Maar de anderen kweten zich goed van hun taak. En dat bleek voldoende: de Britten gaven terrein prijs, zo groot waren de verliezen. Tatius spoorde zijn manschappen aan om op te rukken terwijl Vespasianus en de matrozen zich terug haastten naar de mast om zich te herbewapenen. Onderwijl ving hij een glimp op van de eerste centurie. Links voegden de legionairs zich bij hun kameraden van de tweede centurie, die zich ernaast bevond.

'Dit kunstje doen we nog een keer,' riep hij terwijl zijn manschappen de laatste speren uit de wapenkist haalden. 'Maar nu werpen we naar de rechterflank van de Britse strijdmacht.'

Vespasianus trok zijn zwaard en rende opnieuw naar voren. Ditmaal stopte hij niet bij de boeg, maar holde over de boegklep naar beneden. Hij sprong er aan de rechterkant af en vloog langs de achterhoede van de legionairs terwijl het speren regende vanaf het schip. Toen hij de laatste rij bereikt had, die tot aan de dijbenen in het bloedrode water stond en de grootste moeite had om te voorkomen dat de Britten een omtrekkende beweging konden maken, waadde hij spetterend om hen heen en sloeg chaotisch brullend zijn schild tegen de eerste de beste Brit die hij tegenkwam, waardoor hij hem wegdrukte van de legionair die hij op het punt stond aan te vallen. Terwijl hij naar voren ging, hield hij plotseling in; een speer suisde over zijn schouder en verdween in de borst van de krijger. De man viel gestrekt en met gespreide armen achterover in het water. Uit zijn dode ogen straalde verbijstering.

De legionairs voelden zich aangemoedigd door de bemoeienis van hun legatus en de sperenregen uit hun eigen gelederen. Ze rukten meteen op en merkten dat het vijandelijke tegengewicht aanzienlijk was afgenomen. Met hun zwaarden maaiden ze door de Britse frontlinie terwijl ze uit alle macht probeerden te voorkomen dat ze uitgleden over de verraderlijk glibberige strandkeien die onder water lagen. Aldus ploeterden ze verder; onderwijl vielen de achterste gelederen van de Britten ten prooi aan de sperenstorm en hun verzet begon te tanen. Hij stak hard in het onbeschermde dijbeen van een krijger, waardoor het slagaderlijke bloed over zijn zwaardarm sproeide. Vespasianus bereikte het droge strand. Twee achterhoedelegionairs namen zijn plaats in om de linie te verbreden. Hij trapte op een gewonde krijger, ging door een knie en stak zijn zwaard door de keel van de Brit. Nadat de schildmuur nog een keer met vereende krachten naar voren werd gedrukt, en de zwaarden dood en verderf zaaiden onder de laatste krijgers, bevonden er zich uiteindelijk geen Britten meer tussen hen en de vijfde centurie.

De linie was compleet.

Vespasianus trok zich terug. Hij hijgde en staarde met een wilde, geharde blik over het strand. Er was geen bres geslagen in de Ro-

meinse formatie. Alle cohorten waren nu aan land en hadden een langgerekte linie gevormd. Ze vochten minstens vier rijen diep tegen een inmiddels gedecimeerde vijand. Niettemin lagen er veel Romeinen – mogelijk honderden – dood in het water en op het strand. Hij besefte dat de Tweede Augusta aangevuld moest worden met rekruten voordat het legioen volgend voorjaar in staat zou zijn op te rukken naar het westen.

Een bepaald niet vertrouwd geluid klonk boven de kakofonie van het strijdgewoel uit. Een geluid dat hij niet meer gehoord had sinds de eerste gevechten waren uitgebroken: het geschal van talloze carnyxes. Ongeveer honderd passen achter de Britten blies een groep strijders herhaaldelijk op vreemd gevormde hoorns die ze rechtop hielden. Terwijl het geschal aanhield, trokken de Britten zich terug. Vespasianus slaakte een zucht van verlichting. Het hoorngeschal kon maar één ding betekenen: de eer van Cogidubnus was gered. Hij keek om zich heen of hij de cornicen zag en schreeuwde: 'Terugtrekken!'

Vier zware tonen dreunden over de gelederen. Het bevel werd doorgegeven aan de andere cohorten. Het duurde niet lang of beide strijdmachten stapten uitgeput achteruit, opgelucht dat de beproeving voorbij was. Hier en daar was er nog sprake van schermutselingen. Mannen die zich in hun bloeddorst niet konden beheersen. Ze sneuvelden of hun kameraden kalmeerden hen.

Uiteindelijk werden alle vijandelijkheden gestaakt. Het geschal van de carnyx en de cornu stierf weg. Een griezelige stilte daalde neer over het slagveld, alleen verbroken door kreunende gewonden, de golven die stuksloegen op het strand, en de krakende schepen die deinden op de golfslag.

De Britten trokken zich nog verder terug naar de carnyx-blazers. Eén man bleef voor de Tweede Augusta staan.

Vespasianus stak zijn zwaard in de schede en liep naar voren. 'Houd je manschappen geformeerd, Tatius.' Hij gaf zijn met bloed besmeurde primus pilus een klap op de schouder terwijl hij tussen de gelederen door liep. 'Laat Verica zich bij mij voegen.'

Tatius bevestigde het bevel amper. Zijn bast deinde wild na alle inspanning.

De kiezels knarsten onder zijn sandalen terwijl hij de man naderde die daar alleen stond. Cogidubnus was een lange, potige vent. Hij

stond hoger op het strand, waardoor hij nog langer leek. Hij was minstens een kop groter dan Vespasianus. Om zijn stierennek pronkte een duimdikke gouden halsring. Het leek of zijn huid te strakgespannen was over zijn enorme bicepsen met armringen, zo dik als zijn halsring.

Vespasianus stopte op vijf passen en zweeg, wachtte af.

Cogidubnus glimlachte begrijpend. Hij boog het hoofd en naderde hem. 'Ik ben Cogidubnus, koning van Vectis.'

'Titus Flavius Vespasianus, legatus van de Tweede Augusta.' Tot zijn verbazing maakte Cogidubnus geen buiging, als teken van ondergeschiktheid, maar hij stak een arm naar hem uit, alsof ze gelijken waren. Vespasianus greep de arm niet vast, maar wees met een hoofdknik naar het bloed dat op diens huid was vastgekoekt. 'Uw eer is gedrenkt in zeer veel bloed, Cogidubnus.'

De koning wreef het korstige, gedroogde bloed van zijn arm. 'Vandaag heeft Romeins bloed voor het eerst mijn huid bevuild. Maar het zal niet de laatste keer zijn dat Brits bloed uw huid zal besmeuren, legatus. Neem mijn arm in vriendschap aan en ik zweer bij Camulos, de oorlogsgod, dat ik vandaag voor het laatst Romeins bloed heb laten vloeien.'

Vespasianus keek in de lichtgroene ogen van Cogidubnus. Ze flonkerden van trots, maar straalden geen haat of wraakzucht uit. Verica had gelijk. Deze man zou een bondgenoot van Rome kunnen worden. Het offer van zijn manschappen vandaag was niet voor niets geweest. Hij greep de uitgestoken arm stevig vast, en het gebaar werd nog fermer beantwoord.

'U mag uw zwaard houden, Cogidubnus.'

'Ook mijn kroon? Hebt u de macht mij die belofte te doen?'

'Nee, ik zal niet tegen u liegen. Alleen de keizer kan die belofte gestand doen. Ik kan er wel voor zorgen dat...'

De schrille toon van een lituus klonk achter de Britten. Met een ruk keek Vespasianus in de richting waar het geluid vandaan kwam, ongeveer een halve mijl verder. Op een terp, rechts van de Britse linie, flonkerend in de warme ochtendzon, verscheen in slagorde de Bataafse ala van Paetus.

Cogidubnus liet los en trok zijn arm terug. 'Vinden Romeinen het eervol om een gecapituleerde vijand van achteren aan te vallen?'

De Britse achterhoede draaide zich om en zag zich geconfronteerd met een nieuwe dreiging. Ze gromden van walging over dit verraad.

'Ga met me mee, vertrouw me, Cogidubnus,' smeekte Vespasianus. Hij heek de lange Brit aan. 'Ze zijn niet op de hoogte van de capitulatie. Ongetwijfeld nemen ze aan dat we in een patstelling verkeren en dat hun interventie het verschil gaat maken. We kunnen deze aanval een halt toeroepen, maar dan moeten we om uw manschappen heen rennen.'

Cogidubnus keek Vespasianus vluchtig aan. 'We gaan dwars door mijn gelederen.' Hij draaide zich om en holde terug naar zijn krijgers. Vespasianus gebaarde naar Tatius dat hij zich niet moest verroeren, waarna hij met zijn veel kortere benen vaart maakte om te voorkomen dat hij achteropraakte.

Cogidubnus naderde de eerste rij krijgers. Hij liep nu naar hen toe. Vespasianus probeerde hem te passeren, maar de koning legde een gespierde arm op zijn schouder.

'We lopen langzaam door de gelederen... samen, legatus.'

Vespasianus keek op. De ala van Paetus kwam inmiddels naar voren. 'Maar dan zijn we te laat.'

'Mijn mannen hebben de wapens nog niet neergelegd. Velen willen u maar al te graag een kopje kleiner maken, dus blijf dicht bij mij.'

Vespasianus kon niet anders dan zich schikken. Langzaam liep hij naast de koning door de Britse gelederen. Krijgers die met bloed besmeurd waren, open wonden en littekens hadden. Aldus liep het tweetal naar de rechterhoek van de formatie. Met tegenzin week de mensenmassa uiteen. Grimmig keken ze Vespasianus met een kille blik aan, de mond verstrakt onder de lange hangsnorren. Achter de twee leiders sloten de gelederen zich meteen. De krijgers torenden boven hem uit, verdrongen hem bijna, waardoor hij hun zweet en hun hete adem rook. Toch liep hij met opgeheven hoofd verder en bleef recht voor zich uit kijken, hij weigerde zich te laten intimideren door het feit dat ze zo lang waren. In zijn eigen taal sprak Cogidubnus sussend op zijn krijgers in terwijl hij met één hand voortdurend in de schouder van Vespasianus kneep, waarmee hij benadrukte dat de Romein zich onder zijn beschermende vleugels bevond. Er werd geroepen, waarschuwende kreten weerklonken in de achterhoede. Het maakte duidelijk dat de cavalerie van Paetus naderde.

Vespasianus kon echter niet over de hoofden van de krijgers zien wat er verderop gebeurde.

Ze arriveerden bij de krijgers die zich hadden omgedraaid om het gevecht aan te gaan. Nu begon Cogidubnus sneller te lopen. Hij baande zich een weg door de menigte, waarbij hij zijn stem verhief om ervoor te zorgen dat iedereen opzijging. Plotseling hielden de krijgers voor hen de speren boven hun hoofd en gingen op een knie zitten. Vespasianus voelde zijn hart bonzen. De cavaleristen van Paetus vielen aan, nu bijna binnen bereik van de speren. Cogidubnus brulde bevelend tegen zijn mannen en duwde Vespasianus naar voren, die de longen uit zijn lijf schreeuwde terwijl hij het open terrein op rende en zijn rechterhand opstak, handpalm naar de cavalerie gericht.

Maar de speren waren inmiddels geworpen.

Meer dan driehonderd van die projectielen suisden door de lucht naar hem toe, gevolgd door een muur van paarden. Hij hield abrupt zijn pas in terwijl hij nog steeds naar Paetus brulde om te stoppen. Hij hief zijn schild. Drie gemene speerpunten staken een duim lang door het hout, vlak voor zijn ogen. De inslag deed hem door de knieën gaan. Geknield zat hij daar, zijn rechterhand steunend achter zich op de grond, terwijl door de impact van de speren zijn schild opzij werd getrokken en hij onbeschermd was.

Vol afschuw staarde hij naar de paarden. Een en al rossen, waar hij ook keek: zwarte, voskleurige, bruine, vaalbruine en grijze. Wild keken ze uit hun ogen, het schuim op de mond, de tanden ontbloot, de hoofden zwaaiend en met zwetende flanken en stampende voorbenen. Paarden en nog eens paarden. Plotseling hoorde hij herrie tot zich doordringen. De paarden hinnikten en briesten. Hij hoorde geschreeuw van mannen in allerlei talen die vertrouwd klonken en talen die hem vreemd waren. Hoeven stampten op de grond, metaal rinkelde. Een kakofonie van geluiden omhulde hem, zo verwarrend als de beelden die zich aan hem opdrongen. Paarden steigerden, trapten met hun voorbenen in de lucht. Overal paarden en nog eens paarden. Maar ze vertrapten hem niet.

Plotseling realiseerde hij zich dat hij tegen paardenbuiken aan keek. De rossen steigerden, ze stonden stil.

Met twee en drie paar tegelijk kwamen de voorbenen naar beneden. De paarden snoven en hinnikten, nu op vier benen, met hoge stap.

Voor het eerst zag hij de ruiters. Gehelmde, bebaarde cavaleristen met maliënkolders. Ze hadden dezelfde wilde blik in hun ogen als hun paarden. Op angstaanjagende wijze keken ze naar wat er zich achter hem afspeelde.

'Stop!' schreeuwde Vespasianus schor, alsof hij niet kon geloven dat ze daadwerkelijk gestopt waren.

'We zijn gestopt, heer. En tamelijk abrupt ook.'

Vespasianus knipperde met zijn ogen. Uiteindelijk kreeg hij Paetus in zijn blikveld, die vanaf een zeer schrikachtig paard op hem neerkeek.

'Gelet op het feit dat die barbaren ons niet van de paarden af willen slaan, neem ik aan dat ze zich hebben overgegeven. En dat dat de reden is waarom u nogal dwaas in uw eentje onze aanval heeft willen stoppen.'

'Om precies die reden heb ik mijn krijgers het bevel gegeven hun speren niet te werpen,' zei Cogidubnus. Hij liep naar voren. 'Ondanks het feit dat dit opnieuw veel krijgers het leven heeft gekost. Velen zou echter hun lot beschoren zijn als de legatus dit niet had gedaan.' Hij torende boven Vespasianus uit, staarde op hem neer, alsof hij in verwarring was gebracht en nog niet besefte wat of wie daar precies geknield in het gras zat. Hij stak zijn hand uit en hielp Vespasianus overeind.

'Leid je manschappen terug naar het strand, Paetus,' beval Vespasianus, nog steeds duizelig van de schrik. Toen hij merkte hoe zwaar zijn schild was geworden door de speren die het hout gespietst hadden, wierp hij het van zich af en huiverde. Niet drie maar vier speerpunten waren door het hout gedrongen. Aan één speerpunt zat bloed. Hij keek naar zijn arm en zag vlak onder de elleboog bloed uit een steekwond komen. Plotseling overmande de pijn hem bijna. Hij legde een hand op de wond.

Cogidubnus trok de hand weg om de verwonding te inspecteren. 'Niet diep en eerzaam toegebracht; het zal snel genezen. Een dappere daad die veel levens heeft gered, zowel aan Britse als aan Romeinse zijde. U mag dan niet de bevoegdheid hebben mij mijn kroon te geven, legatus, ik zou die liever uit uw hand ontvangen dan van een keizer die verwacht dat mannen voor hem sterven terwijl hij in zijn paleis zit.'

Verica kwam uit de Britse gelederen tevoorschijn. 'Er valt niets te kiezen, neef. Alleen de keizer heeft de macht om jou je koninkrijk te geven. Hij is niettemin misvormd en niet in staat om te vechten, dat is zo.'

'Dan heeft Rome een keizer die niet capabel is. Wat stelt een keizer voor als hij zijn krijgsmacht niet voor kan gaan in de strijd?'

'Een keizer staat voor macht. De macht waaraan u en ik ons moeten onderwerpen. Hij is inmiddels onderweg hierheen om het leger voor te gaan bij de inname van Camulodunum. Als we straks voor hem buigen, veinzen we dat hij de grootste zege heeft behaald. We zullen hem roemen als de machtigste man op aarde, hoewel hij een dwaas is die voortdurend kwijlt.'

'Is dat de man die ik moet dienen in plaats van de strijder die mij verslagen heeft en het leven van veel van mijn krijgers heeft gered?'

Vespasianus vertrok geen spier. 'Ja, Cogidubnus. Iedereen, ook wij, moet bijdragen aan zijn gerief.'

HOOFDSTUK XXI

Vespasianus stond op de voorsteven van de trireem. De trierarchus, naast hem, loodste het schip de haven van Verica's hoofdstad binnen. De legatus had het warm. Het was eind augustus en bloedheet, geen wolkje aan de lucht. Hij staarde naar een onweerswolk die ver weg knipperde en rommelde in de dalen, ongeveer vijf mijl landinwaarts. Hij verbaasde zich over het vreemde weer op dit noordelijke eiland.

'Taranis, god van de donder, bezoekt vaak de dalen om over ons te waken,' zei Verica. Hij hield de gouden, wielvormige hanger met vier spaken vast die om zijn nek hing. 'Hij eist een offergave.'

'Aan welk offer moet ik dan denken?'

'Wel, het is gebruikelijk dat de druïden daarover beslissen. Ze zouden een maagd levend verbranden in een kuip. Maar ze zijn naar het westen gevlucht. Ze vervloeken me, noemen me een godslasteraar omdat ik Rome steun. Dus is het aan mij om daarover te beslissen.'

'Het offeren van mensen beschouwen wij als weerzinwekkend.'

'Dat weet ik. Ik heb niet voor niets drie jaar in Rome gewoond. Ik kies voor een strijdwagen en twee paarden. Aldus wil ik mijn volk de extreme praktijken van de druïden laten ontwennen.'

'Wat zijn druïden precies?'

Verica zuchtte lang en diep. 'Druïden behoren tot de priesterklasse. Ze betalen geen belasting en dienen niet in de strijdmacht. Verder denken ze dat alleen zij de wensen en verlangens van de goden kennen. Daardoor vrezen de mensen hen. Maar ze boezemen de bevolking tegelijkertijd ontzag in. Bang voor de dood zijn ze niet, want ze geloven dat de ziel overgaat in een ander lichaam. Dat maakt ze bovendien zeer gevaarlijk. Ik ben blij dat ik ze heb kunnen verjagen, want

ze zijn zo bemoeiziek als vrouwen en spannen samen als opgeschoten jongens. Ik ben er echter van overtuigd dat ze terugkomen. Ongetwijfeld willen ze opnieuw macht uitoefenen over mijn volk. Ze weten dat ze mij dan eerst moeten doden. Ze behoren tot geen enkele stam en zijn alleen trouw aan zichzelf en aan de goden van zowel onze voorvaderen als dit land.'

'Verschillen die goden dan?'

'Ja. Toen mijn volk op dit eiland ging wonen, volgens de dichters en minstrelen ongeveer vijfentwintig generaties geleden, aanbaden de mensen wier plaats wij innamen vele goden. Ze bouwden enorme stenen monumenten, bouwsels uit lang vervlogen tijden. De druïden wijdden deze oorden aan onze eigen goden, maar de aanwezigheid en macht van enkele vroegere eilandgoden is nog steeds voelbaar. Het zijn goden die eisen aanbeden te worden.' Verica kreeg een duistere trek op zijn gezicht en zijn stem klonk bijna fluisterzacht. 'De druïden namen die verantwoordelijkheid op zich en ontdekten de sinistere geheimen en rituelen van de vroegere bewoners. Ze houden die kennis echter voor zich. Mij best. Datgene wat ik ervan weet, vind ik al huiveringwekkend genoeg.'

Vespasianus rilde toen hij merkte hoe angstig de oude koning was. 'Wat zit u dwars?'

Verica staarde Vespasianus aan; zijn doordringende blik werd intenser. 'Sommige van die goden oefenen een macht uit die zeer reëel is. Een kille, meedogenloze macht die alleen het kwade dient.'

Vespasianus grimaste. 'Een macht die in de handen van deze priesters ligt?'

'Van fanatieke priesters.'

'Ik heb slechte ervaringen met priesters.'

'Wie niet? Tenzij je er zelf een bent. Ik adviseer u om ze allemaal te doden, anders zal Rome hier nooit kunnen standhouden. De druïden zullen de mensen steevast bezielen door ze bang te maken voor de goden. Deze priesters weten dat er onder de Romeinse vlag geen plaats voor ze is. Ze hebben dus niets te verliezen en zullen zich als de meest onverbiddelijke vijand opstellen.'

Vespasianus keek naar Cogidubnus, die tegen de reling leunde en toekeek terwijl het schip de onlangs gebouwde houten pier naderde. 'Zijn u en uw neef dezelfde mening toegedaan?'

'Dat kunt u hem het beste vragen. Ik zou denken van wel. Hij begrijpt net als ik dat als we ons volk de moderne wereld willen binnenloodsen, en laten delen in de welvaart die dat oplevert, we voortdurend de toekomst voor ogen moeten houden. De druïden kijken alleen maar terug.'

Vespasianus dacht na over die woorden terwijl het schip steeds langzamer voer, en zich nu vlak bij de pier bevond. Hij dacht aan Rhoteces, de verraderlijke Thracische priester, en aan Ahmose, de leugenachtige priester van Amon. En niet te vergeten Paulus, de Jood die alleen aan zichzelf dacht en die de Joodse sekte onder zijn invloed had gebracht. Een sekte die hij aanvankelijk had veroordeeld, tot hij het gedachtegoed ervan tot een onnatuurlijke religie was gaan kneden, gebaseerd op verlossing, waarbij de gelovigen in een hypothetisch hiernamaals terecht zouden komen. Zijn ervaringen met dit soort priesters hadden hem doen beseffen dat religie de macht had mensen oorlog te laten voeren, maar ook hoe onderhevig religie was aan misbruik. 'We zullen het in het westen dus zeer moeilijk krijgen.'

'Ja, zeker als de druïden zich tegen u hebben gekeerd. U zult echter ook mensen ontmoeten die de druïden geen warm hart toedragen en liever ondergeschikt zijn aan Rome dan aan die priesters.'

'Gelet op de keuzes hoop ik dat iedereen voor Rome kiest.'

Verica glimlachte. 'Ik ken hun gretigheid naar macht. Zodra de priesters beseffen dat hun invloed voorgoed verdwijnt, zullen ze samenspannen om Rome over te nemen.'

Vespasianus huiverde bij die gedachte terwijl de trireem zachtjes aanlegde. Er werden bevelen uitgeroepen en touwen op de pier gegooid.

'U kunt maar beter opschieten, heer!' riep Magnus boven het kabaal uit.

Vespasianus keek op. Zijn vriend liep de loopplank op.

'Waarom? Wat is er aan de hand?'

'Kennelijk heeft de keizer haast om zijn zege op te eisen. Sabinus heeft bericht gestuurd dat de versterkingen van Claudius zojuist zijn gearriveerd bij de Tamesisbrug. Ze bereiden zijn aankomst voor. De keizer wil eerst Gesoriacum inspecteren, waarna hij naar Rutupiae vertrekt. Daarna vaart hij de Tamesis op. Hij zal over twee dagen bij de brug zijn.'

Vespasianus en Sabinus gingen met een ruk in de houding staan terwijl klaroengeschal weerklonk op de keizerlijke quinquereem. Op het dek stonden ruim honderd senatoren, luisterrijk gekleed in met purper omzoomde toga's. Versierd met purper, en voorzien van een keizerlijke tent op de achtersteven, legde het vaartuig aan bij de pier aan de zuidzijde van een onlangs gebouwde houten brug over de Tamesis. Aulus Plautius marcheerde naar het schip en salueerde terwijl de loopplank werd neergelaten. Het klaroengeschal verstomde. De stilte werd alleen verbroken door de krassende zeemeeuwen die hun rondjes trokken op de lichte bries. De stilte daalde zoals verwacht mocht worden ook neer over de twee praetoriaanse cohorten, de vier cohorten van het Achtste Legioen en de hulptroepen. Ze formeerden zich op de rivieroever, met aan het hoofd Decimus Valerius Asiaticus.

Na een pauze van keizerlijke proporties werden de tentflappen opzij getrokken. Een gestalte verscheen in de opening.

'Imperator!' schreeuwde iemand in de praetoriaanse gelederen.

De schreeuw kreeg bijval van de aanwezigen. Het kabaal waaierde in alle richtingen uit en maakte de zeemeeuwen bang, want voor het eerst weerklonk de roep 'Imperator' op het eiland Britannia.

'Hij heeft nog geen Brit gezien en wordt nu al gelauwerd,' schreeuwde Sabinus in het oor van Vespasianus.

'En de manschappen die hem hulde brengen zijn nog in geen enkel gevecht verwikkeld geweest,' voegde Vespasianus eraan toe alvorens hij deelnam aan de eerbetuiging.

Naarmate er steeds luider gescandeerd werd, verscheen Claudius op het dek, gekroond met de lauwerkrans van de triomfator. In het keizerlijk uniform, in vol ornaat, stond hij daar met een purperen mantel om, gehuld in een met goud ingelegd kuras met toebehoren en een purperen sjerp om zijn middel. De geornamenteerde helm, purper gepluimd, hield hij onder zijn linkerarm. Hij schuifelde naar voren, zijn hoofd schokte van opwinding en zijn rechterarm beefde door de zenuwtrekken terwijl hij de mensenmassa groette. Het was bespottelijk zoals hij zich als Romeinse keizer toonde, een parodie.

Vespasianus was opgelucht dat hij kon schreeuwen. Hij vreesde dat hij anders in onbeheerst geschater zou uitbarsten bij de aanblik van een man die, gehuld in militair uniform, de tegenpool vormde van krijgshaftigheid. Vanuit zijn ooghoek keek hij naar Sabinus, die zijn

blik ving. Het bevestigde dat zijn broer er ook zo over dacht; voor één keer waren ze het grondig met elkaar eens. Samen bejubelden ze de keizer.

Narcissus en Pallas kwamen uit de tent gelopen en haastten zich naar Claudius voordat hun meester een poging ondernam zonder hulp de loopplank af te gaan. Beiden hielden hem aan weerszijden bij een keizerlijke elleboog vast en loodsten hem de pier op. Aulus Plautius hield een arm voor zijn borst en liet die zakken terwijl hij in de houding stond. Met opgegeven hoofd en naar achteren getrokken schouders scandeerde hij luidkeels met de rest mee. Claudius naderde hem, waarna hij de generaal zeer plechtig en met veel kwijl omhelsde en kuste.

Het gescandeer maakte plaats voor gejuich en gejubel terwijl Claudius zijn generaal een moment lang omarmde, waarna de keizer zich tot de verzamelde troepen richtte en een gebaar maakte waarmee hij om stilte vroeg. Plautius staarde recht voor zich uit en probeerde het kwijl op zijn wangen te negeren.

'Soldaten v-v-van Rome,' riep Claudius uit. Het was inmiddels stil geworden. 'Mijn d-d-dappere generaal heeft de k-k-keizer gevraagd om diens hulp en advies bij het verslaan van de Britten.' Hij zweeg even en maakte een gebaar naar de senatoren. 'De Senaat van Rome heeft me gesmeekt om aan zijn verzoek te voldoen. Ik heb begrepen dat generaal Plautius v-v-veel zeges heeft geboekt, maar dat het verzet inmiddels zo hevig is geworden dat alleen de interventie van jullie keizer uitkomst kan bieden.'

Alle senatoren knikten wijs. Hun gezichten vertrokken, een theatraal teken van opluchting. Vespasianus liet zijn blik langs de senatoren glijden terwijl Claudius zijn stotterende betoog vervolgde. Het deed hem genoegen zijn corpulente oom te zien. Gaius haalde zijn schouders op toen hij de blik van Vespasianus ving, waarna hij opnieuw overdreven aandachtig luisterde naar wat de keizer te vertellen had.

'Trek dus met mij mee ten strijde, soldaten van Rome. Volg m-m-mij en ik leid jullie naar de finale zege. Een triomf die in het collectief geheugen van vele komende generaties zal blijven hangen als de overwinning van keizer Claudius op de barbaarse horden. Ik ben gekomen, heb gezien wat er aan de hand is en zal o-o-overwinnen!'

Claudius wendde zich tot Narcissus, Pallas en de senatoren, die ver-

plicht lachten om deze pathetisch aandoende parafrase. Vespasianus merkte dat zijn oom het wellicht de meest meelijwekkende zin vond ooit door iemand uitgesproken. Opnieuw bejubelden de legionairs hun keizer. Ongetwijfeld waren ze blij met het excuus om niet openlijk en met veel vertoon te bewijzen dat ze het zwakke grapje van Claudius zogenaamd wisten te waarderen.

Sabinus en zijn broer juichten eveneens. Alleen Plautius hield zich afzijdig. Kaarsrecht stond hij daar, zijn hals gezwollen van toorn terwijl hij naar de quinquereem staarde.

Vespasianus volgde zijn blik. Bij de tentingang stond de corpulente Sentius Saturninus, maar dat verbaasde hem niet. Wat hem wel versteld deed staan was dat Geta zich achter die man bevond. Vespasianus stootte Sabinus aan en knikte naar de tent. 'In naam van Mars, hoe is hij hier gekomen?'

'Ah! Dus daarom was dat smeerlapje opeens vertrokken,' mompelde Sabinus. 'Ik had het kunnen weten. Kort nadat jij zuidwaarts was getrokken, ontbood Plautius hem. Geta kwam echter niet opdagen. Sterker nog, hij was spoorloos verdwenen. Ongetwijfeld had hij vernomen dat Corvinus in opdracht van Plautius gearresteerd was. Zijn schuldige geweten heeft hem opgejaagd, omdat hij dacht dat hem wellicht hetzelfde lot beschoren was.'

'Dus rende hij naar de keizer om hem als eerste zijn kant van het verhaal te vertellen.'

'Reken maar dat hij het heroïsch gebracht heeft.'

'Wat een klootzak!'

'Ja, maar wel een heel verstandige klootzak.'

Narcissus wees naar de klaroenblazers. Opnieuw schalden de hoornklanken over de troepen. Het gejubel hield meteen op.

Claudius liep over de pier naar de twee broers. Narcissus en Pallas volgden hem. 'Ah! Mijn trouwe Flavische m-m-mannen, die de legerstandaards van de Negentiende Steenbok hebben teruggebracht.'

De twee broers bogen hun hoofd. 'Princeps.'

'Publius Gabinius w-w-was jullie voor wat betreft de legeradelaar van de Zeventiende. Hij heeft mij het kleinood overhandigd. Maar dat maakt niet uit. Jullie heldendaad is zeer nuttig gebleken. Laat de keizer jullie omhelzen.'

Vespasianus probeerde te voorkomen dat hij huiverde terwijl hij

aan de borst van de keizer werd gedrukt. Claudius zoende hem kwijlerig op beide wangen.

'Trekken jullie mee ten strijde wanneer ik de vijand uit zijn bolwerk jaag?' vroeg Claudius. Sabinus kreeg dezelfde behandeling.

'Ja, princeps.'

'We zullen ervan g-g-genieten.' Claudius beefde en schokte terwijl hij een stap terug deed, waarna hij de twee broers goedkeurend bekeek en vervolgens zijn wenkbrauwen fronste. 'Wat is dat?'

Vespasianus volgde zijn blik en legde zijn hand op het gevest van zijn zwaard. 'Dat is mijn zwaard, princeps.'

'Ik ken dat wapen.'

'Dit zwaard is van uw grootvader Marcus Antonius geweest, princeps.'

Claudius keek Vespasianus met een onderzoekende blik aan. 'Daarna was het van mijn vader en vervolgens van mijn broer Germanicus.'

'Dat klopt, princeps.'

'Ik weet d-d-dat het klopt. Ik ben heus wel op de hoogte van mijn familiegeschiedenis. Ik weet ook dat toen Germanicus was overleden Agrippina het wapen aan haar oudste zoon wilde geven. Maar Antonia weigerde haar dat en zei dat ze zelf wilde beslissen wie het zwaard mocht hebben. Zover is het echter nooit gekomen. Na haar dood heb ik ernaar gezocht, maar ik kon het nergens vinden. Ik heb e-e-er Pallas naar gevraagd, maar hij zei nergens van te weten.'

Vespasianus keek over de schouder van Claudius naar de Griekse vrijgelatene. De doorgaans neutrale gezichtsuitdrukking van Pallas vertoonde nu een zweem van bezorgdheid.

'Hoe heeft het zover kunnen komen dat u dat zwaard uw eigendom noemt?'

Pallas ving de blik van Vespasianus en schudde nauwelijks merkbaar zijn hoofd.

Vespasianus slikte. 'Caligula heeft het me gegeven, princeps.'

'Wist h-h-hij ervan? Hoe heeft hij het in zijn bezit gekregen?'

'Dat weet ik niet, princeps. Antonia moet het hem geschonken hebben.'

'Dat betwijfel ik. In mijn familie wist iedereen dat Antonia het zwaard zou geven aan de in haar ogen meest geschikte toekomstige keizer. Ze heeft dat zwaard toch niet aan u gegeven, hè, Vespasianus?

'Nee, princeps. Ik zei net dat Caligula het mij geschonken heeft.'

Claudius keek hem een moment lang strak en onderzoekend aan, waarbij de zenuwtrekjes niet van de lucht waren en het kwijl uit een mondhoek droop. 'Wel, hij had daar niet het recht toe.' Hij stak een bevende hand uit. 'Gelet op het feit dat ik ten strijde moet trekken, is het niet meer dan gepast dat ik dat met mijn familiezwaard doe. Geef het aan me.'

Zonder te aarzelen maakte Vespasianus de schede los van zijn schouder- en heupriem en overhandigde het wapen aan Claudius.

'Dank u, legatus. Ik kan me niet voorstellen dat mijn moeder het zwaard aan u heeft gegeven. In uw aderen stroomt immers niet het b-b-bloed van de caesars.'

'Daar hebt u gelijk in, princeps.'

'Goed. Zand e-e-erover.' Claudius trok het zwaard uit de schede en bestudeerde de kling, waarna hij een vinger over de ingegraveerde naam van zijn grootvader liet glijden. 'Een edele kling is nu terug waar die hoort.' Op belachelijk theatrale wijze zwaaide hij er een keer mee boven zijn hoofd. Toen richtte hij zich tot de troepen. 'Met mijn vorstelijk familiezwaard ga ik jullie voor in de strijd.'

Onder een huldeblijk van 'Heil caesar!' liep hij schokkerig verder naar een quadriga, waarvoor vier schimmels waren gespannen. Het rijtuig stond klaar op de brug.

'Heeft onze meester jouw gejok opgemerkt, collega?' vroeg Narcissus aan Pallas.

'Absoluut niet, beste Narcissus. Het moet precies zo zijn gegaan als Vespasianus zei. Nietwaar, Vespasianus?'

'Zeker, Pallas.'

Narcissus trok een wenkbrauw op terwijl hij Pallas aankeek. 'Dat mag ik hopen. Je weet dat hij zeer nerveus wordt als er tegen hem wordt samengespannen. We willen niet dat Claudius denkt dat jouw beschermeling onrealistische ambities koestert.' Met een beleefde hoofdknik naar de twee broers volgde Narcissus zijn meester.

'Laat de waarheid nooit boven water komen, Vespasianus,' waarschuwde Pallas terwijl hij hem passeerde. 'Messalina maakt Claudius hoorndol om de aandacht van zichzelf af te leiden. Hij ziet nu in alles en iedereen een bedreiging en begint zich dwaas en irrationeel te gedragen. Er zijn inmiddels executies bevolen.'

'Waar ging dat over?' vroeg Sabinus terwijl Pallas wegliep.

'Over mensen die van alles zoeken achter een eenvoudig geschenk, beste broer van me.'

'Antonia heeft jou dat zwaard dus toch gegeven, hè? Hoewel ze gezegd heeft dat ze het wapen zou schenken aan de in haar ogen meest geschikte toekomstige keizer, nietwaar?'

'Zo is het.'

'Nou, stel dat ze gelijk heeft.'

'Dat kan toch niet? In onze aderen stroomt niet het bloed van de caesars.'

'Het bloed van de caesars? Hoeveel generaties houdt dat nog stand?'

Claudius leidde zijn leger inmiddels over de brug. Vespasianus zag de erfgenaam van de beroemde Gaius Julius Caesar in diens voetstappen naar de noordoever van de Tamesis gaan. Het verbaasde hem ten zeerste hoezeer de bloedlijn was verslechterd. Inderdaad, hoe lang hield dit nog stand? En als het uiteindelijk mis zou gaan, wiens bloedlijn zou er dan voor in de plaats komen?

Opnieuw kwam die belachelijke gedachte in hem op. Een gedachte die hij had proberen te verbannen. 'Waarom ook niet,' mompelde hij in zichzelf. 'Waarom ook niet?'

'Beste jongens!' bulderde Gaius Vespasius Pollo terwijl de senatoren in een rij van boord gingen. 'Ik ben zo opgelucht jullie weer heelhuids aan te treffen.' Hij legde een arm om de schouders van de broers, leidde hen de menigte uit en vervolgde fluisterzacht: 'De goden zij dank dat deze walgelijke vertoning bijna voorbij is. Luisteren naar die kwijlende dwaas is bijna ondraaglijk. Ongelofelijk zoals hij doordramt dat de situatie wel zeer ernstig moet zijn als Plautius hem om hulp vraagt.'

Vespasianus fronste zijn wenkbrauwen en stak zijn onderlip uit. 'Bedoelt u dat hij deze klucht serieus neemt, oom Gaius?'

'Dat is nog zwak uitgedrukt. Hij is ervan overtuigd dat alleen met zijn interventie voorkomen kan worden dat deze onderneming uitloopt op een nog ergere nederlaag dan indertijd in het Teutoburgerwoud. Hij blijft maar doorzeuren dat Rome blij mag zijn met een keizer die thuis is in alle militaire kronieken en verslagen en dat hij volledig op de hoogte is van alle mogelijke strategieën en tactieken die een succesvolle oorlogvoering mogelijk maken.'

'Heeft hij daarom de halve Senaat meegebracht? Wil hij zijn militaire bekwaamheid tonen aan een groepje pluimstrijkers?'

'Doe niet zo hypocriet, beste jongen. Ik heb jou je hele leven al je best zien doen om bij anderen in het gevlij te komen. Daar ben jij ook zeer bekwaam in. Maar om je vraag te beantwoorden: nee, het is althans niet de voornaamste reden. Wij zijn hier om ons goede gedrag te tonen. Claudius is erg onzeker. Daarom wil hij de mensen die hij wantrouwt dicht in zijn buurt houden.'

'Waarom bent u dan hier? U hebt iedereen altijd enthousiast gesteund, ongeacht wie er aan de macht was.'

Gaius lachte wrang. 'Daar ben ik me heel goed van bewust. Jullie voeren echter het bevel over legioenen. Ik ben gekomen om jullie eraan te herinneren dat jullie gezinnen in Rome afhankelijk zijn van de genade van Claudius. Kortom, gebruik jullie macht in het leger niet op de verkeerde manier.'

'Maar Narcissus...'

'Beste jongen, dit heeft niets te maken met Narcissus. Dit gaat louter over Claudius. Hij heeft de smaak van macht en bloed geproefd. Hij gebruikt ze beide om zijn groeiende wantrouwen te sussen. Inmiddels heeft hij in de eerste twee jaar van zijn bewind meer senatoren en equites laten ombrengen dan Caligula.'

'Hij maakt zich dus zorgen over zijn machtspositie. Waarom heeft hij Rome dan verlaten?'

'Toegegeven, het is een gok. Maar iedere senator die hij in Rome heeft achtergelaten heeft een bloedverwant die zich onder het wakend oog van Claudius bevindt. Lucius Vitellius, zijn collega toen hij begin dit jaar nog consul was, zal in naam van Claudius het rijk bestieren. Hoewel, in de praktijk komt het erop neer dat Callistus de besluiten neemt, aangezien hij nu in Rome de enige is die weet hoe de gigantische bureaucratische machinerie werkt. Een machinerie die hij en zijn medevrijgelatenen hebben gecreëerd. Claudius denkt dat hij Vitellius kan vertrouwen, een gunsteling van Messalina. Alleen Venus weet wat die kleine hoer van plan is terwijl haar man in den vreemde is en Vitellius haar gedoe gedoogt.'

'Is ze echt zo slecht?' vroeg Sabinus, die ogenschijnlijk geïnteresseerd was. 'Narcissus zei dat ze zich best toegeeflijk opstelt, en dan druk ik me nog zwak uit.'

'Toegeeflijk? Ze is de vrouwelijke Caligula. Degene die haar toenadering afwijst, wordt prompt beschuldigd van verraad. Ze houdt haar man voortdurend in staat van paraatheid. Door haar gemanipuleer denkt hij dat iedereen in de Senaat tegen hem samenspant. Ze worden bijna zonder uitzondering ter dood veroordeeld.' Hij zwaaide naar passerende senatoren. 'Ze heeft met al die mannen onder de vijftig het bed gedeeld en Claudius is er blind voor. De goden zij dank dat ik mijn beste jaren achter de rug heb, anders zou ik eveneens bloot hebben gestaan aan de manipulaties van die harpij. Kijk dus goed uit als jullie weer terug zijn in Rome. Ze heeft jullie in een handomdraai in haar web gevangen. Het beste is om zo lang mogelijk uit Rome weg te blijven.'

Vluchtig en met een vragende blik keek Vespasianus zijn broer aan, die het begreep en instemmend knikte. 'Ik denk dat Narcissus plannen heeft met haar...'

Gaius haalde zijn hand van de schouder van zijn neef en drukte die verrassend snel op de mond van Vespasianus. 'Ik wil het niet weten! De jaren die ik nog heb, wil ik gelukzalig onwetend doorbrengen. De keizerlijke politiek is mij een gruwel. Als mijn tijd gekomen is, wil ik doodgaan in mijn bed en niet in een bloederige badkuip. De ondraaglijke thuissituatie is voor mij de enige reden om de Senaatsvergaderingen bij te wonen.'

'Flavia?'

'Ja, zij en je moeder mijden elkaar. Ze vinden allebei dat ik als scheidsrechter moet fungeren in hun pietluttige vrouwenruzietjes. Helaas heb ik niet voldoende correspondentiewerk om me de hele avond in mijn werkkamer op te sluiten, waardoor ik me gedwongen zie elke dag pakweg twee uurtjes in hun gezelschap door te brengen.'

Sabinus lachte terwijl ze de laatste troepen over de brug zagen marcheren. 'Ik denk dat je toch een huis zult moeten kopen, broer, anders gaat je oom er nog aan onderdoor.'

'Dank je voor je advies, Sabinus, maar ik neem mijn eigen besluiten over waar mijn gezin woont.'

Gaius keek hem plotseling met een kille blik aan. 'Nee, Vespasianus. Flavia moet haar eigen woning hebben. Ze verzuurt mijn leven zolang ze geen eigen huishouden kan terroriseren.'

Zijn oom meende het serieus. Zo'n ernstige toon had Vespasianus

hem nog nooit horen aanslaan. 'Ik ga er werk van maken zodra ik in Rome ben, oom Gaius. Dat beloof ik.'

'Nee, beste jongen, ik zal dat voor jou regelen zodra ik weer terug ben. Zo kan het echt niet langer.'

'Hoe moet ik aan het geld komen?'

'Je bent de bevelhebber van een legioen dat een nieuwe Romeinse provincie aan het knechten is. Zwoeg en plunder, beste jongen.'

'U zult wel gelijk hebben.'

'Natuurlijk heb ik gelijk. Kom, laat ons getuige zijn van de wijze waarop onze glorieuze keizer-generaal iedereen toont hoe je dat aanpakt.'

'Heren, alleen het l-l-leger bevindt zich tussen ons e-e-en Camulodunum,' kondigde Claudius aan. Met een bevende hand wees hij naar een grote groep armzalige gevangenen. Ze stonden in een rij op de andere oever. 'Hoeveel zijn het er, denk je, Plautius?'

Plautius bekeek het deerniswekkende aantal. 'Minstens tienduizend, princeps,' antwoordde hij. Voor het gemak verdubbelde hij het ware aantal.

Claudius trilde nerveus van opwinding. 'Uitstekend, ik zal ze binnen een uur van de aardbodem vagen. Plautius, hoe luidden mijn bevelen ook alweer?'

Plautius wierp een vluchtige, subtiele blik naar zijn officieren. 'Volgens mij wilde u de praetoriaanse cohorten in het midden hebben. Natuurlijk met de vier cohorten van de Achtste. De Veertiende vormt de rechterflank en de Twintigste de linkerflank. De Negende houdt u achter de hand, als reservetroepen.'

'Het l-l-legioen van mijn zwager? Dat kan echt niet. Corvinus moet de rechterflank innemen, een zeer eervolle positie. De Veertiende houden we in reserve.'

'Corvinus voert niet langer het bevel over de Veertiende, princeps. Hij zal door u veroordeeld worden omdat hij uw bevelen heeft genegeerd.'

'Welke bevelen heeft hij dan genegeerd? Dit hoor ik voor het eerst. Waarom heb je me daar niets over verteld, Narcissus?'

Narcissus schraapte zijn keel. 'Ik was daar niet van op de hoogte, princeps.'

'Jij hoort alles te weten en mij erover bij te praten. Plautius, waarom heb je hem niks verteld?'

Plautius wierp de vrijgelatene een vuile blik toe. 'Ik, eh... het bericht dat ik verstuurd heb, is kennelijk onderweg verloren gegaan.'

'Ongetwijfeld moet het zo zijn gegaan, want ik ben er zeker van dat als Narcissus dat geweten had hij het bevel zou hebben gegeven mijn zwager meteen in vrijheid te stellen, ongeacht wat hij heeft gedaan.'

'Hij heeft geprobeerd Camulodunum zonder u in te nemen, princeps. U zou dan niets meer te veroveren hebben gehad,' zei Plautius.

'Dat is een zeer ernstig vergrijp, princeps,' viel Narcissus hem in de rede, waarbij hij verontwaardigd en boos keek, wat niet vaak voorkwam. 'Waarom heeft hij u uw overwinning willen misgunnen? Heeft hij uw machtspositie aan het wankelen willen brengen?'

Claudius grinnikte. 'Nee, hij lijkt in de verste verte niet op de jaloerse senatoren die altijd tegen mij samenspannen. Hij is familie en simpelweg wat onstuimig geweest, net als mijn lieve vrouw dat vaak is. Het zijn nu eenmaal broer en zus, en dat is te merken. Het maakt ook niet uit, want het is hem niet gelukt. Ik kan nog steeds een barbarenleger verslaan en een stad innemen, nietwaar? Anders zou er geen verzoek aan mij zijn gericht om Plautius te hulp te schieten, zo is het toch, Narcissus?'

Narcissus wist even niet wat hij daarop moest zeggen.

Vespasianus voelde een rilling over zijn rug lopen, hoewel hij genoot van de zenuwtrek bij de mondhoek van Narcissus, die besefte dat als hij Corvinus verdoemde hij ook zou moeten toegeven dat deze veldslag een klucht was en Camulodunum allang tot de veroverde steden behoorde. 'Die idioot laat hem ongestraft,' fluisterde hij in het oor van Sabinus.

Sabinus kauwde op zijn onderlip. 'Ik neem aan dat onze bijdrage aan de arrestatie van Corvinus nu evenmin onopgemerkt zal blijven.'

'Wel, Narcissus?' drong Claudius aan. 'Heeft Corvinus mijn zege gestolen?'

'Kennelijk niet, princeps.'

'Waarom is een lid van de keizerlijke familie dan gevangengenomen? Laat hem onmiddellijk komen, Plautius. De Negende vormt de rechterflank. Mijn zwager zal het bevel voeren over dat legioen en

delen in de glorie die mij ten deel valt. En nu iedereen op zijn post, ik ben er helemaal klaar voor om deze veldslag te winnen.'

Vespasianus had geen legioen meer waarover hij het bevel voerde. Hij en Magnus zaten te paard aan het hoofd van Paetus' cavalerie, die hem vanaf de kust had geëscorteerd, en keken toe terwijl deze klucht zich ontvouwde. Rechts zaten de senatoren op stoelen en gedroegen zich alsof het een wagenren was in het Circus Maximus.

'Het toont maar weer eens dat je hypocrieter kunt zijn dan goed voor je is,' gaf Magnus als commentaar terwijl de frontcohorten van de Negende Hispana de rivier overstaken en er een confrontatie plaatsvond met het Britse nepleger. 'Dat geldt trouwens ook voor de rest.'

'Alleen Corvinus komt er goed van af,' herinnerde Vespasianus hem terwijl het geschreeuw en gegil op het slagveld een aanvang nam. 'In de ogen van Claudius komt hij hieruit als de miskende held.'

'Waarna hij u het leven zuur gaat maken.'

Vespasianus haalde zijn schouders op. 'We bevinden ons straks ver van elkaar vandaan. Wanneer Claudius vertrokken is, trek ik zuidwaarts met de Tweede Augusta. De Negende blijft voorlopig hier en rukt volgend seizoen noordwaarts op naar de oostkust.'

'Mits Plautius het opperbevel blijft voeren.'

'Hij zal het opperbevel houden,' bevestigde Pallas. Hij reed achter hen. Voor de zoveelste keer voelde Vespasianus zich overrompeld. 'Ik weet zeker dat Claudius hem nu het liefst op een zijspoor zet. Maar hij zal daarop terugkomen zodra Narcissus en ik hem duidelijk hebben gemaakt dat de benoeming van een andere generaal betekent dat in Rome twee mannen publiekelijk gehuldigd dienen te worden. Mij lijkt het beter de hulde beperkt te houden, vindt u ook niet? Na deze veldslag kan Claudius als triomfator terugkeren. En als Plautius over een jaar of vier weer in Rome is, kan Claudius het volk tonen dat hij het allesomvattende keizerschap symboliseert door iemand die geen lid is van de keizerlijke familie toch op grootmoedige wijze te laten belauweren. Uiteraard om voor de hand liggende redenen. Zoiets wil hij natuurlijk niet twee keer doen.'

Vespasianus schudde bedroefd zijn hoofd. 'Komt er dan geen eind aan uw gekonkel, Pallas?'

'Hoe moet een eenvoudige vrijgelatene anders macht uitoefenen? Zonder Claudius is het gebeurd met me. Mijn lot is onlosmakelijk verbonden aan zijn keizerschap. Met deze veldslag is de kust wat ons betreft voorlopig weer veilig.'

'Ten koste van een paar duizend Britse gevangenen,' mompelde Magnus terwijl de praetoriaanse cohorten het centrum van de Britse verdedigingslinie steeds verder terugdreven.

'Ik heb gehoord dat ze konden kiezen tussen kruisiging of sterven met een wapen in de hand. Het is een kleine prijs die betaald moet worden om de Senaat ervan getuige te laten zijn dat de keizer in staat is de legioenen voor te gaan in de strijd, nog wel een keizer op leeftijd.'

'Ah, dat zal dan uw volgende zorg zijn, hè? Claudius die niet lang meer te leven heeft. Ongetwijfeld regelt u wat met zijn zoon, nietwaar?'

'Dat zou zeer onverstandig zijn. Die jongen is pas twee jaar en zal zijn moeder verliezen zodra wij slagen in ons streven. Met zijn zwakke gezondheid mag Claudius van geluk spreken als hij nog een jaar of tien leeft. Maar hij zal ongetwijfeld overlijden voordat zijn zoon volwassen is. Wie moet er dan als regent optreden? Er zijn geen acceptabele keuzes meer over. De bloedlijn sterft uit. De Senaat zal zich nooit laten regeren door een kind. Republikeinse sentimenten zullen dan opnieuw de kop opsteken, waardoor de confrontatie met de praetoriaanse lijfgarde onvermijdelijk zal zijn. Dat leidt tot chaos. Ik vrees dat zijn lot dat van Tiberius Gemellus zal zijn; hij zal nooit keizer worden. Degene die Claudius opvolgt, zal hem meteen laten vermoorden.'

'En u weet wie dat zal zijn, hè?'

Pallas trok een wenkbrauw op. 'Met een beetje geluk leeft Claudius inderdaad nog een jaar of tien. Inderdaad, let op wat ik doe als u terugkeert in Rome, want ik ben vast van plan de winnende strijdwagen te kiezen in deze wedren. Ik zeg u dat omdat u mijn vriend bent. Wanneer Messalina overleden is, kijk dan goed wie ik aan het voorbereiden ben, en u zult het begrijpen.'

'U bent nog altijd even mysterieus, Pallas.'

'Van mijn overleden meesteres domina Antonia heb ik geleerd dat je je plannen beter voor je kunt houden.' Er werd flink gejuicht in de Romeinse gelederen. Het veranderde al snel in gezang: 'Imperator!

Imperator!' 'Zo, dat was snel gepiept. Kom mee, heren. Hoog tijd om ons bij onze glorieuze keizer te voegen. Zijn zegerijke intocht in Camulodunum kan elk moment een aanvang nemen.'

De legionairs van de Veertiende Gemina stonden stram in de houding aan weerszijden van de hoofdstraat van Camulodunum. De modder in de straten was inmiddels opgedroogd en hard geworden in de zon. Het leger hield de bevolking op afstand terwijl Claudius hun stad binnentrok.

Naar Romeinse maatstaven was Camulodunum niet groot, maar het was niettemin de grootste nederzetting in het zuiden van het eiland. Het oord pronkte zelfs met enkele bakstenen openbare gebouwen hier en daar. De paar duizend inwoners woonden voornamelijk in familieverband in ronde plaggenhutten. Zoals in het Germaanse Mattium was er geen sprake van een infrastructuur, afgezien van de hoofdstraat en de markt.

Camulodunum was omringd door een driemaal manshoge stevige palissade van ongeveer een mijl in het rond, aan de noordzijde beschermd door een bevaarbare rivier, de lucratieve route naar de Noordzee en de Rijn. Deze stad bestormen zou in een handomdraai gebeurd zijn. Vespasianus reed achter Claudius en was min of meer opgelucht dat dat niet nodig bleek te zijn geweest.

De plaatselijke bevolking keek vol ontzag toe terwijl Claudius hun stad binnenkwam. Twee enorme dieren van een soort die in Britannia nog nooit was waargenomen trokken de strijdwagen van de nieuwe heer en meester op dit eiland. Het waren kolossale, gedrongen beesten, gehuld in purper, met enorme oren, lange slurven en angstaanjagende slagtanden, bedekt met goud. De olifanten maakten grote indruk op de inwoners van Camulodunum. Daar viel het militair vertoon dat volgde bij in het niet.

De legionairs van de Veertiende Gemina begroetten juichend hun keizer terwijl hij passeerde onder het zoveelste luide gezang. 'Imperator! Imperator!' Het klonk boven het verbaasde gemompel van de plaatselijke bevolking uit, die het contrast tussen de magnifieke dieren en de misvormde man in de strijdwagen erachter niet goed kon plaatsen. Zelfs bergen goud konden Claudius er niet keizerlijk doen uitzien. Wankelend stond hij in zijn strijdwagen, die door de oneffen

hoofdstraat hobbelde. Met één hand hield hij zich vast aan de zijkant ervan terwijl hij met zijn andere hand naar het publiek zwaaide en aldus de ovatie in ontvangst nam. Hoewel hij er moeite voor deed, lukte het hem niet om alle stuipen van zijn verwrongen lichaam te onderdrukken.

Pal achter de keizerlijke strijdwagen reden Narcissus en Pallas tussen Aulus Plautius en Sentius Saturninus, beiden zeer verontwaardigd dat ze in het openbaar vergezeld werden door vrijgelatenen. Vespasianus en de andere legati reden ijzig stil achter hen. Erachter liepen de senatoren plechtstatig in ijzige stilte. Ze negeerden het feit dat er naar hen gestaard werd, en dat er gewezen werd naar hun toga's. De meeste inwoners van Camulodunum zagen deze kleding voor het eerst in hun leven. De praetoriaanse lijfgarde marcheerde erachteraan, gevolgd door de frontcohorten van zowel de Twintigste als de Negende Hispana. Ze zongen en scandeerden mee met hun kameraden die aan weerszijden van de straat in de houding stonden.

Vespasianus wierp vanuit zijn ooghoek een blik op Corvinus, die precies zo keek als in de afgelopen twee dagen sinds Claudius deze bespottelijke overwinning had opgeëist: zelfvoldaan, zeer ingenomen met zichzelf.

'Maak je je zorgen, boerenkinkel?' sneerde Corvinus. Hij ving de blik van Vespasianus.

'Waarom zou ik? Ik heb alleen de belangen van de keizer beschermd.'

'De belangen van de keizer? Onzin. Sinds wanneer is Narcissus tot keizer benoemd? Ik weet precies wat jij aan het doen was. En ik weet ook hoe ik jouw bemoeizucht moet smoren als onze paden elkaar opnieuw kruisen.'

'Dat zal een hele tijd duren, de goden zij dank. Jij legert straks immers in het noorden en ik in het zuiden.'

'Dan heb je het mis, pummel. Ik ga terug naar Rome. Deze veldtocht heeft mij opgeleverd wat ik voor ogen had. Ik koester geen enkele behoefte nog langer het bevel te voeren over de Negende nu mijn officieren onbetrouwbaar blijken. Ik heb dus een babbeltje gemaakt met mijn zwager. Een heleboel babbeltjes, om precies te zijn. Hij stemt ermee in dat ik terugga naar Rome, zijn belangen behartig in de Senaat en me om zijn familie bekommer. Over familie gesproken, tijdens het tweede gesprekje met Claudius heb ik enkele voorstellen

gedaan omtrent het toekomstige welzijn van zijn zoon. Natuurlijk alleen in de hoedanigheid van bezorgde oom, zoals je zult begrijpen. Ik denk dat je de uitkomst ervan zeer grappig zult vinden.'

'Niets van wat jij uitvoert vind ik grappig.'

'We zullen zien, pummel, we zullen zien.'

Vespasianus ging dichter bij Sabinus rijden. De keizerlijke strijdwagen was inmiddels op het marktplein gearriveerd, eveneens omringd door legionairs. De menners manoeuvreerden hun olifanten naar een kant van het plein, zodat iets verderop plotseling elf Britse koningen en hoofdmannen te zien waren, onder wie Verica en Cogidubnus, die onderdanig geknield voor een lege magistratenstoel zaten, hun zwaarden voor hen op de grond.

Pallas en Narcissus stegen af en haastten zich naar hun meester terwijl de menners de olifanten tot stilstand brachten. De twee vrijgelatenen hielpen Claudius uit zijn keizerlijke strijdwagen en begeleidden hem naar de magistratenstoel.

'Volg mij, heren!' beval Plautius. Zwierig steeg hij af en gaf de teugel aan een wachtende slaaf. Vervolgens ging hij achter Claudius staan, pal voor de mannen die op het punt stonden eer te bewijzen aan de man die Romes macht symboliseerde.

Vespasianus nam met Sentius en de andere legati zijn plaats in naast Plautius. De senatoren verzamelden zich achter hen terwijl de praetoriaanse cohorten kwamen aangemarcheerd en de rest van het marktplein vulden. De legioencohorten moesten in de hoofdstraat blijven wachten.

Er viel een stilte.

Vespasianus wachtte tot er iets gebeurde. Uiteindelijk schraapte Narcissus veelbetekenend zijn keel en keek Claudius aan.

'Ah, j-j-ja,' stotterde Claudius. Hij rechtte zijn rug, voor zover dat mogelijk was in deze stoel zonder rugleuning. 'Wie is de woordvoerder van de Britten?'

Verica hief zijn hoofd. 'Elke leider hier aanwezig spreekt alleen voor zichzelf en zijn stam. Maar de woorden zullen van gelijke strekking zijn: we accepteren Rome en buigen voor de keizer.'

'Kom n-n-naar voren en ontvang de vriendschap van Rome.'

Een voor een deden ze wat er van hen gevraagd werd. Op hun knieën schuifelden ze naar voren. Ieders zwaard rustte vooruitgesto-

ken op de handpalmen. Claudius vroeg ze allemaal apart om te gaan staan en bevestigde hen als koning van hun stam of ondergeschikte stam onder het vaandel van Rome.

Vespasianus zag het gebeuren; de schaamte en schande was van de gezichten te lezen. In feite was deze ceremonie een publieke vernedering van trotse mannen. Cogidubnus ving zijn blik terwijl ook hij overeind kwam met een blik van geamuseerd ongeloof omtrent de ceremoniële vorm waarmee de macht van Rome werd bekrachtigd. Vespasianus boog zijn hoofd bijna onmerkbaar terwijl de koning van Vectis hoofdschuddend terugliep naar zijn plaats.

Verica was de laatste die zich onderwierp aan deze beproeving. Toen hij zich formeel had onderworpen, was er sprake van enige beroering onder de praetorianen aan de linkerkant van het marktplein. Moeizaam kwam Claudius uit zijn stoel en draaide zich om naar de senatoren terwijl een praetoriaanse centurio met een keizerlijke legeradelaar kwam aanzetten.

Met een scheve glimlach hield Claudius de schacht van de legerstandaard omhoog, zichtbaar voor alle senatoren. 'Leden van de Senaat, weet u welke legeradelaar dit is?'

Er werd gemompeld, maar niet geantwoord.

'Dit is de adelaar d-d-die u gedurende vierendertig jaar niet meer hebt kunnen aanschouwen. Dit is de adelaar die ik nog geen drie maanden geleden heb aangeboden aan mijn trouwe troepen uit dank voor de bereidheid die ze hebben getoond en de moeite die ze zich hebben getroost om dit eiland te veroveren. Dit, patres conscripti, is de legeradelaar van het Zeventiende Legioen. Ik, Claudius, heb de laatste gevallen adelaar van Rome doen herrijzen. Ik vraag jullie met mij terug te keren naar Rome en deze adelaar te plaatsen waar hij thuishoort… in de Marstempel.'

De senatoren juichten en applaudisseerden luid en enthousiast.

Vespasianus keek zijn broer aan. 'En wat waren wij aan het doen terwijl Claudius dapper deze gevallen adelaar deed herrijzen?'

'We probeerden te overleven, broer.'

'We keren samen terug naar Rome,' vervolgde Claudius, 'maar eerst moeten we ervoor zorgen dat de nieuwe provincie Britannia, die ik voor Rome heb verworven, een gedegen infrastructuur krijgt. Camulodunum zal de hoofdstad worden. Hier zal ik een tempel laten bou-

wen ter ere van mijzelf. Aulus Plautius heeft me geholpen bij het verkrijgen van deze zege. Als dank benoem ik hem tot eerste gouverneur van Britannia en beloon ik hem met het recht de overwinningsornamenten te dragen. Kom naar voren, Plautius, en ontvang opnieuw de dankbetuiging van uw keizer.'

Stijf en formeel liep Plautius naar hem toe en werd omarmd. Ditmaal fluisterde Claudius hem iets in het oor. Toen de keizer opzij stapte, was de generaal zichtbaar verontwaardigd. Plautius zweeg even en zei vervolgens met opgeheven hoofd: 'Patres conscripti, ik bied u mijn dank aan voor het feit dat u onze keizer hebt overgehaald deze lange reis te maken om mij te hulp te schieten. Zonder zijn leiderschap en zijn strategische en tactische inzichten zouden we deze oorlog niet gewonnen hebben en waren we terug de zee in gedreven.'

Hij kreeg luid bijval van de senatoren. Ze klapten in hun handen en waren in hun sas dat ze een beslissende rol hadden gespeeld in de verovering van Britannia. Voor het gemak vergaten ze dat de strijd op het eiland nog lang niet beslecht was.

Vespasianus zag dat Pallas en Narcissus elkaar een blik toewierpen. Een zeer vluchtige blik, die echter in alle opzichten uitstraalde dat ze beiden zeer tevreden waren. 'Als dit in Rome bekend wordt, zullen ze van Claudius de lieveling van het volk hebben gemaakt,' mompelde hij tegen Sabinus. 'En de senatoren zien zichzelf bevestigd in deze zege omdat zij hem gesmeekt hebben naar Britannia te gaan.'

'En zij keren met hem en de legeradelaar terug naar Rome. Om misselijk van te worden.'

'Ja, het is verschrikkelijk wat er gebeurt. Iemand als Claudius wordt door zijn vrijgelatenen op de troon gehouden. Wie weet wat ze nog meer in het vat hebben voor Rome.' Vespasianus grimaste van walging.

Claudius gaf de legeradelaar terug aan de centurio. 'Corvinus, de broer van mijn lieve vrouw, geef ik eveneens het r-r-recht om de overwinningsornamenten te dragen. Zijn rol in deze veldtocht is immers van meet af aan cruciaal geweest.'

Vol ongeloof schudde Vespasianus zijn hoofd. 'Cruciaal?'

Corvinus liep naar voren. Zijn gezichtsuitdrukking was het toonbeeld van nederige dankbaarheid terwijl de keizer hem omhelsde.

'Hoe heeft hij dat voor elkaar gekregen: eerst verraad en nu de over-

winningsornamenten?' mompelde Sabinus ontstemd zonder zijn boosheid te verbloemen.

'Hij komt nu eenmaal uit een goede familie, broer. Magnus heeft gelijk. Mensen van onze rang verspillen gewoon hun tijd.'

'En de overwinningsornamenten zal ik ook verlenen aan de drie ondergeschikte legati. Ten eerste aan Hosidius Geta voor zijn dappere inzet bij de Afon Cantiacii, waar hij voorkwam dat de vijand zijn cavalerie gevangennam. Hij leidde zijn manschappen naar de veiligheid, ofschoon hij omsingeld en zwaargewond was.'

Aulus Plautius liet duidelijk merken hoe hij dacht over deze versie van de gebeurtenissen. Dat kon Geta geen klap schelen terwijl hij terugliep nadat Claudius hem opnieuw liefdevol had omhelsd.

'Tot slot de trouwe Flavische broers. Deze hardwerkende, eerlijke mannen zwoegen in alle tevredenheid in de schaduw van belangrijke personen zonder dat ze daar adequaat voor beloond worden. Kom naar voren.'

Vespasianus onderwierp zich aan de klauwen van Claudius en werd nogmaals vaak gezoend. 'Dank u, princeps.'

Claudius hield hem bij zijn schouders vast en keek hem aan. 'Ik hoop dat je mij ook trouw zult dienen als je over een tijdje terug bent in Rome.'

'Altijd, princeps.'

'Ik heb begrepen dat je een dochtertje hebt en een knulletje dat een paar maanden ouder is dan mijn zoon.'

'Inderdaad, princeps.'

'Ik heb ook vernomen dat je geen eigen huis hebt en dat je gezin verblijft bij je oom Gaius Vespasius Pollo.'

'Daar hebt u gelijk in, princeps,' antwoordde Vespasianus aarzelend. Hij vroeg zich af waarom Claudius plotseling belangstelling toonde voor zijn gezinsleven.

'Daar zullen we dan wat aan gaan doen. Eenmaal terug in Rome zorg ik ervoor dat je vrouw een woongedeelte in het paleis tot haar beschikking krijgt. Ik weet zeker dat ze graag op zichzelf wil wonen. Mijn lieve Messalina zal haar gezelschap ongetwijfeld zeer op prijs stellen. En onze twee jongens worden natuurlijk speelkameraadjes.'

Vespasianus voelde zich beroerd toen Claudius hem losliet. Speelkameraadjes? Hij moest nu alle zeilen bijzetten om zich te beheersen.

Met een uitgestreken gezicht liep hij terug en passeerde Corvinus, die breed en onschuldig naar hem glimlachte.

Flavia kreeg in elk geval waarnaar ze steeds had verlangd: een eigen huis.

Maar terwijl hij in Britannia de keizer diende, waren zijn vrouw en kinderen in Rome overgeleverd aan de genade en grillen van Corvinus en zijn zus, keizerin Messalina.

NAWOORD VAN DE AUTEUR

Deze historische roman is gebaseerd op het werk van de kroniekschrijvers Suetonius, Tacitus, Cassius Dio en Josephus.

Het werk van Josephus biedt de meest gedetailleerde beschrijving omtrent de moord op Caligula en de troonsbestijging van Claudius. Ik heb me bij de algemene feiten gehouden. Omwille van het verhaal heb ik het tijdsbestek waarin die gebeurtenissen plaatsvonden enigszins ingedikt. Milonia Caesonia en haar dochtertje Julia Drusilla werden niet meteen na de aanslag op Caligula – in een paleisgang – maar de volgende dag pas door Lupus vermoord. Het hoofd van het jonge meisje werd bovendien verbrijzeld tegen een muur. De beraadslagingen van de Senaat en het getouwtrek met de praetoriaanse lijfgarde in hun legerkamp, waar Claudius gevangen werd gehouden, duurde enkele dagen. Herodes Agrippa speelde een belangrijke rol in de machtsoverdracht. Dat verklaart ook waarom Josephus zo gedetailleerd ingaat op die periode.

Het complot om Caligula te vermoorden was omvangrijker dan ik heb beschreven. Om het niet nog ingewikkelder te maken heb ik het aantal samenzweerders beperkt. Callistus wordt in het werk van Cassius Dio vermeld. Net als enkele grappige bijzonderheden over consul Pomponius Secundus, die de pantoffels van Caligula kust terwijl de keizer naar het optreden kijkt. Volgens Suetonius werden die ochtend de klucht *Laureolus* en een tragedie van Cinyras opgevoerd. In de stijl zo eigen aan hem wijst hij erop dat dezelfde tragedie werd opgevoerd tijdens de spelen waarbij Philippus de Tweede van Macedonië werd vermoord. Ik had niet de beschikking over deze twee stukken en heb *De pot met goud* van Plautus gebruikt, vertaald door

E.F. Watling, een medealumnus aan de Christ's Hospital School.

Sabinus die betrokken zou zijn bij de samenzwering is door mij verzonnen. Clemens werd echter vermeld door Josephus. Net als de meeste anderen werd ook Clemens voor zijn aandeel in de samenspanning terechtgesteld. Enkele samenzweerders kregen de gelegenheid zelfmoord te plegen. Cornelius Sabinus was een van hen, maar omwille van het verhaal en het dramatisch effect heb ik de vrijheid genomen het anders te laten verlopen.

De meningen zijn verdeeld over de invloed die de vrijgelatenen van Claudius op hun meester gehad zouden hebben. In dit verhaal heb ik ervoor gekozen die invloed nog eens te benadrukken. Hun macht moet echter aanzienlijk zijn geweest, gelet op de enorme rijkdommen die ze bij leven hadden vergaard.

Het is niet bekend in welk jaar de vader van Vespasianus overleed. Waarschijnlijk eerder dan ik heb doen voorkomen, maar ik liet hem nog een tijdje leven. Niet alleen omwille van de verhaallijn, ook omdat er dan afscheid van de broers kon worden genomen.

Artebudz' anekdote omtrent zijn overleden vader verwijst naar een van de twee bewaard gebleven inscripties in het Norisch. Artebudz, die uit Noricum afkomstig was, zou deze taal gesproken hebben. De vertaling van Artebudz is 'berenlul'; ongetwijfeld zou hij tegenwoordig op school met die naam flink gepest worden!

Volgens Suetonius kreeg Vespasianus het bevel over de Tweede Augusta dankzij Narcissus, die hem als zijn gunsteling beschouwde.

De toekomstige keizer Galba was gouverneur van Germania Superior in de periode dat Vespasianus hem zou hebben ontmoet toen hij er in 41 n.C. arriveerde. Galba had in dat jaar inderdaad een plundertocht van de Chatten afgeslagen.

Vespasianus die het legaatschap van Corbulo overnam is natuurlijk verzonnen. Als voormalig consul was zo'n functie voor Corbulo uiteraard veel te min, maar het valt niet uit te sluiten dat Caligula hem die post had gegeven om hem te vernederen. Ik wilde hem echter op die plek in het verhaal hebben zodat er een confrontatie kon plaatsvinden tussen hem en Lucius Paetus. In hun latere leven waren ze beiden generaal in het Oosten, en de standvastige en betrouwbare Corbulo moest de flamboyante Paetus te hulp schieten. Hun wederzijdse afkeer deed de veldtocht echter hoe dan ook geen goed.

In het werk van Tacitus en Cassius Dio is Publius Gabinius vermeld als degene die in 41 n.C. de verloren legeradelaar van het Zeventiende Legioen wist te bemachtigen van de Chauken. Het is mijn verzinsel dat Vespasianus, Sabinus en Thumelicus daar een rol in hebben gespeeld. Thumelicus en Thusnelda werden na de triomftocht van Germanicus naar Ravenna gestuurd. Volgens Tacitus werd Thumelicus er getraind als gladiator. De kroniekschrijver beloofde de lezer dat op een geschikt moment in zijn werk het uiteindelijke lot van die hoofdman zou worden vermeld. De passage is echter nergens te vinden. Dat wijst er waarschijnlijk op dat Thumelicus in een van de hiaten in *De annalen* is overleden, wellicht tussen 29 en 31 n.C. Het is echter niet onmogelijk dat hij in een later hiaat tussen 37 en 47 n.C. is gestorven. Dat rechtvaardigde mijn keuze om hem in dit verhaal een rol te laten spelen.

Adgandestrius was in die periode koning van de Chatten. Hij had Tiberius aangeboden om Arminius te vergiftigen. Een aanbod waarop de toenmalige keizer niet inging. De Germaanse naam Arminius zou best Erminaz kunnen zijn geweest. Ik heb de 't' eraan toegevoegd omdat het woord Erminatz dichter bij de moderne Duitse taal ligt.

In de primaire bronnen staat weinig over de invasie van Britannia. De kroniek van Tacitus is verloren gegaan, het verslag van Cassius Dio is kort en in de biografie van Claudius blijft Suetonius opmerkelijk vluchtig en hij is bovendien vaag over de vermeende rol van Vespasianus. De Tweede Augusta is de enige legermacht waarvan met enige zekerheid gezegd kan worden dat die deelnam aan de genoemde invasie. Het is bekend dat Vespasianus in die periode legatus was. Zowel Suetonius als Cassius Dio bevestigt dat hij heeft deelgenomen aan de overzeese veldtochten. Beide kroniekschrijvers vermelden in dat opzicht ook Sabinus en Geta. Ik heb verzonnen dat Corvinus de vierde legatus was. Archeologische aanwijzingen duiden er sterk op dat de Negende, de Veertiende en de Twintigste deel uitmaakten van de invasiemacht. Het is inmiddels als feit geaccepteerd. Ik ben daarin meegegaan, hoewel er nog steeds niets met zekerheid valt te zeggen over hun aanwezigheid daar.

De landingsoperatie was een gigantische onderneming en werd pas overtroffen door de invasie van Normandië in de Tweede Wereldoorlog. Deze vergelijking zal me ongetwijfeld veel lezersbrieven opleve-

ren. Om de enorme logistieke operatie beter te begrijpen, raad ik oprecht iedereen het meesterlijke *Conquest: The Roman Invasion of Britain* aan. Het is van de hand van brigadegeneraal John Peddie, die het onderwerp vanuit zowel militair als historisch oogpunt heeft benaderd. Met praktische militaire hypothesen vult hij de kennishiaten omtrent wat er zich mogelijk heeft afgespeeld aan. Zijn boek was voor mij in dat opzicht het meest overtuigend. Mijn verhaal over de invasie, en de Slag bij de Medway, is dan ook grotendeels gebaseerd op zijn werk. Ook heb ik zijn research gebruikt over de mogelijke rol van de hulpcohorten en zijn vermoeden wanneer de invasie precies heeft plaatsgevonden, aangezien de keizer rond half september weer over het Kanaal was en op weg naar Rome. Veel dank, John.

Aanvankelijk wilden de troepen niet inschepen. In het werk van Cassius Dio is het bizarre tafereel beschreven aangaande Narcissus die in naam van de keizer de vrije legionairs van Rome probeert over te halen. Er zou geamuseerd 'Io Saturnalia!' zijn geroepen, waarna ze bereidwillig Plautius gehoorzaamden. Ik heb dat tafereel enigszins verfraaid. Het gebruik van de legeradelaar van de Zeventiende heb ik verzonnen. Net als Caenis die secretaresse van Narcissus zou zijn geweest.

De Romeinen hielden elke acht dagen markt. Door hun berekening ervan (ze telden de dag zelf ook mee) wordt echter algemeen aangenomen dat een 'marktinterval' negen dagen moet zijn geweest.

Ik heb de landing bij Chichester Harbour buiten beschouwing gelaten. Het leger rukte noordwaarts op naar de Thames, waardoor die plaats onwaarschijnlijk is. Beide flanken van de colonne zouden dan zijn blootgesteld aan vijandelijk gebied. Hetzelfde geldt voor de luisterrijke gedachte dat Sentius Saturninus met de Negende Hispana York zou zijn binnengetrokken en daarna zuidwaarts oprukte. Ten eerste zouden de bevoorradingsroutes te lang worden over de verraderlijke Noordzee. Het zou waanzin zijn. Ten tweede was Saturninus de voorgaande twee jaar consul geweest, waardoor het onwaarschijnlijk is dat hij tot legatus zou zijn benoemd. De mogelijkheid van drie afzonderlijke landingen leek mij evenzeer niet plausibel. Het lijkt zeer dwaas om de legermacht te splitsen voordat er een veilig bruggenhoofd is gecreëerd. Aangezien Camulodunum het doel was, is de strategie in mijn verhaal het meest voor de hand liggend. De drie

gescheiden legermachten waar Cassius Dio het over heeft, heb ik geïnterpreteerd als zijnde drie aanvalsgolven.

De landing heb ik laten plaatsvinden bij Richborough, ofwel Rutupiae. In strategisch opzicht lag dat in mijn ogen het meest voor de hand. Thanet was een eiland in die tijd. Het grootste deel van de vloot landde waarschijnlijk in de zee-engte tussen het eiland en het vasteland, die nu Wantsum Channel heet. Cassius Dio vermeldt een vallende ster die van oost naar west door het zwerk schoot, in de richting die ze voeren. Sommigen beschouwen dat als het bewijs dat Chichester de landingsplaats was. Om vanaf Boulogne in Richborough te komen, dient men immers van zuid naar noord te varen. Aan de hand van moderne zeekaarten is dat inderdaad het geval. Maar op de oude kaarten is de positie van de Britse Eilanden anders gelegen dan men zou denken! Op de kaart van Ptolemaeus, waarover Cassius Dio ongetwijfeld de beschikking had, ligt Chichester veel zuidwestelijker van Boulogne, en Richborough veel noordwestelijker. Ik heb ervoor gekozen de richting te interpreteren als de richting waar de invasiemacht aan land zou gaan.

Het is niet bekend hoe het Romeinse leger een kustlanding in zijn werk liet gaan. Caesar heeft het in zijn kroniek over de vaandeldrager die van het schip springt. Ik heb gekozen voor boegkleppen. Het is immers best mogelijk dat bijna honderd jaar later die innovatie een feit was, aangezien de corvus al gedurende enkele eeuwen gebruikt werd bij zeeslagen. Met weinig of geen bewijs heb ik de vrijheid genomen ze in het verhaal op te nemen, om met de invasie een krachtig gevoel over te brengen dat alles te maken heeft met de Normandische invasie, in 1944.

In de kroniek van Cassius Dio wordt ook de Britse zorgeloosheid vermeld waar het hun kampen betreft, vlak voordat de Slag bij de Medway een aanvang nam, als het al de Medway is geweest. Het lag in hun ogen niet in de lijn der verwachting dat de Romeinse legermacht zonder brug een oversteek zou forceren. Er staat ook dat enkele Germaanse hulptroepen, zeer waarschijnlijk Batavieren, die erom bekendstonden dat ze dit in volle uitrusting konden, de rivier overzwommen en de Britten overrompelden. Het verloop van de rest van de veldslag blijft vaag. In elk geval staat vermeld dat die twee dagen heeft geduurd. Vespasianus en Sabinus zouden de rivier zijn overge-

stoken en Geta oogstte een vermelding omdat hij de barbaren op deugdelijke wijze had verslagen nadat hij bijna gevangen was genomen. Ik heb er een andere draai aan gegeven. Mijn excuses als hij om die reden in een verkeerd daglicht is komen te staan.

In die tijd was de Thames veel breder en dus ondieper, zo is mij verzekerd. De monding was dicht bij de uitmonding van de Medway doorwaadbaar. De vraag is waar de legioenen van Aulus Plautius zijn overgestoken. De meningen zijn erover verdeeld. Ik heb gekozen voor het gebied rond Blackfriars Bridge, tegenover Ludgate Hill.

Het blijft onzeker hoe de Romeinen hun frontgelederen hebben afgelost. De oude bronnen vermelden er niets over, waarschijnlijk omdat het te zeer voor de hand lag. Uit de vele hypothesen heb ik er één gekozen.

Onzeker blijft ook wat Claudius feitelijk ondernam toen hij in Britannia arriveerde. Volgens Suetonius heeft hij geen veldslag geleid. Daar staat tegenover dat Cassius Dio vermeldt dat hij het commando overnam over de legioenen die bij de Thames hun opwachting maakten – maar niet op welke oever. Ook zou Claudius volgens hem de stroom zijn overgestoken, dus niet de rivier, om vervolgens de barbaren een nederlaag toe te brengen en Camulodunum in te nemen. Met deze tegenstrijdige visies kunnen allerlei interpretaties gegeven worden aan de rol van Claudius. Ik vond dat ook ik daarin de vrije hand mocht hebben.

Claudius zou tevens olifanten hebben meegebracht, hoewel het onwaarschijnlijk is dat ze tijdens de veldslag zijn ingezet. Ik heb ze dus voor de strijdwagen gespannen, iets wat wel vaker gebeurde in Rome.

Van een inscriptie in Antiochië is bekend dat tijdens de invasie Publius Anicius Maximus kampprefect was van de Tweede Augusta en onderscheiden werd voor zijn prestaties.

De signaleringsmethode is in dit boek onveranderd gebleven: de cornu voor het slagveld, de bucina voor het kamp en de lituus voor de cavalerie. De *tuba* heb ik buiten beschouwing gelaten, omdat de naam van die hoorn een te moderne klank heeft.

Het blijft gissen wat de positie van Cogidubnus was voordat hij Verica opvolgde als koning. Er is geen enkel bewijs dat hij ooit koning van Vectis is geweest. Maar het tegendeel is evenmin bewezen. Volgens Suetonius heeft Vespasianus het eiland ingenomen. Het is

evenzeer onbekend in welke relatie Cogidubnus stond tot Verica, als ze elkaar al kenden.

Titus, de zoon van Vespasianus, werd samen met de zoon van Claudius onderwezen, die later Britannicus werd genoemd, maar daarover meer in mijn volgende delen. De portrettering ervan, en de tijdspannen, heb ik uiteraard naar eigen inzicht ingevuld. Dank aan John Grigsby voor zijn hulp betreffende de Keltische taal in die tijd en voor zijn bijzonder ingenieuze theorie over hoe Rutupiae afgeleid kan worden van de Keltische woorden *Rhudd yr epis*. Vergissingen omtrent de Keltische plaatsnamen en personages zijn alleen mij te verwijten. De website van John is www.johngrigsby.co.uk.

Zoals altijd dank aan mijn literair agent Ian Drury van Sheil Land Associaties voor zijn hulp, advies en uitleg over de wereld van de uitgeverijen. Dank ook aan Gaia Banks en Virginia Ascione inzake de internationale boekrechten. En aan Sara O'Keeffe, Toby Mundy, Maddie West, Corinna Zifko en iedereen van Corvus/Atlantic. Heel veel dank dat jullie zoveel energie hebben gestoken in de Vespasianusreeks. Dank ook aan mijn redacteur Tamsin Shelton voor haar grondige redigeerwerk van het manuscript, speciaal wat betreft mijn verkeerde gebruik van hoofdletters!

Tot slot veel dank aan mijn uitgever Richenda Todd. Zij heeft het opnieuw voor elkaar gekregen om mij alle punten te ontfutselen die ik in mijn hoofd had, maar die ik verzuimd had te delen met de lezer.

De reis van Vespasianus naar de macht gaat verder in *Heersers van Rome*.

Lees ook van Karakter Uitgevers B.V.

ROBERT FABBRI

Vespasianus – Broederschap van de Kruising

Broederschap van de Kruising vertelt wat voorafging aan het eerste deel in de Vespasianus-serie van Robert Fabbri: *Tribuun van Rome*. We maken kennis met personages uit de serie en worden meegenomen naar de criminele onderwereld van Rome in het jaar 25 na Christus waar aan het eind van het boek de jonge Vespasianus zijn opwachting maakt.

Prijs: € 5,00
ISBN 978 90 452 0585 4
ISBN e-book 978 90 452 0595 3

Vespasianus I: Tribuun van Rome

'Geschiedenisles boordevol actie!' – *NRC Handelsblad*, Beste boeken van 2011
ISBN 978 90 452 0075 0, ISBN e-book 978 90 452 0245 7

Vespasianus II: Scherprechter van Rome

'Fabbri schrijft een serie van zeer hoog niveau.' – Spentakel.nl
ISBN 978 90 452 0346 1, ISBN e-book 978 90 452 0356 0

Vespasianus III: Afgod van Rome

'Zo'n boek dat je het liefst in een ruk uitleest.' – *De Telegraaf*
ISBN 978 90 452 0230 3, ISBN e-book 978 90 452 0370 6